The Macro Plays

THE FOLGER FACSIMILES

Manuscript Series

Volume 1: The Macro Plays

THE MACRO PLAYS

The Castle of Perseverance

Wisdom · Mankind

A Facsimile Edition with Facing Transcriptions

EDITED BY
DAVID BEVINGTON

Johnson Reprint Corporation
NEW YORK
The Folger Shakespeare Library
WASHINGTON, D.C.
1972

FOLGER LIBRARY MANUSCRIPT: V.a. 354

The facsimile pages in this book are reproduced 1:1
from full-sized negatives made at
the Folger Library

LIBRARY OF CONGRESS CATALOG CARD NUMBER: 72–3905
PRINTED IN THE UNITED STATES OF AMERICA

Contents

Introduction

If we did not possess the three plays of the so-called Macro collection, we would know far less than we do about the origins and early history of the English morality play. To be sure, a fragment of one of the Macro plays, *Wisdom*, is also to be found in the Digby manuscript, and another brief morality fragment called *The Pride of Life* has survived from the late fourteenth century. This fragment tells of a worldly King of Life, who, after reveling with his lieutenants Strength, Health, and Mirth, and ignoring the pious advice of his queen and bishop, suffers the visitation of Death and is condemned to hell until the Virgin Mary intercedes for him.[1] In addition we have some information about the lost Pater Noster Plays, first mentioned at York in 1378, which evidently consisted of a series of pageants devoted to the seven Deadly Sins and the corresponding Cardinal Virtues. The lost Creed Plays of York may have contributed in some way to the origins of the morality, although they were probably more like French mystery plays based on the lives of the apostles.[2] By themselves, in any case, these tantalizing records would give little hint of what has survived in the Macro collection.

The range presented by the three plays of this collection is extraordinary. *The Castle of Perseverance* (ca. 1400–1425) is the full-scale archetype of all later moralities, encompassing as it does the whole life of its Mankind hero and his imperfect struggle to remain virtuous, the Coming of Death, the Debate of Body and Soul following Mankind's death, and the Parliament in Heaven among the Four Daughters of God. This play features also an invaluable staging diagram. The play of *Wisdom*, or *Mind, Will, and Understanding* (1450–1500, perhaps around 1460–1463) is a theologically sophisticated and elaborately symmetrical analysis of the attributes of the soul.[3] *Mankind* (ca. 1465–1471), on the other hand, is a rollicking popular drama designed to be taken on tour by six professional actors. They interrupt their comic routines to take up the first recorded collection of money in English drama.[4] The only other moralities to survive at all from the fifteenth century are very late: Henry Medwall's *Nature* (ca. 1490–1501), written by a member of the humanist circle for a courtly audience, and the exquisite but atypical *Everyman* (ca. 1495–1500), now generally thought to have been translated from the Dutch. Thus our conception of the morality play until the beginning of the Tudor era is almost entirely dependent on the Macro collection.

The three plays of this collection are all written in East Midland dialect. *Perseverance*

1. For a recent critical text, see Norman Davis, ed., *Non-Cycle Plays and Fragments*, Early English Text Society (London, 1970).
2. Hardin Craig, *English Religious Drama of the Middle Ages* (London, 1955), pp. 334–41; Karl Young, "The Records of the York Play of the Pater Noster," *Speculum*, 7 (1932), 540–46.
3. Rev. John J. Molloy, *A Theological Interpretation of the Moral Play, Wisdom, Who Is Christ* (Washington, D.C., 1952), *passim*.
4. David M. Bevington, *From Mankind to Marlowe* (Cambridge, Mass., 1962), pp. 15–18.

uses the dialect of Norfolk, with a Northern influence; *Wisdom* uses that of Norfolk and Suffolk; and *Mankind*'s East Midland dialect is confirmed by numerous references to places in Cambridgeshire, Norfolk, and Suffolk.[5] Fittingly, then, it was in the vicinity of Bury St. Edmunds in Suffolk that the manuscripts of the three plays were collected and preserved. A monk named Hyngham, probably of the abbey at Bury, identifies himself on folios 121 and 134 as an early owner of *Wisdom* and *Mankind.* Robert Oliver attests to his ownership of both plays in a later Tudor hand on folios 119^{v} and 134. Other persons whose names appear in Tudor handwriting in the margins of *Wisdom* have been traced to the Bury vicinity: Richard Cake, rector of Bradfield near Bury (f. 105), Rainold Wodles of Ipswich (ff. 99^{v}, 121^{v}), Thomas Gonolde (Gonnell?) of Croxton, Cambridgeshire (f. 108), and John Plandon of Eriswell, Suffolk (f. 104).[6] Together with *Perseverance, Wisdom* and *Mankind* passed eventually into the hands of the Reverend Cox Macro (1683–1767), a native of Bury and collector of manuscripts whose name has since been associated with this collection. Some of the manuscripts he obtained had previously belonged to Sir Henry Spelman (1564–1641), historian and antiquary of Norfolk. John Patteson of Norwich acquired the three plays by inheritance from Macro, bound together with three other unrelated manuscripts. Patteson put the collection up for private sale. It was purchased in 1820 by the Gurney family of Keswick Hall in Norfolk, and remained in their possession (now rebound as three plays in a separate volume) until sold to the Folger Shakespeare Library of Washington, D.C., on 30 March 1936.[7] In provenance, as in dialect, the collection is distinctively East Anglian.

Although the early morality play was not limited to this East Midland section—*The Pride of Life* was perhaps Kentish, and Pater Noster plays appeared at Beverley and York as well as at Lincoln—we can nevertheless see a particular relationship between the moralities of the Macro collection and other dramatic genres of the East Midlands during the fifteenth century. The so-called N Town mystery cycle, or *Ludus Coventriae* (ca. 1400–1450), seems to have been performed in the vicinity of Lincoln. And, as it happens, all three of England's extant saints' plays or conversion plays (sometimes called miracle plays) have been preserved from this same region. *The Conversion of St. Paul* and *Mary Magdalen* (ca. 1480–1520) belong to the Digby manuscript, from a community south of Lincoln; and *The Play of the Sacrament* (1461–1500) was performed at Croxton, probably in Norfolk. Other lost saints' plays concerning St. Lawrence, St. Susannah, St. Clara, and King Robert of Sicily appear to have been performed at Lincoln during the fifteenth century.[8] These various texts, both extant and lost, suggest a pattern of experimentation and of mutual influence among the dramatic genres existing in close proximity. The mystery cycle, the saints' play, and the early morality play grew and flourished at very nearly the same chronological period. Nowhere can this process be viewed with such clarity as in the East Midlands.

The traditional assumption that the vernacular mystery cycles came into being before the earliest saints' plays and moralities may be correct, although the late fourteenth-century *Pride of Life* and York Pater Noster plays (mentioned 1378) do not significantly postdate the earliest actual record of a Corpus Christi performance at York in 1376.[9] (The evidence for a cycle at Chester as early as 1327 is now generally discounted.) In France, great numbers of *Les Miracles de Notre Dame* have been preserved from the late fourteenth century, and *Les Gieux des sept vertuz et des sept pechiez mortelz* were performed at Tours in 1390.[10] In any event, both the saints' play and the morality play soon participated in, and contributed to, the flourishing of a large-scale panoramic drama in the East Midlands. This simultaneous and interdependent growth, rather than orderly progression from one genre to another, is perhaps reminiscent of the situation in earlier liturgical drama of the eleventh and twelfth centuries as described by O. B. Hardison, in which Easter drama, Christmas drama, saints' plays, use of the vernacular, and humorous dialogue did not follow one another in tidy Darwinian fashion but were contemporaneous and mutually influential.[11] The similar inter-

5. Walter K. Smart, "Some Notes on *Mankind*," *MP*, 14 (1916–17), 45–58, 293–313.
6. Mark Eccles, ed., *The Macro Plays*, Early English Text Society (London, 1969), pp. xxvii–xxix.
7. Seymour de Ricci, *Census of Medieval and Renaissance Manuscripts in the United States and Canada* (New York, 1937), II, 2272.
8. *Annals of English Drama 975–1700* by Alfred Harbage, rev. by S. Schoenbaum, 2d ed. (Philadelphia, 1964), pp. 8–15.
9. V. A. Kolve, *The Play Called Corpus Christi* (London, 1966), p. 33.
10. Grace Frank, *The Medieval French Drama* (London, 1954), pp. 114, 155.
11. O. B. Hardison, Jr., *Christian Rite and Christian Drama in the Middle Ages* (Baltimore, 1965), *passim.*

dependence of late medieval drama in the East Midlands area can best be seen in terms of structure, characterization, and staging.

The cosmic and panoramic structure of the earliest fully extant morality, *Perseverance*, resembles that of the mystery cycles and saints' plays, and may well have owed its origin to similar conditions of performance. As V. A. Kolve has convincingly argued, the birth of the Corpus Christi cycle was not simply a translation of a compilation of Latin liturgical texts, but a radical and discontinuous process depending primarily on the establishment of the feast of Corpus Christi and on the predilection of English guild towns for a midsummer festival.[12] A similar predilection led to the creation of other full-scale dramas on multiple stages, as for example in the Pater Noster plays with their separate pageants for each of the Deadly Sins. The Digby *Mary Magdalen*, using a structure that may well have been common for vernacular saints' plays, surrounds Mary with a world of cosmic dimensions including the seven Deadly Sins, the Bad Angel, the Good Angel, Christ, Tiberius Caesar, Pilate, Herod, and Simon the Leper. Mary's fabulous journeys take her on distant sea voyages, into desert wildernesses, and finally up to heaven. This all-inclusive scope follows a structural progression, similar to that of the mystery cycles, from disobedience and fall to salvation. Man is at the center of a vast conflict between good and evil in which man will falter but good will eventually triumph. *Perseverance* illustrates a comparable structure in the early morality play. Its 3649 lines and thirty-five speaking parts embody a narrative of sin and salvation analogous in scope to the entire divine history of the world. The Parliament in Heaven among the Four Daughters of God corresponds to the Last Judgment of the cycles.

scope

Characterization in the early morality is accordingly not so very different from that of the cycle or saints' play. The protagonist Mankind in *Perseverance* is both an individual person and the collective race of man. Like Adam or Mary Magdalen, he is a typical sinner restored by God's grace. The allegorical abstraction used to convey Mankind's generic attributes is different in degree but not in kind from that used to portray Adam or Mary, who are both historical personages and types. Allegory was certainly not unknown in the cycles and saints' plays. For example, the N Town cycle (performed in the vicinity of Lincoln) introduces Mors at the death of King Herod in what is clearly a version of the Coming of Death. Mary Magdalen, tempted by the seven Deadly Sins and the Bad Angel, moves back and forth from her role as generic sinner to her role as the woman who washed Christ's feet with her tears. The large-scale early morality play needed only to systematize concepts of character abstraction already present in medieval drama and, of course, in much nondramatic literature: the fourth-century *Psychomachia* of Prudentius portraying the conflict of virtue and vice as a chivalric military encounter, *Le Miroir de vie et de mort* by Robert de l'Omme (1266), the *Moralité du Pèlerinage de la vie humaine* by Guillaume de Deguilleville, *Le Chasteau d'amour* by Robert Grosseteste, the medieval popular sermon, and others.[13]

Characterization

In staging we see perhaps the most graphic demonstration of the interpenetration of dramatic genres in the East Midlands. *Perseverance* is well known for its staging diagram of performance in the round, with the castle itself in the very center, with five scaffolds on the perimeter of a large outer circle, and probably with spectators sitting both on the perimeter and at various places inside the acting area, or platea. The Passion sequence of the N Town cycle calls for a similar stage. Passion Play I requires a Jewish Council House or "oratory" in the midst of the platea, equipped with curtains whereby the Jewish elders can be suddenly revealed or concealed from view. Other stations are probably on the perimeter: heaven, hell, the house of Simon the Leper used for the Last Supper, scaffolds for the chief priests Caiaphas and Annas, and so on. The platea is heavily employed for meetings and crowd scenes: in Passion Play II, Christ is dragged from scaffold to scaffold to stand trial before the chief priests, Herod, and Pilate, and is scourged and crucified in the midst of the spectators. *Mary Magdalen* too calls for an arena stage. The Deadly Sins gather at three scaffolds on the perimeter, as in *Perseverance*. Caesar, Pilate, and Herod appear on their respective scaffolds. The platea features an extraordinary amount of activity, particularly the passage of a sailing vessel taking Mary and the King of Marseilles on long sea voyages. If Mary's castle of Magdalen is in the center of the arena (and this is only conjectural), the spatial metaphor of conflict for her soul by the Deadly Sins would closely resemble that of *Perseverance*. In all these arena theaters, heaven

Staging

12. Kolve, *Play Called Corpus Christi*, pp. 33–56.

13. Frank, *Medieval French Drama*, p. 155; Eccles, ed., *Macro Plays*, p. xx.

and hell must be continually present, and were probably located in the east and north respectively as in the *Perseverance* diagram and as in the extant diagrams for the Cornish *Ordinalia*.[14] The Digby *Conversion of St. Paul*, although not employing a theater in the round, does feature three separate stations for its action which the audience must visit processionally in succession. French *miracles* were generally staged indoors, but used *mansions* raised above the level of the *champ* or playing area as in English arena theater; paradise was at the spectators' left, hell at the right.[15]

Perseverance, then, uses a panoramic stage common to some cycles and saints' plays, which was derived from the multiple and processional staging of earlier liturgical drama as well as from chivalric tournaments, civic street pageants, royal entries, and courtly mummings or disguisings.[16] In *Perseverance*, as in the other dramatic forms to which it is related, man is at the center of a divine universe represented spatially by the arena theater itself. Heaven's position in the east is that of the altar in the medieval church, and is also that of Jerusalem as seen on a medieval map of the western world. The scaffold of Mundus in the west is appropriately opposite to that of heaven. Heaven and hell, ever-present, contend for man's loyalties and witness his failures. The seven Deadly Sins, organized under the three leaders World, Flesh, and Devil, are symmetrically arranged around the perimeter. The Devil's scaffold may have been a multitiered edifice with hell-mouth visible at the base through which Mankind would have been carried off to hell. Heaven was probably also an imposing multitiered edifice, able to accommodate an angelic choir and a final triumphal procession of the saved Mankind with the four Daughters of God. The Fouquet miniature of "The Martyrdom of St. Appoline" may give a visual impression of these two scaffolds.[17] As in this illustration, all scaffolds were raised off the ground perhaps six to ten feet, and probably were curtained for sudden disclosing and concealing of the actors. Covetousness' scaffold must have been large enough to accommodate all the Deadly Sins and Mankind.

The use of simultaneously visible scaffolds permitted many actors to be present at one time, while the focus of the action shifted back and forth from scaffold to scaffold. Ladders must have been used to facilitate access to the scaffolds from the central acting area. This platea was used for the central assault by the seven Deadly Sins on the Castle of Perseverance, and for various crossings from scaffold to scaffold—as when Backbiter goes about to stir up strife among the villains. According to Richard Southern's valuable analysis of the staging of this play, the "stytelerys" mentioned in the staging diagram were ushers used to separate the spectators within the acting area to facilitate passage of the actors.[18] Southern estimates that the arena was approximately 110 feet in diameter (extant Cornish "rounds" vary from 40 to 126 feet), and that the earth from the surrounding ditch or moat was thrown inside the moat to provide a raised bank of seats for spectators sitting on the perimeter.

Despite these important ways in which the staging of *Perseverance* resembled that of the mystery cycles and saints' plays, *Perseverance* also looked forward in part to the itinerant flexibility of the later morality play. As the staging diagram makes clear, *Perseverance* was designed to be taken on tour of various communities where a ditch was to be dug if possible; otherwise the arena was to be "strongely barryd al a bowt" with a fence. Such an alternative clearly implies a touring arrangement demanding last-minute improvisations. The communities visited were probably in the vicinity of Lincoln.[19] The "vexillators" or standard-bearers came first with their banns or public announcement of the play, complete with pageant-like procession and musical accompaniment. The cast was sizable: to perform the thirty-five roles, at least twenty-two actors were required. They must have carried their costumes and props

14. See Martial Rose, ed., *The Wakefield Mystery Plays*, Doubleday Anchor Books (New York, 1963), p. 37; Markham Harris, ed., *The Cornish Ordinalia* (Washington, D.C., 1969), pp. xvii–xxiv.

15. Frank, *Medieval French Drama*, pp. 148–49.

16. Glynne Wickham, *Early English Stages* (London, 1959), I, 13–253.

17. Allardyce Nicoll, *Masks, Mimes, and Miracles* (London, 1931), p. 197; Rose, ed., *Wakefield Plays*, p. 47.

18. Richard Southern, *The Medieval Theatre in the Round* (London, 1957), *passim*. For a dissenting view, see Natalie Crohn Schmitt, "Was There a Medieval Theatre in the Round? A Re-examination of the Evidence," *Theatre Notebook*, 23 (Summer 1969), 130–42, and 24 (Fall 1969), 18–25. See also Alan H. Nelson, "Principles of Processional Staging: York Cycle," *Modern Philology*, 67 (1970), 303–20.

19. Walter K. Smart, "The *Castle of Perseverance*: Place, Date, and a Source," *Manly Anniversary Studies* (Chicago, 1923), pp. 42–53.

staging

scaffolds

with them, including the scaffolds and the castle of Perseverance itself. Setting up for such an elaborate performance could not have been easy. *Perseverance* gives only a hint of the extreme portability and adaptability of the later popular morality as seen in *Mankind*. Yet the audience of *Perseverance* is already that of the later morality: a heterogeneous and largely rural group of ordinary Englishmen, composed diversely of the socially prominent "syrys semly" who "syttyth on syde" and the "goode comowns of þis towne" standing or sitting in the "place" inside the perimeter (ll. 8, 9, 163). *Perseverance* gives us considerable insight as to how the panoramic staging of the mystery cycles and saints' plays could be adapted to the morality plot and to performance on tour.

Let us now consider how that adaptation proceeded in the other two plays of the Macro collection. *Wisdom* compresses the scope of *Perseverance* into shorter length—1163 lines as compared with 3649—and a physically less elaborate stage. Scaffolds need not have been employed at all. Instead, the ample stage directions call for simple entries and exits and make no mention of any ascents or descents, implying the use of a single platform acting area with exits through curtains or doors. Although there is no evidence (such as banns) that the play was taken on tour, the rather large cast of some thirty-six roles does seem to have been symmetrically arranged for a company of five to six men and six or seven boys. The dances of the retainers, which apparently could be omitted, would also require six women in silent parts.[20] The stage directions put considerable emphasis on costumes: Lucifer, for example, first appears in a devil's array but wearing the costume of a gallant underneath so that he can make a quick costume change at lines 381–92. Mind, Will, and Understanding also rely on costumes to indicate their change of condition from piety to worldly insolence. Otherwise the demand for complex props or stage structures is minimal. The audience probably included a wide range of the general public, as in *Perseverance*, although the theological sophistication, the lack of raucous humor or physical abuse, and the detailed acquaintance with legal learning have suggested to various scholars that the play also directed its message to the monastic community, to schoolboys, or to the Inns of Court.[21] Despite the play's lack of commercial flavor, its simplified stage and reduced casting requirements indicate ways in which the morality could become the vehicle for a truly popular and itinerant theater.

That popular theater has clearly arrived with *Mankind*. It is the first English play in which the actors take up a collection from the spectators—choosing the moment when Tityvillus, the chief comic attraction, is about to enter. The play can be performed by six actors if, as seems likely, the parts of Mercy and Tityvillus are doubled. The audience includes "ye soucrens þat sytt, & ye brothern þat stonde ryght wppe"—the well-to-do and the more general class of spectators (l. 29). The *mise en scène* appears to be an inn, since the actors refer to a tapster, a hostler, and "þe goode man of þis house" (ll. 467, 729–32). Numerous local references to places in Cambridgeshire and Norfolk, and to the names of presumably well-known residents of the area, are devices to engage the interest of the audience. *Mankind* appears to have been acted on tour near Cambridge and King's Lynn, perhaps in February at Shrovetide. The actors' comic routines are broadly burlesque in a timeless tradition of popular entertainment, with physical abuse, a scatological song to be sung by the audience, jokes about cuckoldry, defecation, and hanging, and sight gags such as the hiding of Mankind's seed or the shortening of his coat. Props and costumes are required in abundance—a net, a spade, a board, seed, beads, a halter, a gallows, and the like—but nothing that could not easily be transported or locally obtained by an itinerant troupe. Mankind's shortened coat was probably not actually cut during each performance, but was represented by three coats of different length (since the purported cutting takes place off stage). The stage, as in *Wisdom*, need be nothing more than a platform or acting space with a curtain or door for exits and entrances, and an area backstage from which Tityvillus' roars may be heard.

The troupe that acted *Mankind* appears to have been typical of the increasing number of such itinerant bands, drawn chiefly from the artisan class, who were to be found all over England in the fifteenth and sixteenth centuries. They traveled usually under the

20. See Bevington, *From Mankind to Marlowe*, pp. 50, 124–27; Eccles, ed., *Macro Plays*, pp. xxxiv–xxxv.

21. Walter K. Smart, *Some English and Latin Sources and Parallels for the Morality of Wisdom* (Menasha, Wis., 1912); Molloy, *Theological Interpretation of Wisdom, passim*; Eccles, ed., *Macro Plays*, p. xxxv. Eccles finds no clear evidence for any of these suggestions.

nominal protection of a nobleman, and acted in inns or innyards, on village greens, and in noble households to a nationally diversified audience. The best of them were naturally drawn to London, where they acted chiefly in innyards until, in the 1570's, one outstanding company (Leicester's men) erected England's first permanent theater. Thus the popular troupe became the direct ancestor of the Elizabethan public company, and its staple product—the morality—made an important contribution to later Elizabethan drama. The morality adapted itself to many topical questions, particularly those of religious reformation and royal tendencies toward despotism. The virtue of the morality plot was its adaptability to any situation involving a struggle between vice and virtue for the loyalties of a representative figure; the vicious tempters could be Protestant or Papist, fiscally extravagant or frugal, depending on the viewpoint of the author. *Mankind* is a pre-Reformation play revealing little of the polemical tendency that was to dominate the Tudor morality, but it is an invaluable illustration of the original popular model from which the genre developed.

Just as in staging we can see the transition from the multiple platform arena theater of *Perseverance* to the versatile and unlocalized single platform stage of *Mankind*, we can follow a similar movement in dramatic structure and theme. *Perseverance* is, like the mystery cycles or *Piers Plowman*, an inclusive embodiment of medieval Christian faith. Its satire is directed at all social classes and institutions. Courtiers are no doubt especially guilty of pride in wearing apparel, such as the "crakows" or long curled pointed toes on shoes that were fashionable when the play was written (l. 1059). The clergy come in for some caustic remarks on sloth and self-indulgence. Yet all men are guilty of lying abed when the Mass bell rings, of backbiting their neighbors, of selling by false weights, of failing to tithe, and so on. The very scope and leisure of *Perseverance* reinforce the impression of the widest possible frame of reference. Every spectator is to see himself in *Humanum Genus*. Accordingly, the theology of the play is traditional, emphasizing Man's free choice and utter failure in the performance of good deeds, and his reliance on an undeserved mercy. The theology in fact creates what seems to be a contradiction, for the Mankind we see before us is so sin ridden that the accusations of Truth and Justice cannot be denied. The happy fate of this Mankind figure might seem to suggest that an individual can be saved by calling on mercy at the moment of his death, even though he has neither performed good deeds nor received the sacraments of the church. Yet the author's warning against sinful life is clear. It is as a representative of the whole race and history of men that Mankind must be saved, rather than as one erring individual.

Wisdom retains to a degree this broad theological focus. The first third of the play allegorizes the state of man's soul in conventional terms. Anima, a maid dressed in white and black to symbolize the presence in her both of God's grace and of sin, is attended by her Five Wits and by her three attributes, Mind, Understanding, and Will. As Wisdom or Christ explains to these attributes, they, like Anima, are dually inclined to good and evil. In their virtuous aspect they correspond respectively to Father, Son, and Holy Ghost, and to Faith, Hope, and Charity; yet they can be corrupted into their own evil opposites, the Devil, the World, and the Flesh, or Pride, Covetousness, and Lust.[22] These antithetical correspondences are worked out in considerable detail by the playwright, in a mood of thoughtful deliberation. Action is unusually lacking in this morality as compared with either *Perseverance* or *Mankind*. There are no embassies from one scaffold to another as in *Perseverance*, no assaults of castles, no physical abuse or horseplay, and only at times a quiet satirical humor. Stage movement is limited to the expelling of the seven Deadly Sins from Anima, and to the seemingly optional dances of the three retinues attending on Mind, Understanding, and Will. The play begins and ends with a sermon.

During the scenes of temptation and fall from grace, however, *Wisdom* reveals a fascination with a problem of timely concern during the late fifteenth century: the pursuit of worldly power and pleasure by members of the clergy, including monastics. Lucifer's insinuations to Mind, Understanding, and Will stress the hardships of a life of abstinence and prayer. He scoffs at chastity, and plays on these clerics' sensitivity to the charge of withdrawing from an involvement in life. As a result, they doff the clerical garb and prayer beads in which they have been arrayed (l. 1064 f.) to become clerics engaged in worldly pursuits. This was a phenomenon much deplored by church reformers during the Lancastrian wars and reign of Henry VII, at a

22. Molloy, *Theological Interpretation of Wisdom*, pp. x, 193–97. See also Joseph C. Green, *The Medieval Morality of Wisdom Who is Christ: A Study in Origins* (Nashville, Tenn., 1938), p. ix.

time when church position was used all too often as an avenue for advancement at court. Mind, Understanding, and Will are transformed into Maintenance, Perjury, and Lechery, expert in extortion, simony, and all the typical abuses of clerical power during the fifteenth century. To signify their "maintenance" of large bands of retainers dependent on them for protection from the king's law, they each introduce a retinue of dancers representing Malice, Discord, Doubleness, Spouse-breech, and the like, dressed in the liveries of their respective leaders.

The only solution offered for these abuses is self-reform, whereby each offender will submit himself once again to his mother church. The program for this conservative reform is to be found in the play's sources, including Richard Rolle of Hampole, Walter Hilton's *Scale of Perfection* and *Epistle on Mixed Life*, Henry Suso's *Orologium Sapientiae*, St. Bonaventure's *Soliloquium*, and St. Bernard of Clairvaux's *Meditationes de Cognitione Humanae Conditionis* and *Tractatus de Interiori Domo*.[23] Following the teaching of such men, the play preaches against the arid extremes of scholasticism and of asceticism, urging instead a balanced life of contemplation and of fulfillment in social action. The playwright has little use for flagellation, severe fasting, or pilgrimages. It was in fact through his lampooning of such extremes that Lucifer persuaded his three victims to abandon their clerical calling. A balanced life, in the playwright's view, avoids extremes and thereby assures a satisfyingly full life of devotion and charity. This program, while entirely suitable for any Christian audience, may have had a particular aptness for monastics troubled with longings to abandon their restricted way of life. The particular attention to such an audience may well explain the play's unusual sobriety and decorousness of tone. *Wisdom* reveals how the morality play could retain its universality while simultaneously addressing itself to timely religious and social issues.

Mankind's topical fascination is with the temptations of "nowadays" and the "new guise" as they affect the ordinary farmer bored with his simple rustic calling. As we have seen, the play was performed on tour in the vicinity of Cambridge and King's Lynn, where the audience would have been predominantly rural. The author was evidently a country clergyman of the area, addressing his parishioners in the homely and even scatological language of medieval sermons. He relied on few literary or patristic sources. The verse dialogue called "Merci Passith Riȝtwisnes" offers an interesting analogue but without *Mankind*'s rollicking humor; *Piers Plowman* is closer in tone to the play's social satire, but contributes little to *Mankind* in any direct verbal sense.[24] Instead, the author seems to have turned to the comic routines of folk drama, as well as to traditional teachings found in sermons and in the Bible. His message has a general application to all men, but is couched in terms of the agricultural way of life familiar to his listeners. Mankind's occupation is that of husbandman. His virtuous counselor Mercy, usually allegorized as one of the four Daughters of God (as in *Perseverance*), is here an earnest parish priest, slightly humorless and given to Latinisms in his speech. Mercy also represents Christ on a more abstract plane, but his most visible role is as persona for the author. Except for Tityvillus, the comic tempters are also social types more than allegorical abstractions. They are rowdies who flaunt their stylish clothes, jest about hanging, and jeer at Mankind for his piety and devotion to hard work. Like Falstaff and his companions of later date, they are highwaymen, horse stealers, and despoilers of churches. We are reminded that Falstaff is called "that reverend Vice, that grey Iniquity."

Tityvillus is a devil rather than social type, for he can make himself invisible and afflict the mind with nightmares. Yet even his temptation works upon Mankind in a fifteenth-century context. The devil can frustrate the farmer's life in maddening ways: making the soil as stiff as a board (literally, since the devil inserts a board into Mankind's field), concealing Mankind's seed grain and his tools, afflicting him with the need to relieve himself at awkward moments. The devil has power over the flesh to this extent, and can deceive the outward senses with suggestions that Mercy is not to be trusted. The devil can prevail thus, however, only when Mankind's guard is down, when disaffection with his rural lot has led him to idleness and hence suggestibility. The test of Mankind's ability to withstand temptation under trying circumstances proves him lacking

23. Smart, *Sources and Parallels for Wisdom*, pp. 82–84; E. N. S. Thompson, "The English Moral Plays," *Transactions of the Connecticut Academy of Arts and Sciences*, 14 (1910), 291–414; Eccles, ed., *Macro Plays*, p. xxxiii.

24. Roy Mackenzie, "A New Source for *Mankind*," *PMLA*, 27 (1912), 98–105; Mabel Keiller, "The Influence of *Piers Plowman* on the Macro Play of *Mankind*," *PMLA*, 26 (1911), 339–55.

in perseverance. Without Mankind's willful acquiescence in evil, the devil would fail. Theologically this is a conventional idea, but the setting is convincingly rural and timely. The bawdy comedy of the tempters is both insidious and self-condemning. We see why Mankind runs away from his farming life, we laugh with the comic villains at the discomfiture of Mercy, and yet we finally accept Mercy's authority. His teachings are suitably practical and moderate, never denying the use of physical pleasures but insisting on moderation. The play evokes the spirit of Carnival, but ultimately dramatizes the triumph of Lent.

Compared with *Perseverance* and *Wisdom*, *Mankind* makes virtually no systematic presentation of the seven Deadly Sins. In a concluding sermon, Mercy offers a belated attempt in this direction: he associates Newgyse, Nowadays, and Nought with the World, Tityvillus with the Devil, and Mankind's own body with the Flesh (ll. 884–87). The lack of any allegorical character representing the Flesh merely reinforces the impression of afterthought in this scheme. With *Mankind*, the morality has discarded its more formal and abstract presentation of soul-struggle in favor of a graphic and immediate depiction of an ordinary human sinner faced with recognizable temptations. This format made possible the adaptation of the morality plot to an infinite series of predicaments, from a king's fiscal extravagance (in Skelton's *Magnificence*) to a learned scholar's illicit ambition to transcend human knowledge (in *Doctor Faustus*). The morality was thus the prime vehicle for popular dramatic expression in the sixteenth century until the advent of the great Renaissance stage in the 1580's and '90's.

None of the moralities in the Macro collection has a figure actually called the Vice. That name first appeared in John Heywood's *The Play of the Weather* (1525–33) and *The Play of Love* (ca. 1528)[25] to describe pranksters who are more court jesters and fools than tempters. The etymology of the original term is unclear; philologists have suggested *vice* as one who is a deputy, as in viceroy (vice-roy), or possibly one who wears a visor.[26] Only later was the term applied to the morality play, with the connotation of one who represents vice or evil. The term was in use in this sense by the mid-sixteenth century, for mischief-makers in hybrid morality plays such as Ambidexter in *Cambises* (ca. 1558–69) or the Vice in *Horestes* (1567).

Even though the term Vice was unknown at first, the early morality play does seem to present a comic tempter whose routines were soon to become central to the genre. In *Perseverance* he is Backbiter, the saucy messenger who goes from scaffold to scaffold with the aim of inciting the seven Deadly Sins to turn angrily on one another. His chief motive is delight in causing strife, and he illustrates the truisms that thieves cannot be true to one another, and that sin brings its own punishment. His behavior is like that of the devils in many of the cycles and saints' plays, who punish one another for failure to seduce their human victims (as, for example, in *Mary Magdalen* after Christ has expelled the Deadly Sins from Mary, or as in various scenes of the Harrowing of Hell). Backbiter is not, however, a chief tempter of Mankind, nor does he predominate among the large cast of characters. *Wisdom* gives a fully developed role of tempter to Lucifer, but the comedy of vice is subdued. Again it is *Mankind* that most fully reveals the direction in which the morality was to develop, for Tityvillus' role has become that of the leading actor in a small troupe.[27] Although he is on stage for only one extended routine, he has much of the funniest material in the play and is clearly the star. The other actors stop the show to take up a collection after whetting the audience's appetite to see this engaging monster of cleverness. His routines became so much a cherished part of the morality that they lived on even after the morality had turned entirely to political or social themes.

The term "morality play" is also of late development, although the terms "moral" and "moral play" do occur in Tudor usage. In the title of *Everyman*, "moral play" may connote little more than a didactic and religious function. Even in these early years, however, the term normally was applied to plays using allegorical abstractions of good and evil to reveal the inward spiritual qualities of a mankind hero. As the morality turned increasingly to political and social interests, "good" and "evil" could take on meanings relative to governmental policy or the Reformation. The morality play existed as a genre so long as it

25. R. J. Schoeck has argued a date of 1527–28 (Christmas revels) for *The Play of Love*; "Satire of Wolsey in Heywood's *Play of Love*," *Notes & Queries*, 196 (17 March 1951), 112–14. *Love* was published in 1533–34.

26. See also E. K. Chambers, *The Mediaeval Stage* (London, 1903), II, 203–5.

27. On the centrality of the Vice, see Bernard Spivack, *Shakespeare and the Allegory of Evil* (New York, 1958), *passim*.

continued to dramatize inward conflict by means of outward representation of character on stage. At some point, however, and by imperceptible means, these projections of an inward state of mind became humanly plausible as, for example, the virtuous counselors and evil flatterers to a king. The degree of abstraction was elastic, from timeless allegory through social type to something approaching historical representation. In this process of hybridization, the morality play blended itself with the mirror for magistrates and *de casibus* traditions until it was entirely assimilated into the English history play and tragedy. Thereafter it continued to exert its indirect but important influence on the plays of Marlowe, Shakespeare, Jonson, and other dramatists of the high Renaissance.

The Manuscripts and this Edition

When purchased by the Folger Shakespeare Library on 30 March 1936, at the Gurney sale at Sotheby's (lot 170), the Macro collection consisted of a single volume containing the three plays in this order: *Mankind, Wisdom,* and *The Castle of Perseverance.* The blue cover for this binding featured the arms of Hudson Gurney. The Early English Text Society edition of 1904, edited by F. J. Furnivall and A. W. Pollard, preserved the order of plays as found in the Gurney binding. As the history of the provenance of the manuscripts will reveal, however, this arrangement has no discernible rationale. Originally, as we have seen, *Mankind* and *Wisdom* were jointly owned by a series of persons in the vicinity of Bury St. Edmunds. Together with *Perseverance* they came into the possession of the Reverend Cox Macro during the eighteenth century. At some point the three plays were bound into a volume along with three other unrelated manuscripts: a Juvenal, the *Leges Inae Aethelstani* etc., and a *Liber Alchemiae* (Gurney sale 143, 145, and 73). The large page numberings still found in the upper right-hand corners of the recto pages date from this binding, and the gaps in the numbering make allowance for the other unrelated manuscripts: *Wisdom* folios 98–121, *Mankind* folios 122–134, and *Perseverance* folios 154–191. These page numbers are still used in referring to the original texts, although no modern edition has reproduced the plays in the order indicated by these numbers.

The Gurney family, who obtained the manuscripts in 1820, had the three plays bound into a separate volume in a new order (*Mankind, Wisdom, Perseverance*) that was retained until 1971. In that year, the plays were disbound by the Folger Shakespeare Library to facilitate this facsimile edition. (It is hoped that this facsimile will reduce to some extent the need for consultation of the originals, which show the effects of wear.) For this present facsimile edition, the plays have been arranged in probable chronological order. Moreover, four sheets that were carelessly interchanged in the second gathering of *Perseverance* before the first binding and numbering have been restored to their correct order (more on this below). As a consequence, the original page numbers are not in sequence in this edition, or in the manuscript as now preserved in the Library. This anomaly seems preferable to the preservation of a mistake perpetrated by an early owner after the manuscript was written.

The texts then are treated here as entirely separate, even though the reason for collecting and publishing them together is obvious. The watermarks are different for each, and, despite Eccles' assertion that *Wisdom* was copied by the scribe who copied most of *Mankind,*[1] there seems no reason to assume that the scribe or scribes of any one manuscript had any connection with the others. *Wisdom* and *Mankind* were, to be sure, owned jointly in the late fifteenth century, but they are plays intended for very different audiences. That they were collected together so early is probably a result of geographical accident. *Perseverance* is an earlier play and an earlier text as well,

1. Eccles, ed., *Macro Plays,* p. xxvii.

dated about 1440 by G. F. Warner and J. A. Herbert.[2]

Perseverance is in a single hand throughout. The manuscript consists of thirty-eight leaves, folios 154 through 191, made up into two gatherings of sixteen leaves each and a third gathering of six leaves. The page size, as can be observed from this present one-to-one photographic facsimile, measures 210 or 211 × 143 mm., trimmed to 140 mm. in the first gathering. According to Eccles, the scribe averaged forty-eight lines to a page. The watermark of the first and third gatherings is visible on sheets 156–67, 158–65, 161–62, and 186–91, and somewhat resembles a large horse's foot with a double stripe running diagonally downward from the pastern on the front of the foot to the fetlock at the back. The first and third gatherings appear to be perfect, and include the following sheets: in gathering one, 154–69, 155–68, 156–67, 157–66, 158–65, 159–64, 160–63, and 161–62; in gathering three, 186–91, 187–90, and 188–89.

Gathering two, however, is imperfect. The watermark here somewhat resembles a leaf with three rounded lobes, the center lobe being the highest, all surrounded by a circle. It is visible on leaves 172–83, 174–81, and 175–80. The gathering as it stands consists of the following eight sheets: 170–85, 171–84, 172–83, 173–82, 174–81, 175–80, 176–79, and 177–78. As indicated previously, however, these page numberings were added after the loss of some of the text and a consequent misarrangement of the remaining sheets. There are two lacunae in the text, one after 170ᵛ and one after 182ᵛ. In the order of the pages as numbered, these two lacunae cannot be fitted together into a hypothetical lost single sheet, for if one half of such a sheet is inserted after 170ᵛ, the other half will lie after 184ᵛ. Clearly, however, the extant sheets are not in the right order; 171–84 has been interchanged with 173–82, and 176–79 has been interchanged with 177–78. That is, the second and fourth sheets have changed places, and the seventh and eighth. If we restore these sheets to their proper order, as in this present edition, the order of page numbers is as follows: 170, 173, 172, 171, 174, 175, 177, 176, 179, 178, 180, 181, 184, 183, 182, and 185. If we now insert a hypothetical lost single sheet with its first leaf after 170ᵛ, the other leaf will lie after 182ᵛ where it belongs to explain the two actual lacunae in the manuscript.

Because this situation satisfactorily accounts for the imperfection of the manuscript, supposing a single sheet to have become lost after the manuscript was copied, Pollard's conjecture that the scribe copied an imperfect manuscript as he found it[3] is improbable. Pollard's objection is to a gathering of eighteen rather than sixteen leaves, which he argues would have been unusual, especially after the first gathering of sixteen leaves. It is true that the hypothetical lost single sheet can be accounted for if we suppose a previous imperfect gathering of eight sheets from which our scribe copied: 170–83, missing sheet, 171–82, 172–81, 173–80, 174–79, 175–78, and 176–77. In this case the third gathering would presumably have had eight leaves rather than six. But the first hypothesis is considerably more direct. It supposes that the losing of the single sheet and the consequent mixing up of the extant sheet occurred in the same copy, whereas the second hypothesis attributes the losing of the sheet to a previous lost copy and the mixing up of the extant sheets to the present copy.

It is easier to believe that the scribe used an extra sheet in his second gathering than that he blindly copied past two large and obvious lacunae without raising any questions. Other early Tudor readers of the manuscript plentifully reveal an awareness of the loss and the mix-up of pages, for they occasionally attempt to provide speakers' names where the gaps or inconsistencies occur. At the foot of 170ᵛ, "malus angelus" is crossed out and replaced by "Detraccio ad caro" to indicate that the first speaker on 171 is Backbiter. At the top of 177, "Ira" is written to indicate that this page should have followed 175ᵛ, where Wrath is speaking. At the top of 178, "Covetyse" indicates the same kind of transition from 179ᵛ. On 185 in the right margin, a Tudor hand has written "he[re] aperith þe sowle" when Anima speaks, whereas in fact Anima must have entered on the previous page, 182ᵛ. Thus the loss of the single sheet and the mix-up of four other sheets must have occurred early after the manuscript was written. Later the manuscript was bound and numbered in that imperfect state.

The famous stage diagram of *Perseverance* is found on folio 191ᵛ, the outer page of the third gathering, and hence serves as a kind of illustrated cover for the manuscript. The scribe has written in red, on folios 160ᵛ and 161, the stage

2. F. J. Furnivall and Alfred W. Pollard, eds., *The Macro Plays*, Early English Text Society (London, 1904), pp. xxxi–xxxii; John S. Farmer, ed., *The Castle of Perseverance*, The Tudor Facsimile Texts (London, 1908), p. v.

3. Furnivall and Pollard, eds., *Macro Plays*, pp. xxxi–xxxii.

directions at lines 574 and 646, and the speech-prefixes at 584, 597, 610, 631, 639, and 647. In addition he has touched with red the initials of the speech-prefixes on folios 162^{v}, 163, 164, and 185. Later additions in the margin, besides those on folios 170^{v}, 177, 178, and 185 already mentioned, include the name "John Adams" at the foot of 158^{v}, and some practice lettering on 154^{v}, 156, etc. Generally, however, the margins are clear compared with those of *Wisdom*.

Wisdom is the only play of the collection to exist in more than one manuscript. Digby MS 133, Bodleian Library, contains a large fragment extending through line 752. Editors such as Furnivall–Pollard and Eccles have used the complete Macro manuscript as copy-text, generously emending from the Digby manuscript when the Macro text is cropped (especially in stage directions), omits lines found in the Digby manuscript, or offers readings clearly inferior to those of Digby. There is no logic, however, to the assumption that because the Macro text is complete it is closer to the author's intentions for that major portion of the play surviving in both manuscripts. And in fact the Digby manuscript could not have been copied from the Macro manuscript, whereas the reverse is possible. Several whole lines needed for the sense are found only in the Digby manuscript, at lines 66, 448, 496, 600, and 720. Digby offers a stage direction at line 518, "Exient," not found in the Macro manuscript. Where the text varies substantively, Digby is clearly correct in a great majority of cases, and, although one can see easily enough how the Macro scribe fell into his error, one cannot imagine the Digby scribe "improving" on the Macro text without remarkable intuitive powers of emendation. Thus, the Macro scribe writes "thowte" for "yougthe" at line 18, "from experyens" for "in experience from" at 63, "father" for "fayre" at 69, "sed" for "&" at 164, "ought" for "ough to god" at 190, "wysly" for "wylfully" at 230, etc. On the other hand, the rarer occasions where the Macro manuscript is preferable do not require any great ingenuity on the part of the Macro scribe to have restored a simple omission: e.g., he writes "he hath" for "hath" at 240.

It is possible that the Macro scribe was not copying directly from the Digby manuscript. The two manuscripts are, however, generally very close except for the infrequent and normal variations already noted. There are no transpositions, no added speeches in one text, no lacunae of more than one line. The vocabulary is basically identical throughout, even to the point of repeating in both texts a word seemingly in need of emendation: e.g., "sustabylnesse" (Digby) or "sustabullnes" (Macro), probably intended for "vnstabullnes," at line 199. There are of course accidental variants and dialectical differences: in particular, the Digby copyist uses *shal* and *shuld* for *xal* and *xuld*. These conditions invite the modern editor to use the Macro manuscript as copy-text throughout, even though on bibliographical grounds Digby would seem to have the superior claim. This present edition in any event is not a modern critical text but a transcription of the Macro manuscript, and so lists Digby variants throughout in the notes without emendation of the text itself.

The Macro manuscript of *Wisdom* is perfect in its number of pages, consisting of two gatherings of twelve leaves each: 98 through 109, and 110 through 121. The watermark, a tall and gracefully shaped vessel for holding liquids, with handle and cover, appears on leaves 98–109, 101–6, 103–4, 110–21, 113–18, and 115–16. According to Eccles, this watermark resembles Briquet's numbers 12476–80, used in France from 1471 onward. Pollard gives the probable date of the manuscript as 1475.[4] (The manuscript of the Digby *Wisdom* shows a watermark of a gloved hand and a star; cf. the watermark of *Mankind*.) The paper of the Macro *Wisdom* measures 220 × 158 or 160 mm. One scribe wrote the manuscript throughout, averaging, as Eccles estimates, twenty-five lines to a page.

This manuscript is notable for its heavy marginal notations, which are transcribed *passim* in this edition. Some are testimonials of ownership, such as the verse of monk Hyngham at the end (repeated at the end of *Mankind*), probably in a late fifteenth-century hand, or the ciphered inscription on 119^{v} that "This book belongs to me Robert Oliver." Oliver, who also owned *Mankind*, writes seemingly in an early sixteenth-century hand. Many of his markings, and those of other contemporary hands, take on a playful turn, as though prankish scribes or young scholars were devising messages and even indecencies to one another under the cover of a secret code. As Eccles demonstrates, the relatively simple key for one code is explained in a verse on 121^{v}, the back cover of the manuscript. It substitutes for each vowel the next letter of the alphabet: *b* for *a*, *f* for *e*, *k* for *i* (since *i* and *j* are identical in the early alphabet), etc. Thus, "iste liber"

4. Eccles, ed., *Macro Plays*, p. xxvii; Furnivall and Pollard, eds., *Macro Plays*, p. xxx.

becomes on 119^{v} "kstf lkbfr." In the other code, the five vowels are represented by one to five strokes through the tail of the letter *p*. Page 121^{v} offers other variants of these two codes, elaborated on the name "Rainold Wodles." The name "Gonolde" is written in the first cipher on folio 108. Other scribal diversions include mirror-writing on 98^{v} and 114^{v}, and backwriting (i.e., words spelled backward, as in "Evank scranim sik" for "kis min arcs knave") on 114^{v}. Still another cipher appears on 104, where arabic numbers are used to represent the letters of the alphabet, omitting *j* and *u* as indistinguishable from *i* and *v*. The name "Iohn Plandon" is ciphered in this simple code.

The margins also contain numerous signatures, the fragment of a ballad with refrain on 111^{v} and 112, and other fragments of quotations on 113 and 117. Penmanship flourishes and designs are occasionally elaborate, and 98^{v} and 121^{v} feature drawings of men, dragons, and the like.

The manuscript of *Mankind* consists of one complete gathering of twelve leaves, 123 through 134, preceded by a single leaf 122. The watermark, a hand or glove with a star above the extended fingers (cf. the Digby *Wisdom*), appears on 122 and on 124–33, 125–32, and 128–29. Eccles points out that this watermark is not like any of the 988 forms of the hand in Briquet. A single leaf is missing between 122 and 123, as indicated by the numberings written by the original scribe at the foot of the pages: i, iii, iv, v, vi, vii, viii, ix, and x, with the last four leaves unnumbered. (These must have been written by the original scribe, as Eccles observes, for the scribe has nearly obscured the number ix by adding three lines of text at the bottom of the page that he had mistakenly omitted in his first copying. No subsequent person numbering the pages would have buried the number ix in the midst of these three lines.) Thus the gathering of twelve leaves was originally preceded by two leaves beginning the text as we have it. No scribe, however, would have begun his text with a single sheet folded into two leaves, followed by a gathering of twelve leaves. As Pollard conjectures, we have lost either a prior portion of the text, such as banns, or the end of some previous text copied into a miscellany-book belonging, for example, to monk Hyngham.

The page size is 220 × 158 or 160 mm., with an average of thirty-nine lines to a page in the work of the first scribe (ff. 122–32) and twenty-six to twenty-seven lines to a page for the second scribe (ff. 132^{v}–34^{v}). The margins, although not heavily inscribed as in *Wisdom*, bear testimonials of ownership by monk Hyngham (f. 134) in the late fifteenth century and by Robert Oliver (f. 134) in the early sixteenth. One Richard Cake of Bury has written on folio 124, and the name "John" appears often. The back cover, 134^{v}, was used upside down in the sixteenth century as scrap paper for a schoolboy's exercise in translating a passage into Latin. Judging from the execrable Latin, he was neither a proficient scholar nor an adequate penman. The passage is unusually difficult to transcribe.

All the manuscripts place speech-prefixes in the right margin, in the normal medieval format, with long horizontal rules extending from the speech-prefixes to the left margin, thereby dividing each new speaker's part from the preceding line. The transcription of this edition has eliminated that feature, placing the speech-prefixes instead at the beginnings of lines. When a page ends with a speech-prefix for the first speech of the following page, such a speech-prefix is printed at the foot of the page where it appears and then is repeated in square brackets at the beginning of the line at the top of the next page. Speech-prefixes in the manuscripts are normally in somewhat bolder or larger lettering, capitalized, with occasional rubrication (in *Perseverance*); this distinctive quality of the speech-prefixes is rendered in the transcription by small capitals.

The brackets used to pair rhymed words in *Perseverance* and occasionally in *Wisdom* have also been eliminated from this transcription, although stanzaic division has been retained throughout. As these brackets indicate, the normal stanzaic pattern in *Perseverance* begins with an octave rhymed *abab abab* (occasionally varied to *abab bcbc* or *abab cbcb* or *abab cdcd*), followed by a tail rhyme, then a cluster of three lines rhymed one with another, and a final tail rhyme linked to line nine. The tail rhymes, though flexible in length, are often notably short—especially line thirteen. In this transcription, tail rhymes are indented whenever they are bracketed over to the right in the manuscript. A considerable number of stanzas in *Perseverance* are nine-line, omitting in effect the second quatrain of the thirteen-line stanza. Other stanzaic forms include an eight-line stanza with tail rhymes, *aaab cccb*, and sequences of short lines rhymed *aaaa bbbb* etc., written two or four on a single line by the scribe (see ll. 1286–97, for example). There are a few other variants. The verse in *Wisdom*, although marked by brackets only on occasion (see ll. 325–411), is generally faithful to two patterns, *abab bcbc* and *aaab aaab*. In addition to slight variations on this pattern, we find an occasional four-line *abab*, a ten-line *aaab aaab cc*, and a twelve-line *abab bcbc cdcd*. The manuscript of *Mankind* does not mark its rhymed lines with brackets, but does employ stanzaic rhyme schemes: the more formal *abab* or *abab bcbc* for serious scenes, and tail-rhyme stanzas (usually *aaab cccb*) for the comic scenes. Again there are occasional variations. Tail rhymes are not indented in this transcription of *Mankind* since in this play they are not bracketed to the right.

Capitalization in this transcription follows the original as consistently as possible. With some letters, however, the distinction between capital and small letters is frustratingly vague (the same is true of word division). Where capitalization is uncertain, this transcription tends to be conservative. The letter *a* in *Mankind* and *Wisdom*, for example, interchangeably appears in forms resembling lower and upper case in the middle of lines and even in the middle of words (see *Wisdom*, ll. 154, 161, 276). In such a case greatest consistency can be obtained by capitalizing only at the start of a line (where capitalization is the rule rather than the exception), and in other obvious cases. In the speech-prefixes throughout, the general practice of capitalizing the initial letter is pronounced, and so this transcription capitalizes some letters such as *v*, *h*, and *l* in speech-prefixes even where the capital form is not clearly distinguishable.

The letter *w* presents no constant distinction between upper- and lower-case forms except perhaps in *Wisdom*; and the history of early printing (prior to about 1530) enforces this pattern, with no capital *w*'s in the font at first. Other letters generally not employing a clearly distinguishable capital include *k*, *l*, *p*, *u*, *v*, ȝ, *x*, and *z*. The letters *h* and *y*, like *a*, shade imperceptibly from lower to upper case. So occasionally do *m* and *n*. In this transcription, the form *ff* used to denote capital *F* is printed as *ff*; so too the occasional *ss*. In the manuscript the letter *j* is generally not distinguished from *i*, and is used in this transcription only at the end of numbers such as vij. Otherwise, *j* is rendered as lower- or upper-case *i*. This too is confirmed by the evidence of early printing fonts, in which *j* did not appear at first since the character had not been generally used by medieval scribes.

Punctuation in the manuscripts is light. A paragraph sign in the left margin resembling a superior *a* marks most of the stanzas of the banns of *Perseverance*, together with line 148; these are not reproduced in the transcription, but are listed in the note on line 14. The same sign is later used to mark Latin quotations; these are listed in the note on line 866a. This sign also appears thrice in the staging diagram, folio 191^{v}. A triangular pattern of three dots appears in the left margin of *Perseverance* starting with line 1092, usually to mark the fifth or tenth line of a stanza; these are omitted from the transcription. Omitted also are double slashes used in the "Names of the Players," folio 191, to separate groups of names from one another. Whenever the scribe of *Perseverance* has written two or four short lines of verse on a single line, he separates these lines with a sort of check mark above a period; this mark is rendered in this transcription by a colon. Double slashes used to indicate insertions of words, and periods below letters to indicate cancellation, have been noted in the textual apparatus but not reproduced in the transcription. The periods after speech-prefixes in the transcription are for clarity, and are not found in the original. Points within the line are employed in the manuscripts only sporadically, and are sometimes hard to distinguish from stray marks; hence they have generally not been transcribed. Square brackets are used to indicate lacunae in the manuscripts owing to the cropping of edges of pages, fading, and the like.

Line numberings added to the transcription for convenience of reference exclude stage directions and such Latin quotations as are not part of the stanzaic rhyme pattern. When the scribe of *Perseverance* has written two or four short lines of verse on a single line, these are reproduced in the transcription as written but are numbered as separate lines; see for example lines 635–38 and 785–86. The line numberings correspond throughout with those of Eccles' Early English Text Society edition.

This transcription attempts to follow spelling as written, even when in fairly obvious error. The notes record the emendations of modern editors, and from their textual suggestions can be determined not only obvious errors in the original, but problematic readings on which modern editors have not agreed. Throughout, Eccles is usually the most accurate in reading the manuscripts and the most perceptive in proposing emendations. The texts of *Mankind* by J. M. Manly and Alois Brandl are the least accurate, owing to the unfortunate fact that these editors had to rely on a transcription by none other than Eleanor Marx, daughter of Karl Marx. Whatever her other merits, she was relatively unpracticed in paleography. Manly's and Brandl's elaborate collations are therefore often chimerical. The notes of the present transcription attempt also to list all corrections or defects in the original manuscript, including canceled words or letters, letters written over previous letters, letters blotted or otherwise obscured, letters cropped at edges of the paper, words written above the line or in the margin, etc. Marginalia are transcribed separately from the other notes.

The scribes of these three manuscripts use the following abbreviations. A few are found in only one or two manuscripts, but most are common to all three. They have been silently expanded in the present transcription. The following examples are taken from *The Castle of Perseverance* unless otherwise noted.

1. A *p* with a straight cross-stroke across its tail to represent p*er*, p*ar*, or (in Latin) p*or*: p*er*seueraunce (52), p*ar*cell (132), paup*er*tates (361a), p*ar*amoure (582), temp*or*e (866a), Sup*er*bia (906).

2. A *p* with a descending curled stroke crossing the tail to represent p*ro*: p*ro*fyrth (83), p*ro*pyrtes (132), p*ro*pyr (160), p*ro*ude (909), p*ro*speryte (2774).

3. A *p* with a superior loop to represent p*re*: p*re*ve (150), p*re*sun (193), p*re*uy (691), p*re*chyth (802), p*re*cyous (822).

4. A superior loop ending in a curl to the right, to represent *ur* or occasionally *or*: o*ur* (13), sekkato*ur*s (102), c*ur*syd (106), p*ur*pose (132), ȝo*ur* (796).

5. A superior loop or partial loop to represent *er* or *yr*, especially when following *m*, *n*, *þ*, *u*, or *v*: eu*er*y (15), v*er*tus, ou*yr*come (54), pou*er*te (81), gou*er*ne (105), m*er*cy (130), þ*er* fore (813). In terminal position: ban*er* (161), oþ*yr* (432), sylu*yr* (890). Following, *d*, *g*, *s*, or *t*, this mark is frequently connected to the previous letter in a counterclockwise loop: t*er*age (2707), s*er*uabo (3374), wynt*yr* (417), fost*er* (587), bytt*yr* (650), whed*yr* (790), leng*yr* (2206). The choice of *er* or *yr* depends in each case on the scribe's normal spelling elsewhere of that particular word in full, and varies sometimes from play to play.

6. A terminal clockwise loop descending into a curled tail to represent final *-us*: Prim*us* (1), þ*us* (47), Malu*us* (340), mal*us* angel*us*, gen*us* (574 S.D.), Mund*us* (584). See also 11, below.

7. A somewhat similar descending curved tail following *c* to represent *con* or *com*: *con*solacionis (3313a); in *Wisdom*, *con*venyent (6), *com*paryschon (35).

8. A terminal counterclockwise loop ending in a descending stroke to represent *-ys* or (in Latin) *-is*: h*ys* (32), godd*ys* (69), sert*ys* (339), werld*ys* (353), creator*is* (3404).

9. A similar terminal loop to represent *-rum* or *-um*: celor*um* (3167a), m*isericordi*ar*um* (3313a), a*nimar*um (3352a).

10. A terminal mark resembling *ȝ* to represent *-que* or *-ue*: quodcu*m*q*ue* (1519), us*que* (1706), vn*us*quis*que* (3163a).

11. A similar terminal mark to represent various Latin endings, to be determined by grammatical need: d*icet* (1336 S.D.), dic*et* filiab*us* (3573), ascen*dent* (3593 S.D.); in *Mankind*, bredib*us* (57).

12. A terminal loop or flourish to represent various Latin endings, to be determined by grammatical need: place*am* pari*ter* (490 S.D.), dic*et* (574 S.D.), ascend*et* (614 S.D.), auarici*am* (1009 S.D.), stultic*ia* (1898 S.D.), auarici*osi* (2452a). Similar terminal flourishes are sometimes used for speech-prefixes in English: in *Mankind*, Nowad*ays* (631), New g*yse* (719).

13. A *q* with a diagonal crossing of the tail to represent q*uod*: in *Mankind* (126), *Wisdom* (517).

14. A *q* followed by a mark to represent q*uia*: 1631a, 2124, 3374.

15. A long *s* with a diagonal crossing of the tail to represent s*er*: in *Mankind*, s*er*uyce (5), pres*er*ue (41), s*er* (48).

16. A terminal rising counterclockwise loop following *r* to represent final *-e*: our*e* (14), bar*e* (16), ȝar*e* (18).

17. A horizontal bar over the previous letter to represent an omitted *m* or *n*: i*n* (1), au*n*gelys (3), hy*m* (15), sy*n*ne(20), wha*n*ne (21). Occasionally at the end of a word this bar is represented by an upward curling stroke back over the final letter: in *Wisdom*, su*m* (164).

18. A horizontal bar over the ending of a word to represent an omitted *i* or *y*: redempc*i*o (3097); in *Mankind*, crea*cion* (1); in *Wisdom*, genera*cion* (12).

19. A horizontal bar above the word to indicate the omission of several letters in Latin: Sec*und*us (14), do*mi*n*e* (361a), *est* (503a), sa*ncto* sa*nc*tus (1696a), s*uper* (1777 S.D.), ho*mi*n*i* (2163a), n*unc* (2364a), pugnab*unt* (2377 S.D.), M*isericord*ia (3233), Q*uoniam* (3252a), no*st*ra (3313a).

20. A horizontal stroke through an ascender (*b*, *h*, *l*) to represent an omitted vowel or series of letters: angel*us* (340, 349), peccab*is* (410a), Ih*es*u (604), s*u*b (3348), da*ui*d (3468).

21. Other conventional Latin abbreviations, such as *xpus* for *christus* (*Wisdom*, 312).

22. A superior *t* to represent *-yth* or (in Latin) *-it*: wy*th* (4), ffyty*th* (68), standy*th* (776), vocau*it* (1766 S.D.).

23. A superior *s*, *t*, *u*, or *i* to indicate an omitted vowel: þ*at* (2), þ*ou* (341), q*ui* (503a), þ*is* (2317).

24. A superior vowel to indicate an omitted *r*: Prim*us* (1), Pride (62), criste (351), pray (491).

25. A superior *r* to indicate an omitted *u*, *y*, or *e*: in *Mankind*, p*u*rgyde (11), wynter (54); in *Wisdom*, Wndyr*stondynge* (725), bytterly (768).

26. A superior *a* to represent *a* or *au*, depending on the spelling of the word in full elsewhere: was (531), watyr (2329); in *Mankind*, a va*u*nte (278).

27. A superior *a* or *i* in Latin to indicate longer omissions: *cetera* (1696a), t*ibi* (2020a), s*ibi* (3521a).

The scribes sometimes write letters above the line even when nothing is omitted: þis (6), þi (336), þo (656), þe (658), þou (847), þei (1968); in *Mankind*, owr (1). The scribes use & for *and*, *xall* or *xuld* for *shall* or *shuld*, iij and iij^{de} for *three* and *third*, all of which are retained in this transcription. Sometimes horizontal strokes through *h* or *l*, or a terminal flourish after *m*, *n*, or *d*, seem to have no significance and are not expanded here.

In preparing this transcription I have been greatly assisted by the staff of the Folger Shakespeare Library. I wish especially to thank Mrs. Laetitia Yeandle, who has commiserated with me most helpfully on a number of the more indecipherable marginalia. I have not consulted with Mark Eccles directly, and disagree with him on the reading of a few lines, but I have profited greatly from his recent edition of the Macro Plays for the Early English Text Society. Clearly this present facsimile edition is in no way intended to compete with his.

Bibliography

Modern Editions Collated in the Textual Apparatus

F F. J. Furnivall and Alfred W. Pollard, eds., *The Macro Plays.* Early English Text Society, Extra Series, XCI. London, 1904.

E Mark Eccles, ed., *The Macro Plays.* Early English Text Society. London, 1969.

D (for the play *Wisdom* only) F. J. Furnivall, ed., *The Digby Plays, With an Incomplete "Morality" of Wisdom, Who Is Christ.* Early English Text Society, Extra Series, LXX. London, 1896, reprinted 1967. (Note: all readings of this MS cited in the notes, Digby MS 133, Bodleian Library, have been checked and corrected against a photostat of the original.)

M (for the play *Mankind* only) John M. Manly, ed., *Specimens of the Pre-Shaksperean Drama,* 2 vols. Boston, 1897.

B (for the play *Mankind* only) Alois Brandl, ed., *Quellen des weltlichen Dramas in England vor Shakespeare,* Quellen und Forschungen, LXXX. Strassburg, 1898.

Modern Editions Not Collated in the Textual Apparatus

John S. Farmer, ed., *The Castle of Perseverance, Wisdom,* and *Mankind* in The Tudor Facsimile Texts, 3 vols. London, 1907–1908.

Thomas Sharp, ed., *Ancient Mysteries from the Digby Manuscripts,* Abbotsford Club. Edinburgh, 1835.

W. B. D. D. Turnbull, ed., *Mind, Will, and Understanding: A Morality,* Abbotsford Club. Edinburgh, 1837.

John S. Farmer, ed., *Mankind,* in *Recently Recovered "Lost" Tudor Plays.* London, 1907.

J. Q. Adams, ed., a cut portion of *Perseverance,* and nearly all of *Mankind,* in *Chief Pre-Shakespearean Dramas.* Boston, 1924.

A Selected Bibliography of Secondary Works

Bevington, David M. *From Mankind to Marlowe.* Cambridge, Mass., 1962.

———. *Tudor Drama and Politics.* Cambridge, Mass., 1968.

Chambers, E. K. *The Mediaeval Stage.* 2 vols. London, 1903.

Coogan, Sister Mary Philippa. *An Interpretation of the Moral Play, Mankind.* Washington, D.C., 1947.

Craig, Hardin. *English Religious Drama of the Middle Ages.* London, 1955.

Cushman, L. W. *The Devil and the Vice in the English Dramatic Literature before Shakespeare.* Studien zur englischen Philologie, VI. Halle, 1900.

Eckhardt, Eduard. *Die lustige Person im älteren englischen Drama. Palaestra,* XVII. Berlin, 1902.

Farnham, Willard. *The Medieval Heritage of Elizabethan Tragedy.* Berkeley, Calif., 1936.

Frank, Grace. *The Medieval French Drama.* London, 1954.

Green, Joseph C. *The Medieval Morality of Wisdom Who Is Christ: A Study in Origins.* Nashville, Tenn., 1938.

Hardison, O. B., Jr. *Christian Rite and Christian Drama in the Middle Ages.* Baltimore, 1965.

Harris, Markham, ed. *The Cornish Ordinalia.* Washington, D.C., 1969.

Keiller, Mabel. "The Influence of *Piers Plowman* on the Macro Play of *Mankind.*" *PMLA,* 26 (1911), 339–55.

Kolve, V. A. *The Play Called Corpus Christi.* London, 1966.

Mackenzie, W. Roy. *The English Moralities from the Point of View of Allegory.* Boston, 1914.

Mackenzie, W. Roy. "A New Source for *Mankind.*" *PMLA,* 27 (1912), 98–105.

Molloy, Rev. John J. *A Theological Interpretation of the Moral Play, Wisdom, Who Is Christ.* Washington, D.C., 1952.

Nicoll, Allardyce. *Masks, Mimes, and Miracles.* London, 1931.

Ramsay, Robert L., ed. *Magnyfycence.* Early English Text Society, Extra Series, XCVIII. London, 1906. Introduction.

Rose, Martial, ed. *The Wakefield Mystery Cycles.* Doubleday Anchor Books. New York, 1963.

Rossiter, A. P. *English Drama from Early Times to the Elizabethans.* London, 1950.

Smart, Walter K. "The *Castle of Perseverance:* Place, Date, and a Source." *Manly Anniversary Studies,* Chicago, 1923. Pp. 42–53.

———. "*Mankind* and the Mumming Plays." *MLN,* 32 (1917), 21–25.

———. *Some English and Latin Sources and Parallels for the Morality of Wisdom.* Menasha, Wis., 1912.

———. "Some Notes on *Mankind.*" *MP,* 14 (1916–17), 45–58, 293–313.

Southern, Richard. *The Medieval Theatre in the Round.* London, 1957.

Spivack, Bernard. *Shakespeare and the Allegory of Evil.* New York, 1958.

Thompson, E. N. S. "The English Moral Plays." *Transactions of the Connecticut Academy of Arts and Sciences,* 14 (1910), 291–414.

Wickham, Glynne. *Early English Stages 1300 to 1600.* Vol. I: 1300 to 1576. London, 1959.

Williams, Arnold. *The Drama of Medieval England.* East Lansing, Mich., 1961.

The Castle of Perseverance

PRIMUS VEXIL[LATOR]. Glorious god in all degres lord most of myth
þat heuene & erthe made of nowth boþe se & lond
þe aungelys in heuene hym to serue bryth
& [man]kynde in mydylerd he made wyth hys hond
& [our lo]fly lady þat lanterne is of lyth
save oure lege lord þe kynge þe leder of þis londe
& all þe ryall of þis revme & rede hem þe ryth
& all þe goode comowns of þis towne þat be forn us stonde
        In þis place
we mustyr ȝou wyth menschepe
& ffreyne ȝou of ffrely frenchepe
cryst safe ȝou all fro schenchepe
        þat knowyn wyl our case

SECUNDUS VEXIL[LATOR]. þe case of oure comynge ȝou to declare
euery man in hym self for sothe he it may fynde
whou mankynde in to þis werld born is ful bare
& bare schal beryed be at [hys l]ast ende
god hym ȝeuyth to aungel ffful ȝep & ful ȝare
þe goode aungel & þe badde to hym for to lende
þe goode techyth hym goodnesse þe badde synne & sare
whanne þe ton hath þe victory þe toþyr goth be hende
        be skyll
þe goode aungel coueytyth euermore mans saluacion
& þe badde bysytyth hym euere to hys dampnacion
& god hathe govym man fre arbritracion
        wheþyr he wyl hym se[lf] saue or hys soule sp[y]ll

PRIMUS VEXILLA[TOR]. spylt is man spetously whanne he to synne asent
þe bad aungel þanne bryngyth hym iij enmys so stout
þe werlde þe ffende þe foul fflesche so Ioly & Ient
þei ledyn hym fful lustyly wyth synnys al abowt
pyth wyth pride & coueytyse to þe werld is he went
to meyten hys manhod all men to hym lout
aftyr Ire & envye þe ffend hath to hym lent
Bakbytynge & endytynge wyth all men for to route
        fful evyn
but þe fowle fflesch homlyest of all
slawth lust & leccherye gun to hym call
glotony & oþyr synnys boþe grete & small
        þus mans soule is soylyd wyth synnys moo þanne seuyn

SECUNDUS VEXILLATOR. whanne mans sowle is soylyd wyth synne & wyth sore
þanne þe goode aungyl makyth mykyl mornynge
þat þe lofly lyknesse of god schulde be lore
þorwe þe badde aungell fals entysynge

3 aungelys] *or* aunȝelys *F* aunȝelys *E* aungelys
4–5 *letters in square brackets are faded in the MS*
7 ryall] *F* ryallis *E* ryall
14 *in the left margin, a paragraph sign here and at 27, 40, 53, 66, 79, (not at 91), 105, 118, 131, 144, and 148*
16 whou] *or* whon *F* whon *E* Whou
17 *letters in square brackets are faded in the MS; F* [t]he [l]ast
18 god] good *canc.*, god *added in left margin* (*E*); aungel] *F reads* aungelis *E* aungelys
23–24 *some obscuring of letters caused by a transverse tear in the paper*
25 govym] *FE emend to* govyn
26 *letters in square brackets faded or cut off at the right margin;* spyll] *F* per[yll]
32 meyten] *F* meynten *E emends to* meynten
39 þus] *F* þis
43 aungell] *F* aungellis *E emends to* Aungellys

154

Primus vexillator

Glorious god in all degres lord most of myth
þat heuene & erthe made of nowth boþe se & lond
þe aungelys in heuene hym to serue bryth
& mankynde in mydylerd he made wyth hys hond
& oure louely lady þat lanterne is of lyth
Saue oure lege lord þe kynge þe leder of þis londe
& all þe ryall of þis reme & rede hem þe ryth
& all þe goode comowns of þis towne þat beforn us stonde — In þis place
We mustyr you wyth menschepe
& frayne you of frely frenchepe
Cryst saue you all fro schenchepe — þat knowyn wyl oure case

Secundus vexillator

þe case of oure comynge you to declare
Euery man in hymself forsothe he it may fynde
Whou mankende into þis werld born is ful bare
& bare schal beryed be at þe last ende
god ~~good~~ hym zeuyth to aungel ful zep & ful zare
þe goode aungel & þe badde to hym for to lende
þe goode techyth hym goodnesse þe badde synne & sare
Whanne þe ton hath þe victory þe toþir goth behynde — be skyll
þe goode aungel coueytyth euermore mans saluacion
& þe badde bysyeth hym euere to hys dampnacion — Wheþer he wyl [...]
& god hathe zouyn man fre arbitracion — saue or hys [...]

Tertius vexillator

ffyrst is man frelously whane he to synne asent
þe bad aungel þanne bryngyth hym in þre enmys so stout
þe werlde þe fende þe foul flesche so joly & jent
þei ledyn hym ful lustyly wyth synnys al abowt
Pyth wyth pryde & coueytyse to þe werld is he went
to meynte his manhod all men to hym lout
After yre & envye þe fend hath to hym lent
Bakbytynge & endytynge wyth all men for to route — ffull euyn
But þe foule flesch homlyest of all
Slawth lust & lecherye gun to hym call
Glotony & oþer synnys boþe grete & small — þis mans soule is soylyd wyth synnys moo þanne seuyn
Whanne mans sowle is soylyd wyth synne & wyth sore
þanne þe goode aungel makyth mykyl mornynge
þat þe lofly lyknesse of god schulde be lore
þorwe þe badde aungelys fals entysynge

Secundus vexillator

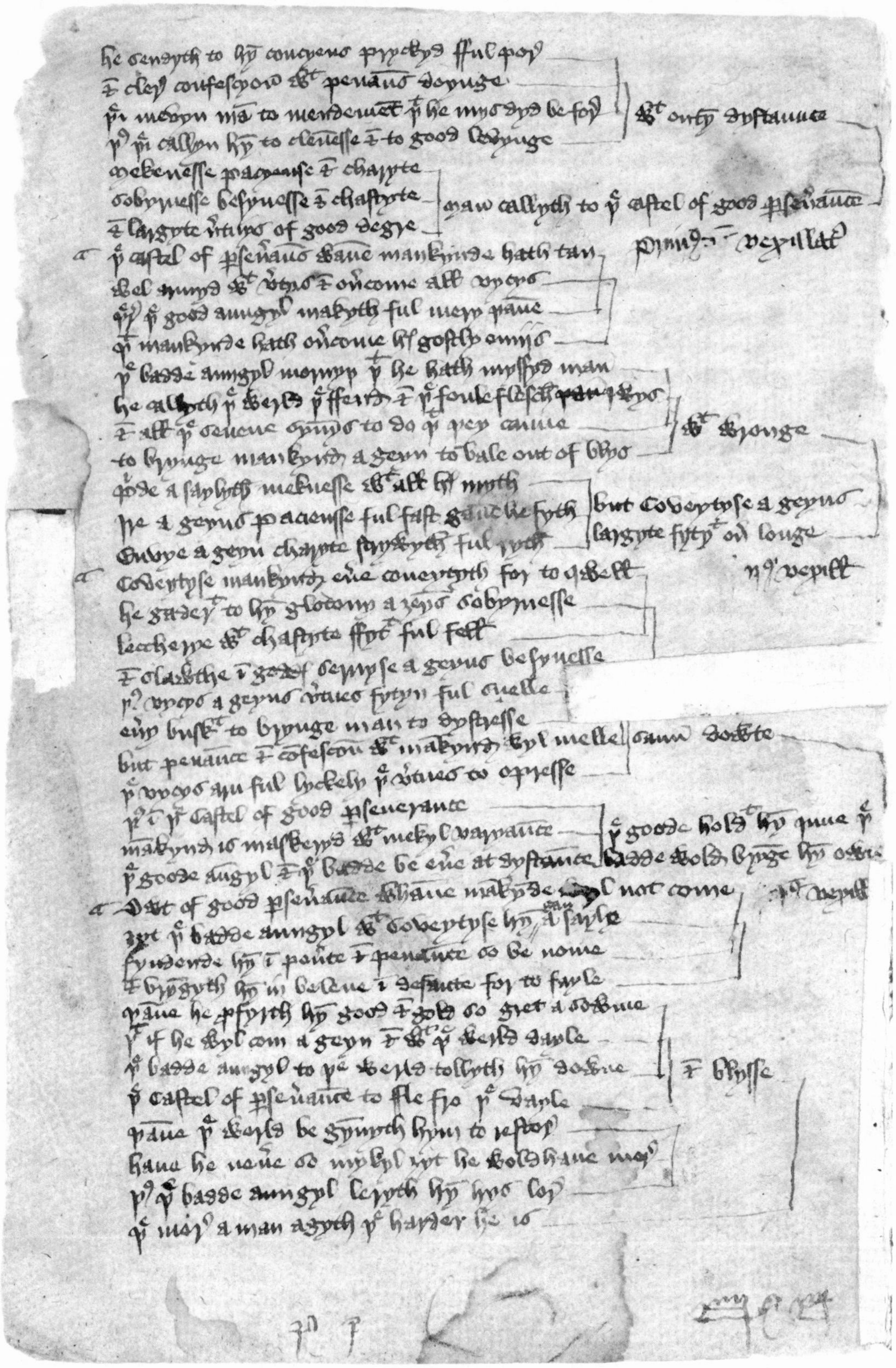

he sendyth to hym concyens pryckyd fful pore
& clere confescyon wyth penauns doynge
þei mevyn man to mendement þat he mysdyd before
þus þei callyn hym to clennesse & to good levynge
wyth outyn dystaunce
Mekenesse Pacyense & charyte
sobyrnesse besynesse & chastyte
& largyte uertuys of good degre
Man callyth to þe castel of good perseueraunce

PRIMUS VEXILLATOR. þe castel of perseuerauns wanne mankynde hath tan
wel armyd wyth vertus & ouyrcome all vycys
þere þe good aungyl makyth ful mery þanne
þat mankynde hath ouyrcome hys gostly emijs
þe badde aungyl mornyþ þat he hath myssyd man
he callyth þe werld þe ffend & þe foule flesch I wys
& all þe seuene synnys to do þat þey canne
to brynge mankynd a geyn to bale out of blys
wyth wronge
Pride a saylyth meknesse wyth all hys myth
Ire a geyns Paciensse ful fast ganne he fyth
Envye a geyn charyte strywyth ful ryth
but Coveytyse a geyns largyte fytyth ouyr longe

IJ^{us} VEXILLATOR. Coveytyse mankynd euere coueytyth for to qwell
he gaderyth to hym glotony a ȝeyns sobyrnesse
leccherye wyth chastyte ffytyth ful fell
& slawthe in goddys seruyse a geyns besynesse
þus vycys a geyns vertues fytyn ful snelle
euery buskyth to brynge man to dystresse
but penaunce & confescion wyth mankynd wyl melle
þe vycys arn ful lyckely þe vertues to opresse
saun dowte
þus in þe Castel of good perseuerance
mankynd is maskeryd wyth mekyl varyaunce
þe goode aungyl & þe badde be euere at dystaunce
þe goode holdyth hym Inne þe badde wold brynge hym owte

J^{us} VEXILL[ATOR]. Owt of good perseueraunce whanne mankynde wyl not come
ȝyt þe badde aungyl wyth Coveytyse hym gan a sayle
fyndende hym in pouerte & penaunce so be nome
& bryngyth hym in beleue in defaute for to fayle
þanne he profyrth hym good & gold so gret a sowme
þat if he wyl com a geyn & wyth þe werld dayle
þe badde aungyl to þe werld tollyth hym downe
þe Castel of perseueraunce to ffle fro þe vayle
& blysse
þanne þe werld be gynnyth hym to restore
haue he neuere so mykyl ȝyt he wold haue more
þus þe badde aungyl leryth hym hys lore
þe more a man agyth þe harder he is

53 PRIMUS] secundus *erased and corr. to* PRIMUS (*E*)
56 emijs] *F* e[n]mijs *E emends to* enmiis
58 I wys] þan *canc. before* I wys (*E*)
66 IJ^{us}] primus *erased and corr. to* IJ^{us} (*E*)
79 J^{us}] secundus *erased and corr. to* J^{us} (*E*)
80 gan] *added above the line* (*E*)
86 vayle] *F* dayle *E* vayle
91 *The last line on this page is a tail-rhyme line and should be over to the right.*

at bottom of the page, practice letters and the device used at ll. 134, 145, and 148

Primus vexillator. hard a man is in age & Covetouse be kynde
whanne all oþyr synnys man hath for sake
euere þe more þat he hath þe more is in hys mynde
to gadyr & to gete good wyth woo & wyth wrake
þus þe goode aungyl caste is be hynde
& þe badde aungyl man to hym takyth
þat wryngyth hym wrenchys to hys last ende
tyl deth comyth foul dolfully & loggyth hym in a lake
                    ful lowe
þanne is man on molde maskeryd in mynde
he sendyth afftyr hys sekkatours ful fekyl to fynde
& hys eyr aftyrward comyth euere be hynde
                    I wot not who is hys name for he hym nowt knowe

Secundus vexill[ator]. Man knowe not who schal be hys eyr & gouerne hys good
he caryth more for hys catel þanne for hys cursyd synne
to putte hys good in gouernaunce he mengyth hys mod
he wolde þat it were scyfftyd a mongys hys ny kynne
but þer schal com a lythyr ladde wyth a torne hod
I wot neuere who schal be hys name hys cloþis be ful þynne
schal eryth þe erytage þat neuere was of hys blod
whanne al hys lyfe is lytyd up on a lytyl pynne
                    at þe laste
On lyue whanne may no lenger lende
Mercy he callyth at hys laste ende
Mercy god be now myn frende
                    wyth þat mans spyryt is paste

Primus vexillator. whanne manys spyryt is past þe badde aungyl ful fell
cleymyth þat for couetyse mans sowle schuld ben hys
& for to bere it ful boystowsly wyth hym in to hell
þe good aungyl seyth nay þe spyryt schal to blys
ffor at hys laste ende of mercy he gan spell
& þerfore of mercy schal he nowth mysse
& oure lofly ladi if sche wyl for hym mell
be mercy & be menys in purgatory he is
                    in fful byttyr place
þus mowthys confession
& hys hertys contricion
schal saue man fro dampnacion
                    be goddys mercy & grace

Secundus vexillator. Grace if god wyl graunte us of hys mykyl myth
þese parcell in propyrtes we purpose us to playe
þis day seuenenyt be fore ȝou in syth
At [   ] on þe grene in ryal a ray

92 Primus] *This and the next four stanzas are mis-assigned* (*E*).
114 may] *FE emend to* he may
124 ladi] *added above the line in a different ink* (*E*) *F* lady
132 parcell] *F reads* parcellis *E emends to* parcellys
134 *Presumably the actors filled in the name of the locale in which they acted, here and at ll. 145 and 148;* ryal] *F* ryall

at bottom of the page, &; also the upper part of a line that is too extensively trimmed away to be legible

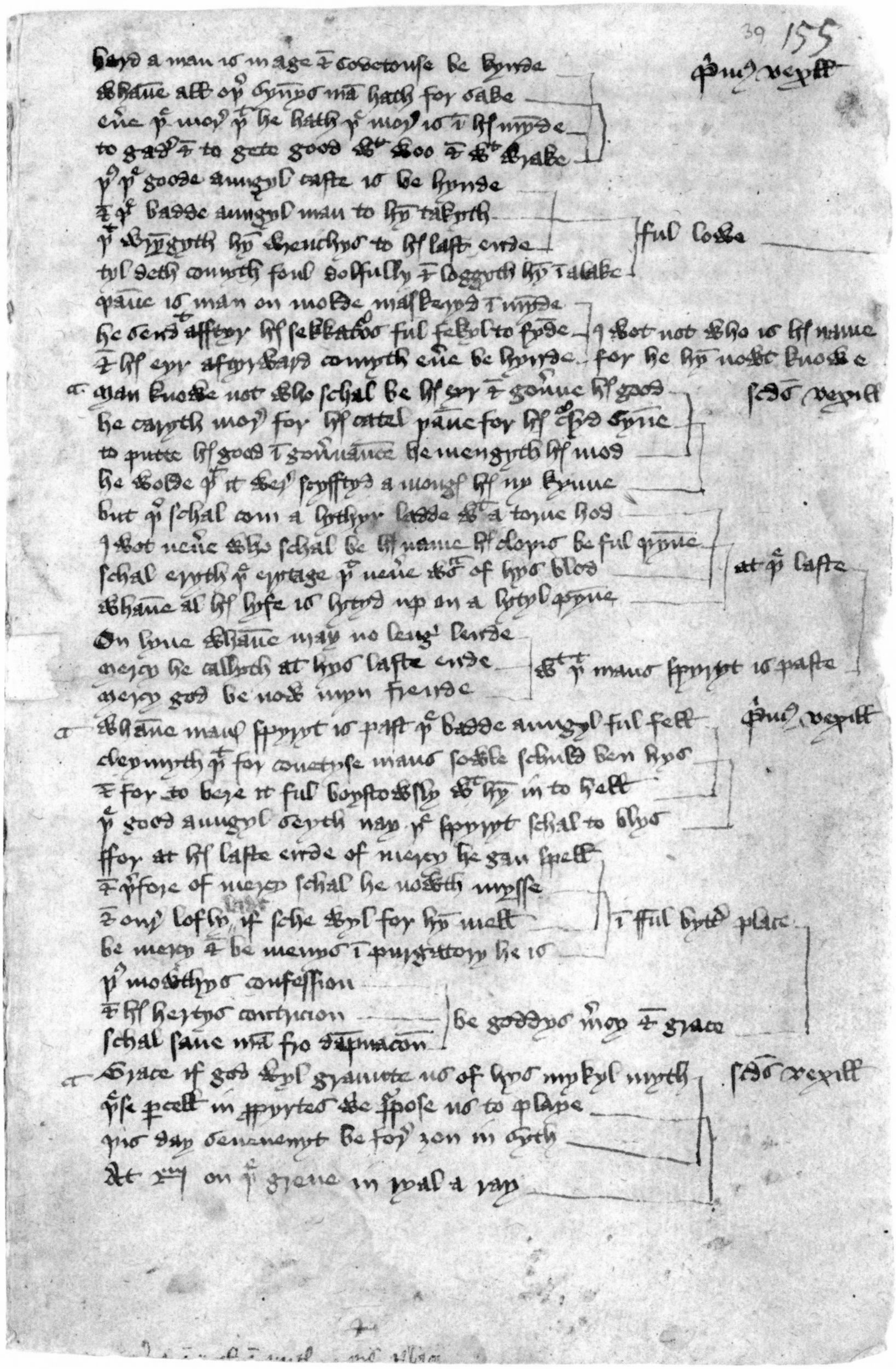
39 155

Hard a man is in age & couetouse be kynde — p̄mus vexill
Whanne all oþer synnys man hath forsake
euere þe more þat he hath þe more is in his mynde
to gadere & to gete good with woo & with wrake
þus þe goode aungyl caste is be hynde
& þe badde aungyl man to hym takyth
þat wryngyth hym wrenchys to his laste ende — ful lowe
tyl deth cummyth foul dolfully & loggyth hym in lake
Panne is man on molde maskeryd in mynde
he sendyth after his sekatours ful fekyl to fynde — I wot not who is his name
& his eyr aftyrwarde cummyth euere be hynde — for he hym nowt knowe
Man knowe not who schal be his eyr & gouerne his good — sc̄ds vexill
he caryth more for his catel þanne for his cursyd synne
to putte his good in gouernaunce he mengyth his mood
he wolde þat it were sprad a mongys his ney kynne
but þer schal com a lythyr ladde with a torne hood
I wot neuere who schal be his name his clopis be ful þynne
schal eryth þe erytage þat neuere was of his blood — at þe laste
whanne al his lyfe is lytyd up on a lytyl pynne
On lyue whanne may no lengere lende
mercy he callyth at his laste ende — with þat mannys spyryt is paste
mercy god be now myn frende
Whanne mannys spyryt is past þe badde aungyl ful fell — p̄mus vexill
cleymyth þat for couetyse mannys sowle schuld ben his
& for to bere it ful boystowsly with hym in to hell
þe good aungyl seyth nay þe spyryt schal to blys
ffor at his laste ende of mercy he gan spell
& þerfore of mercy schal he nowth mysse
& oure lofly lady if sche wyl for hym mell — in ful byttre place
be mercy & be menys in purgatory he is
þe mowthys confession
& his hertys contricion — be goddys mercy & grace
schal saue man fro dampnacion
Grace if god wyl graunte us of his mykyl myth — sc̄ds vexill
þese parcell in propyrtes we purpose us to playe
þis day seuenenyt before ȝou in syth
At [illegible] on þe grene in ryal aray

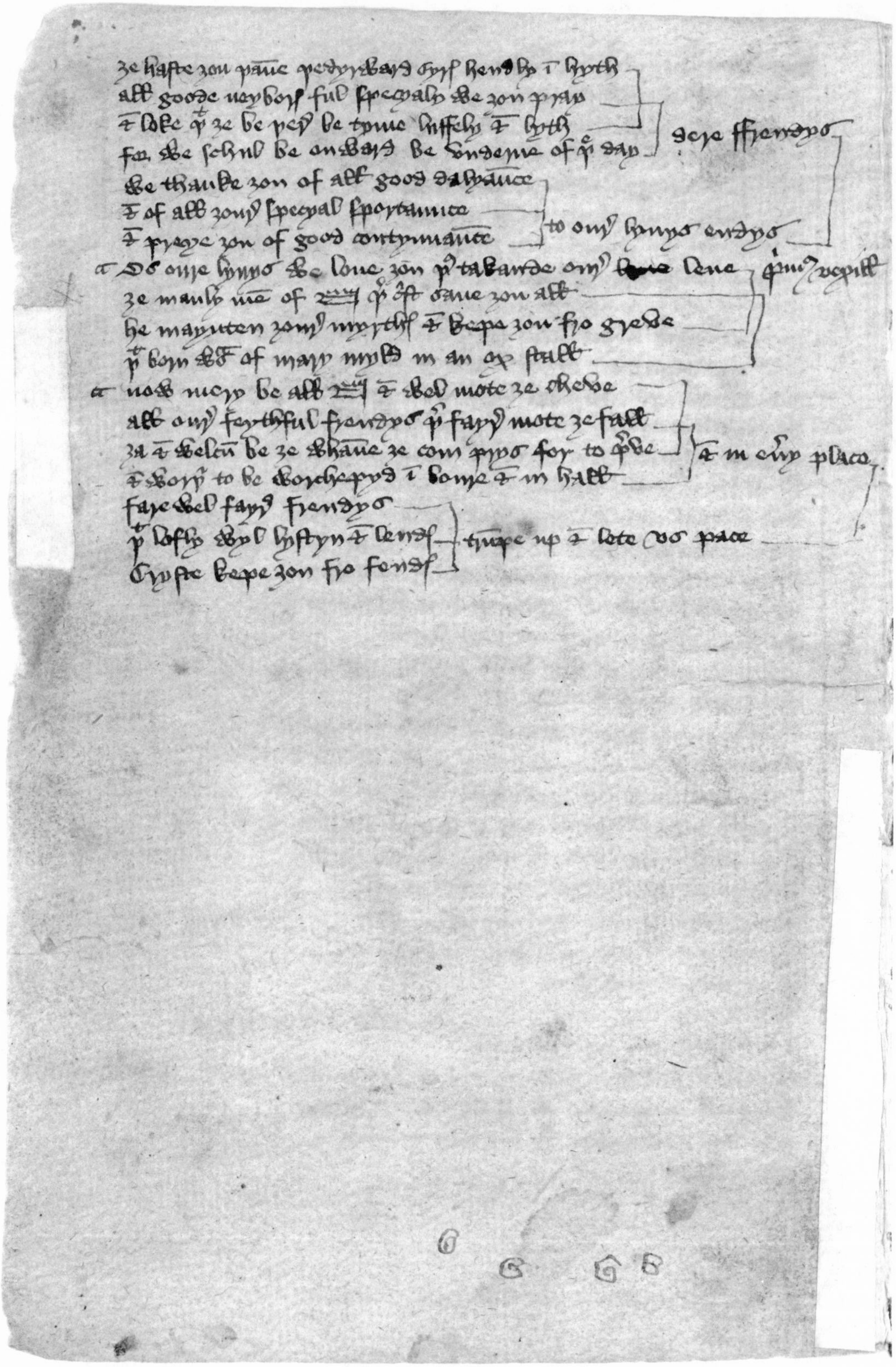
ȝe haste ȝou paine ȝederward wyþ hende ly & blyth
all goode neyborys ful specyaly we ȝou pray
& loke þt ȝe be here be tyme lustely & blyth
for we schull be onwarde be vndern of þe day — dere frendys
we thanke ȝou of all good dalyaunce
& of all ȝour specyal sportaunce
& praye ȝou of good contynuance — to our lyuys endys
a As oure lyuys we loue ȝou þt takarde our [illegible] leue — quod repill
ȝe make me of [illegible] þt oft gane ȝou all
he mayntene ȝour myrthis & kepe ȝou fro greve
þt born was of mary myld in an ox stall
a now mery be all [illegible] & wel mote ȝe cheue
all our feythful frendys þt fayr mote ȝe fall
ȝa & welcum be ȝe whanne ȝe com prys for to preue
& worþy to be worschepyd in bowre & in hall — & in euery place
fare wel fayr frendys
þt lofly wyl lystyn & lende — tyrne up & lete vs pace
Cryste kepe ȝou fro fende
G G G B

ȝe haste ȝou þanne þedyrward syrys hendly in hyth
all goode neyborys ful specyaly we ȝou pray
& loke þat ȝe be þere be tyme luffely & lyth
for we schul be onward be vnderne of þe day
dere ffrendys
we thanke ȝou of all good dalyaunce
& of all ȝoure specyal sportaunce
& preye ȝou of good contynuaunce
to oure lyuys endys

PRIMUS VEXILLATOR. Os oure lyuys we loue ȝou þus takande oure leue
ȝe manly men of [ ] þer crist saue ȝou all
he maynten ȝoure myrthys & kepe ȝou fro greve
þat born was of mary myld in an ox stall
now mery be all [ ] & wel mote ȝe cheve
all oure feythful frendys þer fayre mote ȝe fall
ȝa & welcum be ȝe whanne ȝe com prys for to preve
& worþi to be worchepyd in boure & in hall
& in euery place
fare wel fayre frendys
þat lofly wyl lystyn & lendys
Cryste kepe ȝou fro fendys
trumpe up & lete vs pace

142 contynuaunce] *F* contynnaunce *E* contynuaunce
144 Os] *F* Deus *E* Os; leue] loue (?) *canc. before* leue
145 þer] *F* þus *E* þer
148 mery] *F* mercy *E* mery
149 þer] *F* þus *E* þer
151 worþi] *F* worthyi *E* worþi
154 lendys] *E emends to* lende

at the bottom of the page, three practice q*'s and one* b

MUNDUS. worthy wytys in al þis werd wyde
Be wylde wode wonys & euery weye went
Precyous prinse prekyd in pride
þorwe þis propyr pleyn place in pes be ʒe bent
Buske ʒou bolde bachelerys vndyr my baner to a byde
where bryth basnetys be bateryd & backys ar schent
ʒe syrys semly all same syttyth on syde
ffor bothe be see & be londe my sondys I haue sent
        al þe world myn nam[e] is ment
al a bowtyn my bane is blowe
In euery cost I am knowe
I do men rawyn on ryche rowe
        tyl þei be dyth to dethys dent

assarye acaye & almayne
Cauadoyse capadoyse & cananee
Babyloyne brabon burgoyne & bretayne
Grece galys & to þe gryckysch see
I meue also masadoyne in my mykyl mayne
ffrauns flaundrys & freslonde & also normande
Pynceeras parys & longe pygmayne
& euery toun in trage euyn to þe dreye tre
        Rodys & ryche Rome
all þese londys at myn a vyse
arn castyn to my werdly wyse
My tresorer syr Coueytyse
        hath sesyd hem holy to me

þerfor my game & my gle growe ful glad
þer is wythe in þis werld þat my wytte wyl me warne
Euery ryche rengne rapyth hym ful rad
In lustys & in lykyngys my lawys to lerne
wyth fayre folke in þe felde freschly I am fadde
I dawnse doun as a doo be dalys ful derne
what boy bedyth batayl or debatyth wyth blad
hym were betyr to ben hangyn hye in hell herne
        or brent on lyth leuene
who so spekyth a ʒeyn þe werd
In a presun he schal be sperd
myn hest is holdyn & herd
        In to hyʒe heuene

BELYAL. Now I sytte satanas in my sad synne
as deuyl dowty in draf as a drake
I champe & I chase I chocke on my chynne
I am boystows & bold as belyal þe blake

159 prinse] *added above the line, over* pride, *canc.* (*E*) *F* in prise
171 Cauadoyse] *or* Canadoyse *F* Canadoyse *E* Cauadoyse
184 wythe] *E emends to* no wythe
198 chase] *E emends to* chafe

at bottom of the page, practice lettering including þer, þerfor, &

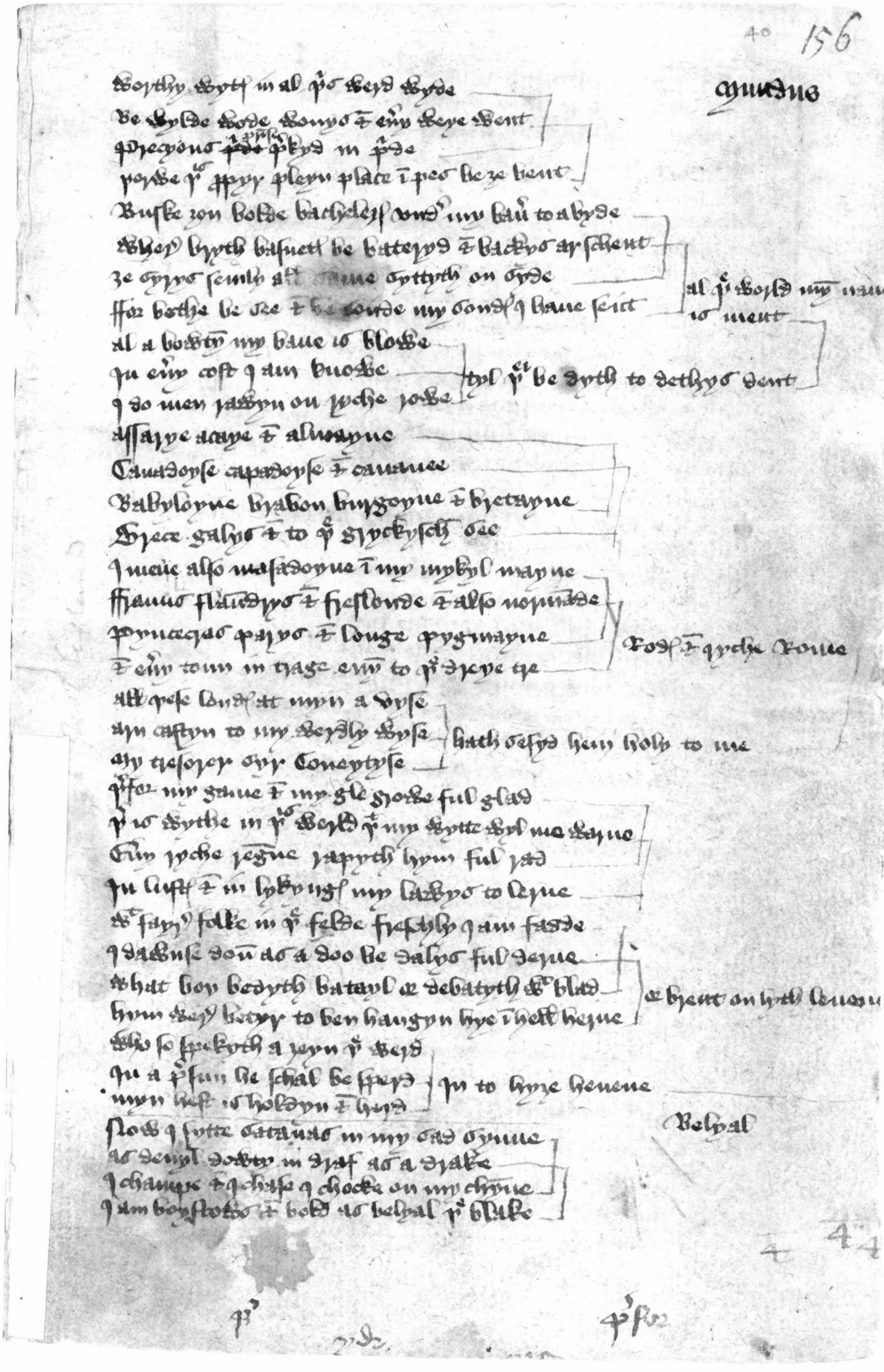

40 156

Mundus

Worthy wyth in al þis werd wyde
Be wylde wode wonys & euery weye went
Precyous prinse prekyd in pryde
Þorwe þis propyr pleyn place in pes be ȝe bent
Buske ȝou bolde bachelerys vndyr my baner to abyde
Where bryth basnettys be bateryd & backys ar schent
Ȝe syrys semely all same syttyth on syde
For bothe be see & be londe my sondys I haue sent
al þe world myn name is ment
Al abowtyn my bane is blowe
In euery cost I am knowe
I do men rawyn on ryche rowe
tyl þei be dyth to dethys dent
Assaye Aufrike & Almayne
Caudas Capadoce & Cananee
Babyloyne Brabon Burgoyne & Bretayne
Grece Galys & to þe Grekys See
I meue also Masadoyne in my mykyl mayne
Frauns Flaundrys & Fryslonde & also Normandye
Pyncecras Parys & longe Pygmayne
& euery toun in Trage euene to þe Dreye Tre
Rodys & ryche Rome
All þese londys at myn a vyse
Arn castyn to myn werdly wyse
My tresorer Syr Coueytyse
hath sesyd hem holy to me
Þerfore my gayne & my gle growyth ful glad
Þer is no wythe in þis werd þat my wytt wyl me werne
Euery ryche rengne rappyth hym ful rad
In lust & in lykyngys my lawys to lerne
Wyth fayre folke in þe felde freschly I am fade
I dawnse doun as a doo be dalys ful derne
What boy bedyth batayl or debatyth wyth blad
Hym were betyr to ben hangyn hye in helle herne
or brent on lyue
Who so spekyth a ȝens þe werd
In a prysoun he schal be sperd
Myn hest is holdyn & hard
fro Tyburne to Tyue

Belyal

Now I sytte Sathanas in my sad synne
As deuyl dowty in draf as a drake
I champe & I chafe I chocke on my chynne
I am boystows & bold as Belyal þe blake

44

What folk þat I grope þei gapyn & grene
Iwys fro Carlylle in to Kent my carpynge þei take
Boþe þe bak & þe buttoke brestyth al on brenne
With werkys of wreche I werke hem mykyl wrake
In woo is al my wene

In care I am cloyed
& fowle I am a noyed
But mankynde be stroyed
Be dykys & be denne

Pryde is my prince in perlys ipyth
Wretthe þis wrecche with me schal wake
Envye in to werre with me schal walkyn wyth
With þise faytourys I am fedde in feyth I am fawe
As a dyngne devyl in my den I am dyth
Pryde wretthe & envye I sey in my sawe
Kyngys kaysserys & kempys & many a kene knyth
Þese louely lordys han lernyd hem my lawe
To my den þei wyl drawe

Al holy mankynne
To helle but I wynne
In bale is my blynne
& schent vndyr schawe

On mankynde is my þost i cote I knowe
With myn eyre & with my tayl tytly to tene
Porwe flaundrys & freslonde faste I gan flowe
ffele folke on a flokke to flappyn & to fleue
Where I grasppe on þe grounde grym þer schal growe
Gadyr you to gedyr ʒe boyis on þis grene
In þis brode bugyl a blast wanne I blowe
Al þis world schal be wood I wys as I wene
& to my byddynge bende

Wyth hym on hyde
On benche wyl I byde
To tene þis tyde
Al holy mankende

Caro

I byde as a brod brustun gutte abouyn on þese towrys
Euery body is þe bettyr þat to my byddynge is bent
I am mankyndys fayre flesch florchyd in flowrys
My lyfe is with lustys & lykynge I lent
With tapytys of tarsa I tymbyr my towrys
In myrthe & in melodye my mende is I ment
Þou I be clay & clad clappyd vndyr clowrys
ʒyt wolde I þat my wyll in þe world went
Ful trewe I ʒou behyth

I loue wel myn ese
In lustys me to plese
Þou synne my sowle sese
I ʒeue not a myth

what folk þat I grope þei gapyn & grenne
I wys fro carlylle In to kent my carpynge þei take
bothe þe bak & þe buttoke brestyth al on brenne
wyth werkys of wreche I werke hem mykyl wrake
In woo is al my wenne
In care I am cloyed
& fowle I am a noyed
but mankynde be stroyed
Be dykys & be denne

Pryde is my prince in perlys I pyth
wretthe þis wrecche wyth me schal wawe
Enuye in to werre wyth me schal walkyn wyth
wyth þese faytourys I am fedde In feyth I am fawe
as a dyngne deuyl in my dene I am dyth
Pryde wretthe & enuye I sey in my sawe
kyngys kayserys & kempys & many a kene knyth
þese louely lordys han lernyd hem my lawe
to my dene þei wyl drawe
al holy mankynne
to helle but I wynne
In bale is my bynne
& schent vndyr schawe

on mankynde is my trost in contre I knowe
wyth my tyre & wyth my tayl tytly to tene
þorwe flaundris & freslonde faste I gan flowe
ffele folke on a flokke to flappyn & to flene
where I graspe on þe grounde grym þer schal growe
gadyr ȝou to gedyr ȝe boyis on þis grene
In þis brode bugyl a blast wanne I blowe
al þis werld schal be wood I wys as I wene
& to my byddynge bende
wythly on syde
on benche wyl I byde
to tene þis tyde
al holy mankende

CARO. I byde as a brod brustun gutte a bouyn on þese tourys
euery body is þe betyr þat to myn byddynge is bent
I am mankyndys fayre flesch florchyd in flowrys
my lyfe is wyth lustys & lykynge I lent
wyth tapytys of tafata I tymbyr my towrys
In myrthe & in melodye my mende is I ment
þou I be clay & clad clappyd vndir clowrys
ȝyt wolde I þat my wyll in þe werld went
ful trew I ȝou be hyth
I loue wel myn ese
In lustys me to plese
þou synne my sowle sese
I ȝeue not a myth

215 knyth] kyth *canc. before* knyth (*E*)

In glotony gracyous now am I growe
þerfore he syttyth semly here be my syde
In lechery & lykynge lent am I lowe
& slawth my swete sone is bent to a byde
þese iij are nobyl trewly I trowe
mankynde to tenyn & trecchyn a tyde
wyth many berdys in bowre my blastys are blowe
be weys & be wodys þorwe þis werld wyde
þe sothe for to seyne
but if mans flesch fare wel
bote at mete & at mel
dyth I am In gret del
& browt in to peyne

& aftyr good fare in feyth þou I fell
þou I dryweto dust in drosse for to drepe
þow my sely sowle were haryed to hell
wo so wyl do þese werkys I wys he schal wepe
euyr wyth owtyn ende
be hold þe werld þe deuyl & me
wyth all oure mythis we kyngys thre
nyth & day besy we be
for to distroy mankende
if þat w[e may]
þer for on hylle
syttyth all stylle
& seth wyth good wylle
oure ryche a ray

HUMANUM GENUS. aftyr oure forme faderys kende
þis nyth I was of my modyr born
ffro my modyr I walke I wende
full feynt & febyl I fare ȝou beforn
I am nakyd of lym & lende
as mankynde is schapyn & schorn
I not wedyr to gon ne to lende
to helpe my self mydday nyn morn
for schame I stonde & schende
I was born þis nyth in blody ble
& nakyd I am as ȝe may se
a lord god in trinite
whow mankende is vnthende

where to I was to þis werld browth
I ne wot but to woo & wepynge
I am born & haue ryth nowth
to helpe my self in no doynge

258 bote] *FE emend to* bothe

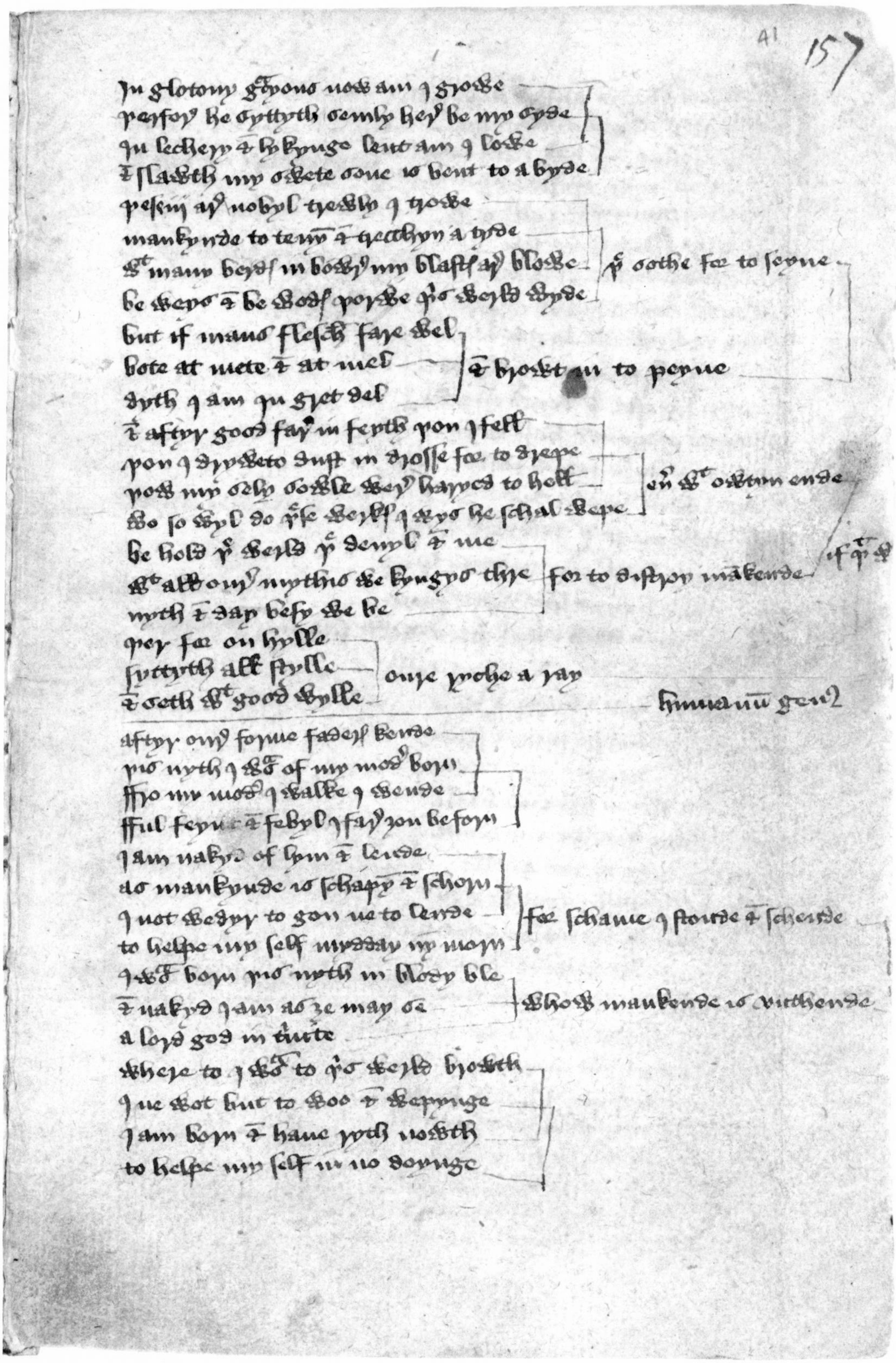

41 157

In glotony gracyous now am I growe
Þerfore he syttyth semly here be my syde
In lecchery & lykynge lent am I lowe
& slawthe my swete sone is bent to abyde
Þese arn noble trewly I trowe
Mankynde to tenyn & tecchyn a tyde
Whanne man berys in bowre my blastys arn blowe
Be sepys & be wodys þorwe þis werld wyde
Þe sothe for to seyne
But if mannys flesch fare wel
Bote at mete & at mel
Dyth I am in gret del
& browt in to peyne
& aftyr good fare in feyth þan I felle
Þan I dryuyr dust in drosse for to drepe
Þow my sely sowle were harryed to helle
Who so wyl do þese werkys I wys he schal wepe
Euyr withowtyn ende
Be hold þe werld þe deuyl & me
With all oure myghtys we kyngys thre
Nyth & day besy we be
For to distroy mankende
If þat we may
Þerfore on hylle
Syttyth all stylle
& seth wyth good wylle
Oure ryche aray

Humanum genus

Aftyr oure forme faderys kende
Þis nyth I was of my modyr born
Fro my modyr I walke I wende
Ful feynt & febyl I fare ȝou beforn
I am nakyd of lym & lende
As mankynde is schapyn & schorn
I not wedyr to gon ne to lende
To helpe my self mydday nyn morn
For schame I stonde & schende
I was born þis nyth in blody ble
& nakyd I am as ȝe may se
A lord god in trinite
Whow mankende is vnthende
Whereto I was to þis werld browth
I ne wot but to woo & wepynge
I am born & haue ryth nowth
To helpe my self in no doynge

I stonde and stodye al ful of þowth
Bare and pore is my clothynge
A sely crysme myn hed hath cawth
Þat I tok at myn crystenynge
Certis I haue no more
Of erthe I cam I wot ryth wele
And as erthe I stande þis sele
Of mankende it is gret dele
Lord God I crye þine ore
Tweyne aungels bene asynyd to me
Þe ton techyth me to goode
On my ryth syde ȝe may hym se
He cam fro Criste þat deyed on rode
Anoþer is ordeynyd her to be
Þat is my fo be fen and flode
He is about in euery degre
To drawe me to þo dewylys wode
Þat in helle ben thycke
Swyche grace hath euery man on lyue
To rewlyn hym and hys wyttys fyue
Whanne man doth euyl þe ton wolde schryue
Þe toþer drawyth to wycke
But syn þese aungels be to me falle
Lord Jhesu to ȝou I bydde a bone
Þat I may folwe be strete and stalle
Þe aungyl þat cam fro heuene trone
Now Lord Jhesu in heuene halle
Here whanne I make my mone
Coryows Criste to ȝou I calle
As a grysly gost I grucche and grone
I wene ryth ful of þowth
A Lord Jhesu wedyr may I goo
A crysme I haue and no moo
Alas men may be wondyr woo
Whanne þei be fyrst forth browth

Bonus angelus

Ȝa forsothe and þat is wel sene
Of woful wo man may synge
For iche creatur helpyth hymself bedene
Saue only man at hys comynge
Neuer þe lesse turne þe fro tene
And serue Jhesu heuene kynge
And þou schalt be grenys grene
Fare wel in alle thynge
Þat Lord þi lyfe hath lante

I stonde & stodye al ful of þowth
bare & pore is my clothynge
a sely crysme myn hed hath cawth
þat I tok at myn crystenynge
certys I haue no more
of erthe I cam I wot ryth wele
& as erthe I stande þis sele
of mankende it is gret dele
lord god I crye þyne ore

ij aungels bene a synyd to me
þe ton techyth me to goode
on my ryth syde ȝe may hym se
he cam fro criste þat deyed on rode
a noþyr is ordeynyd her to be
þat is my foo be fen & flode
he is a bout in euery degre
do drawe me to þo dewylys wode
þat in helle ben thycke
swyche to hath euery man on lyue
to rewlyn hym & hys wyttys fyue
whanne man doth ewyl þe ton wolde schryue
þe toþyr drawyth to wycke

but syn þese aungelys be to me falle
lord Ihesu to ȝou I bydde a bone
þat I may folwe be strete & stalle
þe aungyl þat cam fro heuene trone
now lord Ihesu in heuene halle
here whane I make my mone
Coryows criste to ȝou I calle
as a grysly gost I grucche & grone
I wene ryth ful of thowth
a lord Ihesu wedyr may I goo
a crysyme I haue & no moo
alas men may be wondyr woo
whanne þei be fyrst forth browth

BONUS AUNGELUS. ȝa forsothe & þat is wel sene
of woful wo man may synge
for iche creature helpyth hym self be dene
saue only man at hys comynge
neuyr þe lesse turne þe fro tene
& serue Ihesu heuene kynge
& þou schalt be greuys grene
fare wel in all thynge
þat lord þi lyfe hath lante

308 do] *FE emend to* to

327 AUNGELUS] *FE read* ANGELUS

at bottom left, circled, in a later hand: wu or nu (?)

haue hym alwey in þi mynde
þat deyed on rode for mankynde
& serue hym to þi lyfes ende
    & sertys þou schalt not wante

MALUUS ANGELUS. Pes aungel þi wordys are not wyse
þou counselyst hym not a ryth
he schal hym drawyn to þe werdys seruyse
to dwelle wyth caysere kynge & knyth
    þat in londe be hym non lyche
cum on wyth me stylle as ston
þou & I to þe werd schul goon
& þanne þou schalt sen a non
    whow sone þou schalt be ryche

BONUS ANGELUS. a pes aungel þou spekyst folye
why schuld he coueyt werldys goode
syn criste in erthe & hys meynye
all in pouert here þei stode
werldys wele be strete & stye
ffaylyth & fadyth as fysch in flode
but heue ryche is good & trye
þer criste syttyht bryth as blode
    wyth outyn any dystresse
to þe world wolde he not flyt
but forsok it euery whytt
example I fynde in holy wryt
    he wyl bere me wytnesse
diuicias & paupertates ne dederis mihi domine

MALUS ANGELUS. ȝa ȝa man leue hym nowth
but cum wyth me be stye & strete
haue þou a gobet of þe werld cawth
þou schalt fynde it good & swete
a fayre lady þe schal be tawth
þat in bowre þi bale schal bete
wyth ryche rentys þou schalt be frawth
wyth sylke sendel to syttyn in sete
    I rede late Bedys be
If þou wylt haue wel þyn hele
& faryn wel at mete & mele
wyth goddys seruyse may þou not dele
    but cum & folwe me

HUMANUM GENUS. whom to folwe wetyn I ne may
I stonde & stodye & gynne to raue
I wolde be ryche in gret a ray
& fayn I wolde my sowle saue
    as wynde in watyr I wave

340 MALUUS] *F reads* MALUS *E emends to* MALUS
355 heue ryche] *F* he[ue]ne-ryche *E* heueryche
356 syttyht] *E emends to* syttyth
361a *Latin lines added at the end of a regular stanza are not counted in the line numbering; stage directions also are not counted.*
367 bale] schal *canc. before* bale (*E*)
378 fayn] *added in left margin* (*E*)
379 *The scribe first wrote and then canc. l. 380* (*E*).

42 158

haue hym alwey in þi mynde
þat deyed on rode for mankynde
and serue hym to þi lyfes ende — and sertes þou schalt not wante

Malus angelus

Pes aungel þi wordis are not wyse
þou counselyst hym not aryth
he schal hym drawyn to þe werldis seruyse
to dwelle wyth caysere kynge and knyth — þat in londe be hym non syche
and cum on wyth me stylle as ston
þou and I to þe werld schul goon
and þan þou schalt sen anon — whow sone þou schalt be ryche

Bonus angelus

A pes aungel þou spekyst folye
why schuld he coueyt werldis goode
syn cryste in erthe and hys meynye
all in pouerte here þei stode
werldis wele be strete and stye
faylyth and fadyth as fysch in flode
but heuene ryche is good and trye
þer cryste syttyth bryth as blode — wythoutyn any dystresse
to þe world wolde he not flyt
but forsok it euery whytt
example I fynde in holy wryt — he wyl bere me wytnesse
Diuicias et paupertates ne dederis mihi domine

Malus angelus

Ya ya man leue hym nowth
but cum wyth me be stye and strete
haue þou a gobet of þe werldis cawth
þou schalt fynde it good and swete
a fayr lady þe schal be tawth
þat in bowre þi bale schal bete
wyth ryche rentis þou schalt be fawth
wyth sylke sendel to syttyn in sete — I rede late bedys be
If þou wylt haue wel þin hele
and faryn wel at mete and mele
wyth goddis seruyse may þou not dele — but cum and folwe me

Humanum genus

Whom to folwe wetyn I ne may
I stonde and stodye and gynne to raue
I wolde be ryche in gret aray
Fayn and I wolde my sowle saue — ~~þou wolyst to þe werld þey me tobe~~ as wynde in watyr I wave

Folio 158v

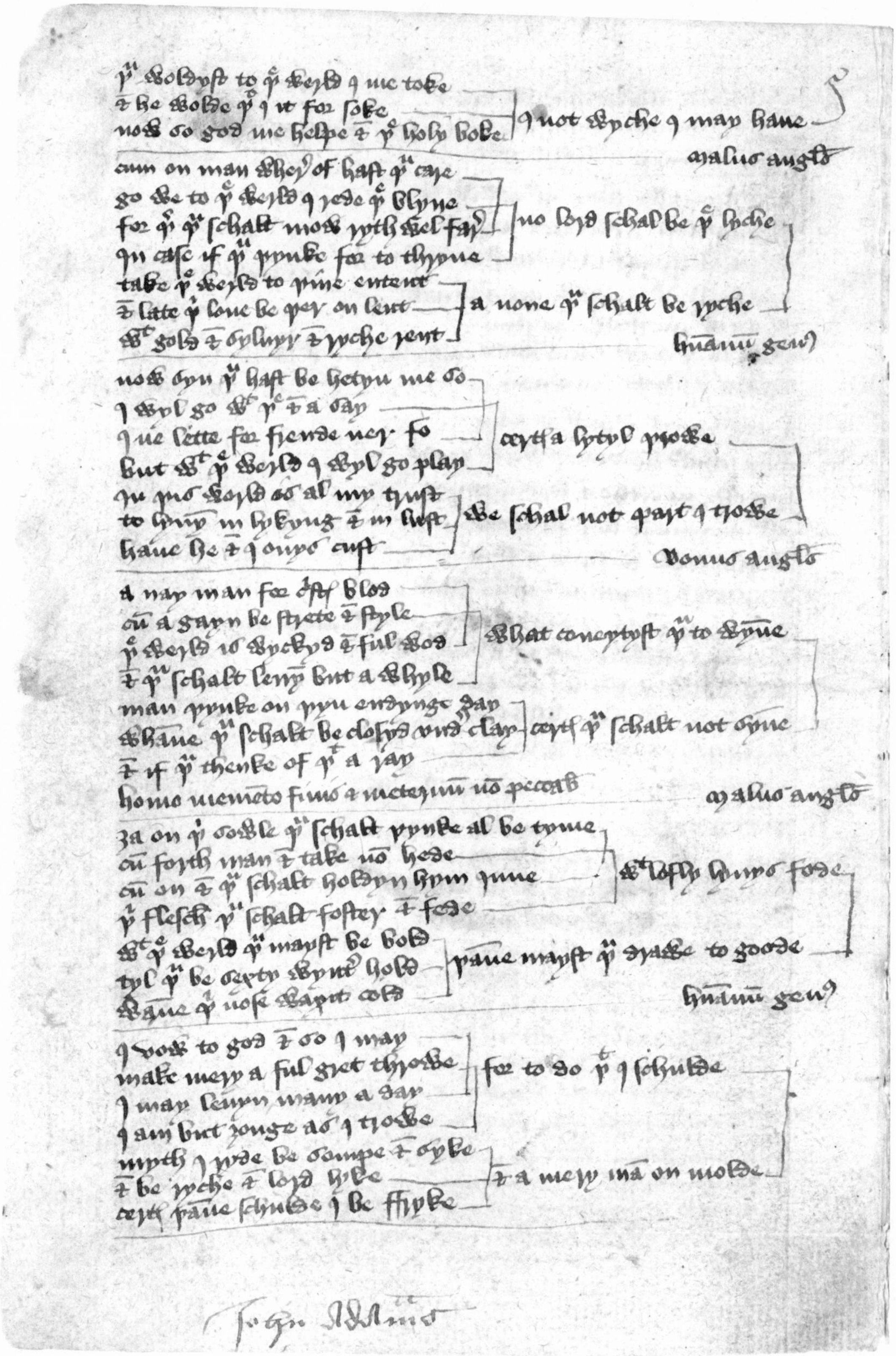

þu woldyst to þe werld I me toke
& he wolde þat I it for soke
now so god me helpe & þe holy boke
I not wyche I may haue

Malus angelus

Cum on man wher of hast þu care
go we to þe werld I rede þe blyue
for þer þu schalt now ryth wel fare
In case if þu þynke for to thryue
no lord schal be þe lyche
take þe werld to þine entent
& latte þi loue be þer on lent
wyth gold & syluyr & ryche rent
a none þu schalt be ryche

Humanum genus

now syn þu hast be hetyn me so
I wyl go wyth þe & a say
I ne lette for frende ner fo
but wyth þe werld I wyl go play
certes a lytyl prowe
In þis werld ys al my trust
to lyuyn in lykyng & in lust
haue he & I onys cust
we schal not part I trowe

Bonus angelus

A nay man for cristes blod
cum a gayn be strete & style
þe werld is wyckyd & ful wod
& þu schalt leuyn but a whyle
what coueytyst þu to wynne
man þynke on þyn endynge day
whanne þu schalt be closyd vnder clay
& if þu thenke of þat aray
certes þu schalt not synne

Homo memento finis & in eternum non peccabis

Malus angelus

ya on þi sowle þu schalt þynke al be tyme
cum forth man & take non hede
cum on & þu schalt holdyn hym inne
þi flesch þu schalt foster & fede
wyth lofly lyuys fode
wyth þe werld þu mayst be bold
tyl þu be sexty wynter hold
wanne þi nose waxit cold
þanne mayst þu drawe to goode

Humanum genus

I vow to god & so I may
make mery a ful gret throwe
I may leuyn many a day
I am but yonge as I trowe
for to do þat I schulde
myth I ryde be sompe & syke
& be ryche & lord lyke
certes þanne schulde I be fryke
& a mery man on molde

þou woldyst to þe werld I me toke
& he wolde þat I it for soke
now so god me helpe & þe holy boke
I not wyche I may haue

MALUS ANGELUS. cum on man where of hast þou care
go we to þe werld I rede þe blyue
for þer þou schalt mow ryth wel fare
In case if þou þynke for to thryue
no lord schal be þe lyche
take þe werld to þine entent
& late þi loue be þer on lent
wyth gold & syluyr & ryche rent
a none þou schalt be ryche

HUMANUM GENUS. now syn þou hast be hetyn me so
I wyl go wyth þe & a say
I ne lette for frende ner fo
but wyth þe werld I wyl go play
certys a lytyl þrowe
In þis world is al my trust
to lyuyn in lykyng & in lust
haue he & I onys cust
we schal not part I trowe

BONUS ANGELUS. a nay man for cristys blod
cum a gayn be strete & style
þe werld is wyckyd & ful wod
& þou schalt leuyn but a whyle
what coueytyst þou to wynne
man þynke on þyn endynge day
whanne þou schalt be closyd vndyr clay
& if þou thenke of þat a ray
certys þou schalt not synne
homo memento finis & ineternum non peccabis

MALUS ANGELUS. ȝa on þi sowle þou schalt þynke al be tyme
cum forth man & take non hede
cum on & þou schalt holdyn hym Inne
þi flesch þou schalt foster & fede
wyth lofly lyuys fode
wyth þe werld þou mayst be bold
tyl þou be sexty wyntyr hold
wanne þi nose waxit cold
þanne mayst þou drawe to goode

HUMANUM GENUS. I vow to god & so I may
make mery a ful gret throwe
I may leuyn many a day
I am but ȝonge as I trowe
for to do þat I schulde
myth I ryde be sompe & syke
& be ryche & lord lyke
certys þanne schulde I be ffryke
& a mery man on molde

426 lord lyke] *F* lord [i-]lyke *E* lordlyke

at bottom of the page, in a later hand: John Adams

MALUS ANGELUS. ȝys be my feyth þou schalt be a lord
& ellys hange me be þe hals
but þou muste be at myn a cord
oþyr whyle þou muste be fals
a monge kythe & kynne
now go we forth swythe a non
to þe werld us must gon
& bere þe manly euere a mong
whanne þou comyst out or Inne

HUMANUM GENUS. ȝys & ellys haue þou my necke
but I be manly be downe & dyche
& þou I be fals I ne recke
wyth so þat I be lord lyche
I folwe þe as I can
þou schalt be my bote of bale
for were I ryche of holt & hale
þanne wolde I ȝeue neuere tale
of god ne of good man

BONUS ANGELUS. I weyle & wrynge & make mone
þis man wyth woo schal be pylt
I sye sore & grysly grone
for hys folye schal make hym spylt
I not wedyr to gone
mankynde hath forsakyn me
alas man for loue of the
ȝa for þis gamyn & þis gle
þou schalt grocchyn & grone
pipe vp mu[syk]

MUNDUS. Now I sytte in my semly sale
I trotte & tremle in my trew trone
as a hawke I hoppe in my hende hale
kyng knyth & kayser to me makyn mone
of god ne of good man ȝyf I neuere tale
as a lykynge lord I leyke here a lone
wo so brawle any boste be downe or be dale
þo gadlyngys schal be gastyd & gryslych grone
I wys
lust foly & veynglory
all þese arn in myn memory
þus be gynnyth þe nobyl story
of þis werldys blys

lust lykyng & foly
comly knytys of renoun
be lyue þorwe þis londe do crye
al a bowtyn in tour & toun
If any man be fer or nye
þat to my seruyse wyl buske hym boun
if he wyl be trost & trye
he schal be kyng & were þe croun
wyth rycches robys in res

441 lord lyche] *F* lord [i-]lyche *E* lordlyche
467 þus] *F* þer *E* þus
477 rycches] *FE emend to* rycchest

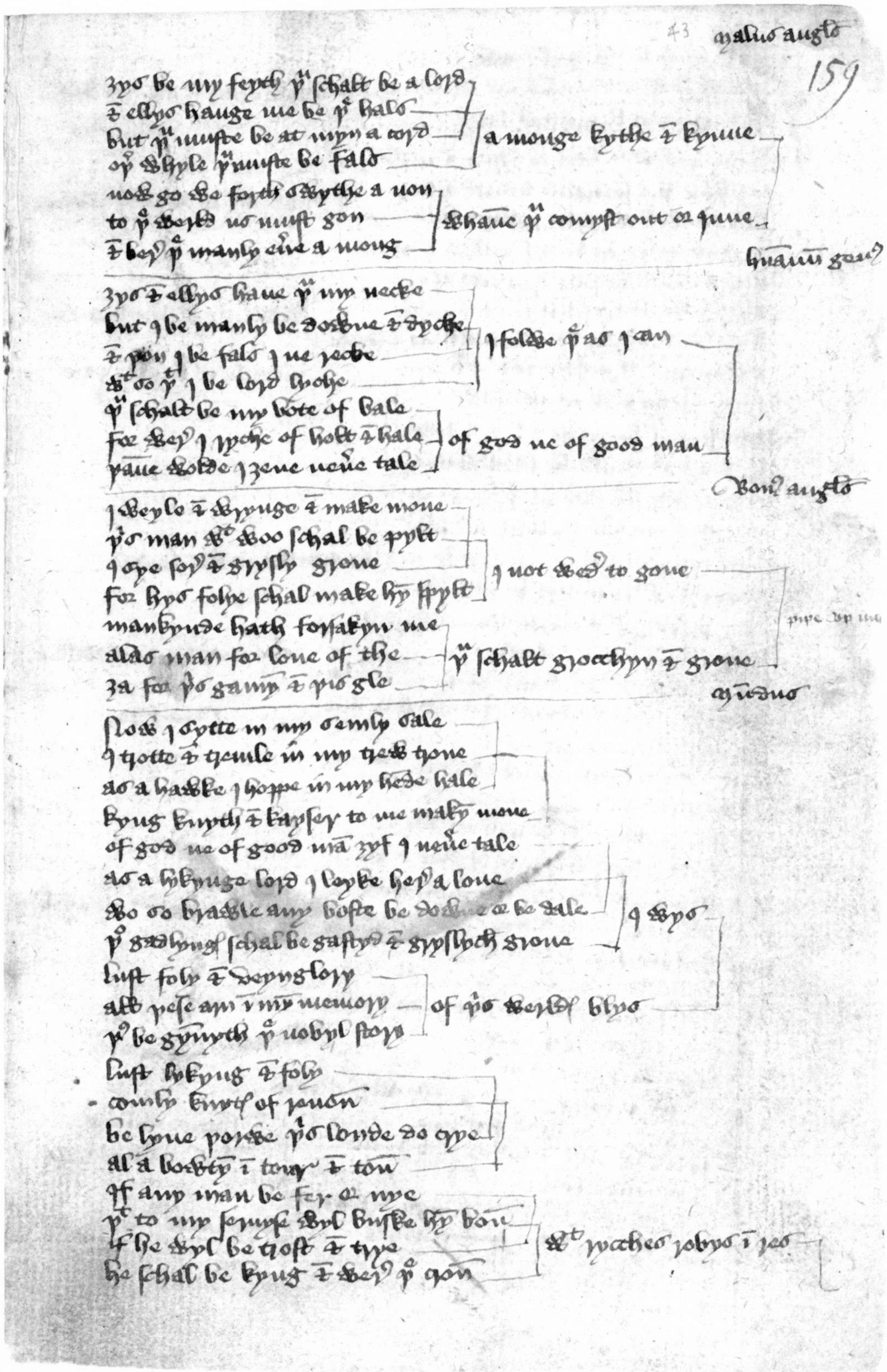

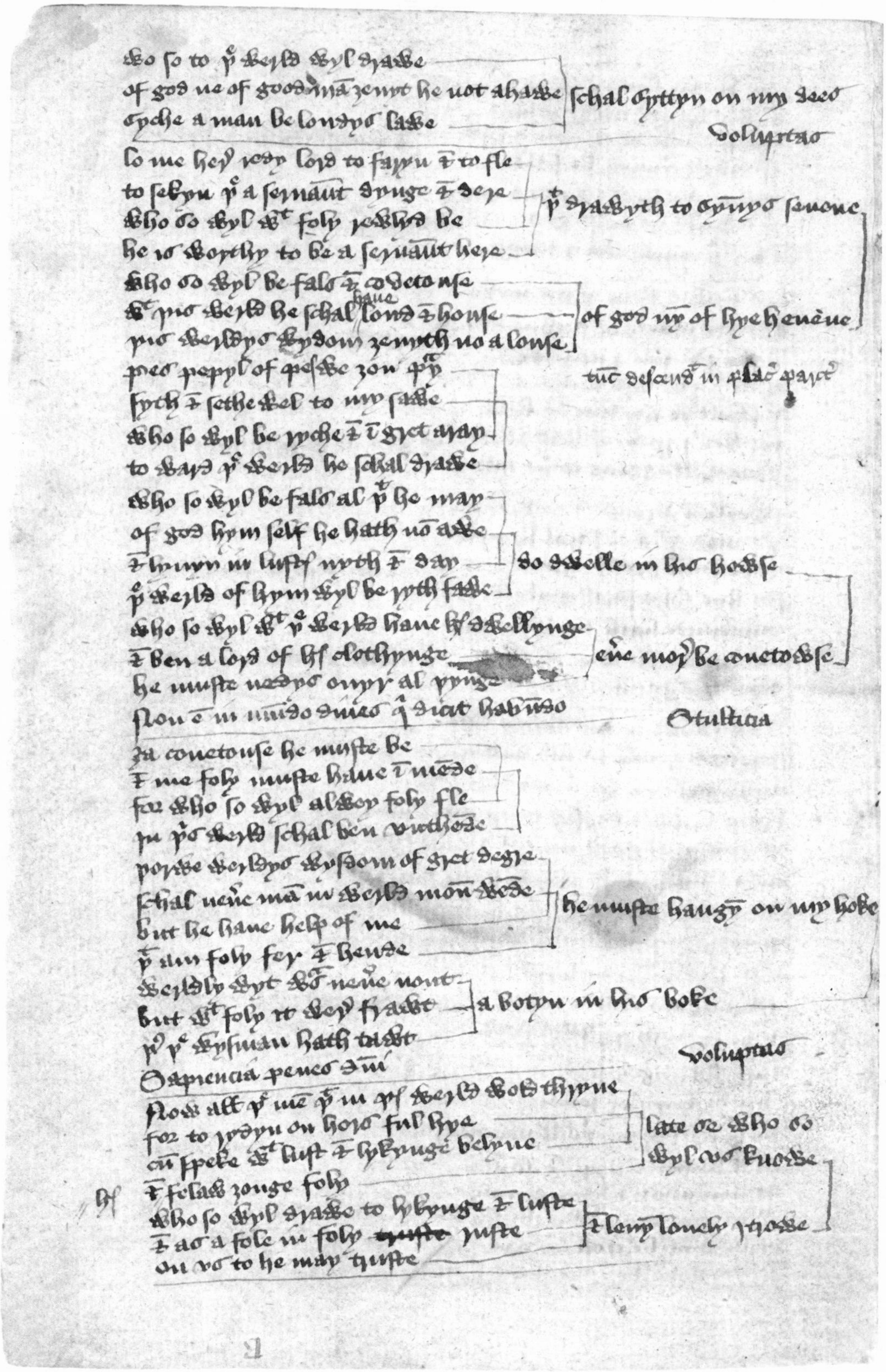

Who so to þe werld wyl drawe
Of god ne of good man zeuyt he not awe
Syche a man be londys lawe — Schal syttyn on my sees
Voluptas
So me they very lord to faynn & to fle
To serue þe a seruaunt dynge & dere
Who so wyl wt foly ruylyd be
He is worthy to be a seruaunt here — þt drawyth to synnys seuene
Who so wyl be fals & covetouse
Wt mys werld he schal haue lond & house
Mys werldys wydom zeuyth no a louse — of god ny of hye heuene
Tunc descendit in placea pariter
Mes peppyl of qwyche zou þt
Fyrth & sethe wel to my sawe
Who so wyl be ryche & in gret aray
To waste þe werld he schal drawe
Who so wyl be fals al þt he may
Of god hym self he hath no awe
& lyuyn in lustys nyth & day — do dwelle in his howse
þe werld of hym wyl be ryth fawe
Who so wyl wt þe werld haue his dwellynge
& ben a lord of his clothynge
He muste nedys ouyr al þynge — euer more be couetowse
Non est in mundo diues qui dicit habundo
Stultitia
Ya couetouse he muste be
& me foly muste haue in mende
For who so wyl alwey foly fle
In þis werld schal ben vnthende
Þorwe werldys wysdom of gret degre
Schal neuer man in werld mon wende
But he haue help of me — he muste hangyn on my hoke
þt am foly fery & hende
Werldly wyt wt neuer nout
But wt foly it was þe sawt — a botyn in his boke
þt þe wysman hath tawt
Sapiencia penes deum
Voluptas
Now all þe men þt in þis werld wold thryue
For to rydyn on hors ful hye — latte oure who so
On spere wt lust & lykynge belyue — wyl not knowe
& felaws zonge foly
Who so wyl drawe to lykynge & luste
& as a fole in foly ~~muste~~ juste — & leue louely i nowe
On vs to he may truste

488 haue] *added above the line* (*E*)
489 wydom] *F reads* wysdom *E emends to* wysdom; no] *FE emend to* not

490 S.D. descendit . . . pariter] *F* descendat in placea parita *E* descendit in placeam pariter
499 do] *F queries* to

wo so to þe werld wyl drawe
of god ne of good man ȝeuyt he not ahawe
syche a man be londys lawe
schal syttyn on my dees

VOLUPTAS. lo me here redy lord to faryn & to fle
to sekyn þe a seruaunt dynge & dere
who so wyl wyth foly rewlyd be
he is worthy to be a seruaunt here
þat drawyth to synnys seuene
who so wyl be fals & covetouse
wyth þis werld he schal haue lond & house
þis werldys wydom ȝeuyth no a louse
of god nyn of hye heuene
tunc descendit in placeam pariter

Pes pepyl of pes we ȝou pray
syth & sethe wel to my sawe
who so wyl be ryche & in gret aray
to ward þe werld he schal drawe
who so wyl be fals al þat he may
of god hym self he hath non awe
& lyuyn in lustys nyth & day
þe werld of hym wyl be ryth fawe
do dwelle in his howse
who so wyl wyth þe werld haue hys dwellynge
& ben a lord of hys clothynge
he muste nedys ouyr al þynge
euere more be couetowse
Non est in mundo diues qui dicit habundo

STULTICIA. ȝa couetouse he muste be
& me foly muste haue in mende
for who so wyl alwey foly fle
In þis werld schal ben vnthende
þorwe werldys wysdom of gret degre
schal neuere man in werld moun wende
but he haue help of me
þat am foly fer & hende
he muste hangyn on my hoke
werldly wyt was neuere nout
but wyth foly it were frawt
þus þe wysman hath tawt
a botyn in his boke
Sapiencia penes domini

VOLUPTAS. Now all þe men þat in þys werld wold thryue
for to rydyn on hors ful hye
cum speke wyth lust & lykynge belyue
& hys felaw ȝonge foly
late se who so wyl vs knowe
who so wyl drawe to lykynge & luste
& as a fole in foly ruste
on vs to he may truste
& leuyn louely I trowe

520 hys] *added in left margin* (*E*)   523 ruste] truste *canc. before* ruste (*E*)

at bottom of page, practice letter a

MALUS ANGELUS. How lust lykyng & folye
take to me good entent
I haue browth be downys drye
to þe werld a gret present
I haue gylyd hym ful qweyntly
ffor syn he was born I haue hym blent
he schal be serwaunt good & try
a monge ȝou his wyl is lent
to þe werld he wyl hym take
ffor syn he cowde wyt I vndirstonde
I haue hym tysyd in euery londe
hys goode aungel be strete & stronde
I haue don hym forsake

þerfor lust my trewe fere
þou art redy al wey I wys
of worldly lawys þou hym lere
þat he were browth in werldly blys
loke he be ryche þe soþe to tell
help hym fast he gunne to thrywe
& whanne he wenyth best to lywe
þanne schal he deye & not be schrywe
& goo wyth vs to hell

VOLUPTAS. be satan þou art a nobyl knawe
to techyn men fyrst fro goode
lust & lykynge he schal haue
lechery schal ben hys fode
metys & drynkys he schal haue trye
wyth a lykynge lady of lofte
he schal syttyn in sendel softe
to cachen hym to helle crofte
þat day þat he schal deye

STULTICIA. wyth ryche rentys I schal hym blynde
wyth þe werld tyl he be pytte
& þanne schal I longe or hys ende
make þat caytyfe to be knytte
on þe werld whanne he is set s[ore]
cum on man þou schalt not rewe
for þou wylt be to vs trewe
þou schalt be clad in clothys newe
& be ryche euere more

HUMANUM GENUS. Mary felaw gramercy
I wolde be ryche & of gret renoun
I ȝeue no tale trewly
so þat I be lord of toure & toun
be buskys & bankys bron

537 stronde] *F* st[r]onde *E* stronde
553 lofte] last *canc. before* lofte (*E*)
567 &] *added above the line* (*E*)
568 I ȝeue] *F* [Of God] I ȝeue
570 bron] *or* brou *FE* broun

44 160

Malus angelus

Hos lust lykyng & folye
take to me good entent
I haue browth be dowmys drye
to þe werld a gret present
I haue gylyd hym ful qweyntly
ffor syn he was born I haue hym blent
he schal be seruaunt good & try
a monge 3ou his wyl is lent
to þe werld he wyl hym take
ffor syn he cowde wyt I vndyrstonde
I haue hym tysyd in euery londe
hys goode angel be strete & stronde
I haue don hym forsake
þerfor lust my trewe fere
þou art redy al wey I wys
of worldly lawys þou hym lere
þat he wer browth i wordly blys
loke he be ryche þe soþe to tell
help hym fast he gunne to thynke
& whanne he weneth best to lyue
þanne schal he deye & not be schryue
& goo wyth vs to hell

Voluptas

be satan þou art a nobyl knave
to techyn men fyrst fro goode
lust & lykynge he schal haue
lechery schal ben hys fode
metys & drynkys he schal haue trye
wyth a lykynge lady of ~~lust~~ lofte
he schal syttyn in sendel softe
to cachen hym to helle crofte
þat day þat he schal deye

Stulticia

wyth ryche rentys I schal hym blynde
wyth þe werld tyl he be pytte
& þanne schal I longe or hys ende
make þat caytyfe to be knytte
on þe werld whanne he is set s[ore]
cum on man þou schalt not rewe
for þou wylt be to vs trewe
þou schalt be clad in clothys newe
& be ryche euere mor

Humanum genus

Mary felaws gramercy
I wolde be ryche of gret renown
I 3eue no tale trewly
so þat I be lord of toure & toun
be buskys & bankys brown

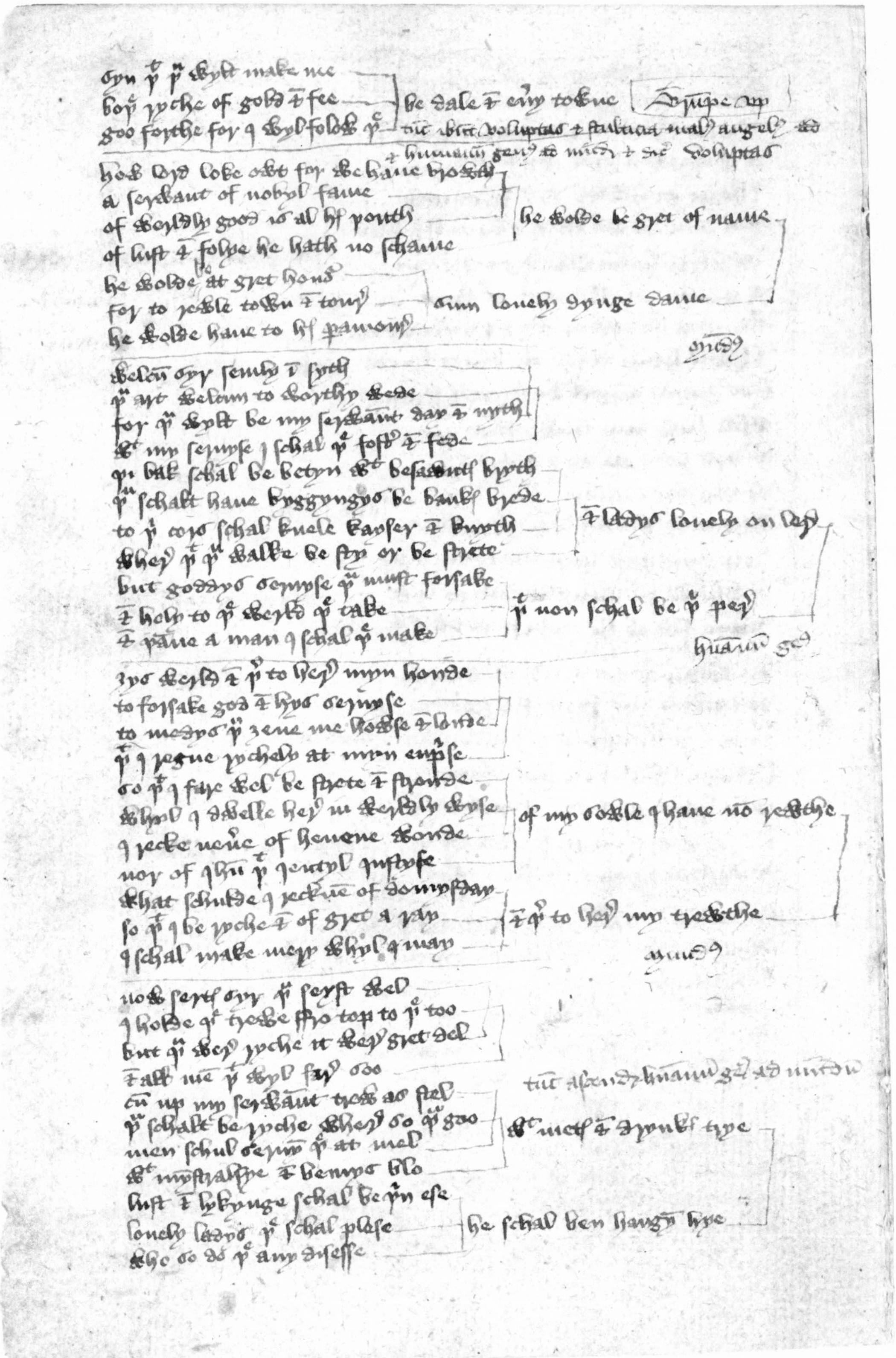

Syn þ^t þ^u wylt make me
boþe ryche of gold & fee — be dale & euy towne [illegible]
goo forthe for I wyl folwe þe
tunc ibunt voluptas & stulticia mal' angel' ad
& humanum genus ad mund' & dic' voluptas

How lord loke owt for we haue browth
a seruaunt of nobyl fame
of worldly good is al hys þowth — he wolde be gret of name
of lust & folye he hath no schame
he wolde be at gret honour
for to rewle town & tour — sum louely dynge dame
he wolde haue to hys paramour

mundus

Welcu syr semly i syth
þ^u art welcum to worthy wede
for þ^u wylt be my seruaunt day & nyth
wyth my seruyse I schal þe foster & fede
þi bak schal be betyn wyth besauntis bryth
þ^u schalt haue byggyngys be bankys brede — & ladys louely on lere
to þi cors schal knele kayser & knyth
where þ^t þ^u walke be sty or be strete
but goddys seruyse þ^u must forsake
& holy to þe werld þe take — þ^t non schal be þi pere
& þane a man I schal þe make

humanu gen'

Yis werld & þ^t to here myn honde
to forsake god & hys seruyse
to medys þ^u 3eue me howse & londe
þ^t I regne rychely at myn enprise
so þ^t I fare wel be strete & stronde
whyl I dwelle her in werldly wyse — of my sowle I haue no rewthe
I recke neuere of heuene wonde
nor of Jhu þ^t jentyl justyse
what schulde I recknē of domysday
so þ^t I be ryche & of gret aray — & þ^t to here my trewthe
I schal make mery whyl I may

mundus

Now fayre syr þ^u seyst wel
I holde þe trewe fro top to þe too
but þ^u wer ryche it wer gret del
& all men þ^t wyl far soo
cum up my seruaunt trew as stel — tunc ascendit humanu genus ad mundu
þ^u schalt be ryche where so þ^u goo
men schul seruyn þe at mel — wyth metys & drynkys trye
wyth mynstralsye & bemys blo
lust & lykynge schal be þin ese
louely ladys þe schal plese — he schal ben hangyd hye
who so do þe any disesse

574 S.D. *written in red;* angelus] ad *canc. after* angelus (*E*); dicet] *F* dicat *E* dicet
577 worldly] *or* werldly *FE* worldly
580 be] *added above the line in another hand* (*FE*)
584 MUNDUS] *This and the following five speech-prefixes are in red* (*E*).
585 welcun] *F reads* welcum *E emends to* welcum
591–92 *F has mistakenly transposed these lines* (*E*).
597 GEUS] *F reads* genus *E emends to* GENUS
603 recke] *F* reeke
614 S.D. ascendet] *F* ascendit *E* ascendet; geus] *F reads* Genus *E emends to* GENUS

syn þat þou wylt make me
boþe ryche of gold & fee
goo forthe for I wyl folow þe
be dale & euery towne
Trumpe vp
tunc ibunt voluptas & stulticia malus angelus
& humanum genus ad mundum & dicet

VOLUPTAS. How lord loke owt for we haue browth
a serwant of nobyl fame
of worldly good is al hys þouth
of lust & folye he hath no schame
he wolde be gret of name
he wolde be at gret honour
for to rewle town & toure
he wolde haue to hys paramoure
sum louely dynge dame

MUNDUS. welcum syr semly in syth
þou art welcun to worthy wede
for þou wylt be my serwaunt day & nyth
wyth my seruyse I schal þe foster & fede
þi bak schal be betyn wyth besawntys bryth
þou schalt haue byggyngys by bankys brede
to þi cors schal knele kayser & knyth
where þat þou walke be sty or be strete
& ladys louely on lere
but goddys seruyse þou must forsake
& holy to þe werld þe take
& þanne a man I schal þe make
þat non schal be þi pere

HUMANUM GEUS. ȝys werld & þer to here myn honde
to forsake god & hys seruyse
to medys þou ȝeue me howse & londe
þat I regne rychely at myn enprise
so þat I fare wel be strete & stronde
whyl I dwelle here in werldly wyse
I recke neuere of heuene wonde
nor of Ihesu þat Ientyl Iustyse
of my sowle I haue non rewthe
what schulde I recknen of domysday
so þat I be ryche & of gret a ray
I schal make mery whyl I may
& þer to here my trewthe

MUNDUS. now sertys syr þou seyst wel
I holde þe trewe ffro top to þe too
but þou were ryche it were gret del
& all men þat wyl fare soo
cum up my serwaunt trew as stel
tunc ascendet humanum geus ad mundum
þou schalt be ryche where so þou goo
men schul seruyn þe at mel
wyth mynstralsye & bemys blo
wyth metys & drynkys trye
lust & lykynge schal be þin ese
louely ladys þe schal plese
who so do þe any disesse
he schal ben hangyn hye

lykynge be lyue
late clothe hym swythe
In robys ryve
wyth ryche a ray
folye þou fonde
be strete & stronde
serue hym at honde
bothe nyth & day

VOLUPTAS. trostyly : lord redy : Ie vous pry : syr I say
in lyckynge & lust : he schal rust : tyl dethys dust : do hym to day

STULTI[CIA]. & I folye : schal hyen hym hye : tyl sum enmye : hym ouer goo
In worldys wyt : þat in foly syt : I þynke ȝyt : hys sowle to sloo
trumpe vp

DETRACCIO. all þyngys I crye a gayn þe pes
to knyt & knaue þis is my kende
ȝa dyngne dukys on her des
In byttyr balys I hem bynde
cryinge & care chydynge & ches
& sad sorwe to hem I sende
ȝa lowde lesyngys lacchyd in les
of talys vn trewe is al my mende
mannys bane a bowtyn I bere
I wyl þat ȝe wetyn all þo þat ben here
for I am knowyn fer & nere
I am þe werldys messengere
my name is bacbytere

wyth euery wyth I walke & wende
& euery man now louyth me wele
wyth lowde lesyngys vndyr lende
to dethys dynt I dresse & dele
to speke fayre be forn & fowle be hynde
a mongys men at mete & mele
trewly lordys þis is my kynde
þus I renne up on a whele
I am feller þanne a fox
fleterynge & flaterynge is my lessun
wyth lesyngys I tene boþe tour & town
wyth letterys of defamacyoun
I bere here in my box

I am lyth of lopys þorwe euery londe
myn holy happys may not ben hyd
to may not to gedyr stonde
but I bakbyter be þe thyrde
I schape ȝone boyis to schame & schonde
all þat wyl bowyn whanne I hem bydde
to lawe of londe in feyth I fonde
whanne talys vntrewe arn be tydde
bakbytere is wyde spronge
þorwe þe werld be downe & dalys
all a bowtyn I brewe balys
euery man tellyth talys
aftyr my fals tunge

625 ryve] *followed by* wyth rych, *canc.; the scribe began to write the next line here* (*E*)
631–46 *These lines are intended to be divided at the dividing marks, and are numbered accordingly.*
646 S.D. *in red* (*E*)
667 þus] *F* þer *E* þus
668 a] *added above the line* (*E*)

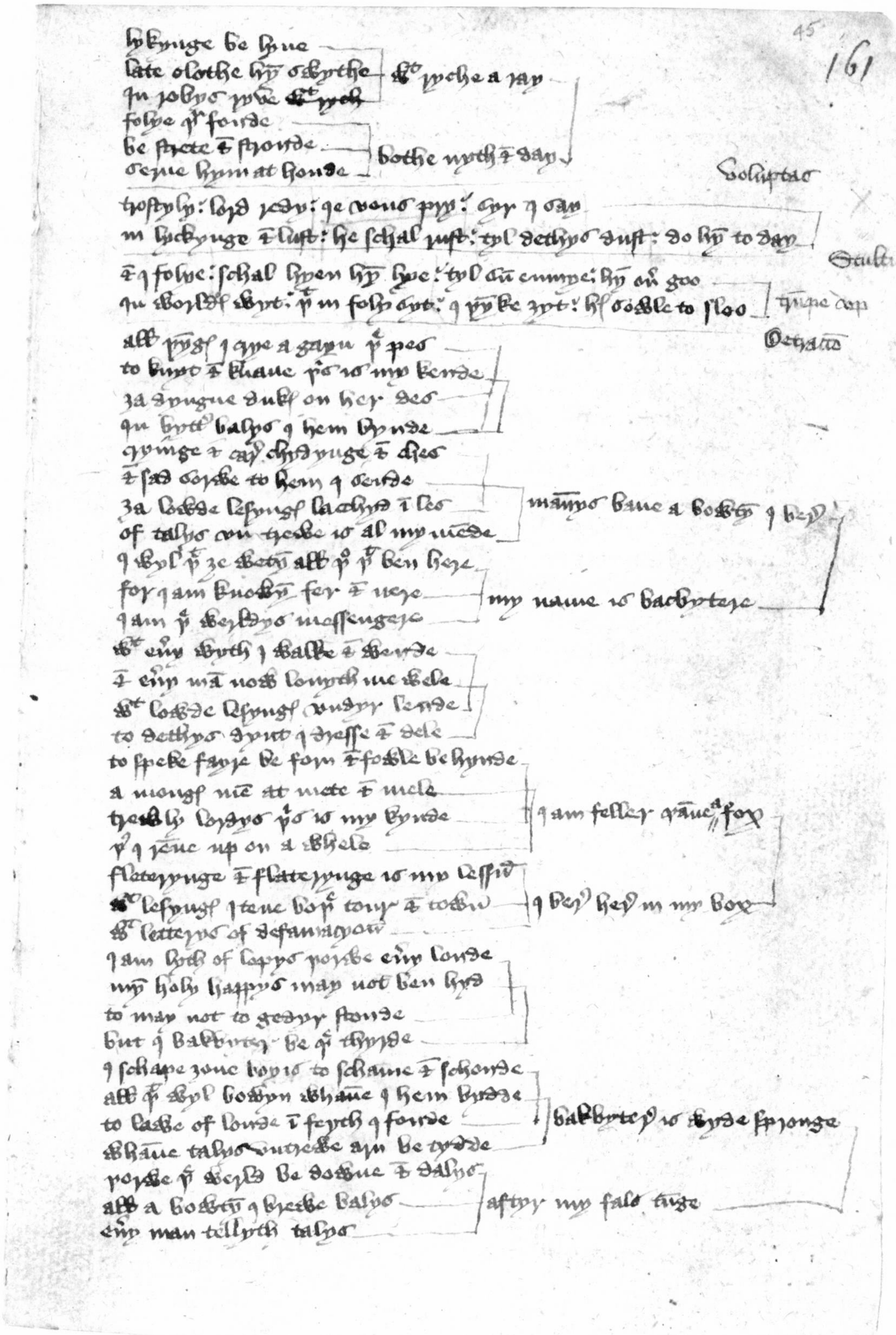

45 161

lykynge be lyue
late clothe wyth clothe
in jolyf lyue w^t pryde — w^t pryde a ray
folwe þ^t fonde
be strete & stronde
serue hym at honde — bothe nyth & day

Voluptas

worthyly: lord Jesu: ge wene þyn: gyf I day
in lykynge & lust: he schal rust: tyl dethys dust: do hym to day

Stulticia

& I folwe: schal lyuen hym lyue: tyl deth cumme: hym on goo
in worldes wyt: þ^t in folys art: I þys be 3yt: hys soule to sloo — Turpe cap

Detractio

all þyngs I ... a gayn þ^e pes
to bynde & lhaue þis is my kende
3a dyngne dukys on her dees
in bytt balys I hem bynde
cryinge & cry chydynge & chees
& sad sorwe to hem I sende
3a lowde lesyngs lachyd I les — mannys bane a bowtyn I bere
of talys vntrewe is al my mende
I wyl þ^t 3e wetyn all þo þ^t ben here
for I am knowyn fer & nere — my name is bacbytere
I am þe werldys messengere
w^t eu'y wyth I walke & wende
& eu'y man now louyth me wele
w^t lowde lesyngs vndyr lende
to dethys dynt I dresse & dele
to speke fayre be forn & fowle be hynde
a mongs men at mete & mele
trewly lordys þis is my kynde — I am feller þan a fox
þ^t I rere up on a whele
flateryng & flateryng is my lessun
w^t lesyngs I tene bothe toun & town — I bere hem in my box
w^t letterys of defamacyoun
I am lyth of lappys þorwe eu'y londe
my holy happys may not ben hyd
to may not to gedyr stonde
but I bakbyter be þe thyrde
I schape 3oue boyis to schame & schonde
all þ^t wyl bowyn whanne I hem byd
to lasse of londe & feyth I fonde — bakbyter is wyde sprunge
whanne talys vntrewe am be tydde
þorwe þ^t werld be dowue & dalys
all a bowtyn I bere balys — after my fals tunge
eu'y man tellyth talys

þerfore I am mad massenger
to lepyn ouer londys leye
þorwe-oute al þe world fer & ner
vnwyttyly wordys for to seye
In þis holte I hunte here
for to spye a prety pley
ffor whanne mankynde is clothyd clere
þanne schal I techyn hym þe wey — to þe dedly synnys seuene
here I schal abydyn wt my pese
þe wronge to wreyin for to chese
for I þinke þat he schal lese — þe lyth of hey heuene

Voluptas

Worthy world in welthys wonde
here is mankynde ful fayr in folde
In bryth besawntys he is bownde
& bon to bowe to 3ou so bolde
he leuyth in lustys euery stounde
holy to 3ou he hathe hym 3olde
for to makyn hym gay on grounde
worthy world þou art beholde — þis werld is wel at ese
ffor to god I make avow
mankynde had leuer now
greue god wt synnys row — þanne þe world to dysplese

Stulticia

Dysplese þe he wyl for no man
on me foly is al hys þowth
trewly mankynde nowth ne can
þinke on god þat hathe hym bowth
worthy world wyth as wan
In þi loue lyth he lawth
sythen he cowde & fyrst be-gan — but 3eue hym to folye
þe forsakyn wolde he nowth
& sythen he hathe to þe besewe
I rede þou forsake hym for no nede
lete us plesyn hym tyl þat he be dede — þan helle to hangyn hye

Mundus

Now foly fayr þe befall
& luste blyssyd be þou ay
3e han browth mankynde to myn hall
sertys in a nobyl aray
wt werldys welthys wtinne þis wall
I schal hym feffe if þat I may
welcum mankynde to þi call
clenly clothyd in ryche aray — be downe dale & dyche

þerfore I am mad massenger
to lepyn ouyr londys leye
þorwe all þe world fer & ner
vnsayd sawys for to seye
In þis holte I hunte here
for to spye a preuy pley
ffor whanne mankynde is cloþyd clere
þanne schal I techyn hym þe wey
to þe dedly synnys seuene
here I schal a bydyn wyth my pese
þe wronge to do hym forto chese
for I þynke þat he schal lese
þe lyth of hey heuene

VOLUPTAS. worthy world in welthys wonde
here is mankynde ful fayr in folde
In bryth besauntys he is bownde
& bon to bowe to ȝou so bolde
he leuyth in lustys euery stounde
holy to ȝou he hathe hym ȝolde
for to makyn hym gay on grounde
worthy world þou art be holde
þis werld is wel at ese
ffor to god I make a vow
mankynde had leuer now
greue god wyth synys row
þanne þe werld to dysplese

STULTICIA. dysplese þe he wyl for no man
on me foly is al hys al hys þowth
trewly mankynde nowth nen can
þynke on god þat hathe hym bowth
worthy world wyth as swan
In þi loue lely is he lawth
sythyn he cowde & fyrste be gan
þe forsakyn wolde he nowth
but ȝeue hym to folye
& syþyn he hathe to þe be trewe
I rede þe forsakyn hym for no newe
lete us plesyn hym tyl þat he rewe
In hell to hangyn hye

MUNDUS. now foly fayre þe be fall
& luste blyssyd be þou ay
ȝe han browth mankynde to myn hall
sertys in a nobyl a ray
wyth werldys welthys wyth Inne þese wall
I schal hym feffe if þat I may
welcum mankynde to þe I call
clenner cloþyd þanne any clay
be downe dale & dyche

711 werld] *or* world; *FE read* World
713 al hys al hys] *FE emend to* al hys
723 us] *F* vs *E* us
729 wall] *F* wall *E emends to* wallys
730 if] i *written over another letter* (?) *F* of *E* if

mankynde I rede þat þou reste
wyth me þe werld as it is beste
loke þou holde myn hende heste
                & euere þou schalt be ryche

HUMANUM GENUS. whou schul I but I þi hestys helde
þou werkyst wyth me holy my wyll
þou feffyst me wyth fen & felde
& hye hall be holtys & hyll
In werldly wele my wytte I welde
In Ioye I Iette wyth Iuelys Ientyll
on blysful banke my boure is bylde
In veynglorye I stonde styll
                I am kene as a knyt
who so a geyn þe werld wyl speke
mankynde schal on hym be wreke
In stronge presun I schal hym steke
be it wronge or ryth

MUNDUS. a mankynde wel þe be tyde
þat þi loue on me is sette
In my bowrys þou schalt a byde
& ʒyt fare mekyl þe bette
I ffeffe þe in all my wonys wyde
In dale of dros tyl þou be deth
I make þe lord of mekyl pryde
syr at þyn owyn mowthis mette
                I fynde in þe no tresun
In all þis worlde be se & sonde
parkys placys lawnde & londe
here I ʒyfe þe wyth myn honde
                syr an opyn sesun

go to my tresorer syr Couetouse
loke þou tell hym as I seye
bydde hym make þe maystyr in hys house
wyth penys & powndys for to pleye
loke þou ʒeue not a lous
of þe day þat þou schalt deye
messenger do now þyne vse
Bakbytere teche hym þe weye
                þou art swetter þanne mede
mankynde take wyth þe bakbytynge
lefe hym for nomaner thynge
flepergebet wyth hys flaterynge
                standyth mankynde in stede

DETRACCIO. Bakbytynge & detracion
schal goo wyth þe fro toun to toun
haue don mankynde & cum doun
                I am þyne owyn page
I schal bere þe wyttnesse wyth my myth
whanne my lord þe werlde it behyth
lo where syr coueytyse sytt
                & bydith us in his stage

736 heste] *F* feste *E* heste
738 schul] *E emends to* schuld
748 mankynde] *some letter partly erased before* mankynde (?)
750 *This tail-rhyme line would normally be written over to the right.*
777 DETRACCIO] *F* DETRACCION; detracion] *F* Detraccion

46 162

mankynde I rede þat þou reste
wyth me þe werld as it is beste
loke þou holde myn herte heste
& euere þou schalt be ryche

Humanum genus

whou schuld I but I þe plesyd wele
þou werkyst wyth me holy my wyll
þou feffyst me wyth fen & felde
& hye hall be holtys & hyll
In werdly wele my wytte I welde
In ioye I iette wyth iuelys ientyll
On blysful banke my bowr is bylde
In veynglorye I stonde styll
I am kene as a knyt
who so ageyn þe werld wyl speke
mankynde schal on hym be wreke
In stronge presun I schal hym steke
be it wronge or ryth

Mundus

A mankynde wel þe betyde
þat þi loue on me is sette
In my bowrys þou schalt abyde
& ȝyt fare mekyl þe bette
I feffe þe in all my wonys wyde
In dale of dros tyl þou be deth
I make þe lord of mekyl pryde
Syr at þin owyn mowthis mette
I fynde in þe no tresun
In all þis werlde be se & sonde
parkys placys lawnde & londe
here I gyfe þe wyth myn honde
Syr an opyn sesun
go to my tresorer Syr Coueytyse
loke þou tell hym as I seye
bydde hym make þe maystyr in hys house
wyth penys & powndys for to pleye
loke þou ȝeue not a louse
of þe day þat þou schalt deye
messenger do now þyne vse
bakbyter teche hym þe weye
þou art swetter þanne mede
mankynde take wyth þe bakbytynge
lefe hym for noman thynge
flepergebet wyth hys flaterynge
standyth mankynde in stede

Detraccio

bakbytynge & detraccion
schal goo wyth þe fro toun to toun
haue don mankynde & cum doun
I am þyne owyn page
I schal bere þe wyttnesse wyth my myth
whanne my lord þe werlde it behyth
lo where Syr coueytyse sytt
& bydith vs in his stage

Humanum genus

Syr Werlde, I wende: in Coueytyse to chasyn my ende

Mundus

Haue hym in mende; & I wys þanne schalt þou be ryth þende

Bonus angelus

Alas, Ihesu, jentyl justyce,
Whedyr may mans Good Aungyl wende?
Now schal careful Coueytyse
Mankende trewly al schende.
Hys sely goste may sore agryse;
Bakbytynge bryngyth hym in byttyr bende.
Worldly wyttys, 3e are not wyse;
3oure louely lyfe amys 3e spende,
& þat schal 3e sore smerte.
Parkys, poundys, & many pens,
Þei semyn to 3ou swetter þanne sens,
But Goddys seruyse nyn hys commaundementys
Stondyth 3ou not at herte.

Malus angelus

3a, whanne þe fox prechyth, kepe wel 3ore gees!
He spekyth as it were a holy pope.
Goo, felawe, & pyke of þo lys
Þat crepe þer up on þi cope!
Þi part is pleyed al at þe dys
Þat þou schalt haue here, as I hope.
Tyl mankynde fallyth to podys prys,
Coueytyse schal hym grype & grope
Tyl sum schame hym schende.
Tyl man be dyth in dethys dow,
He seyth neuere he hath inow.
Þerfore, goode boy, cum blow
At my nether ende.

Detraccio

Syr Coueytyse, God þe saue,
Þi pens & þi poundys all!
I, Bakbyter, þin owyn knaue,
Haue brout Mankynde vnto þine hall.
Þe Werlde bad þou schuldyst hym haue,
& feffyn hym, what so be fall.
In grene gres tyl he be graue
Putte hym in þi preuyous pall,
Coueytyse, it were ell rewthe.
Whyl he walkyth in worldly wolde,
I, Bakbyter, am with hym holde.
Lust & Folye ar barouns bolde;
To hem he hath plyth hys trewthe.

Auaricia

Now, Mankynde, blyssyd mote þou be!
I haue louyd þe derworthly many a day,
& so I wot wel þat þou dost me.
Cum up & se my ryche aray.

Humanum genus. syr worlde I wende : in Coueytyse to chasyn my kende
Mundus. haue hym in mende : & I wys þanne schalt þou be ryth þende

Bonus angelus. alas Ihesu Ientyl Iustyce
whedyr may mans good aungyl wende
now schal careful coueytyse
mankende trewly al schende
hys sely goste may sore a gryse
bakbytynge bryngyth hym in byttyr bonde
worldly wyttys ȝe are not wyse
ȝour louely lyfe a mys ȝe spende
            & þat schal ȝe sore smert
parkys ponndys & many pens
þei semyn to ȝou swetter þanne sens
but goddys seruyse nyn hys commaundementys
            stondyth ȝou not at hert

Malus angelus. ȝa whanne þe fox prechyth kepe wel ȝore gees
he spekyth as it were a holy pope
goo felaw & pyke of þo lys
þat crepe þer up on þi cope
þi part is pleyed al at þe dys
þat þou schalt haue here as I hope
tyl mankynde fallyth to podys prys
coueytyse schal hym grype & grope
            tyl sum schame hym schende
tyl man be dyth in dethys dow
he seyth neuere he hath I now
þer fore goode boy cum blow
            at my neþer ende

Detraccio. syr Coueytyse god þe saue
þi pens & þi poundys all
I bakbyter þyn owyn knaue
haue browt mankynde vnto þine hall
þe worlde bad þou schuldyst hym haue
& feffyn hym what so be fall
In grene gres tyl he be graue
putte hym in þi precyous pall
            Coueytyse it were ell rewthe
whyl he walkyth in worldly wolde
I bakbyter am wyth hym holde
lust & folye þo barouns bolde
            to hem he hath plyth hys trewthe

Auaricia. Ow mankynde blyssyd mote þou be
I haue louyd þe derworthly many a day
& so I wot wel þat þou dost me
cum up & se my ryche a ray

785–88 *These lines are intended to be divided at the dividing marks, and are numbered accordingly. Throughout 162v the initials of the speech headings are touched with red (E); the first two speech-prefixes are also underlined in red.*

792 schende] *F* [to-]schende
798 ponndys] *or* poundys *F* poundys *E* ponndys
804 þo] *F* þe *E* þo
823 ell] *F* all *E* ell

it were a gret poynte of pyte
but coueytyse were to þi pay
sit up ryth here in þis se
I schal þe lere of werldlys lay
þat fadyth as a flode
wyth good I now I schal þe store
& ȝyt oure game is but lore
but þou coueyth mekyl more
þanne euere schal do þe goode

þou muste ȝyfe þe to symonye
extorsion & false asyse
helpe no man but þou haue why
pay not þi serwauntys here serwyse
þi neyborys loke þou dystroye
tythe not on non wyse
here no begger þou he crye
& þanne schalt þou ful sone ryse
& whanne þou vsyste marchaundyse
loke þat þou be sotel of sleytys
& also swere al be deseytys
bye & sell be fals weytys
for þat is kynde coueytyse

be not a gaste of þe grete curse
þis lofly lyfe may longe leste
be þe peny in þi purus
lete hem cursyn & don here beste
what deuyl of hell art þou þe wers
þow þou brekyste goddys heste
do after me I am þi nors
al wey gadyr & haue non reste
in wynnynge be al þi werke
to pore men take none entent
for þat þou haste longe tyme hent
In lytyl tyme it may be spent
þus seyth caton þe grete clerke
labitur exiguo quod partum tempore longo

HUMANUM GENUS. a auaryce wel þou spede
of werldly wytte þou canst I wys
þou woldyst not I hadde nede
& schuldyst be wrothe if I ferd a mys
I schal neuere begger bede
mete nyn drynke be heuene blys
rather or I schulde hym cloþe or fede
he schulde sterue & stynke I wys
Coueytyse as þou wylt I wyl do
where so þat I fare be fenne or flod
I make a vow be goddys blod
of mankynde getyth no man no good
but if he synge si dedero

834 here] hele *changed to* here (*FE*)
856 purus] *FE emend to* purs
866a *a paragraph sign in left margin to mark Latin quotation; also at 1644a, 2007a, 2599a, 2612a, 2638a, 2985a, and 3610a*
867 HUMANUM] H *touched in red;* spede] be *canc. before* spede (*E*)

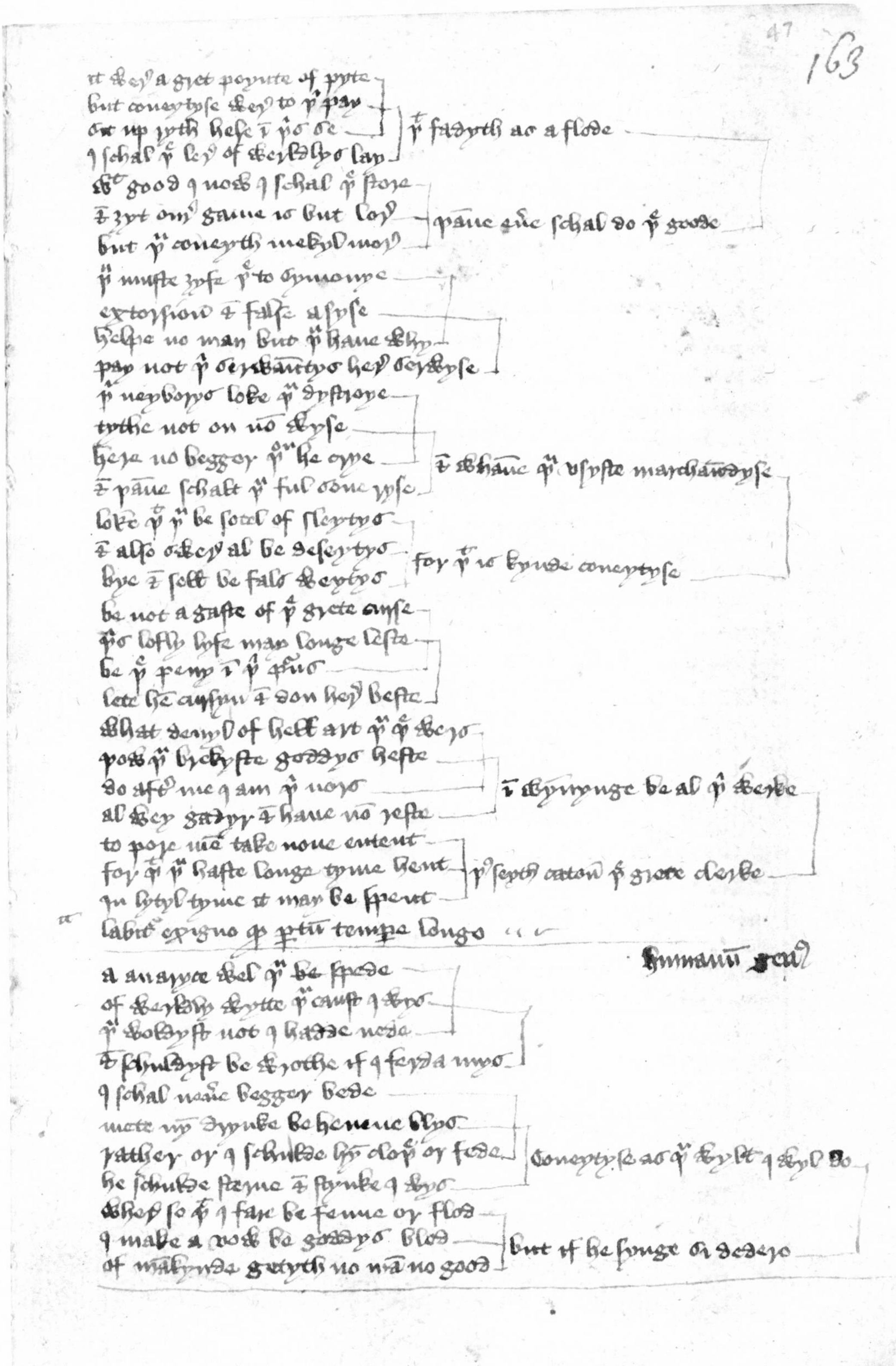

47 163

it were a gret poynte of pyte
but coueytyse were to þe pay
ever up ryth here in þis se
I schal þe tell of werldys lay
— þat flowyth as a flode

wyth good I now I schal þe store
& yit myn game is but lore
but þu coueyteth mekyl more
— þane qwe schal do þe goode

þu muste ryse þe to symonye
extorsion & false asyse
helpe no man but þu haue why
pay not þi seruauntys here seruyse

þi neyborys loke þu dystroye
tythe not on no wyse
here no beggar þou he crye
& þane schalt þu ful sone ryse
— & whane þu vysyte marchaundyse

loke þat þu be sotel of sleytys
& also owere al be desceytys
bye & sell be fals weytys
— for þat is kynde coueytyse

be not a gaste of þe grete curse
þis lordly lyfe may longe leste
be þe peny in þi purs
lete he cursyn & don here beste

what deuyl of hell art þu þat were
for þi byddyste goddys heste
do aftyr me I am þi neyr
al were gadyr & haue no reste
— & wynnynge be al þe werlde

to pore men take none entent
for þat þu haste longe tyme went
in lytyl tyme it may be spent
— þus seyth caton þe grete clerke

a labitur exiguo quod partum tempore longo

humanum genus

A answere wel þu be spede
of werldys wytte þat caust I kno
þu woldyst not I hadde neda
& schuldyst be wrothe if I ferd amys

I schal neuer begger bede
mete ne drynke be heuene blys
rather or I schulde hym clothys or fede
he schulde sterue & stynke I wys
— coueytyse as þou wylt I wyl do

wheþer so þat I fare be fenne or flod
I make a vow be goddys blod
of makyng gretyth no man no good
— but if he sunge or dedero

Avaricia

Mankynd þat wel songe
Sere now þou canst þin skylle
Blyssyd be þi trewe tonge
In þis bowre þou schalt byde & byll
Moo þingys I wolde þou vndyrfonge
Wyth coueytyse þee feffe I wyll
& þanne sum pryde I wolde sponge
Hyre in þi hert to holdyn & hyll — & abydyn in þi body
Here I feffe þe in myn heuene
Wyth gold & syluyr lyth as leuene
Þe dedly synnys all seuene — I schal do comyn in hy
Pryde wrathe & Envye
Com forthe þe deuelys chyldryn þre
Lecherye slawthe & glotonye
To mannys flesch ȝe are frendys fre
Dryuyth doune on dalys drye
Beth now blyþe as any be
On hyll & holtys ȝe ȝou hye
To com to mankynde & to me — Fro ȝour dowty dennys
As dukys dowty ȝe ȝou dresse
Whanne ȝe ser be comne I gesse
Þanne be we seuene & no lesse — of þe dedly synnys

Superbia

Wondyr hye howtys on hyll here I howte
Coueytyse cryeth his karpynge I kenne
Summe lord or summe lordeyn lely schal lowte
To be pyth wyth perlys of my prowde penne
Bon I am to braggyn & buskyn abowte
Rapely & redyly on rowte for to renne
Be dow dalys nor dennys no dukys I dowte
Also fast for to ffogge be fledys & be fennys — I ros whanne I rise
Syr belyal bryth of ble
To ȝou I recomaunde me
Haue good day my fadyr fre — Ffor I goo to coueytyse

Ira

Whanne coueytyse cryed & carpys of car
Þanne must I wod wrecche walkyn & wende
Hyre on holtys as houndys aftyr hare
If I lette & were þe last he schulde me schende
I buske my bold baston be bankys ful bare
Sum boy schal be betyn & brokyn vndyr bonde
Wyttyly schal hym warryn & warn his ware
For lordys schal al be for his lyfe lyghtys & londe — As a lythyr page

AUARICA. Mankynd þat was wel ssonge
sertys now þou canst sum skyll
blyssyd be þi trewe tonge
In þis bowre þou schalt byde & byll
Moo synnys I wolde þou vndyrfonge
wyth coveytyse þe ffeffe I wyll
& þanne sum pryde I wolde spronge
hyȝe in þi hert to holdyn & hyll
  & a bydyn in þi body
here I feffe þe in myn heuene
wyth gold & syluyr lyth as leuene
þe dedly synnys all seuene
  I schal do comyn in hy

Pryde wrathe & Envye
com forthe þe deuelys chyldryn þre
lecchery slawth & glotonye
to mans flesch ȝe are fendys ffre
dryuyth downne ouyr dalys drye
beth now blyþe as any be
ouyr hyll & holtys ȝe ȝou hyȝe
to com to mankynde & to me
  fro ȝoure dowty dennys
as dukys dowty ȝe ȝou dresse
whanne ȝe sex be comne I gesse
þanne be we seuene & no lesse
  of þe dedly synnys

SUPERBIA. wondyr hyȝe howtys on hyll herd I houte
koueytyse kryeth hys karpynge I kenne
summe lord or summe lordeyn lely schal loute
to be pyth wyth perlys of my proude penne
bon I am to braggyn & buskyn a bowt
rapely & redyly on rowte for to renne
be doun dalys nor dennys no duke I dowt
also fast for to ffogge be flodys & be fenne
  I rore whanne I ryse
syr belyal bryth of ble
to ȝou I recomaunde me
haue good day my fadyr fre
  ffor I goo to coveytyse

IRA. whanne Coveytyse cried & carpyd of care
þanne must I wod wreche walkyn & wend
hyȝe ouyr holtys as hound aftyr hare
If I lette & were þe last he schuld me sore schend
I buske my bold baston be bankys ful bare
sum boy schal be betyn & browth vndyr bonde
wrath schal hym wrekyn & weyin hys ware
for lorn schal al be for lusti laykys in londe
  as a lythyr page

891 all] *F* alle *E* all
895 lecchery] *F* Lechery *E* Lecchery
903 comne] *F* comme *E* comne
911 rapely] *F* raþely *E* Rapely
912 duke] *F* dukis *E* duke
919 carpyd] r *marked over another letter* (?)
920 wreche] *or* wrethe *FE read* wreche
926 in] *F* & *E* in

syr belyal blak & blo
haue good day now I goo
for to fell þi foo
wyth wyckyd wage

INVIDIA. whanne wrath gynnyth walke in ony wyde wonys
Envye flet as a fox & folwyth on faste
whanne þou sterystys or starystys or stumble up on stonys
I lepe as a lyon me is loth to be þe laste
ȝa I breyde byttyr balys in body & in bonys
I frete myn herte & in kare I me kast
goo we to Coveytyse all þre at onys
wyth oure grysly gere a grome for to gast
þis day schal he deye
belsabubbe now haue good day
for we wyl wendyn in good a ray
al þre in fere as I þe say
Pride wrath & Envye

BELIAL. ffarewel now chyrdryn fayre to fynde
do now wel ȝoure olde owse
whanne ȝe com to mankynde
make hym wroth & Envyous
leuyth not lytly vndyr lynde
to his sowle brewyth a byttyr Ious
whanne he is ded I schal hym bynde
In hell as Catte dothe þe mows
now buske ȝou forþe on brede
I may be blythe as any be
for mankynde in euery cuntre
Is rewlyd be my chyldyr þre
Envye wrathe & Pryde

GULA. a grom gan gredyn gayly on grounde
of me gay glotoun gan al hys gale
I stampe & I styrte & stynt upon stounde
to a staunche deth I stakyr & stale
what boyes wyth here belys in my bondys ben bownd
boþe here bak & here blod I brewe al to bale
I fese folke to fyth tyl here flesch fond
whanne summe han dronkyn a drawth þei drepyn in a dale
in me is here mynde
Mans fflorchynge flesch
ffayre frele & ffresch
I rape to rewle in a rese
to kloyet in my kynde

932 INVIDIA] I *touched in red; also capitals of speech-prefixes at 945 and 958*
934 sterystys or starystys] *E emends to* steryste or staryste
945 chyrdryn] *FE emend to* chyldryn
970 kloyet] *E emends to* kloye

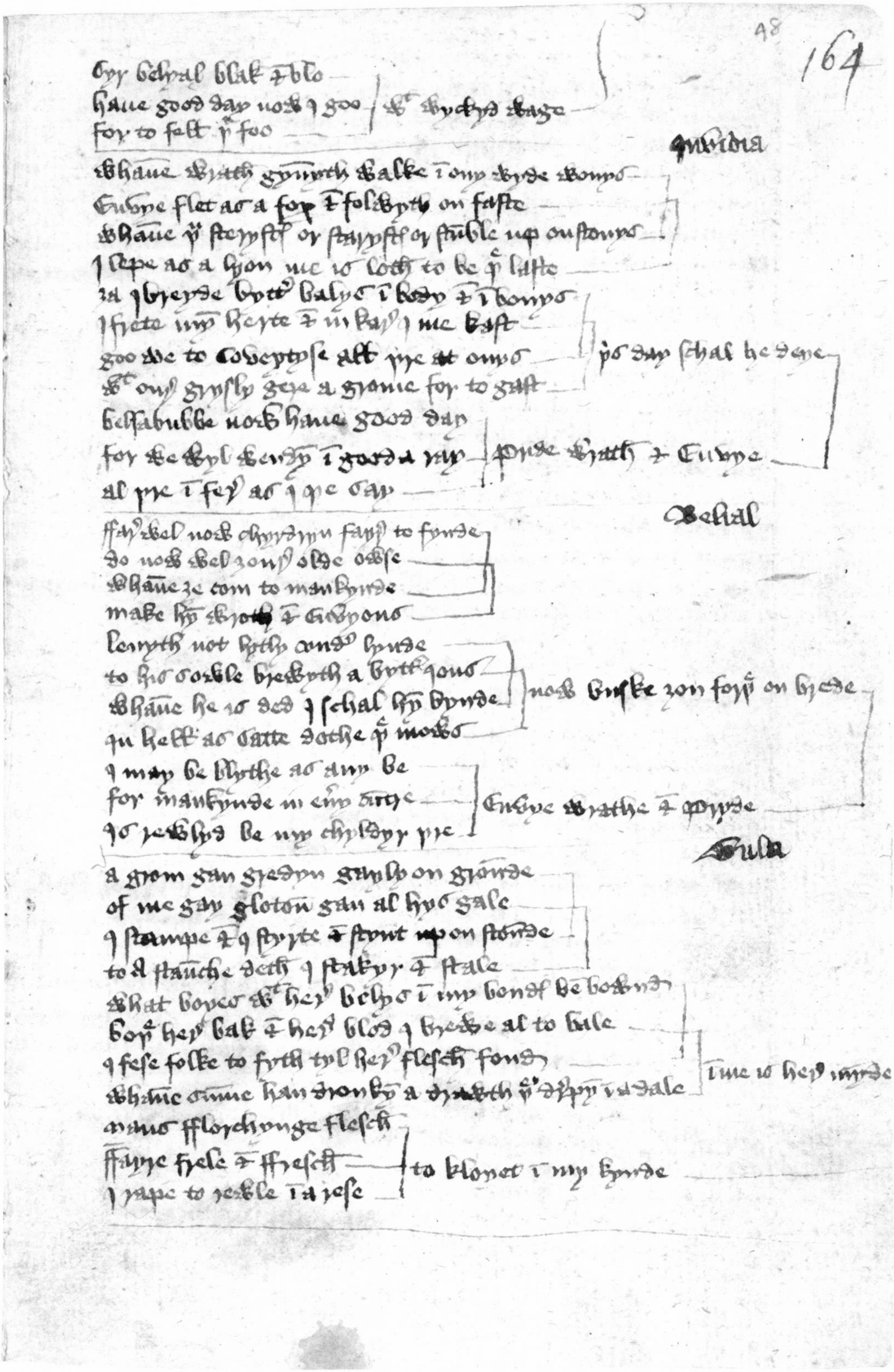

98 164

Syr belyal blak & blo
Haue good day now I goo — wyth wyckyd wage
For to felt þi foo

Invidia

Whanne wrath gynnyth walke in ony wyde wonys
Envye flet as a fox & folwyth on faste
Whanne þu steryste or stryuyste or stumble up on stonys
I lepe as a lyon me is loth to be þe laste
Ia qwerde both walys in body & in bonys
I frete myn herte & in kare I me kast
Goo we to Coveytyse all þre at onys — þis day schal he deye
Wyth oure grysly gere a grome for to gast
Belsabubbe now haue good day
For we wyl wendyn in goode aray — Pryde Wrath & Envye
Al þre in fere as I þe say

Belial

Farwel now chyldryn fayr to fynde
Do now wel youre olde wyse
Whanne ye com to mankynde
Make hym wroth & envyous
Leuyth not hym among hynde
To his sorwe brewyth a bytt gouns
Whanne he is ded I schal hym bynde — now buske yow forþ on hyende
In helle as catte dothe þe mows
I may be blythe as any be
For mankynde in euery cyte — Envye Wrathe & Pryde
Is ȝewlyd be my chyldyr þre

Gula

A grom gan gredyn gryisly on grounde
Of me gay gloton gan al hys gale
I stampe & I stryte & stont upon stounde
To a stanche deth I stakyr & stale
What boyes wyth here belys in my bendys be bounde
Boþe here bak & here blod I brewe al to bale
I fese folke to fyth tyl here flesch fond — tyme is here mynde
Whanne summe han dronke a drawth þer dryþþ in a dale
Amys flourchynge flesch
Fayre frele & fresch — to blonet in my bynde
I rape to rebble in a rese

Luxuria

In mannis kyth I cast me a castel to kepe
I lechery wyth lykynge am lovyd in iche a londe
Wyth my sokelys of swettnesse I sytte & I slepe
Many berdys I brynge to my bytter bonde
In wo & in wrake wrechys wyth schal wepe
Þat in my bowrys wylde wyl not out wende
I haue mankynde is castyn undyr clowris to crepe
Þane þe ledrouns for her lykynge I schal al to schende — therfor to tell
Syr fflesch now I wende
Wyth lust in my lende
To cachyn mankynde — to þe devyl of hell

Accidia

Ȝa what seyst þu of syr Slawthe wyth my snowr ~~fnowt~~ forth
Mankynde i wyth me wel wyrs as I wene
Men of relygyon I rebuke in my rythe
I lette goddys servyse þe sothe may be sene
In bedde I brede brothel wyth my bedys brythe
Lordys ladys & ledronnys to my lore leene
Mekyl of mankynd in my clokys schal be kyth
Tyl deth dynnyth hem down in dalys be dene — We may no lenger a byde
Syr fflesch comyth kynge
Þer is al oure brydynge
Ȝeue us now þi blyssynge — ffor coveytyse hath gyde

Gulo

Glotony & slawth ffayr wel in fere
Lovely in londe is now þi lesse
& lechery my dowter so dere
Dapyrly ȝe dresse ȝou so dyngne on desse
All þre my blyssynge ȝe schal haue here
Goth now forth & dyne ȝe no foro
It is no nede ȝou for to lere — ffro þe hyghe blysse off hevene
To cachyn mankynd to a carful clos
Þe world þe flesch & þe devyl are knowe
Grete lordys as we wel owe
& perke mankynd wyth sotty & sorwe — þe dedly synnys sevene

Superbia superbia

Tunc ibunt Superbia Ira Invidia Gula Luxuria & Accidia ad Avariciam & dic[et]

What is þi wylle syr Coveytyse
Why hast þu aftyr us sent
When þu cryedyst we gave a gyse
& come to þe now present — oure love is on þe lent
I pryde wrath & envye
Glotony slawth & lechery — to be at þi commaundement
We arn cum alle sex for þi crye

Luxuria. In mans kyth I cast me a castel to kepe
I lechery wyth lykynge am lovyd in iche a lond
wyth my sokelys of swettnesse I sytte & I slepe
many berdys I brynge to my byttyr bonde
In wo & in wrake wyckyd wytys schal wepe
þat in my wonys wylde wyl not out wende
whanne mankynde is castyn undyr clourys to crepe
þanne þo ledrouns for here lykynge I schal al to schende
trewly to tell
syr ffesch now I wende
wyth lust in my lende
to cachyn mankynde
to þe devyl of hell

Accidia. ȝa waht seyst þou of syr slawth wyth my soure syth
Mankynde louyth me wel wys as I wene
men of relygyon I rewle in my ryth
I lette goddys seruyse þe soþe may be sene
In bedde I brede brothel wyth my berdys bryth
lordys ladys & lederounnys to my lore leene
mekyl of mankynd in my clokys schal be knyth
tyl deth dryuyth hem down in dalys be dene
we may non lenger a byde
syr ffesch comly kynge
in þe is al oure bredynge
ȝeue us now þi blyssynge
ffor coveytyse hath cryde

Caro. Glotony & slawth ffare wel in fere
louely in londe is now ȝour lesse
& lecherye my dowtyr so dere
dapyrly ȝe dresse ȝou so dyngne on desse
all þre my blyssynge ȝe schal haue here
goth now forth & gyue ȝe no fors
it is no nede ȝou for to lere
to cachyn mankynd to a careful clos
ffro þe bryth blysse off heuene
þe werld þe flesch & þe devyl are knowe
grete lordys as we wel owe
& þorwe mankynd we settyn & sowe
þe dedly synnys seuene

tunc ibunt superbia Ira Invidia gula luxuria et accidia ad auariciam et dicet superbia

Superbia. what is þi wyll syr Coveytyse
why hast þou afftyr vs sent
whanne þou Creydyst we ganne agryse
& come to þe now parasent
oure loue is on þe lent
I pryde wrath & Envye
Gloton sslawth & lecherye
we arn cum all sex for þi Crye
to be at þi commaundement

978 þo] *F* þe *E* þo
984 waht] *E emends to* what; syth] snowt *canc. before* syth (*FE*)

1009 s.d. et accidia] et *blotted*; dicet] *F* dicat *E* dicet

AUARICIA. welcum be ȝe breþeryn all
& my sytyr swete lecherye
wytte ȝe why I gan to call
for ȝe must me helpe & þat in hy
Mankynde is now com to myn hall
wyth me to dwell be downys dry
þerfore ȝe must what so be ffall
ffeffyn hym wyth ȝoure foly
        & ell ȝe don hym wronge
ffor whanne mankynd is kendly koueytous
he is provd wrathful & Envyous
Glotons slaw & lecherous
        þei arn oþyr whyle a monge

þus Euery synne tyllyth in oþyr
& makyth mankynde to ben a foole
we seuene ffallyn on a fodyr
Mankynd to chase to pynygys stole
þerfore pryde good broþyr
& breþyryn all take ȝe ȝour tol
late Iche of vs take at othyr
& set Mankynd on a stomlynge stol
        whyl he is here on lyve
lete vs lullyn hym in oure lust
tyl he be dreuyn to dampnynge dust
Colde care schal ben hys curst
        to deth whanne he schal dryve

SUPERBIA. In gle & game I growe glad
Mankynd take good hed
& do as Coveytyse þe bad
take me in þyn hert precyous pride
loke þou be not ouyr lad
late no bacheler þe mysbede
do þe to be dowtyd & drad
bete boyes tyl þey blede
        kast hem in careful kettys
ffrende fadyr & modyr dere
bowe hem not in non manere
& hold no maner man þi pere
        & vse þese new Iettys

loke þou blowe mekyl bost
wyth longe Crakows on þi schos
Iagge þi Clothis in euery cost
& ell men schul lete þe but a goos
It is þus man wel þou wost
þerfore do as no man dos
& euery man sette at a thost
& of þi self make gret ros
        now se þi self on euery syde

1020 sytyr] *FE emend to* systyr
1027 ell] *F* ellis *E* ell
1035 pynygys] *F emends to* pynyngis *E to* pynyngys
1038 Iche] I *marked over some other letter* (?)
1043 curst] *FE emend to* crust
1045 growe] *followed by a faint* s (?)
1061 ell] *F* ellis *E* ell

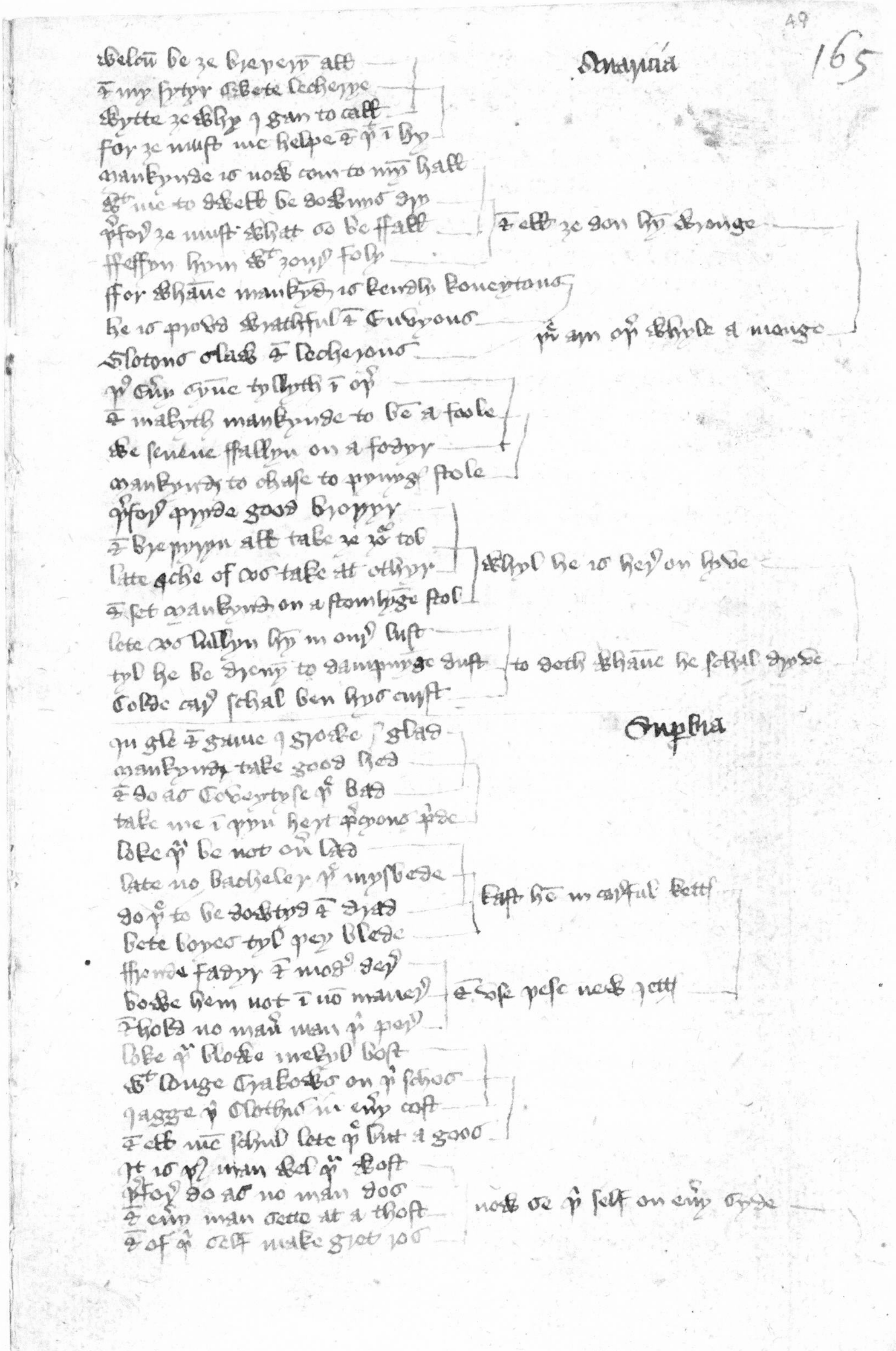

49 165

Avaricia

Welcum be ye breþeryn all
& my systyr swete lechery
Wytte ye why I gan to call
For ye must me helpe & þat in hy
Mankynde is now com to myn hall
Wyth me to dwell be downys dry
Þerfore ye must what so befall
Feffyn hym wyth youre foly
& ellys ye don hym wronge
For whanne mankynde is kendly coveytous
He is prowd wrathful & envyous
Slowe glotons & lecherous
Þei arn oþerwhyle amonge
Þus every synne tyllyth in oþer
& makyth mankynde to be a foole
We seven fallyn on a fodyr
Mankynde to chase to pynynge stole
Þerfore pryde good broþyr
& breþeryn all take ye youre tol
Lette iche of vs take at oþyr
& set mankynd on a stomblynge stol
Whyl he is here on lyve
Lete vs lullyn hym in oure lust
Tyl he be drevyn to dampnynge dust
Colde care schal ben hys crust
To deth whanne he schal dryve

Luxuria

In gle & game I grope & glade
Mankynde take good hed
& do as Coveytyse þe bad
Take me in þyn armys sprede
Loke þou be not on lede
Late no bachelere þe mysbede
Do þou to be dowtyd & drad
Bete boyes tyl þey blede
Kast hem in careful kettys
Frende fadyr & moder dere
Bowe hem not in no manere
& hold no man þi pere
& sette pese now yette
Loke þou blowe mekyl bost
Wyth longe crakows on þi schos
Jagge þi clothis in euery cost
& ellys men schul lete þe but a goos
It is þe maner wel þou wost
Þerfore do as no man doos
& euery man sette at a thost
& of þiself make gret loos
Now se þiself on euery syde

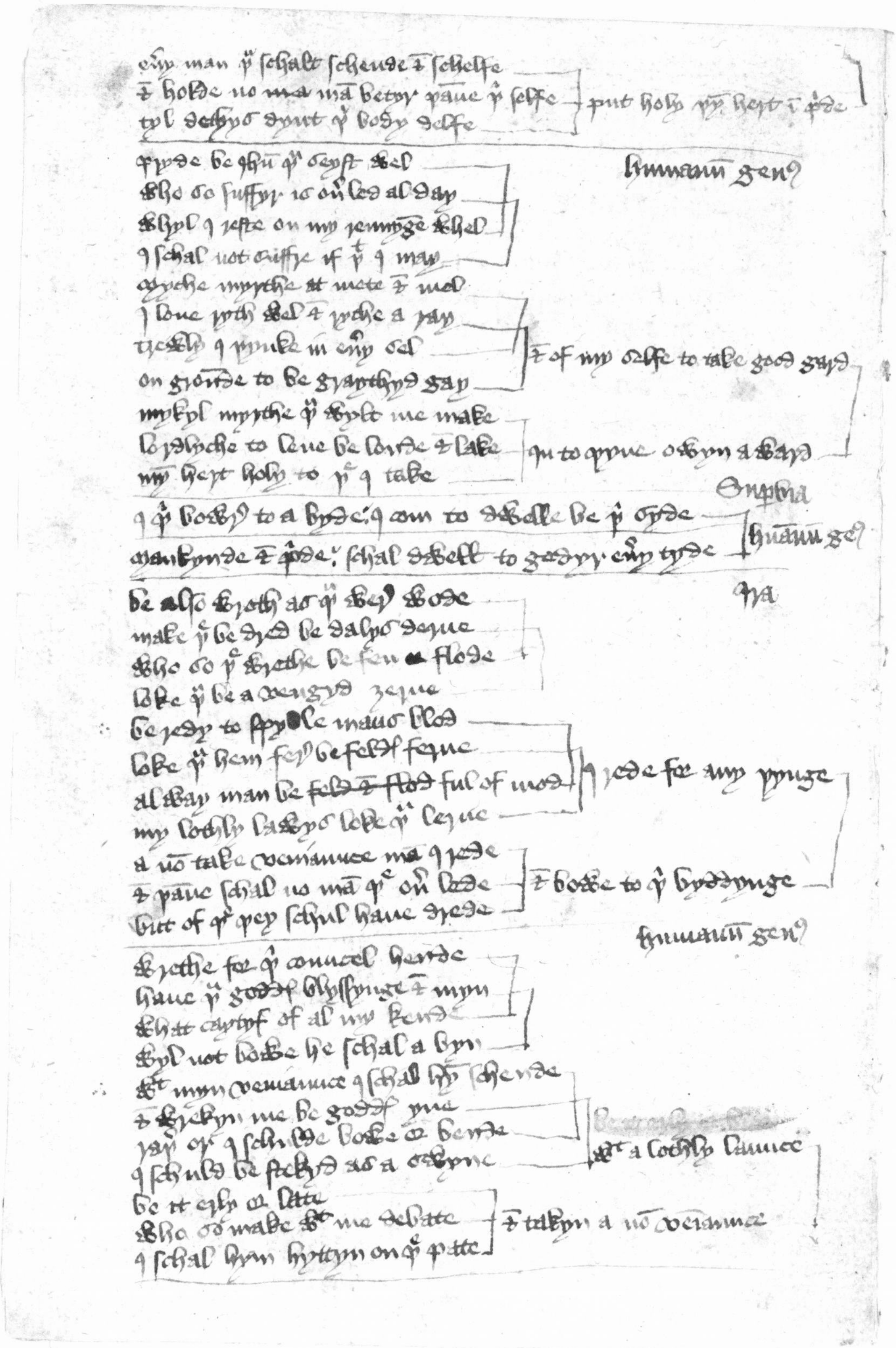

euery man þou schalt schende & schelfe
& holde no man betyr þanne þi selfe
tyl dethys dynt þi body delfe
put holy þyn hert in pride

HUMANUM GENUS. pryde be Ihesu þou seyst wel
who so suffyr is ouyrled al day
whyl I reste on my rennynge whel
I schal not suffre if þat I may
Myche myrthe at mete & mel
I loue ryth wel & ryche a ray
trewly I þynke in euery sel
on grounde to be graythyd gay
& of my selfe to take good gard
mykyl myrthe þou wylt me make
lordlyche to leue be londe & lake
myn hert holy to þe I take
In to þyne owyn a ward

SUPERBIA. I þi bowre to a byde : I com to dwelle be þi syde
HUMANUM GEUS. Mankynde & pride : schal dwell to gedyr euery tyde

IRA. be also wroth as þou were wode
make þe be dred be dalys derne
who so þe wrethe be fen or flode
loke þou be a vengyd ȝerne
be redy to spylle mans blod
loke þou hem fere be feldys ferne
al way man be ful of mod
my lothly lawys loke þou lerne
I rede for any þynge
a non take veniaunce man I rede
& þanne schal no man þe ouyr lede
but of þe þey schul haue drede
& bowe to þi byddynge

HUMANUM GENUS. wrethe for þi councel hende
haue þou goddys blyssynge & myn
what caytyf of al my kende
wyl not bowe he schal a byn
wyth myn veniaunce I schal hym schende
& wrekyn me be goddys yne
raþyr or I schulde bowe or bende
I schuld be stekyd as a swyne
wyth a lothly launce
be it erly or late
who so make wyth me debate
I schal hym hyttyn on þe pate
& takyn a non veniaunce

1068 man] ma *canc. before* man (*E*)
1084–87 *These lines are intended to be divided at the dividing marks, and are numbered accordingly.*
1086 GEUS] *F reads* GENUS *E emends to* GENUS
1092 *three dots in left margin, also at 1105, 1122, 1135, 1152, 1157, and frequently thereafter, usually to indicate the fifth or tenth lines of a stanza* (*E*); spylle] *first* l *seems to be a blotted* d (*FE*)
1094 ful] feld & flod *canc. before* ful (*FE*)
1109 *The scribe first wrote and then erased l. 1110* (*E*).

IRA. wyth my rewly rothyr : I com to þe mankynde my broþyr
HUMANUM G[ENUS]. wrethe þi fayr foþyr : makyth Iche man to be vengyd on oþyr

INVIDIA. Envye wyth wrathe muste dryve
to haunte mankynde al so
whanne any of þy neyborys wyl þryve
loke þou haue Envye þer to
on þe hey name I charge þe be lyue
bakbyte hym whow so þou do
kyll hym a non wyth owtyn knyve
& speke hym sum schame were þou go
    be dale or downys drye
speke þi neybour mekyl schame
pot on hem sum fals fame
loke þou vn do hys nobyl name
    wyth me þat am Envye

HUMANUM GENUS. Envye þou art boþe good & hende
& schalt be of my counsel chefe
þi counsel is knowyn þorwe mankynde
ffor ilke man callyth oþyr hore & thefe
Envye þou arte rote & rynde
þorwe þis werld of mykyl myschefe
In byttyr balys I schal hem bynde
þat to þe puttyth any reprefe
    cum vp to me above
ffor more Envye þanne is now reynynge
was neuere syth cryst was kynge
cum vp Envye my dere derlynge
    þou hast mankyndys love

INVIDIA. I clymbe fro þis crofte : wyth mankynde to syttyn on lofte
HUMANUM [GENUS]. cum syt here softe : ffor In abbeys þou dwellyst ful ofte

GULA. In gay glotony a game þou be gynne
ordeyn þe mete & drynkys goode
loke þat no tresour þe part a twynne
but þe feffe & fede wyth alkynnys fode
wyth fastynge schal man neuere heuene wynne
þese grete fasterys I holde hem wode
þou þou ete & drynke it is no synne
ffast no day I rede be þe rode
    þou chyde þese fastyng cherlys
loke þou haue spycys of goode odoure
to ffeffe & fede þy fleschly floure
& þanne mayst þou bultyn in þi boure
& serdyn gay gerlys

1114–17 *These lines are intended to be divided at the dividing marks, and are numbered accordingly.*
1116 wrethe] *preceded by a blotted* w (*E*) *F* and Wrethe
1124 owtyn] w *blotted*; knyve] n *written over a* y
1144–47 *lines to be divided, as at ll. 1114–17 above*
1145 mankynde] *followed by a diamond-shaped mark in the MS* (*E*) *F* Mankynde, o
1150 þe] *E emends to* þou
1160 *a tail-rhyme line, normally bracketed over to the right*

Ira 166

Wt my reedly rodyr: I com to þe mankynde my hoþ
Wrethe þe fayr for: makyth iche man to be vexyd on oþer

Humanum g

Invidia

Envye wt wrathþe muste dryve
to haunte mankynde al so
whanne any of þi neyborys wyl þryve
loke þou haue envye þerto
on þi heyerys hauen I charge þe be hyne
bakbyte hym wheso þat do
kyll hym a non wtowtyn knyve
& speke hym sum schame wer þou go
 be dale or downys drye
speke þi neybour mekyl schame
put on hem sum fals fame
loke þou vndo his nobyl name
 wt me þat am Envye

Humanum genus

Envye þou art bote good & hende
& schalt be of my counsel chefe
þi counsel is knowyn þorwe mankynde
ffor ilke man callyth oþer hore & thefe
Envye þou art rote & rynde
þorwe þis werld of mykyl myschefe
In bytter balys I schal hem bynde
þat to þe puttyth any repreve
 cum vp to me a bove
ffor more envye þan is now reygnynge
was neuere syth cryst was kynge
cum vp Envye my dere derlynge
 þou hast mankyndys love

Invidia

I clymbe fro þis crofte: wt mankynde to sytty on lofte

Humanum

cum syt here softe: ffor in abbeys þou dwellyst ful ofte

Gula

In gay glotony a game þou be gynne
ordeyn þe mete & drynkys goode
loke þat no tresour þe parte a twynne
but þou feffe & fede wt al kynnys fode
wt fastynge schal man neuere heuene wynne
þese grete fasterys I holde hem wode
þow þou ete & drynke it is no synne
ffast no day I rede be þe rode
 to chyde þese fastynge cherlys
loke þou haue spycys of goode odoure
to ffeffe & fede þy fleschly flour
& þanne mayst þou bultyn in þi bour
& serwyn dame lecherys

a glotony wel I þe grete | humanum genus
Soth & sad it is þi sawe
I am no day wel be sty nor strete
Tyl I haue wel fyllyd my mawe
ffastynge is fellyd vndyr ffete
þou I neuere faste I ʒeue an hawe | to faste I wyl not fonde
he oz myth of nowth be þe rode I hete
but to do a mannys guttys to gnawe
I schal not sparyn to haue I reste
to haue a morsel of þe beste | wyth gret lykynge I londe
þe lengyr schal my lyfe leste
We bankys on benche : ouyrwhyle to speke þe spede | Gula
Whyl I lyf lede : wyth fayr fode my flesche schal I fede | humanum genus
ʒa whanne þi flesche is fayr fed | luxuria
þanne schal I louely lecherye
be bobbyd wyth þe in bed
hereof serue mete & drynkys trye
In loue þi lyf schal be led
be a lechour tyl þu dye | tyl deth þi dore drepe
þi nedys schal be þe better sped
If þou ʒeue þe to fleschly folye
lechery syn þe werld began
hath a vauncyd many a man | I my cunte þu schalt crepe
þerfore mankynd my leue lemman
a lechery wel þe be | humanum genus
mannys sed in þe is sowe
fewe men wyl forsake þe
In any cuntre þat I knowe
sponsus swiche is a frend ryth fre
ne vse þer no pane I vowe | lykynge is in þi lende
lechery com syt be me
þi bandys be ful wyd I knowe
on nyʒt or I se no wyʒhte
þu wyl for sake day ner nyth | & reste þe wyth mankynde
þerfore com vp my berd bryth
I may soth synge : mankynde is kawt in my slynge | luxuria
ffor ony erthly þinge : to bedde þu muste me brynge | humanum genus

HUMANUM GENUS. a glotony wel I þe grete
soth & sad it is þy sawe
I am no day wel be sty nor strete
tyl I haue wel fyllyd my mawe
fastynge is fellyd vndyr ffete
þou I neuere faste I rekke an hawe
he seruyth of nowth be þe rode I lete
but to do a mans guttys to gnawe
to faste I wyl not fonde
I schal not spare so haue I reste
to haue a mossel of þe beste
þe lenger schal my lyfe mow leste
wyth gret lykynge in londe

GULA. Be bankys on brede : oþyrwhyle to spew þe spede
HUMANUM GENUS. whyl I lyf lede : wyth fayre fode my flesche schal I fede

LUXURIA. ȝa whanne þi flesche is fayre fed
þanne schal I louely lecherye
be bobbyd wyth þe in bed
here of serue mete & drynkys trye
In loue þi lyf schal be led
be a lechour tyl þu dye
þi nedys schal be þe bettyr sped
If ȝyf þe to fleschly folye
tyl deth þe down drepe
lechery syn þe werld be gan
hath a vauncyd many a man
þerfore mankynd my leue lemman
I my cunte þou schalt crepe

HUMANUM GENUS. a lechery wel þe be
mans sed in þe is sowe
fewe men wyl forsake þe
In any cuntre þat I knowe
spouse breche is a frend ryth fre
men vse þat mo þanne I nowe
lechery cum syt be me
þi banys be ful wyd I knowe
lykynge is in þi lende
on nor oþyr I se no wythte
þat wyl for sake day ner nyth
þerfore cum vp my berd bryth
& reste þe wyth mankynde

LUXURIA. I may soth synge : mankynde is kawt in my slynge
HUMANUM GEUS. ffor ony erthyly þynge : to bedde þou muste me brynge

1166 rekke] *F emends to* rekke [not] *E to* ne rekke
1168 guttys] *F* gieays *E* guttys
1172 lyfe] *added above the line* (*E*)
1174–77 *double lines, numbered accordingly*
1180 in] *F* in [þi]
1183 þu] *FE emend to* þou
1185 If] *FE emend to* If þou
1195 breche] r *written over another letter* (?)
1201 for sake] *F emends to* forsake þee *E to* forsake þe; ner] *F* nor *E* ner
1204–7 *double lines, numbered accordingly*
1206 GEUS] *F* GENUS *E reads* g . . .

ACCIDIA. ȝa whanne ȝe be in bedde boþe
wappyd wel in worthy wede
þanne I slawthe wyl be wrothe
but ij brothelys I may brede
whanne þe messe belle goth
lye stylle man & take non hede
lappe þyne hed þanne in a cloth
& take a swet I þe rede
chyrche goynge þou forsake
losengerys in londe I lyfte
& dyth men to mekyl vnthryfte
Penaunce enIoynyd men in schryfte
is vn done & þat I make

HUMANUM GENUS. Owe slawthe þou seyst me skylle
men vse þe mekyl god it wot
men lofe wel now to lye stylle
In bedde to take a Morowe swot
to chyrche ward is not here wylle
here beddys þei þynkyn goode & hot
herry Iofferey Ionẹ & gylle
arn leyd & logyd in a lot
wyth þyne vnþende charmys
al mankynde be þe holy rode
are now slawe in werkys goode
com nere þerfore myn fayre foode
& lulle me in þyne armys

ACCIDIA. I make men I trowe : In goddys seruyse to be ryth slowe
HUMANUM GENUS. con up þis þrowe : swyche men þou schalt fynden I nowe

HUMANUM GENUS. Mankynde I am callyd be kynde
wyth curssydnesse in costys knet
In sowre swettenesse my syth I sende
wyth seuene synnys sadde be set
mekyl myrþe I moue in mynde
wyth melody at my mowþis met
my prowd pouer schal I not pende
tyl I be putte in peynys pyt
to helle hent fro hens
In dale of dole tyl we are downe
we schul be clad in a gay gowne
I se no man but þey vse somme
of þese vij dedly synnys

for comounly it is seldom seyne
who so now be lecherows
of oþyr men he schal haue dysdeyne
& ben prowde or Covetous
In synne iche man is founde

1208 boþe] browth *canc. before* boþe (*E*) *F reads* browth boþe
1224 Morowe] M *written over another letter* *F reads* þorowe
1234–37 *double lines, numbered accordingly*
1236 con] *FE emend to* Com
1249 þey] y *written over another letter* (?)
1251 seyne] *The scribe first wrote* sene, *then changed* n *to* y *and* e *to* n.
1253 of] *E emends to* But of

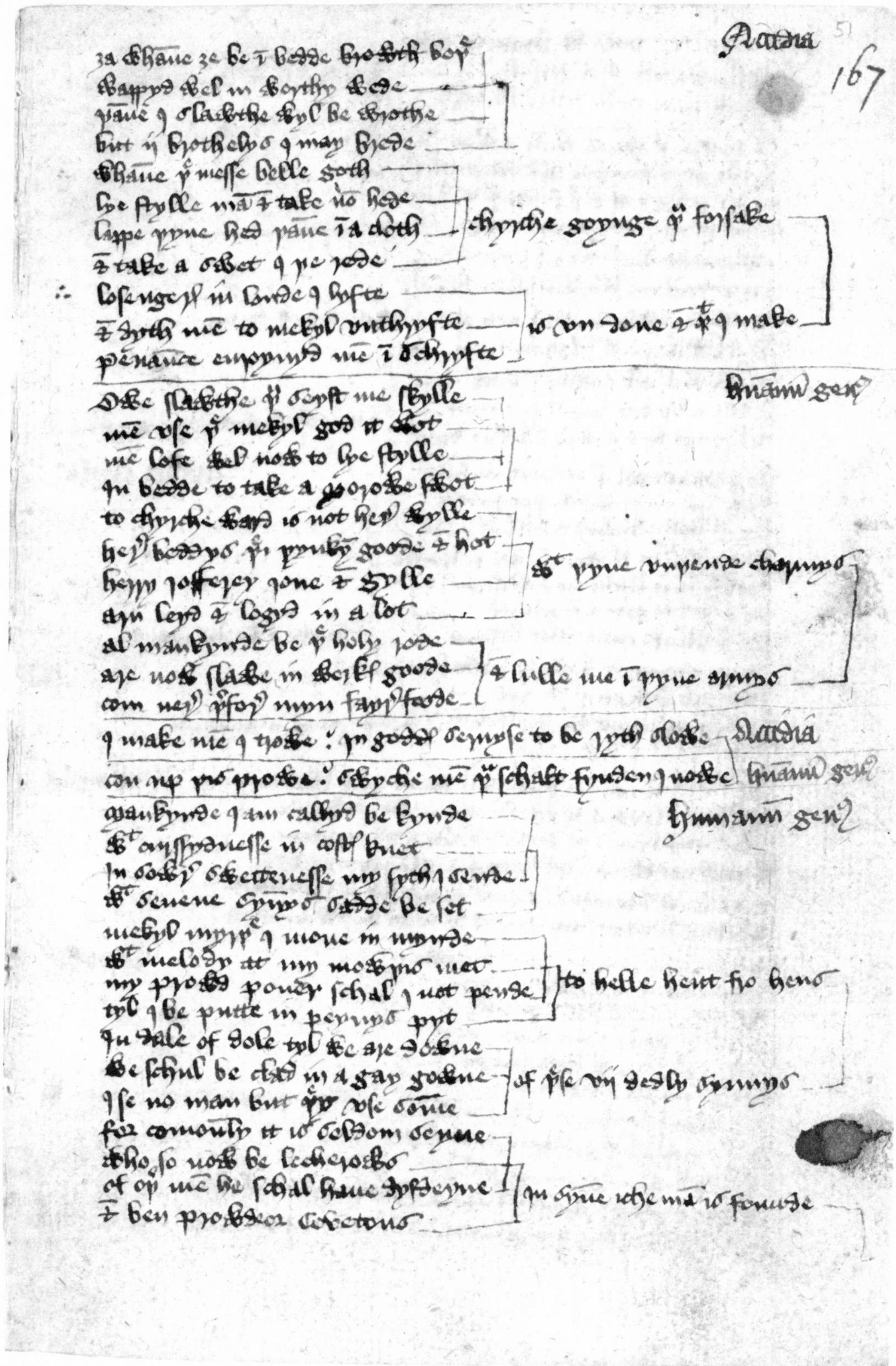
Accidia 51
167

ȝa whanne ȝe be i bedde ~~browth~~ bothe
wappyd wel in worthy wede
þanne I slawthe wyl be wrothe
but þi brothelys I may brede
whanne þe messe belle goth
lye stylle man & take no hede
lappe þyne hed þanne in a cloth
& take a swet I þe rede
chyrche goynge þu forsake
losengere in londe I lyfte
& bryth me to mekyl unthryfte
penance enioynyd me in schryfte
is un done & þt I make

humanum genus

Dowe slawthe þu seyst me skylle
me rewe þt mekyl god it wot
me lofe wel now to lye stylle
in bedde to take a morowe swot
to chyrche ward is not her wylle
her beddys þei þynke goode & hot
herry Jeffrey Jone & Jylle
arn leyd & logyd in a lot
wt þyne unpende clappys
al mankynde be þe holy rode
are now slawe in werkes goode
com nere þerfor myn fayr fode
& lulle me in þyne lappys

I make me I trowe : in goddes seruyse to be ryth slowe — Accidia
com up þis throwe : swyche men þu schalt fynden I nowe — humanum genus

humanum genus

Mankynde I am callyd be kynde
wt cursydnesse in costes knet
In sowre swetenesse my syth I sende
wt seuene synnys sadde be set
mekyl myrþe I moue in mynde
wt melody at my mowþys met
my prowd pouer schal I not pende
to helle hent fro hens
tyl I be putte in peynys pyt
in dale of dole tyl we are dowe
we schul be clad in a gay gowne
of þese vii dedly synnys
I se no man but þey vse somme
for comounly it is seldom seyne
who so now be lecherows
of oþer men he schal haue dysdeyne
in synne iche man is founde
& ben prowde or covetous

þat is per nor yerde be lorde ne lake
þat alle þese don wyl forsake
but wt on or oþir he schal be take — & in her bytter bondys bounde

Bonus angelus

So mekyl þe werse wele a woo
þat euere good aungyl was ordeynyd þe
þu art rewlyd aftir þe fende þat is þi foo
& no þynge certys aftyr me
weleaway wedir may I goo
man doth me bleykyn blody ble
his swete sowle he wyl now slo
he schal wepe al hys game & gle — at on dayes tyme
ye se wel all sothly i syth
I am abowte bothe day & nyth
to brynge hys sowle i to blis bryth — & hym self wyl it brynge to pyne

Malus angelus

No good aungyl þu art not in sesun
ffewe men in þe feyth þey fynde
for þu hast schewyd a ballyd resun
goode syre com blowe myn hol be hynde
trewly man hathe non chesun
on þi syde to stonde & wende
ffor þu schulde euere þis lessoun
In penaunce his body he muste bynde — & forsake þe worldys mende
men am loth on þe to crye
or don penaunce for her folye
þerfor haue I now maystrye — wel ny ouyr al mankynde

Bonus angelus

alas mankynde : is bobbyd & blent as þe blynde
in feyth I fynde : to crist he can nowt be kynde
alas mankynne : is soylyd & saggyd in synne
he wyl not blynne : tyl body & sowle parte atwynne
alas he is blendyd : amys mans lyf is I spendyd
wt fendys fendyd : mercy god þat man were amendyd

Confessio

What man aungel good & trewe
why syest þu & sobbyst sore
sertys sore it schal me rewe
if I se þe make mornynge more
may ony bote þi bale brewe
or ony þynge þi stat astore
ffor alle felechepys olde & newe
all why makyst þu grochynge vndyr gore — wt pynynge poyntys pale
why was al þis gretynge gunne
wt sore sythynge vndyr sunne
tell me & I schal if I cunne — brewe þe bote of bale

þer is pore nor ryche be londe ne lake
þat alle þese vij wyl forsake
but wyth on or oþyr he schal be take
& in here byttyr bondys bownde

BONUS ANGELUS. so mekyl þe werse wele a woo
þat euere good aungyl was ordeynyd þe
þou art rewlyd aftyr þe fende þat is þi foo
& no þynge certys aftyr me
weleaway wedyr may I goo
man doth me bleykyn blody ble
hys swete sowle he wyl now slo
he schal wepe al hys game & gle
at on dayes tyme
ȝe se wel all sothly in syth
I am a bowte boþe day & nyth
to brynge hys sowle in to blis bryth
& hym self wyl it brynge to pyne

MALUS ANGELUS. no good aungyl þou art not in sesun
ffewe men in þe ffeyth þey fynde
for þou hast schewyd a ballyd resun
goode syre cum blowe myn hol be hynde
trewly man hathe non chesun
on þi god to grede & grynde
ffor þat schuld cunne cristis lessoun
In penaunce hys body he muste bynde
& forsake þe worldys mende
men arn loth on þe to crye
or don penaunce for here folye
þerfore haue I now maystrye
welny ouyr al mankynde

BONUS ANGELUS. alas mankynde : is bobbyd & blent as þe blynde
In feyth I fynde : to crist he can nowt be kynde
alas mankynne : is soylyd & saggyd in synne
he wyl not blynne : tyl body & sowle parte a twynne
alas he is blendyd : a mys mans lyf is I spendyd
wyth fendys fendyd : mercy god þat man were a mendyd

CONFESSIO. what mans aungel good & trowe
why syest þou & sobbyst sore
sertys sore it schal me rewe
If I se þe make mornynge more
may any bote þi bale brewe
or any þynge þi stat a store
ffor all felechepys olde & newe
why makyst þou grochynge vndyr gore
wyth pynynge poyntys pale
why was al þis gretynge gunne
wyth sore syinge vndyr sunne
tell me & I schal if I cunne
brewe þe bote of bale

1266 slo] *F* sle *E* slo
1286–97 *double lines, numbered accordingly*
1298 trowe] *should be* trewe *FE read* trewe
1304 all] olde *canc. and* all *substituted in left margin* (*FE*)

BONUS ANGELUS. of byttyr balys þou mayste me bete
swete schryfte if þat þou wylt
for mankynde it is þat I grete
he is in poynt to be spylt
he is set in seuene synnys sete
& wyl certys tyl he be kylt
wyth me he þynkyth neuere more to mete
he hath me forsake & I haue no gylt
no man wyl hym amende
þerfore schryfte so god me spede
but if þou helpe at þis nede
mankynde getyh neuere oþyr mede
but peyne wyth owtyn ende

CONFESCIO. what aungel be of counfort stronge
ffor þi lordys loue þat deyed on tre
on me schryfte it schal not be longe
& þat þou schalt þe sothe se
if he wyl be a knowe hys wronge
& no þynge hele but telle it me
& don penaunce sone a monge
I schal hym stere to gamyn & gle
In Ioye þat euere schal last
who so schyue hym of hys synnys alle
I be hete hym heuene halle
þerfor go we hens what so be falle
to mankynde fast
tunc ibunt ad humanum genus et dicet

CONFESSI[O]. what mankynde whou goth þis
what dost þou wyth þese deuelys seuene
alas alas man al a mys
blysse in þe mane of god in heuene
I rede so haue I rest
þese lotly lordeynys a wey þou lyfte
& cum doun & speke wyth schryfte
& drawe þe ȝerne to sum thryfte
trewly it is þe best

HUMANUM GENUS. a schryfte þou art wel be note
here to slawthe þat syttyth here Inne
he seyth þou mytyst a com to mannys cote
on palme sunday al be tyme
þou art com al to sone
þerfore schryfte be þi fay
goo forthe tyl on good ffryday
tente to þe þanne wel I may
I haue now ellys to done

CONFESCIO. ow þat harlot is now bold
In bale he byndyth mankynd belyue
sey slawthe I preyd hym þat he wold
ffynd a charter of þi lyue
man þou mayst ben vndyr mold
longe or þat tyme kyllyd wyth a knyue
wyth podys & froskys many fold
þerfore schape þe now to schryue
if þou wylt com to blys

1314 in] *added above the line* (*E*)
1322 getyh] *FE emend to* getyth
1324 counfort] *F* comfort *E* counfort; stronge] good *canc. before* stronge (*FE*)

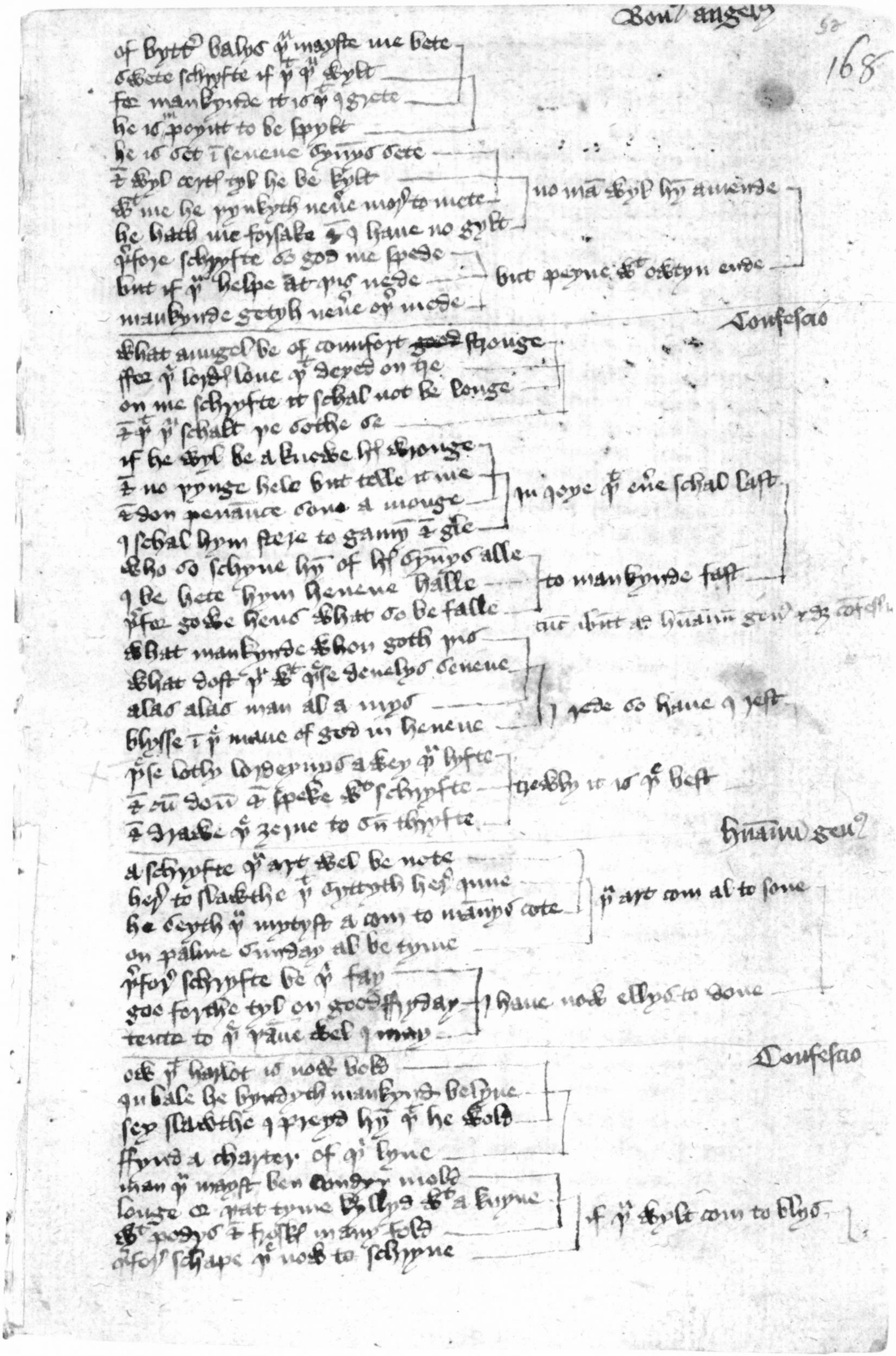

Bonus angelus

of whyt balys þou mayst me bete
swete schryfte if þou wylt
for mankynde it is þat I grete
he is poynt to be spylt
he is set in seuene synnys sete
& wyl certys tyl he be kylt
wyth me he þynkyth neuer more to mete
he hath me forsake & I haue no gylt
no man wyl hym amende
þerfore schryfte so god me spede
but if þou helpe at þis nede
mankynde getyth neuer oþer mede
but peyne wyth-outyn ende

Confessio

What angel be of comfort stronge
for þi lordis loue þat deyed on tre
on me schryfte it schal not be longe
& þat þou schalt þe sothe se
if he wyl be aknowe his wronge
& no þynge hele but telle it me
& don penaunce sone amonge
I schal hym stere to gamyn & gle
in ioye þat euere schal last
who so schyue hym of hise synnys alle
I behete hym heuene halle
þerfore go we hens what so be falle
to mankynde fast

tunc ibunt ad humanum genus et dicit confessio

What mankynde how gothe þis
what dost þou wyth þise deuelys seuene
alas alas man al amys
blysse in þe mane of god in heuene
I rede so haue I rest
þise lothly lordeynys awey þou lyfte
& cum doun & speke wyth schryfte
& drawe þe zerne to sum thryfte
trewly it is þe best

Humanum genus

A schryfte þou art wel be note
here to slawthe þat cytyth here pine
he seyth þou myȝtyst a com to manys cote
on palme sunday al be tyme
þou art com al to sone
þerfor schryfte be þi fay
goo forthe tyl on good fryday
tente to þe þanne wel I may
I haue now ellys to done

Confessio

ow þat harlot is now bold
In bale he byndyth mankynd belyue
slawthe I prey god hym þat he wold
fynde a chapter of þi lyue
than þou maist ben vnder mold
longe er þat tyme wyllys wyth a knyue
wyth poysons & helle in hur fold
þerfore schape þe now to schryue
If þou wylt com to blys

1333 schyue] *F reads* schryue *E emends to* schryue
1336 S.D. dicet] *F* dicat *E* dicet
1340 mane] *FE emend to* name
1352 goo] *or* goe *FE read* goo

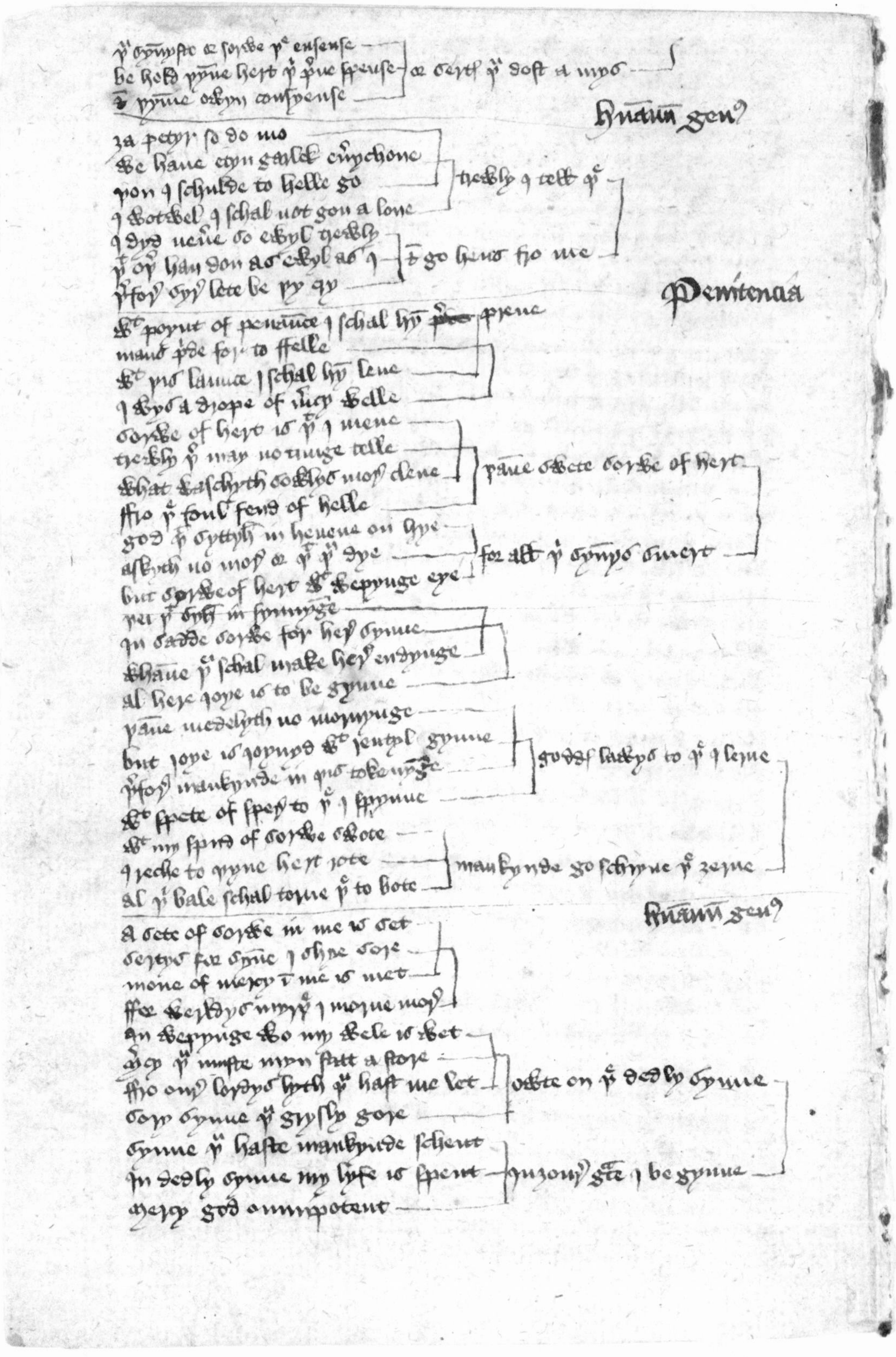
þi gynyste & sorwe þe ensense
be wold þyne hert þi þine spense — & certis þu dost a mys
& þyne owyn conspense

Humana gens

Ja petyr so do mo
We haue etyn gall & envysone
þon I schulde to helle go — treuly I tell þe
I wotwel I schal not gon alone
I dyd neuer so euyl treuly
þat oþir hau don as euyl as I — & go hens fro me
þerfor syr lete be þy cry

Penitencia

Wt poynt of penaunce I schal hym prene
Mankynde for to ffelle
Wt þis launce I schal hym lene
I wyl a drope of mercy welle
Sorwe of hert is þat I mene
treuly þer may no tunge telle — þane swete sorwe of hert
What wasschyth sowlys mor clene
ffro þe foul fend of helle
God þat syttyth in heuene on hye
askyth no mor er þat þu dye — for all þi synnys smert
but sorwe of hert wt wepynge eye
yet þat synne is in synnynge
In sadde sorwe for her synne
Whane þei schal make her endynge
Al here ioye is to be gynne
þane medelyth no mornynge
but ioye is ioynyd wt ientyl gynne
þerfor mankynde in þis tokenynge — goddes lawys to þe I leue
wt spete of spere to þe I spynne
wt my sprid of sorwe swote
I reche to þyne hert rote
Al þi bale schal torne þe to bote — mankynde go schryue þe zerne

Humana gens

A sete of sorwe in me is set
sertys for synne I syhe sore
mone of mercy in me is met
ffor werldys myrþe I morne more
In wepynge wo my wele is wet
mercy þu muste now kall a store
ffro oure lordys lyth þu hast me let — sorwe on þe dedly synne
sory synne þu grysly gore
Synne þu haste mankynde schent
In dedly synne my lyfe is spent — shryuenys grace I be gynne
Mercy god omnipotent

1374 þat] *E emends to* But
1377 prene] *F* preue *E* prene; preve *canc. before* prene (*E*)
1378 for] *or* fore *FE read* for
1379 lene] *F* leue *E* lene
1384 foul] *F* foul[e]

þou synnyste or sorwe þe ensense
be hold þynne hert þi preue spense
& þynne owyn consyense
or sertys þou dost a mys

HUMANUM GENUS. ȝa petyr so do mo
we haue etyn garlek euerychone
þou I schulde to helle go
I wotwel I schal not gon a lone
trewly I tell þe
I dyd neuere so ewyl trewly
þat oþyr han don as ewyl as I
þerfore syre lete be þy cry
& go hens fro me

PENITENCIA. wyth poynt of penaunce I schal hym prene
mans pride for to ffelle
wyth þis launce I schal hym lene
I wys a drope of mercy welle
sorwe of hert is þat I mene
trewly þer may no tunge telle
what waschyth sowlys more clene
ffro þe foul fend of helle
þanne swete sorwe of hert
god þat syttyh in heuene on hye
askyth no more or þat þou dye
but sorwe of hert wyth wepynge eye
for all þi synnys smert

þei þat syh in synnynge
In sadde sorwe for here synne
whanne þei schal make here endynge
al here Ioye is to be gynne
þanne medelyth no mornynge
but Ioye is Ioynyd wyth Ientyl gynne
þerfore mankynde in þis tokenynge
wyth spete of spere to þe I spynne
goddys lawys to þe I lerne
wyth my spud of sorwe swote
I reche to þyne hert rote
al þi bale schal torne þe to bote
mankynde go schryue þe ȝerne

HUMANUM GENUS. a sete of sorwe in me is set
sertys for synne I shye sore
mone of mercy in me is met
ffor werldys myrþe I morne more
in wepynge wo my wele is wet
Mercy þou muste myn stat a store
ffro oure lordys lyth þou hast me let
sory synne þou grysly gore
owte on þe dedly synne
synne þou haste mankynde schent
In dedly synne my lyfe is spent
Mercy god omnipotent
In ȝoure grace I be gynne

1386 syttyh] *FE emend to* syttyth
1400 hert] *F* hert[e]
1404 shye] *E emends to* syhe
1407 in] i *changed from an* o (?)
1408 stat] *or* satt *F reads* fatt *E* stat

ffor þou mankynde haue don a mys
& he wyl falle in repentaunce
crist schal hym bryngyn to bowre of blys
If sorwe of hert lache hym wyth launce
lordyngys ȝe se wel alle þys
mankynde hathe ben in gret bobaunce
I now for sake I synne I wys
& take me holy to penaune
          on crist I crye & calle
a mercy schryfte I wyl no more
ffor dedly synne myn herte is sore
stuffe mankynde wyth þyne store
& haue hym to þyne halle

CONFESCIO. schryffte may no man forsake
whanne mankynde cryeth I am redy
whanne sorwe of hert þe hathe take
schryfte profytyth veryly
who so for synne wyl sorwe make
crist hym heryth whanne he wyl criye
now man lete sorwe þyn synne slake
& torne not a geyn to þi ffolye
          ffor þat makyth dystaunce
& if it happe þe turne a geyn to synne
ffor goddys loue lye not longe þer Inne
he þat dothe alwey ewyl & wyl not blynne
          þat askyth gret venIaunce

HUMANUM GENUS. nay sertys þat schal I not do
schryfte þou schalte þe sothe se
for þow mankynde be wonte þer to
I wyl now al a mende me
                    tunc descendit ad confessionem
I com to þe schryfte al holy lo
I forsake ȝou synnys & fro ȝou fle
ȝe schapyn to man a sory scho
whanne he is be gylyd in þis degre
          ȝe bleykyn al hys ble
synne þou art a sory store
þou makyst mankynd to synke sore
þerfore of ȝou wyl I no more
          I aske schryfte for charyte

CONFESCIO. If þou wylt be a knowe here
only al þi trespas
I schal þe schelde fro helle fere
& putte þe fro peyne vnto precyouse place
If þou wylt not make þynne sowle clere
but h kepe hem in þyne hert cas
a noþyr day þey schul be rawe & rere
& synke þi sowle to satanas
          in gastful glowynge glede

1422 I synne] *FE emend to* my synne
1423 penaune] *F reads* Penaunce *E emends to* Penaunce
1428 *This tail-rhyme line would normally be written over to the right.*
1431 hert] *F* hert[e]
1452 to] *a letter crossed out before* to
1460 h kepe] *FE emend to* kepe; þyne hert] *F* þynne hert[e]

For thou mankynde haue don amys
and he wyl falle in repentaunce
Crist schal hym bryngyn to bowre of blys
If sorwe of hert lache hym wyth launce
Lordyngys ȝe se wel alle thys
mankynde hathe ben in gret bobaunce
I now forsake my synne I wys
and take me holy to penaunce — On Crist I crye and calle
A mercy schryfte I wyl no more
For dedly synne myn herte is sore
Stuffe mankynde wyth thyne store
and haue hym to thyne halle

Confessio

Schryfte may no man forsake
whanne mankynde cryeth I am redy
whanne sorwe of hert the hathe take
Schryfte profytyth veryly
Who so for synne wyl sorwe make
Crist hym heryth whanne he wyl crye
Now man lete sorwe thyn synne slake — For that makyt dystaunce
and torne not ageyn to thi folye
And if it happe the turne ageyn to synne
For goddys loue lye not longe therinne — that askyth gret repentaunce
He that dothe alwey evyl and wyl not blynne

Humani generis

Nay certys that schal I not do
Schryfte thou schalte the sothe se
For thow mankynde be wonte therto
I wyl now al amende me — Tunc descendit ad confessionem
I com to the schryfte alholy lo
I forsake ȝou synnys and fro ȝou fle
ȝe schapyn to man a sory scho — ȝe blerkyn al hys ble
whanne he is begylyd in ȝour degre
Synne thou art a sory store
thou makyst mankynde to synke sore — I aske schryfte for charyte
Therfore of ȝou wyl I no more

Confessio

If thou wylt be aknowe here
Only al thi trespas
I schal the schelde fro helle fere
and putte the fro peyne unto plesaunt place
If thou wylt not make thyne sowle clere
But kepe hem in thyne hert cas
Another day thou schalt be rebuked I fere — In gostful glowynge glede
And synke thi sowle to Sathanas

Ffor þe man in mody mornys
if þou wylt wende to world wonys
schryve þe now al at onys
holy of þi mysdede

Synnum gen'

a zys schryfte therfore i thorke
i schal not spar for olde ne euen
þat i schal serue al on a werke
to lache me up to hyns leuene
to my lord god i am a knowe
þat sytty a boven in hey heuene
þat i haue synned many a prowe
in þe dedly synnys seuene
hoþe in boure and halle

Prude wrathe and Envye
Coueytyse and lecherye
slawthe and also glotonye
i haue hem vsyd alle

þe x comaundementes broken i haue
and my fyue wyttes spent he a mys
i was vane word and gan to raue
mercy god for geue me þys
whane any pore man cam to me crave
i gafe hym nouȝt for þou forsakyth me i wys
now sepur sauced ze me saue
and brynge me to ȝe boure of blys
i can not alle say

but to þe erthe i knele a down
boþe wyth bede and orison
and aske my absoluacion
my schryfte i zou pray

Confessio

Now Jhesu cryste god holy
and all þe seyntes of heuene hende
petyr and powle apostoly
to whom god zafe power to lese and bynde
be for zeue þe þi foly
þat þou hast synned wyth hert and mynde
and i vp my power þe asoly
þat þou hast ben to god vnkynde
quantum peccasti

in pryde yre and Envye
slawthe glotony and lecherye
and Coueytyse contynuandelye
vitam male continuasti

i þe asoyle wyth goode entent
of alle þe synnys þat þou hast wroȝth
in brekynge of goddes comaundement
in worde werke wyl and þoȝth

þerfore man in mody monys
If þou wylt wende to worþi wonys
schryue þe now al al onys
holy of þi mysdede

HUMANUM GENUS. a ȝys schryfte trewly I trowe
I schal not spare for odde nor even
þat I schal rekne al on a rowe
to lache me up to lyuys leuene
to my lord god I am a knowe
þat syttyh a bouen in hey heuene
þat I haue synnyd many a þrowe
In þe dedly synnys seuene
boþe in home & halle
Pride wrathe & Envye
Coueytyse & lecherye
slawth & also glotonye
I haue hem vsyd alle

þe x comaundementys brokyn I haue
& my fyue wyttys spent hem a mys
I was þanne wood & gan to raue
mercy god for geue me þys
whanne any pore man gan to me craue
I gafe hym nowt & þat forþynkyth me I wys
now seynt saueour ȝe me saue
& brynge me to ȝour boure of blys
I can not alle say
but to þe erthe I knele a down
boþe wyth bede & orison
& aske myn absolucion
syr schryfte I ȝou pray

CONFESCIO. Now Ihesu cryste god holy
& all þe seyntys of heuene hende
Petyr & powle apostoly
to whom god ȝafe powere to lese & bynde
he for ȝeue þe þi foly
þat þou hast synnyd wyth hert & mynde
& I up my powere þe a soly
þat þou hast ben to god vnkynde
quantum peccasti
In pride Ire & Envye
slawthe glotony & lecherye
& Coveytyse continuandelye
vitam male continuasti

I þe a soyle wyth goode entent
of alle þe synnys þat þou hast wrowth
In brekynge of goddys commaundement
In worde werke wyl & þowth

1473 syttyh] *E emends to* syttyth 1506 vitam] *partly blotted*

at bottom of the page, two practice w's

I restore to þe sacrament
of penauns weche þou neuere rowt
þi .v. wyttys mys dyspent
In synne þe weche þou schuldyst nowt
quicquid gesisti
wyth eyne sen herys herynge
nose smellyd mowthe spekynge
& al þi bodys bad werkynge
vicium quodcumque fecisti

I þe a soyle wyth mylde mod
of al þat þou hast ben ful madde
In forsakynge of þyn aungyl good
& þi fowle flesche þat þou hast fadde
þe werld þe deuyl þat is so woode
& folwyd þyne aungyl þat is so badde
to Ihesu crist þat deyed on rode
I restore þe a geyn ful sadde
noli peccare
& all þe goode dedys þat þou haste don
& all þi tribulacyon
stonde þe in remyssion
posius noli viciare

HUMANUM GENUS. Now syr schryfte where may I dwelle
to kepe me fro synne & woo
a comly counseyl ȝe me spelle
to fende me now fro my foo
If þese vij synnys here telle
þat I am þus fro hem goo
þe werld þe flesche & þe deuyl of hell
schul sekyn my soule for to sloo
In to balys bowre
þerfore I pray ȝou putte me
In to sum place of surete
þat þei may not harmyn me
wyth no synnys sowre

CONFESCIO. to swyche a place I schal þe kenne
þer þou mayst dwelle wyth outyn dystaunsce
& al wey kepe þe fro synne
In to þe castel of perseueraunce
If þou wylt to heuene wynne
& kepe þe fro werldyly dystaunce
goo ȝone castel & kepe þe þer Inne
ffor is strenger þanne any in fraunce
to ȝone castel I þe seende
þat castel is a precyous place
fful of vertu & of grace
who so leuyth þere hys lyuys space
no synne schal hym schende

1511 þe] *F* þee [þe]
1519 quodcumque] *F* quodcunque *E* quodcumque
1552 goo] *E emends to* Goo to
1553 is] *FE emend to* it is

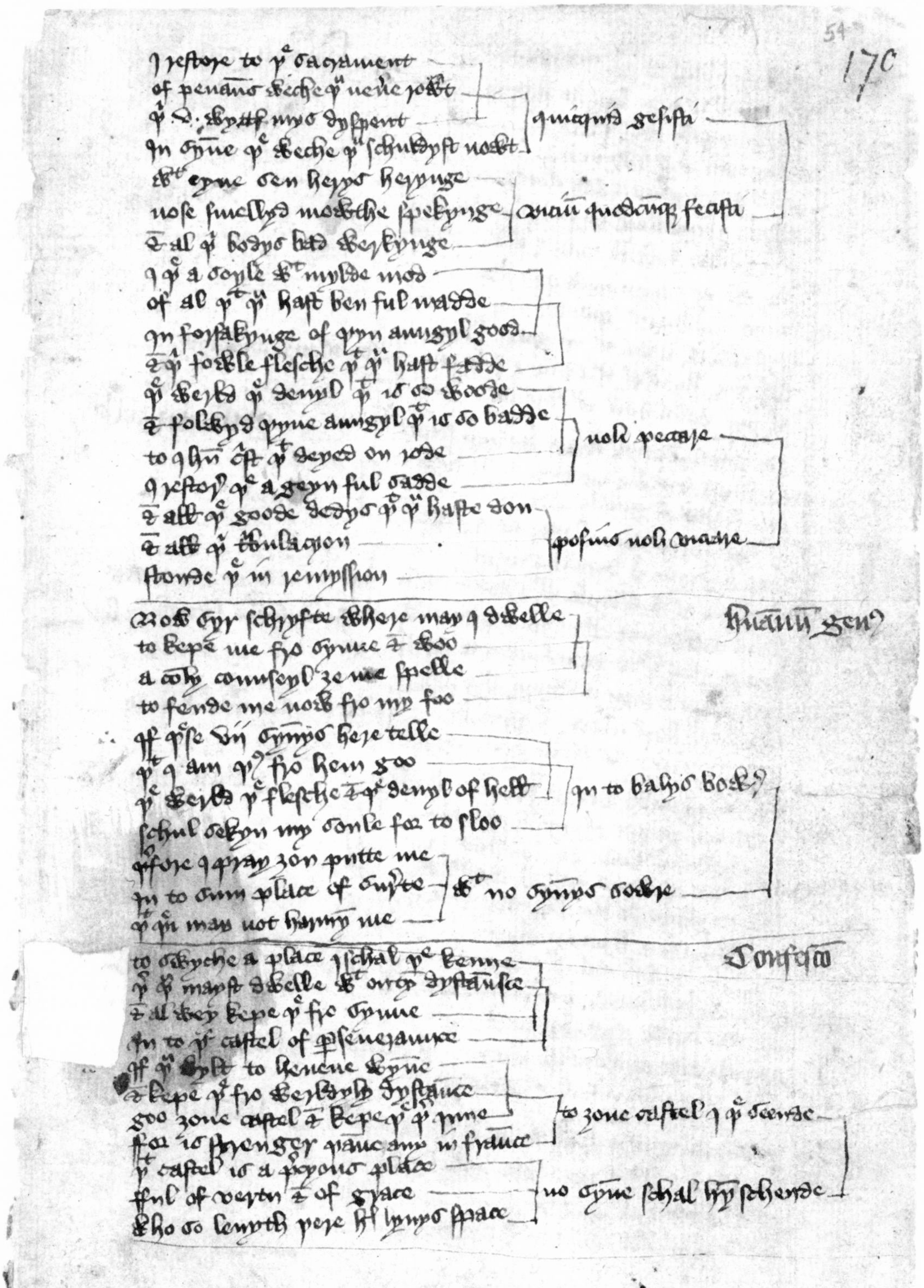

54 170

I restore to þe sacrament
of penance which þou never wost
þat þi wyttis mys dyspent
In synne þe which þou schuldyst not
with synne seen herys heryinge
nose smellyd mowthe spekynge
& al þi body his werkynge

Quicquid gesisti
Anima precedentis feasti

I þe assoyle with mylde mod
of al þat þou hast ben ful madde
In forsakynge of þin aungyl good
& þi foule flesche þat þou hast fedde
þe werld þe devyl þat is so woode
& folwyd þine aungyl þat is so badde
to Ihesu Crist þat deyed on rode
I restore þe ageyn ful sadde
& all þe goode dedys þat þou haste don
& all þi tribulacion
stonde þe in remyssion

nole pecare
posuis nole mane

Now syr schryfte where may I dwelle
to kepe me fro synne & woo
a good counseyl ȝe me spelle
to fende me now fro my foo
Iff þese vii synnys here telle
þat I am þus fro hem goo
þe werld þe flesche & þe devyl of helle
schul seken my soule for to sloo
þerfore I pray ȝou putte me
In to sum place of surte
þat þei may not harmy me

Humanum genus
In to baþis boure
wt no synnys sorwe

Confessio

to suche a place I schal þe kenne
þer þou mayst dwelle wt outen dystaunce
& al wey kepe þe fro synne
In to þe castel of perseveraunce
Iff þou wylt to heuene wynne
& kepe þe fro werldys dystaunce
goo ȝone castel & kepe þe þer inne
for it is strengest of ony in fraunce
þat castel is a precious place
ful of vertu & of grace
who so levyth þere his lyvys space

to ȝone castel I þe sende
no synne schal hym schende

Humanum Genus

A schryfte blessyd mote þou be
þis castel is here but at honde
Redyly rapely wyl I tee
Sekyr on þis sad sonde
Good perseueraunce god sende me
Whyle I leue here in þis londe
ffro foule fylthe now I fle
fforthe to faryn now I fonde
to ȝone precyous port
lord what man is in merþe lyue
Whane he is of hys synnys schryue
Al my dol adon is dryue
Criste is my confort

Malus angelus

Ey what deuyl man wedyr schat
Woldyst þou drawe now to holynesse
Goo felaw þi goode gate
þou art forty wynter olde as I gesse
Goo a geyn þe deuelys matte
& pleye þe a whyle wyth Sare & Sysse
Sche wolde not ellys ȝone olde trat
but putte þe to penaunce & to stresse
ȝone foule feterel fyle
Late men þat arn on þe pyttys brynke
ffor bere boþe mete & drynke
& do penaunce as hem good þynke
& cum & pley þe a whyle

Bonus angelus

Ȝa mankynde wende forthe þi way
& do noþynge after hys red
he wolde þe lede on londys lay
In dale of dros tyl þou were ded
Of cursydnesse he kepyth þe key
to bakyn þe a bytter bred
In dale of dol tyl þou schuldyst dey
he wolde drawe þe to cursyd sted
In synne to haue myschaunce
Perse spede now þi pace
perteyly to ȝone precyouse place
þat is al growyn ful of grace
þe castel of perseueraunce

Humanum genus

Goode aungyl I wyl do as þou wylt
In londe whyl my lyfe may leste
ffor I fynde wel in holy wryt
þou counseylyste euere for þe beste

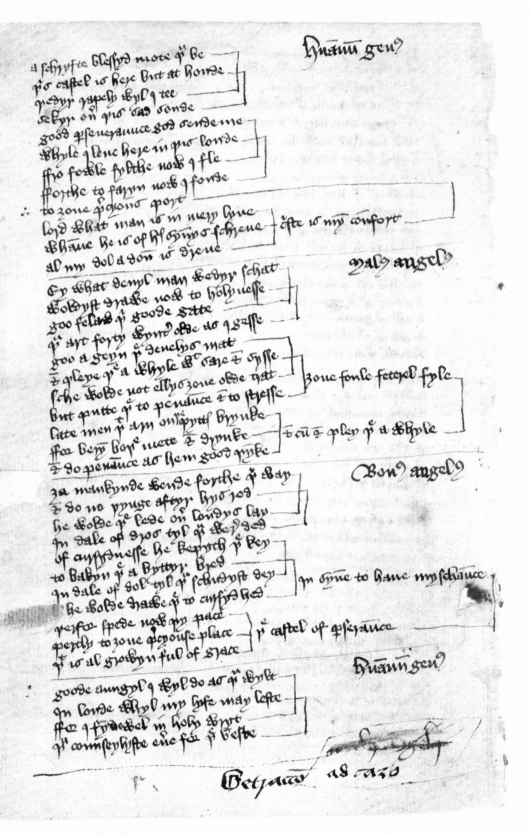

Detraccio ad Caro

HUMANUM GENUS. a schryfte blessyd mote þou be
þis castel is here but at honde
þedyr rapely wyl I tee
sekyr ouyr þis sad sonde
good perseueraunce god sende me
whyle I leue here in þis londe
ffro fowle fylthe now I fle
fforthe to faryn now I fonde
to ȝone precyous port
lord what man is in mery lyue
whanne he is of hys synnes schreue
al my dol a doun is dreue
criste is myn counfort

MALUS ANGELUS. Ey what deuyl man wedyr schat
woldyst drawe now to holynesse
goo felaw þi goode gate
þou art forty wyntyr olde as I gesse
goo a geyn þe deuelys mat
& pleye þe a whyle wyth sare & sysse
sche wolde not ellys ȝone olde trat
but putte þe to penaunce & to stresse
ȝone foule feterel fyle
late men þat arn on þe pyttys brynke
ffor beryn boþe mete & drynke
& do penaunce as hem good þynke
& cum & pley þe a whyle

BONUS ANGELUS. ȝa mankynde wende forthe þi way
& do no þynge aftyr hys red
he wolde þe lede ouyr londys lay
In dale of dros tyl þou were ded
of cursydnesse he kepyth þe key
to bakyn þe a byttyr bred
In dale of dol tyl þou schudyst dey
he wolde drawe þe to cursyd hed
In synne to haue myschaunce
þerfor spede now þy pace
pertly to ȝone precyouse place
þat is al growyn ful of grace
þe castel of perseraunce

HUMANUM GENUS. goode aungyl I wyl do as þou wylt
In londe whyl my lyfe may leste
ffor I fynde wel in holy wryt
þou counseylyste euere for þe beste

1561 rapely] *F* raþely *E* rapely
1567 *This tail-rhyme line would normally be written over to the right.*
1581 þe] *added above the line* (*E*)
1597 perseraunce] *F reads* Perseueraunce *E emends to* Perseueraunce
1600 fynde] d *written over another letter, prob.* e
1601 *A leaf missing at this point. See Introduction, p. xviii.*

at bottom of the page, in a later hand: Detraccio ad caro; *above it and also in a later hand:* malus angelus, *canc.*

CARITAS. to charyte man haue an eye
In al þynge man I rede
al þi doynge as dros is drye
but in charyte þou dyth þi dede
I dystroye alwey envye
so dyd þi god whanne he gan blede
ffor synne he was hangyn hye
& ȝyt synnyd he neuere in dede
þat mylde mercy welle
Poule in hys pystyl puttyth þe prefe
but charyte be wyth þe chefe
þerfore mankynde be now lefe
In charyte for to dwelle

ABSTINENCIA. In abstinens lede þi lyf
take but skylful refeccyon
for gloton kyllyth wyth outyn knyf
& dystroyeth þi complexion
who so ete or drynke ouyr blyue
it gaderyth to corrupcion
þis synne browt us alle in strye
whanne adam fel in synne down
fro precyous paradys
mankynd lere now of oure lore
who so ete or drynke more
þanne skylfully hys state a store
I holde hym no þynge wys

CASTITAS. Mankynd take kepe of chastyte
& moue þe to maydyn marye
fleschly foly loke þou fle
at þe reuerense of oure ladye
quia qui in carne viuunt domino plcere non possunt
þat curteys qwene what dyd sche
kepte hyre clene & stedfastly
& in here was trussyd þe trinte
þorwe gostly grace sche was worthy
& al for sche was chaste
who so kepyt hym chast & wyl not synne
whanne he is beryed in bankys brymmne
al hys Ioye is to be gynne
þerfore to me take taste

SOLICITUDO. In besynesse man loke þou be
wyth worþi werkys goode & þykke
to slawthe if þou cast þe
it schal þe drawe to þowtys wyckke
Osiositas parit omne malum

1606 envye] eny *canc. before* envye (*E*)
1621 strye] *E emends to* stryue
1629 marye] to *canc. before* marye (*E*)
1631a plcere] *FE read* placere
1634 trinte] *F emends to* trinite *E to* Trinite
1635 grace] *added in left margin* (*E*)
1638 brymmne] *F* brynnne *E* brymmne
1643 cast] *F* cast[e]
1644 wyckke] þy *canc. before* wyckke (*E*)

57 173

Caritas

to charyte man haue an eye
in al þynge man & rede
al þi doynge as god is dyne
but in charyte þat dyth þe dede
I dystroye alwey ~~env~~ envye
so dyd þat god whanne he gan blede
ffor synne he was haungyn hye
& yit synnyd he neuer in dede
Poule in his pystyl wrytyth þe prese
but charyte be wt þe chefe
þerfor mankynde be now lefe

þat mylde mey welle
in charyte for to dwelle

Abstinencia

In abstinens lede þi lyf
take but skylful refeccyon
for gloton kyllyth wt outyn knyf
& dystroyeth þe complexion
who so ete or drynke ouer blyue
it gadeyyth to corrupcion
þis synne broʒt us alle in stryue
whanne Adam fel in synne doun
mankynde leue now of our lore
who so ete or drynke more
þanne skylfully his state a store

fro þe gyons paradys
I holde hym no wyse wys

Castitas

Mankynde take kepe of chastyte
& moue þe to maydyn ~~to~~ marye
fleschly foly loke þu fle
at þe reuerens of our ladye
þat aungels queene what dyd sche
kepte hyr clene & stedfastly
& in here was trussyd þe trinite
Ste wherfore gostly sche was worthy
who so kepyt hym chast & wyl not synne
whanne he is beryed in bankes bryme
al his joye is to begynne

Qui in carne vivunt deo placere non possunt
& al for sche was chaste
þerfor to me take taste

Solicitudo

In besynesse man loke þu be
wt worldly werkes goode & quykke
to slawthe if þu cast þe
it schal þe drawe to pouert þy wrekke
cc Otiositas parit omne malum

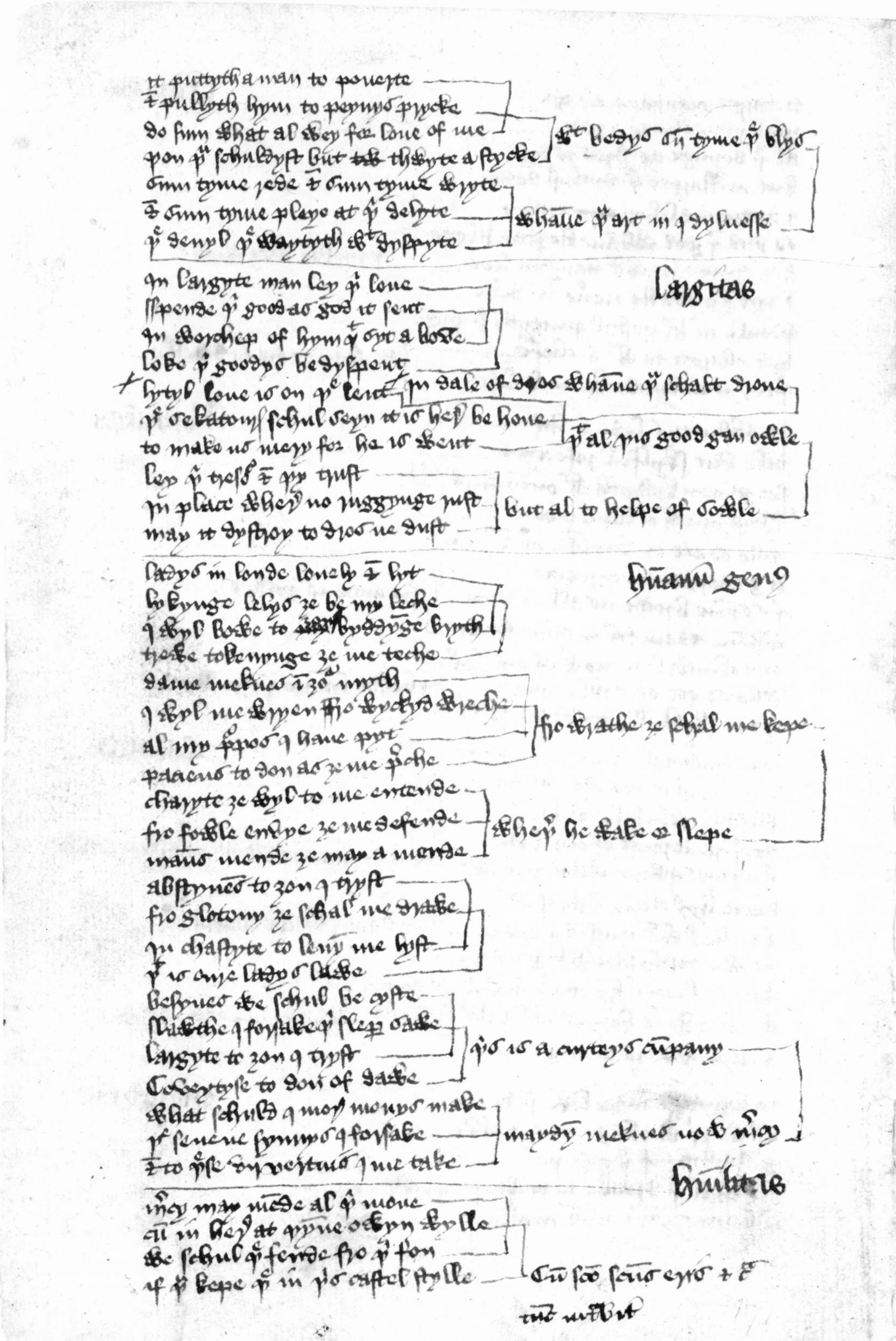

It puttyth a man to pouerte
& pullyth hym to peynys prycke
Do hym what al wey for loue of me — Wt bedys sum tyme þu blys
þou þu schuldyst but ~~tw~~ thwyte a stycke
Sum tyme rede & sum tyme wryte
& sum tyme pleye at þi delyte
þe deuyl þe wayteth wt dyspyte — Whanne þu art in ydylnesse

Largitas

In largyte man ley þi loue
Spende þi good as god it sent
In worschep of hym þt syt a boue
Loke þi goodys be dyspent
Lytyl loue is on þe lent — In dale of dros whanne þu schalt drowe
þe sekatourys schul seyn it is her be houe
to make us mery for he is went — þt al þis good gan owle
Ley þi tresour & þi trust
In place wher no ruggynge rust
May it dystroye to dros ne dust — But al to helpe of sowle

Humanum genus

Ladys in londe louely & lyt
Lo kynge lechys ȝe be my leche
I wyl worke to ~~my~~ ȝoure byddynge byth
Yowre techynge ȝe me teche
Dame mekenes in ȝour myth
I wyl me wyndyn fro wyckyd wreche
Al my fryndys I haue pyt — Fro wrathe ȝe schal me kepe
Pacyens to don as ȝe me preche
Charyte ȝe wyl to me entende
Fro fowle envye ȝe me defende
Mannys mende ȝe may amende — Wheyr he wake or slepe
Abstynens to ȝou I tryst
Fro glotony ȝe schal me drawe
In chastyte to leuyn me lyst
þt is oure ladys lawe
Besynes we schul be ryfe
Slawthe I forsake & slep drawe
Largyte to ȝou I tryst
Coueytyse to don of dawe — þis is a curteys cumpany
What schuld I mor mowys make
þe seuene synnys I forsake
& to þese seuene vertus I me take — Maydyn mekenes now mercy

Humilitas

Mercy may mende al þi mone
Cum in here at myne owyn wylle
We schul þe fende fro þi fon
If þu kepe þe in þis castel stylle — Cum sco seuis eyris + &c
tunc intrabit

1648 thwyte] tw *canc. before* thwyte (*E*)
1658 *This line was first omitted and then squeezed in to the right;* dros] r *blotted or written over another letter.*
1669 ȝour] *written above* my, *canc.* (*E*)
1678 manns] *F* manis *E* Manns
1696 S.D. tunc intrabit] *F* tunc mutabit *mistakenly placed at l. 1908* (*E*)

it puttyth a man to pouerte
& pullyth hym to peynys prycke
do sum what al wey for loue of me
þou þou schuldyst but thwyte a stycke
wyth bedys sum tyme þe blys
sum tyme rede & sum tyme wryte
& sum tyme pleye at þi delyte
þe deuyl þe waytyth wyth dyspyte
whanne þou art in I dylnesse

LARGITAS. In largyte man ley þi loue
sspende þi good as god it sent
In worchep of hym þat syt a bove
loke þi goodys be dyspent
In dale of dros whanne þou schalt droue
lytyl loue is on þe lent
þe sekatourys schul seyn it is here be houe
to make us mery for he is went
þat al þis good gan owle
ley þi tresour & þy trust
In place where no ruggynge rust
may it dystroy to dros ne dust
but al to helpe of sowle

HUMANUM GENUS. ladys in londe louely & lyt
lykynge lelys ȝe be my leche
I wyl bowe to ȝour byddynge bryth
trewe tokenynge ȝe me teche
dame meknes in ȝour myth
I wyl me wryen ffro wyckyd wreche
al my purpos I haue pyt
paciens to don as ȝe me preche
fro wrathe ȝe schal me kepe
charyte ȝe wyl to me entende
fro fowle envye ȝe me defende
manns mende ȝe may a mende
wheþyr he wake or slepe

abstynens to ȝou I tryst
fro glotony ȝe schal me drawe
In chastyte to leuyn me lyst
þat is oure ladys lawe
besynes we schul be cyste
slawthe I forsake þi sleper sawe
largyte to ȝou I tryst
Coveytyse to don of dawe
þis is a curteys cumpany
what schuld I more monys make
þe seuene synnys I forsake
& to þese vij vertuis I me take
maydyn meknes now mercy

HUMILITAS. mercy may mende al þi mone
cum in here at þynne owyn wylle
we schul þe fende fro þi fon
if þou kepe þe in þis castel stylle
Cum sancto sanctus eris & cetera
tunc intrabit

stonde here Inne as stylle as ston
þanne schal no dedly synne þe spylle
wheþyr þat synnys cunne or gon
þou schalt wyth us þi bourys bylle
wyth vertuse we schul þe vaunce
þis castel is of so qweynt a gynne
þat who so euere holde hym þer Inne
he schal neuere fallyn in dedly synne
it is þe castel of perseueranse
Qui perseuerauerit usque in finem hic saluus erit
tunc cantabunt eterne rex altissime & [dicet]

Humilita[s]. now blyssyd be oure lady of heuene Emperes
now is mankynde fro foly falle
& is in þe castel of goodnesse
he hauntyth now heuene halle
þat schal bryngyn hym to heuene
crist þat dyed wyth dyen dos
kepe mankynd in þis castel clos
& put alwey in hys purpos
to fle þe synnys seuene

Malus angelus. nay be belyals bryth bonys
þer schal he no whyle dwelle
he schal be wonne fro þese wonys
wyth þe werld þe flesch & þe deuyl of hell
þei schul my wyl a wreke
þe synnys seuene þo kyngys thre
to mankynd haue enmyte
scharpely þei schul helpyn me
þis castel for to breke

howe flypyrgebet bakbytere
ȝerne oure message loke þou make
blythe a bout loke þou bere
sey mankynde hys synnys hath forsake
wyth ȝene wenchys he wyl hym were
al to holynesse he hath hym take
In myn hert it doth me dere
þe bost þat þo moderys crake
my galle gynnyth to grynde
flepyrgebet ronne up on a rasche
byd þe werld þe fend & þe flesche
þat þey com to fytyn fresche
to wynne aȝeyn mankynde

Detraccio. I go I go on grounde glad
swyftyr þanne schyp wyth rodyr
I make men masyd & mad
& euery man to kyllyn odyr
wyth a sory chere
I am glad be seynt Iamys of galys
of schrewdnes to tellyn talys
boþyn in Ingelond & in walys
& feyth I haue many a fere
tunc ibit ad Belial

heyl set in þyn selle : heyl dynge deuyl in þi delle
heyl lowe in helle : I cum to þe talys to telle

1699 cunne] *FE emend to* cumme
1705 s.d. & dicet] *F* &[c]
1707 foly] h *canc. before* foly (*E*)
1720 þo] *F* þe *E* þo

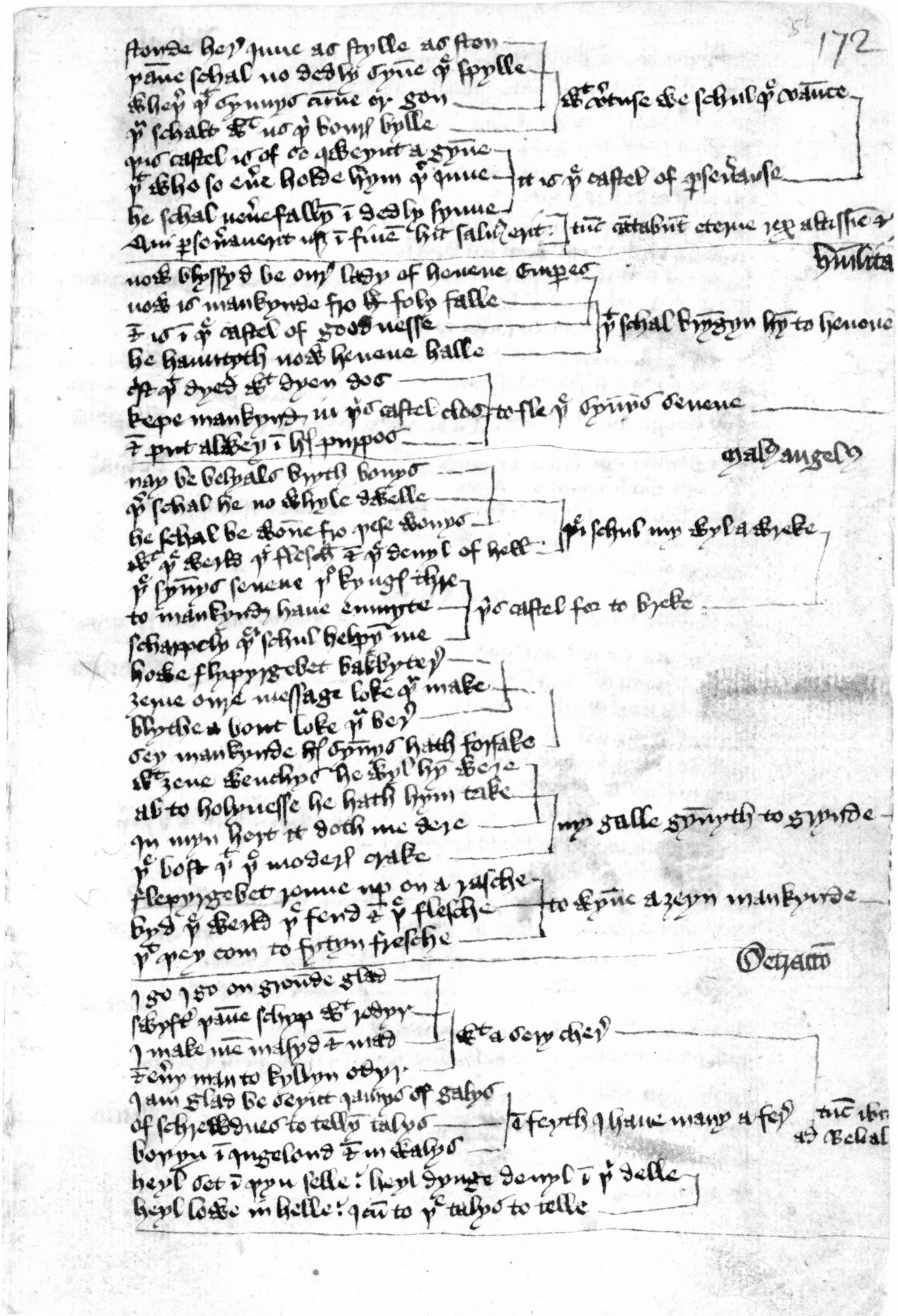

1726 a bout] *F* a-bowt *E* about
1733 ronne] *or* renne *FE read* ronne

1745 S.D. ibit] *F* ibu[nt] *E* ibit
1746–53 *double lines, numbered accordingly*

Belyal

Bakbyter boy! alwey be holt & hethe
Sey now I sey! what tydyngis telle me þe sothe

Detraccio

Tene ful talys I may þe sey
to þe no good as I gesse
mankynd is gon now a wey
In to þe castel of goodnesse
þer he wyl boþe lyuyn & deye
In dale of dros tyl deth hym dresse
hathe þe forsakyn forsoþe I sey
& all þi werkys more & lesse
to ȝone castel he gan to crepe
ȝone modyr mekenes soþe to sayn
& all ȝene maydnys on ȝone playn
for to fytyn þei be ful fayn
mankynd for to kepe

tunc vadit superbia inuidia & yra

Superbia

Syr kynge what wytte! we be redy þrow to bytte.

Belyal

Sey gadelyngys haue ȝe harde grace
& euyl deth mote ȝe deye
Why lete ȝe mankynd fro ȝou pase
In to ȝene castel fro vs a weye
wyth tene I schal ȝou tey
harlotys at onys
fro þis wonys
be belyals bonys
ȝe schul a beye

& verberabit eos super terram

Detraccio

ȝa for god þis was wel goo
þus to werke wyth bakbytynge
I werke boþe wrake & woo
& make iche man oþer to dynge
I schal goo abowte & makyn moo
rappys for to route & rynge
ȝe bakbyterys loke þat ȝe do so
make debatte abowtyn to sprynge
be twene systyr & broþer
If any bakbyter here be lafte
he may lere of me hys crafte
of goddys grace he schal be rafte
& euery man to kyllyn oþer

Caro

heyl kynge I calle! heyl prinse proude prekyd in palle
heyl hende in halle! heyl syr kynge fayre þe be falle

Wy bakbytynge ful redy in robys to rynge
ful glad tydyngys be belyalys bonys I trow þou brynge

Detraccio

ȝa for god owt I crye
on þi too sonys & þi dowtyr ȝynge
Glotony slawthe & lechery
hath put me in gret mornynge

BELYAL. Bakbyter boy : alwey be holtys & hothe
sey now I sey : what tydyngys telle me þe sothe

DETRACCIO. teneful talys I may þe sey
to þe no good as I gesse
mankynd is gon now a wey
In to þe castel of goodnesse
þer he wyl boþe lyuyn & deye
In dale of dros tyl deth hym dresse
hathe þe forsakyn forsoþe I sey
& all þi werkys more & lesse
to ȝone castel he gan to crepe
ȝone modyr meknes sothe to sayn
& all ȝene maydnys on ȝone playn
for to fytyn þei be ful fayn
mankynd for to kepe

tunc vocauit sperbia inuida & Ira

SUPERBIA. syr kynge what wytte : we be redy þrotys to kytte

BELYAL. sey gadelyngys haue ȝe harde grace
& euyl deth mote ȝe deye
why lete ȝe mankynd fro ȝou pase
In to ȝene castel fro us a weye
wyth tene I schal ȝou tey
harlotys at onys
fro þis wonys
be belyals bonys
ȝe schul a beye

& verberabit eos super terram

DETRACCIO. ȝa for god þis was wel goo
þus to werke wyth Bakbytynge
I werke boþe wrake & woo
& make Iche man oþyr to dynge
I schal goo a bowte & makyn moo
rappys for to route & rynge
ȝe bakbyterys loke þat ȝe do so
make debate a bowtyn to sprynge
be twene systyr & broþyr
if any bakbyter here be lafte
he may lere of me hys crafte
of goddys grace he schal be rafte
& euery man to kyllyn oþyr

ad carnem

heyl kynge I calle : heyl prinse proude prekyd in palle
heyl hende in halle : heyl syr kynge fayre þe be falle

CARO. Boy bakbytynge : ful redy in robys to rynge
ful glad tydynge : be belyalys bonys I trow þow brynge

DETRACCIO. ȝa for god owt I crye
on þi too sonys & þi dowtyr ȝynge
Glotoun slawthe & lechery
hath put me in gret mornynge

1751 hothe] *F* hethe *E* hothe
1766 S.D. *F reads* tunc vertunt Superbia, Inuidia, & Ira *E emends to* Tunc vocabit SUPERBIAM, INUIDIAM, et IRAM
1767–68 *a double line, numbered as two lines*
1791–98 *double lines, numbered accordingly*
1795 Boy] *F* Roy *E* Boy

þey let mankynd gon up hye
In to ȝene castel at hys lykynge
þer in for to leue & dye
wyth þo ladys to make endynge
þo flourys fayre & fresche
he is in þe castel of perseuerauns
& put hys body to penauns
of hard happe is now þi chauns
syre kynge mankyndys flesche

tunc Caro clamabit ad gul accidiam & luxuriam

LUXURIA. sey now þi wylle : syr flesch why cryest þou so schylle

CARO. A lechery þou skallyd mare
& þou gloton god ȝeue þe wo
& vyle slawth euyl mote þou fare
why lete ȝe mankynd fro ȝou go
In ȝone castel so hye
euele grace com on þi snowte
now I am dressyd in gret dowte
why had ȝe lokyd betyr a bowte
be belyalys bonys ȝe schul a bye

tunc uerberauit eos in placeam

DETRACCIO. now be god þis is good game
I bakbyter now bere me wel
if I had lost my name
I vow to god it were gret del
I schape þese schrewys to mekyl schame
iche rappyth on oþyr wyth rowtynge rele
I bakbyter wyth fals fame
do brekyn & brestyn hodys of stele
þorwe þis cuntre I am knowe
now wyl I gynne forth to goo
& make Coueytyse haue a knoke or too
& þanne I wys I haue doo
my deuer as I trowe

ad mundum

heyl styf in stounde : heyl gayly gyrt up on grounde
heyl fayre flowr I founde : heyl syr werld worþi in wedys wonde
MUNDUS. bakbyter in rowte : þou tellyst talys of dowte
so styf & so stowte : what tydyngys bryngyst þou a bowte

DETRACCIO. no þynge goode þat schalt þou wete
mankynd syr werld hath þe for sake
wyth schryfte & penauns he is smete
& to ȝene castel he hath hym take
a monge ȝene ladys whyt as la[ke]
lo syr werld ȝe moun a gryse
þat ȝe be seruyd on þis wyse
go pley ȝou wyth syr Coueytyse
tyl hys crowne crake

tunc buccinabit cornu ad auariciam

AUARICIA. syr bolnynge bowde : tell me why blowe ȝe so lowde

MUNDUS. lowde losel þe deuel þe brenne
I prey god ȝeue þe a fowl hap
sey why letyst þou mankynd
In to ȝene castel for to skape
I trowe þou gynnyst to raue

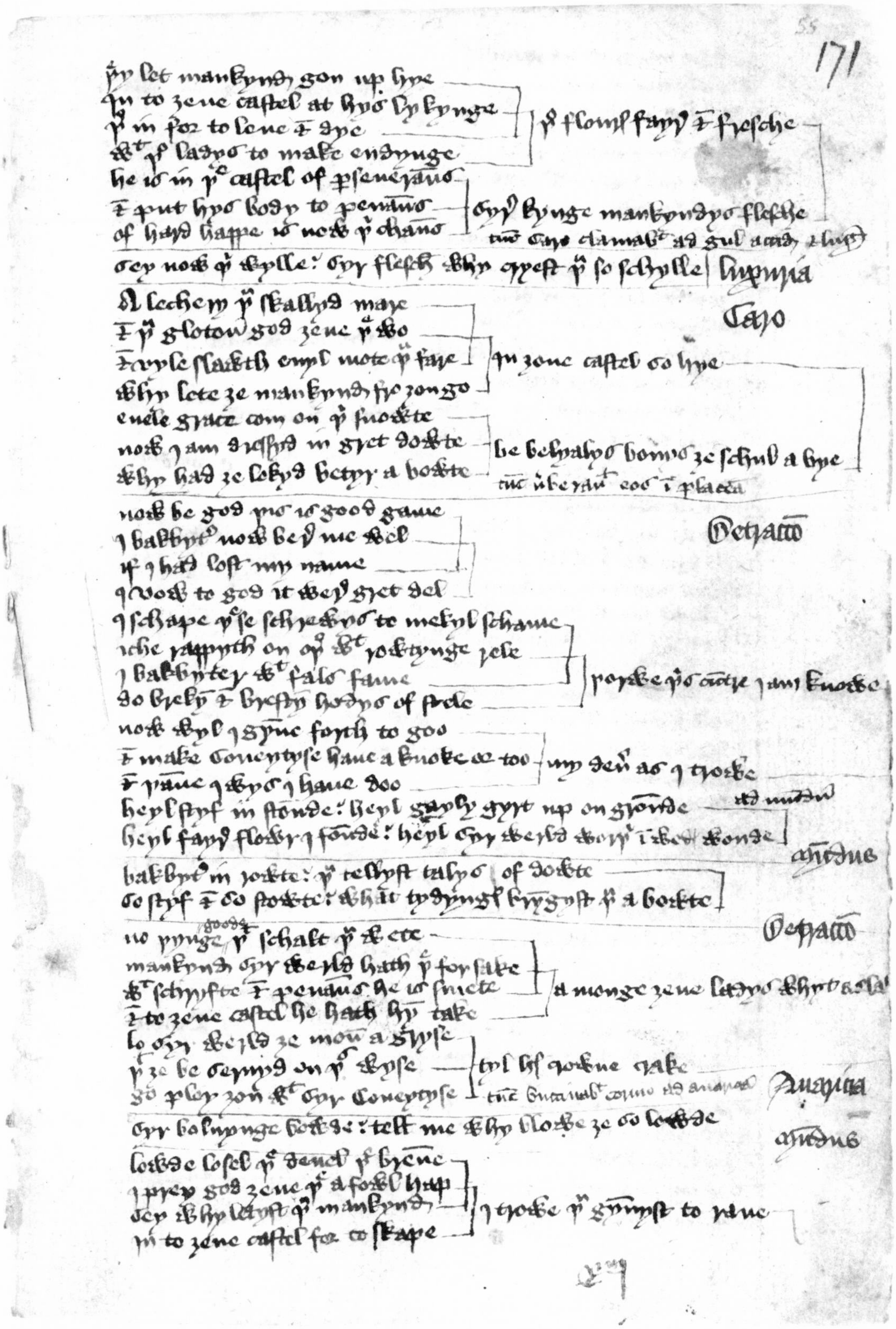

þu let mankynde gon up hye
In to ȝene castel at hys lykynge
þer in for to leue & dye
wyt þo ladys to make endynge — þat flour fayr & fresche
he is in þe castel of perseueraunce
& put hys body to penaunce
of hard happe is now þi chaunce — Syr kynge mankyndys flesche
tunc Caro clamabit ad gul [illegible]
sey now þi wylle: Syr flesch wy cryest þu so schylle — Luxuria
A lechery þu skallyd mare — Caro
& þu glotoun god ȝeue þe wo
& euyl [illegible] euyl mote þu fare — In ȝone castel so hye
why lete ȝe mankynde fro ȝou go
euele grace com on þi snowte
now I am dressyd in gret dowte
why had ȝe lokyd betyr a bowte — be belyalys bonys ȝe schul a bye
tunc uerberat eos in placea
now be god þis is good game — Detraccio
I bakbyter now bere me wel
If I had lost my name
I wot to god it were gret del
I schape þese schrewys to mekyl schame
iche rappyth on oþer wyt rowtynge rele
I bakbyter wyt fals fame
do brekyn & brestyn hedys of stele — þerfore þis cuntre I am knowe
now wyl I ȝyne forth to goo
& make Coueytyse haue a knoke or too
& þanne I wys I haue doo — my deuer as I trowe
heyl styf in stounde: heyl gadlyng gret up on grounde — ad mundum
heyl fayr flowr I founde: heyl Syr werld worþi in wede wounde — Mundus
bakbyter in rowte: þu tellyst talys of dowte
so styf & so stowte: what tydyngys bryngyst þu a bowte — Detraccio
no þynge goode þu schalt þe wete
mankynde syr werld hath þe forsake
wyt schryfte & penaunce he is smete
& to ȝene castel he hath hym take — a monge ȝene ladys whyte as lake
lo syr werld ȝe mow a wyse
þat ȝe be serwyd on þis wyse
go pley ȝou wyt Syr Coueytyse — tyl his [illegible] crake
tunc buccinabit cornu ad auarum — Auaricia
Syr bolnynge bowde: tell me why blowe ȝe so lowde — Mundus
lowde losel þe deuel þe brenne
I prey god ȝeue þe a foul hap
sey why letyst þu mankynde
In to ȝene castel for to skape — I trowe þu gynnyst to raue

1807 þo] *F* þe *E* þo
1811 S.D. gul] *F* Gulam *E* GULAM
1812–13 *a double line, numbered accordingly*
1821 had] *F emends to* nad *E to* ne had
1822 S.D. uerberauit] *F reads* uerberant *E emends to* uerberabit

at top of the page, in a later hand in pencil, a comment now erased and illegible probably pertaining to the misordering of the pages; also at the top of 173 and 174; the word hiatus *seems partly legible, and perhaps* Part *and*

1836–43 *double lines, numbered accordingly*
1839 wedys] *F* wodis *E* wedys
1844 goode] *added above the line* (*E*)
1852 S.D. buccinabit cornu] *F* buccinabunt cornuo
1853–54 *a double line, numbered accordingly*
1855 lowde] *E emends to* Lewde

Cont. (?)
at bottom of the page, the device also appearing at the bottom of 154[v] *and at ll. 134, 145, and 148*

now for mankynde is went
al owr game is schent
ffor þat a sory drynynge dent
harlot þou schalt haue — Tunc verberat eum

Avaricia

Mercy mercy I wyl no more
þou hast me rappyd wyth rewly rowtys
I snowre I sobbe I sye sore
myn hed is clateryd al to clowtys
In al your state I schal yow store
if ye abate youre dyntys dowtys
mankynde þat ye haue for lore
I schal do com owt fro yone skowtys
to your hende halle
If ye wyl no more bety me
I schal do mankynd com owt fre
he schal forsake as þou schalt se
þe fayre vertues alle

Mundus

Haue do þanne þe deuyl þe tere
þou schalt ben hangyn in helle herne
by lyue my banere up þou bere
and besege we þe castel yerne
mankynd for to stele
Whanne mankynde growyth good
I þe werld am wyl and wod
þo bycchys schul bleryn in here blood
wyth flappys felle and fele
Yerne lete flappyr up my fane
and schape we schame and schonde
I schal brynge wyth me þo bycchys bane
þer schal no vertues dwellyn in my londe
~~sche schal dey up on þis gre~~
Mekenes is þat modyr þat I mene
to hyr I brewe a byttyr bonde
sche schal dey up on þis grene
if þat sche com al in myn honde
yene rappokys wyth here ropys
I am þe werld it is my wylle
þe castel of vertu for to spylle
howtyth hye up on yene hylle
ye traytourys in your typpys

Tunc ibunt Avaricia et Stulticia ad castellum cum vexillo et dicit Demon

Belyal

I here trumpys trebelen al of tene
þe worthy werld walkyth to werre
for to clevyn yone castel clene
þo maydnys myrthys for to merre
Sprede my penon up on a prene
and stryke we forthe now vndyr sterre
schapyth now youre scheldys schene
yone skallyd skoutys for to skerre
up on yone grene grese

now for mankynd is went
al oure game is schent
þerfore a sore dryuynge dent
harlot þou schalt haue

tunc verberauit eum

AUARICIA. Mercy mercy I wyl no more
þou hast me rappyd wyth rewly rowtys
I snowre I sobbe I sye sore
myn hed is clateryd al to clowtys
In al ȝoure state I schal ȝou store
if ȝe abate ȝoure dyntys dowtys
mankynd þat ȝe haue for lore
I schal do com owt fro ȝone skowtys
to ȝoure hende hall
if ȝe wyl no more betyn me
I schal do mankynd com out fre
he schal for sake as þou schalt se
þe fayre vertus all

MUNDUS. haue do þanne þe deuyl þe tere
þou schalt ben hangyn in hell herne
by lyue my baner up þou bere
& be sege we þe castel ȝerne
mankynd for to stele
whanne mankynd growyth good
I þe werld am wyld & wod
þo bycchys schul bleryn in here blood
wyth fflappys felle & fele

ȝerne lete flapyr up my fane
& schape we schame & schonde
I schal brynge wyth me þo bycchys bane
þer schal no vertus dwellyn in my londe
Mekenes is þat modyr þat I mene
to hyre I brewe a byttyr bonde
sche schal dey up on þis grene
if þat sche com al in myn honde
ȝene rappokys wyth here rumpys
I am þe werld it is my wyll
þe castel of vertu for to spyll
Howtyth hye up on ȝene hyll
ȝe traytours in ȝoure trumpys

tunc mundus cupiditas & stulticia ibunt ad castellum cum vexillo & dicet demon

BELYAL. I here trumpys trebelen al of tene
þe worþi werld walkyth to werre
for to clyuyn ȝone castel clene
þo maydnys meyndys for to merre
sprede my penon up on a prene
& stryke we forthe now vndyr sterre
schapyth now ȝoure scheldys schene
ȝene skallyd skoutys for to skerre
up on ȝone grene grese

1862 a] þou *canc. before* a (*E*)
1863 S.D. verberauit] *F* verberant *E emends to* verberabit
1887 schame] *third stroke of* m *written over another letter, prob.* e *F* schance *E* schame
1890 *The scribe first wrote and then canc. l. 1892* (*E*).
1894 ȝene] *F* ȝeue *E* ȝene
1898 S.D. dicet] *F* domino *E* dicet
1902 þo] *F* þe *E* þo

buske ȝou now boyes be lyue
for euere I stonde in mekyl stryue
whyl mankynd is in clene lyue
I am neuere wel at ese

make ȝou redy all þre
bolde batayl for to bede
to ȝone feld lete us fle
& bere my baner forthe on brede
to ȝone castel wyl I te
þo mameryngе modrys schul haue here mede
but þei ȝeld up to me
wyth byttyr balys þei schul blede
of here reste I schal hem reue
In woful watyrs I schal hem wasche
haue don felaus & take ȝoure trasche
& wende we þedyr on a rasche
þat castel for to cleue

SUPERBIA. Now now now go now
on hye hyllys lete us howte
for in pride is al my prow
þi bolde baner to bere a bowte
to golyas I make a vow
for to schetyn ȝone Iche skowte
on hyr ars raggyd & row
I schal boþe clatyr & clowte
& ȝeue meknesse myschanse
belyal bryth it is þyn hest
þat I pride goo þe nest
& bere þi baner beforn my brest
wyth a comly contenaunce

CARO. I here an hydowse whwtynge on hyt
be lyue byd my baner forth for to blase
wahanne I syt in my sadyl it is a selkowth syt
I gape as a gogmagog whanne I gynne to gase
þis worthy wylde werld I wagge wyth a wyt
ȝone rappokys I ruble & al to rase
boþe wyth schot & wyth slynge I caste wyth a sleyt
wyth care to ȝone castel to crachen & to crase
In fflode
I am mans flesch where I go
I am mans most fo
I wys I am euere wo
whane he drawyth to goode

þerfor ȝe bolde boyes buske ȝou a bowte
scharply on scheldys ȝour schaftys ȝe scheuere
& lechery ledron schete þou a skoute
help we mankynd fro ȝone castel to keuere
helpe we moun hym wynne
schete we all at a schote
wyth gere þat we cunne best note
to chache mankynd fro ȝene cote
In to dedly synne

1912 all] *F* alle
1914 feld] *F* feld[e]
1918 ȝeld] *F* ȝeld[yn]
1921 woful] wowful, *with second* w *subpuncted* (*E*)
1940 wahanne] *E emends to* Whanne
1954 fro] r *blotted or written over another letter*

174

Buske ȝou now boyes be-lyue
For euere I stonde in mekyl stryue
Whyl mankynd is in clene lyue — I am neuere wel at ese
Make ȝou redy all þre
Bolde batayl for to bede
To ȝone feld lete us fle
And ber my baner forthe on brede
To ȝone castel wyl I te
Þo mameryngis mekys schul haue her mede
But þei ȝeld up to me
With byttyr balys þei schul blede — Of her reste I schal hem reue
In woful watyrs I schal hem wasche
Haue don felawys and take ȝour trasche
And wende we þedyr on a rasche — Þat castel for to cleue

Superbia

Now now now go now
On hye hyllys lete us howte
For in pryde is al my prow
Þese bolde barnys to bere a-bowte
To goyng I make a vow
For to schetyn ȝone gche skowte
On her ars raggyd and row — Þou ȝene mekenesse myschaunse
I schal bore clatyr and clowte
Behal wyrth it is grym hest
Þat I pryde goo þe nest — With a comly contenaunce
And bere þe baner beforn my brest

Ira

I bere an hydowse whetynge on hyȝt
Be lyue byd my baner forth for to blase
Whanne I syt in my sadyl it is a selkowth syȝt
I gape as a gogmagog whanne I gyne to gase
Þis worthy wyde werld I wagge wyth a wyȝt
Ȝone rappokys I rubble and al to rase
Boys wyth schot and wyth slynge I caste wyth a sleyȝt
Wyth care to ȝone castel to gache and to chase — In flode
I am mans flesch where I go
I am mans most fo
I wys I am euere wo — Whanne he drawyth to goode
Ȝyf ȝe bolde boyes buske ȝou a-bowte
Scharply on scheldys ȝoure schaftys ȝe scheuere
And lecherye ladyon schete þou a skowte
Help we mankynd fro ȝone castel to keuere — Helpe we now hym wynne
Schete we all at a schote
With gere þat we mowe best note
To cache mankynd fro ȝene cote — In to dedly synne

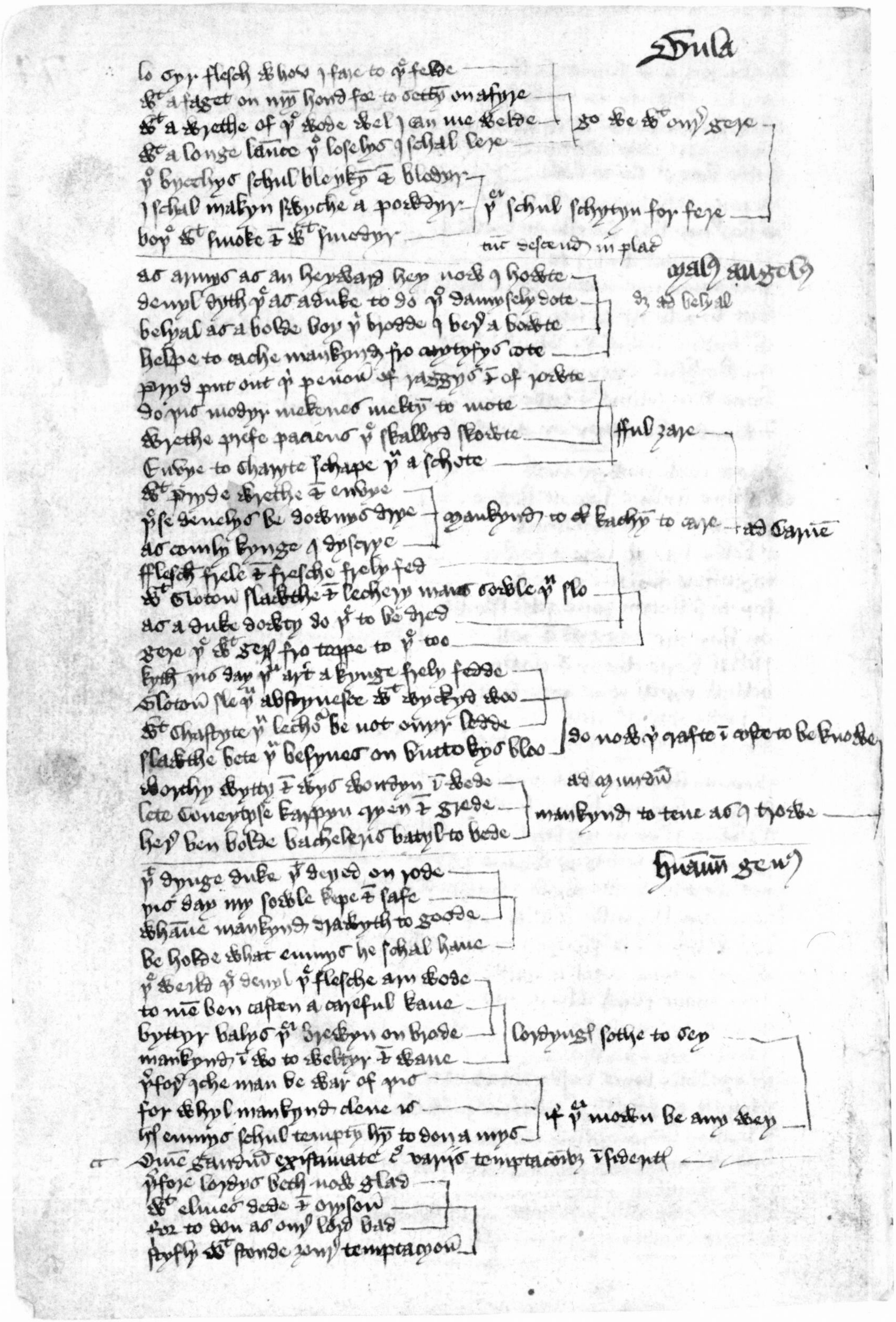

1963, 1965, 1970 þo] *F* þe *E* þo
1967 smodyr] *F* somodyr *E* smodyr
1968 S.D. descendent] *F* descendunt *E* descendent; placeam] *F* placea *E* placeam
1969 dicet] *F* dicat *E* dicet; heyward] *E emends to* herawd
1970 damysely] *FE emend to* damyselys
1980 kynge] *E emends to* kyngys
1981 kachyn] *preceded by some letter or letters, canc., perhaps* ck
1983 mans] ns *written over another letter* (?)
1987 abstynesce] *FE emend to* Abstynensce
2000 ben] *E emends to* þei
2001 brewyn] *F* brekyn *E* brewyn

GULA. lo syr flesch whov I fare to þe felde
wyth a faget on myn hond for to settyn on afyre
wyth a wrethe of þe wode wel I can me welde
wyth a longe launce þo loselys I schal lere
go we wyth oure gere
þo bycchys schul bleykyn & blodyr
I schal makyn swyche a powdyr
boþe wyth smoke & wyth smodyr
þei schul schytyn for fere

tunc descendent in placeam

MALUS ANGELUS dicet ad belyal. as armys as an heyward hey now I howte
deuyl dyth þe as a duke to do þo damysely dote
belyal as a bolde boy þi brodde I bere a bowte
Helpe to cache mankynd fro caytyfys cote
Pryd put out þi penon of raggys & of rowte
do þis modyr mekenes meltyn to mote
wrethe prefe paciens þe skallyd skowte
Envye to Charyte schape þou a schote
fful ȝare
wyth pryde wrethe & envye
þese deuelys be downys drye
as comly kynge I dyscrye
Mankynd to kachyn to care

ad Carnem

fflesch frele & fresche frely fed
wyth Gloton slawthe & lechery mans sowle þou slo
as a duke dowty do þe to be dred
gere þe wyth gerys fro toppe to þe too
kyth þis day þou art a kynge frely fedde
Gloton sle þou abstynesce wyth wyckyd woo
wyth Chastyte þou lechour be not ouyr ledde
slawthe bete þou besynes on buttokys bloo
do now þi crafte in coste to be knowe

ad Mundum

worthy wytty & wys wondyn in wede
lete Coueytyse karpyn cryen & grede
here ben bolde bacheleris batyl to bede
mankynd to tene as I trowe

HUMANUM GENUS. þat dynge duke þat deyed on rode
þis day my sowle kepe & safe
whanne mankynd drawyth to goode
be holde what enmys he schal haue
þe werld þe deuyl þe flesche arn wode
to men ben casten a careful kaue
byttyr balys þei brewyn on brode
mankynd in wo to weltyr & waue
lordyngys sothe to sey
þerfore Iche man be war of þis
for whyl mankynd clene is
hys enmys schul temptyn hym to don a mys
if þei mown be any wey
Omne gaudium existimate cum varijs temptacionibus insideritis

þerfore lordys beth now glad
wyth elmes dede & orysoun
for to don as oure lord bad
styfly wyth stonde ȝoure temptacyoun

wyth þis foul fende I am ner mad
to batayle þei buskyn hem bown
certys I schuld ben ouyr lad
but þat I am in þis castel town
wyth synnys sore & smerte
who so wyl leuyn oute of dystresse
& ledyn hys lyf in clennesse
In þis castel of vertu & of goodnesse
hym muste haue hole hys hert
delectare in domino & dabit tibi peticiones cordis tui

BONUS ANGELUS. A mekenesse charyte & pacyens
prymrose pleyeth parlasent
chastyte Besynes & abstynens
myn hope ladys in ȝou is lent
socoure paramourys swetter þanne sens
Rode as rose on rys I rent
þis day ȝe dyth a good defens
whyl mankynd is in good entent
his þoutys arn vn hende
mankynd is browt in to þis walle
In freelte to fadyn & falle
þerfore ladys I pray ȝou alle
helpe þis day mankynde

HUMILITAS. god þat syttyth in heuene on hy
saue al mankynd be se & sonde
lete hym dwellyn here & ben vs by
& we schul puttyn to hym helpynge honde
ȝyt forsoþe neuere I sy
þat any fawte in vs he fonde
but þat we sauyd hym fro synne sly
if he wolde be us styfly stonde
In þis castel of ston
þerfor drede þe not mans aungel dere
If he wyl dwellyn wyth vs here
ffro seuene synnys we schul hym were
& his enmys Ichon

now my seuene systerys swete
þis day fallyth on us þe lot
mankynd for to schylde & schete
fro dedly synne & schamely schot
hys enmys strayen in þe strete
to spylle man wyth spetows spot
þerfor oure flourys lete now flete
& kepe we hym as we haue het
among vs in þis halle
þerfor vij systerys swote
lete oure vertus reyne on rote
þis day we wyl be mans bote
a geyns þese deuelys alle

BELYAL. þis day þe vaward wyl I holde
a vaunt my baner precyous pride
mankynd to cache to karys colde
bold batayl now wyl I byde
buske ȝou boyes on brede

2020a delectare] *F* delectari *E* Delectare 2025 socoure] *F* so come *E* Socoure

59 175

Wyth þis foul fende I am ner mad
To batayle þei buskyn hem bedn
Ȝyt I schuld ben ouerlad — Wyth synnys sore and smerte
But þat I am in þis castel town
Who so wyl leuyn oute of dystresse
And ledyn hys lyf in clennesse — Hym muste haue hole his hert
In þis castel of vertu and of goodnesse — Delectare in Domino et dabit tibi peticiones cordis tui

Bonus Angelus

A Mekenesse Charyte and Pacyens
Prymrose pleyeth parlasent
Chastyte Besynes and Abstynens
Myn hope ladys in ȝou is lent
Socoure Mankynde schetter ȝoure sens
Rode as rose on rys I rent
Þis day ȝe dyth a good defens — His ȝouth hym in hende
Whyl Mankynd is in good entent
Mankynd is brouȝt in to þis walle
In freelte to fadyn and falle — Helpe þis day Mankynde
Þerfor ladys I pray ȝou alle

Humilitas

God þat syttyth in heuene on hy
Saue al mankynd be se and londe
Lete hym dwellyn here and ben vs by
And we schul putty to hym helpynge honde
Ȝyt forsothe neuer I sy
Þat any faute in vs he fonde — In þis castel of ston
But þat we sauyd hym fro synne sly
If he wolde be no styfly stonde
Þerfore drede þe not Mannys Angel dere
If he wyl dwellyn wyth vs here — And his enmys schon
Fro seuene synnys we schul hym were
Now my seuene systerys swete
Þis day fallyth on vs þe lot
Mankynd for to schylde and schete
Fro dedly synne and schamely schot
Hys enmys strayen in þe strete
To spylle man wyth spetows spot — Among vs in þis halle
Þerfor oure flowrys lete now flete
And kepe we hym as we haue het
Þerfor dyr systerys swote
Lete oure vertus reyne on rote — Agens þese deuelys alle
Þis day we wyl be mannys bote

Belial

Þis day þe valwe wyl I holde
A vaunt my baner precyous pryde
Mankynd to cache to karful colde — Buske ȝou boyes on brede
Bold batayl now wyl I byde

Alle men þat be wyth me wythholde
Boþe þe 3onge & þe olde
Envye wrathe 3e boyes bolde
to rewle ryth 3e rape I rede

Superbia

Ageyns mekenes I brynge þe bane
al wyth pride peyntyd & pyth
what seyst þou faytour be my fayr fane
wyth robys rounde rayed ful ryth
grete wordys I schal þe gane
to marre þe mekenes wyth my myth
no werldly wyttys here ar wane
lo þe castel is al be set
Modyr whou schul 3e do
mekenes 3elde þe to me I rede
myn name in londe is precyous prede
myn bolde baner to þe I bede
modyr what seyste þou to

Humilitas

Ageyns þi baner of pride & bost
a baner of mekenes & mercy
I putte ageyns pride wel þou wost
þat schal schende þi careful cry
þis meke kynge is knowyn in euery cost
þat was croysyd on caluary
whanne he cam doun fro heuene ost
& lytyd wyth mekenes in mary
þis lord þus lytyd lowe
whanne he cam fro þe Trynyte
In to a maydyn lytyd he
& al was for to dystroye þe
pride þis schalt þou knowe
Deposuit potentes de sede &c

For whanne lucyfer to helle fyl
pride þou were þer of chef chesun
& þou deuyl wyth wyckyd wyl
In paradys trappyd us wyth tresun
So þou us bond in balys ille
þis may I preue be ryth resun
Tyl þe duke þat dyed on hylle
In heuene may nyth neuer man sesun
þe gospel þus declaryt
For who so lowe hym schal ben hye
þerfor þou schalt not comen us nye
& þou þou be neuer so slye
I schal felle al þi fare
Qui se exaltat humiliabitur &c

Ira

Dame pacyens what seyst þou to wrathe & ire
putte mankynde fro þe fro þe castel clere
or I schal trappyn at þe tyre
wyth styffe stonys þat I haue here

alle men þat be wyth me wytholde
boþe þe ȝonge & þe olde
Envye wrathe ȝe boyes bolde
to rounde rappys ȝe rape I rede

SUPERBIA. as armys mekenes I brynge þi bane
al wyth pride peyntyd & pyth
what seyst þou faytour by myn fayr fane
wyth robys rounde rayed ful ryth
grete gounse I schal þe gane
to marre þe mekenes wyth my myth
no werldly wyttys here ar wane
lo þi castel is al be set
moderys whov schul ȝe do
mekenes ȝelde þe to me I rede
myn name in londe is precyous prede
myn bolde baner to þe I bede
modyr what seyste þer to

HUMILITAS. a geyns þi baner of pride & bost
a baner of meknes & mercy
I putte a geyns pride wel þou wost
þat schal schende þi careful cry
þis meke kynge is knowyn in euery cost
þat was croysyd on caluary
whanne he cam doun fro heuene ost
& lytyd wyth mekenes in mary
þis lord þus lytyd lowe
whanne he cam fro þe Trynyte
In to a maydyn lytyd he
& al was for to dystroye þe
pride þis schalt þou knowe
deposuit potentes de sede & cetera

for whanne lucyfer to helle fyl
pride þer of þou were chesun
& þou deuyl wyth wyckyd wyl
In paradys trappyd us wyth tresun
so þou us bond in balys Ille
þis may I preue be ryth resun
tyl þis duke þat dyed on hylle
in heuene man myth neuere han sesun
þe gospel þus declaryt
for who so lowe hym schal ben hy
þerfore þou schalt not comen us ny
& þou þou be neuere so sly
I schal felle al þi fare
qui se exaltat humiliabitur & cetera

IRA. dame pacyens what seyst þou to wrathe & Ire
putte mankynd fro þi fro þi castel clere
or I schal tappyn at þi tyre
wyth styffe stourys þat I haue here

2078 ȝelde] *F* ȝelde *E* ȝeld
2102 man] n *blotted*
2109 fro þi fro þi] *FE emend to* fro þi

I schal slynge at þe many a vyre
& ben a vengyd hastely here
þus belsabub oure gret syre
bad me brenne þe wyth wyld fere
þou bycche blak as kole
þerfor fast fowle skowte
putte mankynd to us owte
or of me þou schalt haue dowte
þou modyr þou motyhole

PACIENCIA. fro þi dowte crist me schelde
þis Iche day & al mankynde
þou wrecchyd wrethe wood & wylde
pacyens schal þe schende
quia ira viri iusticiam dei non operature
for marys sone meke & mylde
rent þe up rote & rynde
whanne he stod meker þanne a chylde
& lete boyes hym betyn & bynde
þerfor wrecche be stylle
for þo pelourys þat gan hym pose
he myth a dreuyn hem to dros
& ȝyt to casten hym on þe cros
he sufferyd al here wylle

þowsentys of aungell he myth han had
to a wrokyn hym þer ful ȝerne
& ȝyt to deyen he was glad
us pacyens to techyn & lerne
þerfor boy wyth þi boystous blad
fare a wey be feldys ferne
for I wyl do as Ihesu bad
wrecchys fro my wonys werne
wyth a dyngne defens
if þou fonde to comyn a lofte
I schal þe cacche fro þis crofte
wyth þese rosys swete & softe
peyntyd wyth pacyens

INUIDIA. Out myn herte gynnyth to breke
for charyte þat stondyth so stowte
alas myn herte gynnyth to wreke
ȝelde up þis castel þou hore clowte
it is myn offyce fowle to speke
fals sklaundrys to bere a bowte
charyte þe deuyl mote þe cheke
but I þe rappe wyth rewly rowte
þi targe for to tere
let mankynde cum to us doun
or I schal schetyn to þis castel town
a ful fowle defamacyon
þerfore þis bowe I bere

CARITAS. þou þou speke wycke & fals fame
þe wers schal I neuere do my dede
who so peyryth falsly a noþyr mans name
cristys curs he schal haue to mede
ve homini illi per quem scandalum ven[it]

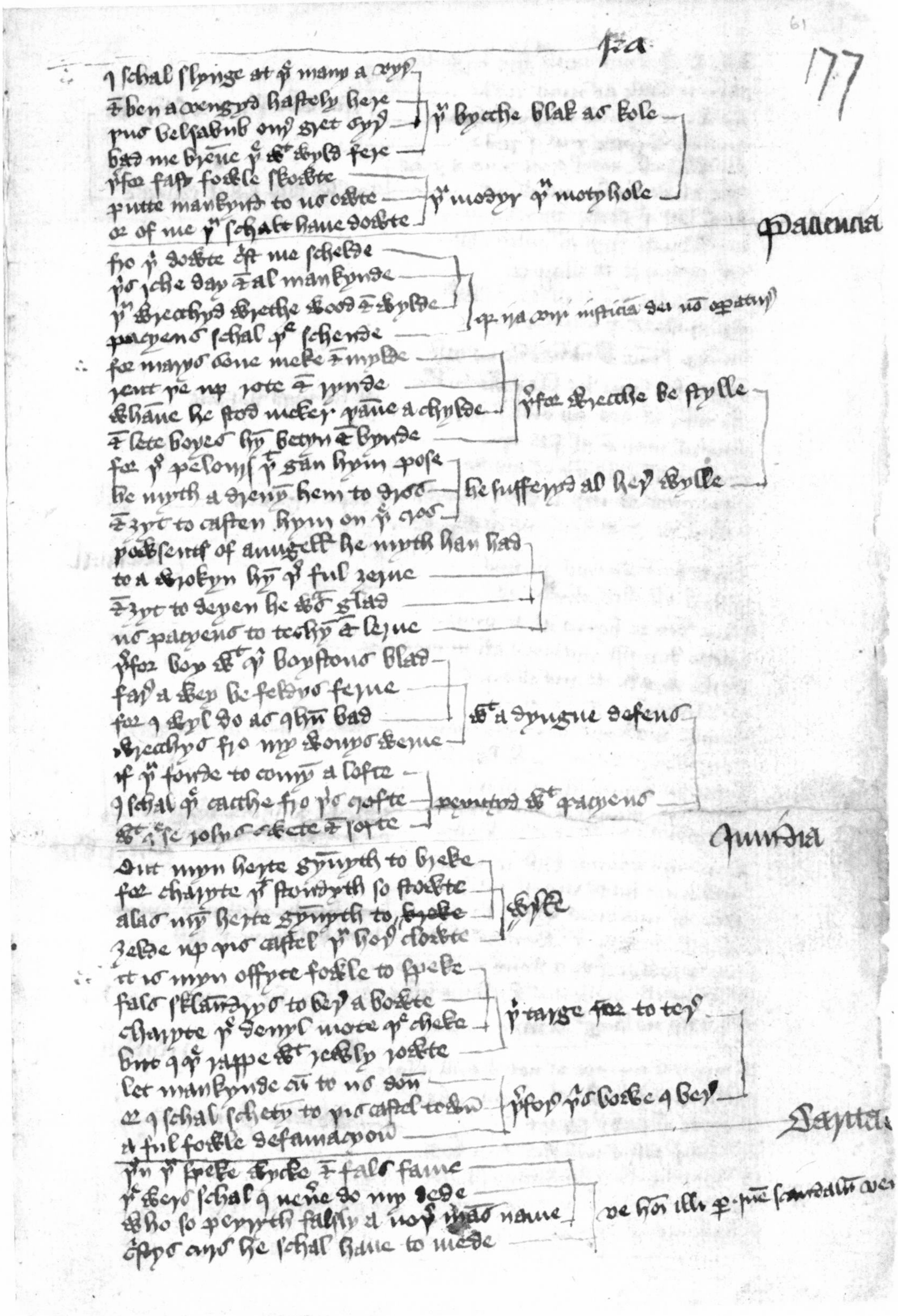

Ira

I schal slynge at þe many a crys
& ben awengyd hastely here
þus Belsabub oure gret syr
bad me breue þe with wyld fere
Therfor fast foule skowte
putte mankynd to no owte
or of me þou schalt haue dowte

þi brethe blak as cole
þi modyr þi moty hole

Paciencia

Fro þat dowte Crist me schelde
þis ilke day & al mankynde
þou wrethyd wrethe wood & wylde
pacyens schal þe schende
For marys sone meke & mylde
rent þe up rote & rynde
whane he stod meker þane a chylde
& lete boyes hym betyn & bynde
For þe pelours þat dan hym pose
he myth a drenyd hem to dros
& yit to casten hym on þe cros
Thowsentys of aungell he myth han had
to a wrokyn hym þe ful yerne
& yit to deyen he was glad
vs pacyens to teche & lerne
Therfor boy with þi bostous blad
fare a wey be fendys yerne
for I wyl do as Ihesu bad
wrecchys fro my wonys werne
If þou wylde to comyn a lofte
I schal þe cacche fro þis crofte
with þese rosys swete & softe

Ira viri iusticia dei non operatur
Therfor wrethe be stylle
he sufferyd al here wylle
with a dyngne defens
perytod with pacyens

Invidia

Out myn herte gynnyth to breke
for charyte þat stondyth so towte
Alas myn herte gynnyth to ~~breke~~ wreke
yelde up þis castel þat here clowte
It is myn offyce foule to speke
fals sclaundrys to bere a bowte
Charyte þe deuyl mote þe cheke
but I þe rappe with ierly rowte
Let mankynde cum to us don
or I schal schetyn to þis castel towne
a ful foule defamacyoun

wreke
þi targe for to tere
Therfor þi bowe I bere

Caritas

þyn þat speke wycke & fals fame
þe werse schal I neuere do my dede
who so peryth falsly a nothyr mannys name
Crystys curs he schal haue to mede

Ve homini illi per quem scandalum venit

2123 wrethe] *F* wreche *E* Wrethe
2124a operature] *E* operatur
2134 aungell] *F reads* aungellis *E emends to* aungellys
2145 þese] þ *partly faded;* rosys] *F* rolys *E* rosys
2145–46 *these lines partly obscured by a transverse wrinkle in the paper*
2149 wreke] breke *canc.*, wreke *written in right margin in different hand* (*E*)
2160 fals] *F* fals[e]

at top of the page, Ira *added in a later hand to indicate that this page should follow f.* 175[v] *where Ira is talking*

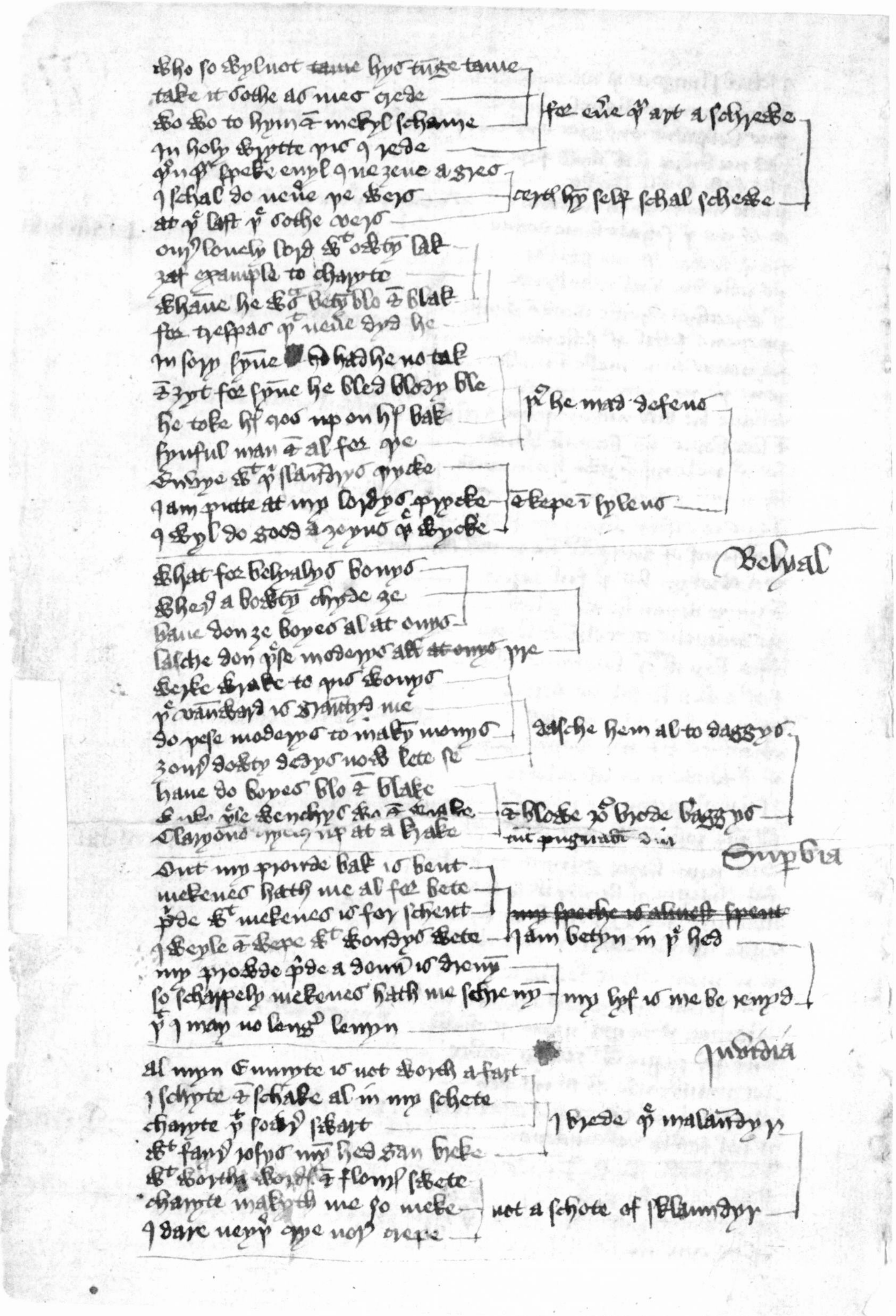

Who so wyl not ~~tame~~ hys tunge tame
take it sothe as mes crede
wo wo to hym & mechyl schame
In holy wrytte þis I rede
For euer þat art a schrewe
Euermor spekyn euyl I neuer zeue a gres
I schal do neuer þe wers
at þe last þe sothe wers
certys hys self schal schewe
Owre louely lord wytout lak
zaf example to charyte
whanne he was bety blo & blak
for trespas þat neuer dyd he
In hys synne had he no tak
& zyt for synne he bled blody ble
he toke hys cros vp on hys bak
synful man & al for þe
þer he mad defens
Envye wyth þe slandyrs þycke
I am putte at my lordys pycke
I wyl do good azens þe wycke
& kepe in sylens

Belyal

What for Belyalys bonys
wher a bowtyn chyde ze
haue don ze boyes al at onys
Lasche don þese moderys all ~~at onys~~ þre
werke wrake to þis wonys
þe vaunward is grauntyd me
do þese moderys to make monys
zoure dowty dedys now lete se
lasche hem al to daggys
haue do boyes blo & blake
wirke þese wrecchys wo & wrake
Claryouns cryeth vp at a krake
& clowte ȝe þese baggys
tunc pugnabunt diu

Superbia

Owt my proude bak is bent
mekenes hath me al for bete
pryde wyth mekenes is for schent
~~my speche is almest spent~~
I weyle & wepe wyth wondys wete
I am betyn in þe hed
my prowde pryde adown is drevyn
so scharpely mekenes hath me schreuyn
þat I may no lenger levyn
my lyf is me be reuyd

Invidia

Al myn Enuye is not worth a fart
I schyte & schake al in my schete
charyte þat sory swart
I brede þe malaundyr
wyth fayre rosys my hed gan breke
wyth worthi wordys & flowrys swete
charyte makyth me so meke
I dare neyþer crye nor crepe
not a schote of sclaundyr

2164 hys] tame *canc. before* hys (*E*)
2177 had he] *preceded by a blot and* he (?) (*E*)
2189 þre] at onys *canc. before* þre (*E*)
2191 vaunward] *or* vannward (*E*) *F* vaunward
2196–97 *these lines partly obscured by a transverse wrinkle in the paper; also* S.D. *at 2198*
2197 cryeth] *F* cryith (?) *E* cryeth
2198 S.D. diu] *F* domini *E* diu
2203 *The scribe first wrote and then canc. l. 2221* (*E*).
2213 worthi] i *written over another letter, or blotted* (?)

who so wylnot hys tunge tame
take it sothe as mes crede
wo wo to hym & mekyl schame
In holy wrytte þis I rede
                    for euere þou art a schrewe
þou þou speke euyl I ne ȝeue a gres
I schal do neuere þe wers
at þe last þe sothe vers
                    certys hym self schal schewe

oure louely lord wyth owtyn lak
ȝaf example to charyte
whanne he was betyn blo & blak
for trespas þat neuere dyd he
In sory synne had he no tak
& ȝyt for synne he bled blody ble
he toke hys cros up on hys bak
synful man & al for þe
                    þus he mad defens
Envye wyth þi slaundrys þycke
I am putte at my lordys prycke
I wyl do good a ȝeyns þe wycke
                    & kepe in sylens

BELYAL. what for belyalys bonys
where a bowtyn chyde ȝe
haue don ȝe boyes al at onys
lasche don þese moderys all þre
werke wrake to þis wonys
þe vaunward is grauntyd me
do þese moderys to makyn monys
ȝoure dowty dedys now lete se
                    dasche hem al to daggys
haue do boyes blo & blake
wirke þese wenchys wo & wrake
Claryouns cryeth up at a krake
                    & blowe ȝour brode baggys
                                        tunc pugnabunt diu

SUPERBIA. Out my proude bak is bent
mekenes hath me al for bete
pride wyth mekenes is for schent
I weyle & wepe wyth wondys wete
                    I am betyn in þe hed
my prowde pride a doun is dreuyn
so scharpely mekenes hath me schreuyn
þat I may no lengyr leuyn
                    my lyf is me be reuyd

INVIDIA. al my Enmyte is not worth a fart
I schyte & schake al in my schete
charyte þat sowre swart
wyth fayre rosys myn hed gan breke
                    I brede þe malaundyr
wyth worthi wordys & flourys swete
charyte makyth me so meke
I dare neyþyr crye nore crepe
                    not a schote of sklaundyr

IRA. I wrethe may syngyn wele a wo
pacyens me ȝaf a sory dynt
I am al betyn blak & blo
wyth a rose þat on rode was rent
          my speche is almost spent
hyr rosys fel on me so scharpe
þat myn hed hangyth as an harpe
I dar neyþyr crye nor carpe
          sche is so pacyent

MALUS ANGELUS. go hens ȝe do not worthe a tord
foule falle ȝou alle foure
ȝerne ȝerne let fall on bord
syr flesch wyth þyn eyn soure
          for care I cukke & koure
syr flesch wyth þyn company
ȝerne ȝerne make a cry
helpe we haue no velony
          þat þis day may be oure

CARO. war war late mans flesche go to
I com wyth a company
haue do my chyldryn now haue do
Glotoun slawth & lechery
Iche of ȝou wynnyth a scho
lete not mankynde wyth maystry
lete slynge hem in a fowl slo
& fonde to feffe hym wyth foly
          dothe now wel ȝoure dede
ȝerne lete se whov ȝe schul gynne
mankynde to temptyn to dedly synne
if ȝe muste þis castelle wynne
          hell schal be ȝour mede

GULA. war syr gloton schal makyn a smeke
a ȝeyns þis castel I vowe
abstynens þou þou bleyke
I loke on þe wyth byttyr browe
I haue a faget in myn necke
to settyn mankynd on a lowe
my foul leye schalt þou not let
I wou to god as I trowe
          þerfor putte hym out here
In meselynge glotonye
wyth goode metys & drynkys trye
I norche my systyr lecherye
          tyl man rennyth on fere

ABSTINENCIA. þi metys & drynkys arn vnthende
whanne þei are out of mesure take
þei makyn men mad & out of mende
& werkyn hem bothe wo & wrake
þat for þi fere þou þou here kyndyl
certys I schal þi wele a slake
wyth bred þat browth us out of hell
& on þe croys sufferyd wrake
          I mene þe sacrament

2228 ȝerne] be *canc. before* ȝerne (*E*)
2229 eyn] *F* ey[e]n
2240 wyth] *E emends to* wynne
2241 fowl] *F* fowl[e]
2246 castelle] *F* castele *E* castelle
2248 gloton] *F* Glotoun *E* Gloton

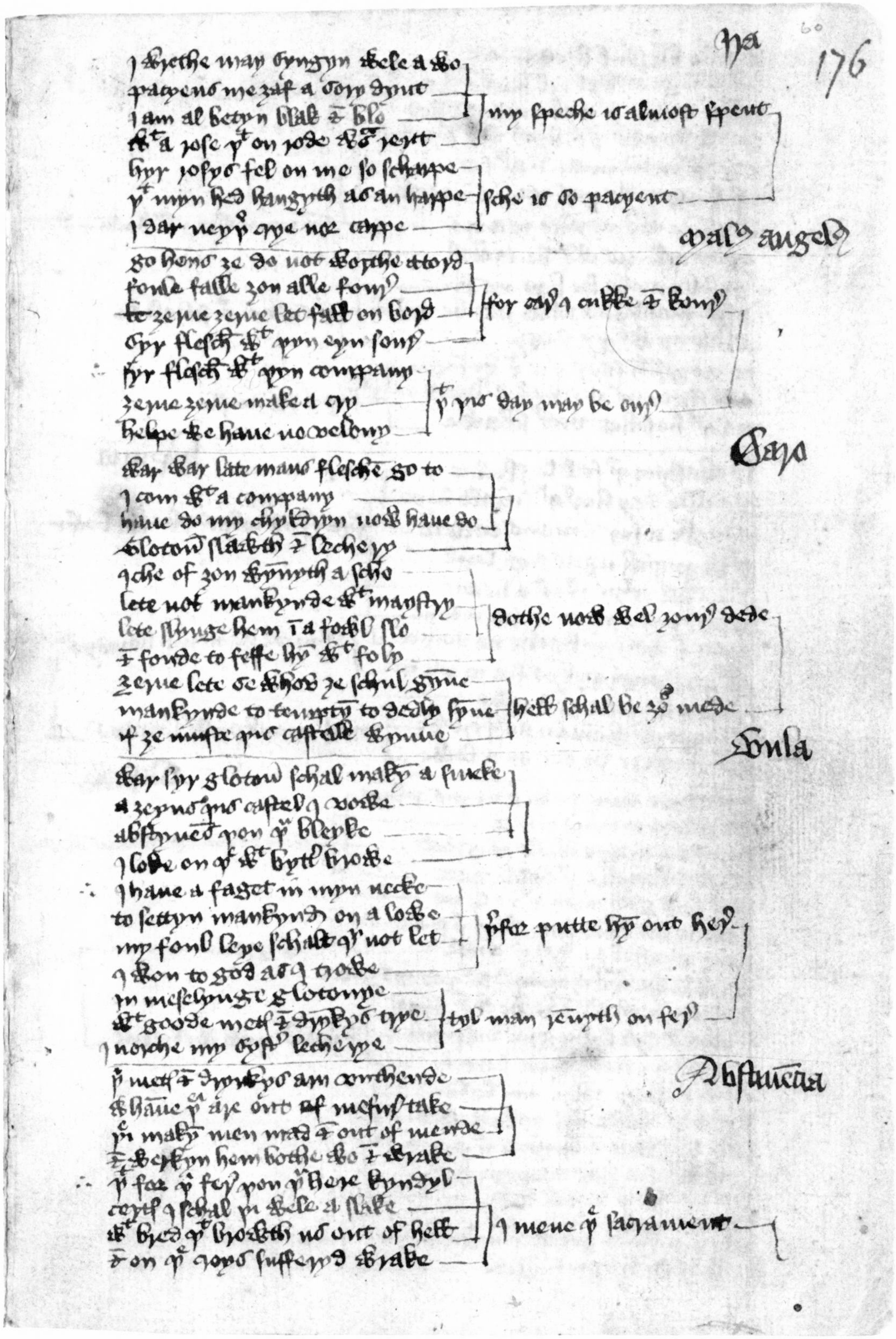

Ira 176

I wrethe may syngyn wele a wo
pacyens me 3af a dyrn dynt
I am al betyn blak & blo
wyth a rose þat on rode was rent
my speche is almost spent
hyr rosys fel on me so scharpe
þat myn hed hangyth as an harpe
I dar nowt crye nor carpe
sche is so pacyent

Malus Angelus

Go hens 3e do not worthe a tord
foule falle 3ou alle fowre
~~te~~ 3yue 3yue lete fall on bord
syr flesch wyth þin eyn sowre
for care I cukke & cowre
syr flesch wyth þin company
3yue 3yue make a cry
helpe we haue no velony
þat þis day may be oure

Caro

War war late mans flesche go to
I com wyth a company
hiue do my chyldryn now haue do
glotoun slawthe & lechery
iche of 3ou wynnyth a scho
lete not mankynde wyth maystry
lete slugge hem in a forwe slo
& fonde to fesse hym wyth foly
dothe now wel 3oure dede
3yue lete se whow 3e schul wynne
mankynde to tempyn to dedly synne
if 3e muste þis castelle wynne
helle schal be 3oure mede

Gula

War syr glotoun schal maky a fnoke
a3eyns þis castel I wyl worke
abstynens þou þi blerke
I loke on þe wyth bytter broke
I haue a faget in myn necke
to settyn mankynd on a lowe
my foul leye schalt þou not let
I vowe to god as I trowe
ffer putte þy out her
þi meselynge glotonye
wyth goode metys & drynkys trye
I norche my syster lecherye
tyl man 3euyth on fer

Abstinencia

þi metys & drynkys am worthende
we haue þe ayre out of mesure take
þei make men mad & out of mende
& kepyn hem bothe wo & wrake
þat fer þe fyr þou þere kyndyl
certys I schal it wele aslake
wyth bred þat browth vs out of helle
& on þe croys sufferyd wrake
I mene þe sacrament

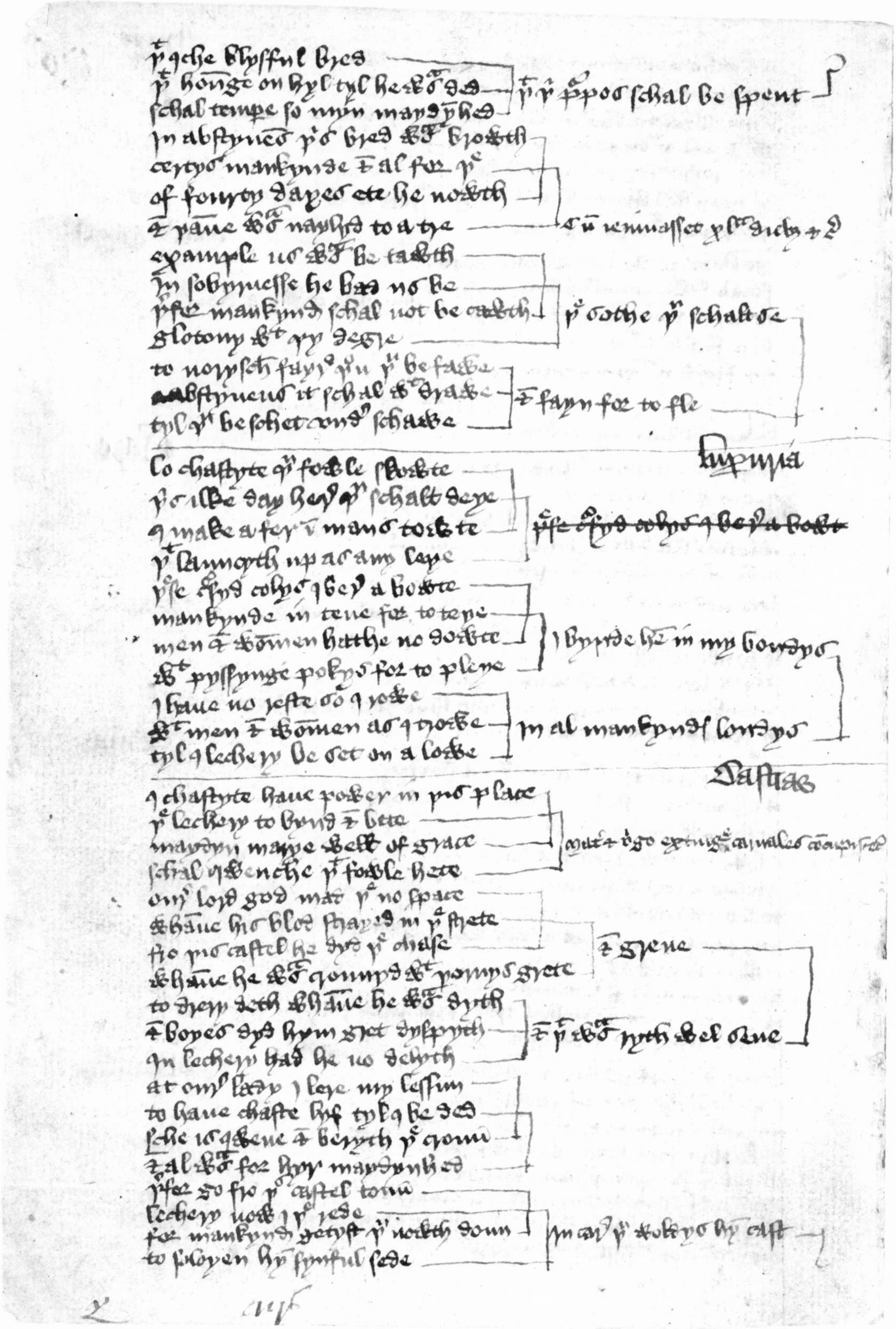

2277a ieiunasset] *F* ieiuniasset *E* jejunasset
2284 abstynens] a *blotted before* abstynens
2291 *The scribe first wrote this line to the right, opposite l. 2289, then canc. it and wrote it in its correct place* (*E*).

at bottom of the page, in a later hand: a y *followed by* curs (?)

2300 CASTIAS] *F* CASTI[T]AS *E* CASTITAS
2320 hym] *E emends to* hym wyth

þat Iche blysful bred
þat hounge on hyl tyl he was ded
schal tempere so myn maydynhed
　　　　þat þi purpos schal be spent

In abstynens þis bred was browth
certys mankynde & al for þe
of fourty dayes ete he nowth
& þanne was naylyd to a tre
　　　　　　　　Cum ieiunasset xl[a] diebus & cetera
example us was be tawth
In sobyrnesse he bad us be
þerfor mankynd schal not be cawth
glotony wyth þy degre
　　　　þe sothe þou schalt se
to norysch fayre þou þou be fawe
abstynens it schal wythdrawe
tyl þou be schet vndyr schawe
　　　　& fayn for to fle

Luxuria. lo chastyte þou fowle skowte
þis ilke day here þou schalt deye
I make a fer in mans towte
þat launcyth up as any leye
þese cursyd colys I bere a bowte
mankynde in tene for to teye
men & wommen hathe no dowte
wyth pyssynge pokys for to pleye
　　　　I bynde hem in my bondys
I haue no reste so I rowe
wyth men & wommen as I trowe
tyl I lechery be set on a lowe
　　　　In al mankyndys londys

Castias. I chastyte haue power in þis place
þe lechery to bynd & bete
maydyn marye well of grace
schal qwenche þat fowle hete
　　　　　　　　Mater & virgo extingue carnales concupiscen[tias]
oure lord god mad þe no space
whanne his blod strayed in þe strete
fro þis castel he dyd þe chase
whanne he was crounyd wyth þornys grete
　　　　& grene
to drery deth whanne he was dyth
& boyes dyd hym gret dyspyth
In lechery had he no delyth
　　　　& þat was ryth wel sene

at oure lady I lere my lessun
to haue chaste lyf tyl I be ded
sche is qwene & beryth þe croun
& al was for hyr maydynhed
þerfor go fro þis castel toun
lechery now I þe rede
for mankynd getyst þou nowth doun
to soloyen hym synful sede
　　　　In care þou woldys hym cast

& if þou com up to me
trewly þou schalt betyn be
wyth þe ȝerde of chastyte
whyl my lyf may last

ACCIDIA. ware war I delue wyth a spade
men calle me þe lord syr slowe
gostly grace I spylle & schade
fro þe watyr of grace þis dyche I fowe
ȝe schulyn com ryth I nowe
be þis dyche drye be bankys brede
xxx^{ti} thousende þat I wel knowe
In my lyf louely I lede
þat had leuere syttyn at þe ale
iij mens songys to syngyn lowde
þanne to ward þe chyrche fror to crowde
þou besynesse þou bolnyd bowde
I brewe to þe þyne bale

SOLICITUDO. a good men be war now all
of slugge & slawthe þis fowl þefe
to þe sowle he is byttyrer þanne gall
rote he is of mekyl myschefe
goddys seruyse þat ledyth us to heuene hall
þis lordeyn for to lettyn us is lefe
who so wyl schryuyn hym of hys synnys all
he puttyth þis brethel to mykyl myschefe
mankynde he þat myskaryed
men moun don no penauns for hym þis
nere schryue hem whanne þey don a mys
but euyr he wold in synne I wys
þat mankynd were taryed

þerfor he makyth þis dyke drye
to puttyn mankynde to dystresse
he makyth dedly synne a redy weye
In to þe castel of goodnesse
but wyth tene I schal hym teye
þorwe þe helpe of heuene emperesse
wyth my bedys he schal a beye
& oþyr ocupacyons more & lesse
I schal schape hym to schonde
for who so wyle slawth putte doun
wyth bedys & wyth orysoun
or sum oneste ocupacyoun
as boke to haue in honde
nunc lege nunc hora nunc disce nuncque labora

CARO. Ey for Blyalys bonys þe kynge
where a bowte stonde ȝe al day
caytyuys lete be ȝour kakelynge
& rappe at rowtys of a ray
glotony þou fowle gadlynge
sle abstynens if þou may
lechery wyth þi werkynge
to chastyte make a wyckyd a ray
a lytyl þrowe

2329, 2340 þis] *F* þe *E* þis
2336 fror] *FE emend to* for
2340 fowl] *F* fowl[e]
2344 is] s *written over another letter* (?)
2364 haue] h *written over some erased letter* (?)
2364a nunc . . . nuncque] *F* nec . . . neque; hora] *FE emend to* ora
2365 Blyalys] *FE emend to* Belyalys

63 179

& if þu com up to me
trewly þu schalt betyn be
wt þe ȝerde of chastyte
whyl my lyf may last

Accidia

Wat, war, I delue wt a spade
men calle me þe lord syr slowe
gostly grace I spylle & schede
fro þe welle of grace þe dyche I fowe
ȝe schulyn com ryth inowe
be þis dyche drye be bankys brede
XXX thousende þat I wel knowe
In my lyf lovely I lede
þat had leuer syttyn at þe ale
iij mens songys to syngyn lowde
þane toward þe chyrche for to crowde
þu besynesse þu bolnyd bowde
I brynge to þe pynne bale

Solicitudo

A good men be war now all
of slugge & slawthe þis fowl pese
to þe sowle he is bytterer þane gall
rote he is of mekyl myschefe
goddys seruyse þat ledyth us to heuene hall
þis losel for to lettyn us is lefe
who so wyl schryuyn hym of hys synnys all
he puttyth þis brothel to mykyl myschefe
maketh he þat mysferyd
men mow don no penaunce for hys pres
ner schryue hem whane þei don amys
but euyr he wold in synne I wys
þat mankynd were taryed
þerfore he makyth þis dyke drye
to putty mankynde to dystresse
he makyth dedly synne a redy weye
In to þe castel of goodnesse
but wt tene I schal hym teye
þorwe þe helpe of heuene emperesse
wt my bedys he schal abeye
& oþer ocupacyonys more & lesse
I schal schape hym to schonde
for who so wyle slawthe putte doun
wt bedys & wt orysoun
or sum oneste ocupacyoun
as boke to rede in honde
ut lege ut hora ut disce vel labora

Caro

Ey for Belyals bonys þe kynge
whereabowte stonde ȝe al day
curtmys lete be ȝoure kakelynge
& rappe at Iorel of aray
Glotony þi foule gadelynge
þe abstynens if þu may
lechery wt þi werkynge
to chastyte make a wyckyd aray
a lytyl prowe

Folio 179v

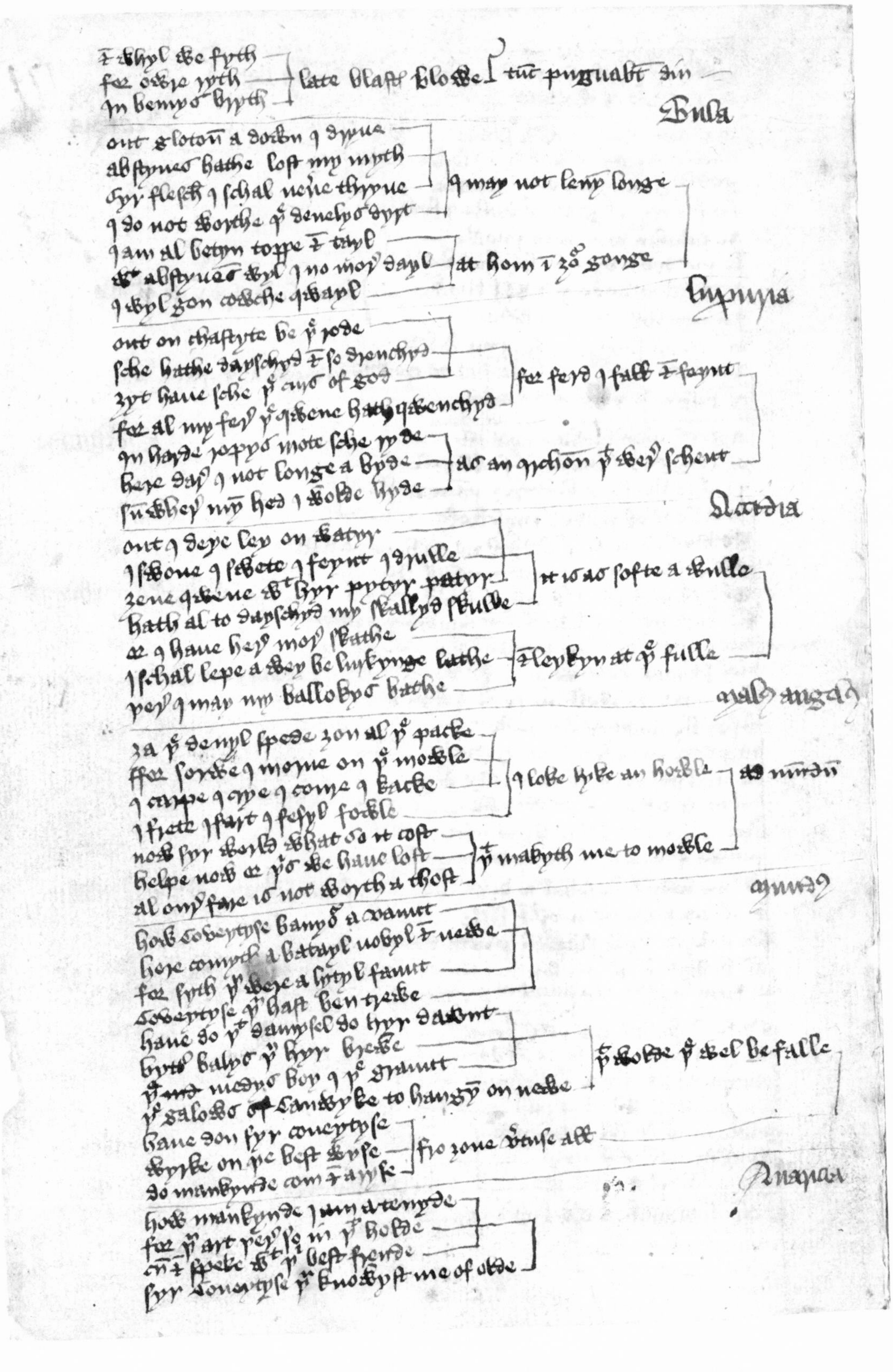

& whyl we fyth
For oure ryth
In Bemys bryth — late blaste blowe. tunc pugnabunt diu

Gula

Out! Glotoun a-down I dryue
Abstynes hathe lost my myth
Syr Flesch, I schal neuere thryue — I may not leuy longe
I do not worthe þe deuelys dyrt
I am al betyn toppe & tayl
Wyth abstynes wyl I no more dayl — At hom I go gonge
I wyl gon cowche quayl

Luxuria

Out on chastyte, be þe rode
Sche hathe dayschyd & so drenchyd — For ferd I falle & faynt
3yt haue sche þe curs of God
For al my fere þe qwene hath qwenchyd
In harde roppys mote sche ryde
Here dare I not longe abyde — As an erchon þat were schent
Sumwher my hed I wolde hyde

Accidia

Out, I deye! Ley on watyr!
I swone, I swete, I feynt, I drulle
3ene qwene wyth hyr pytyr-patyr — It is as softe as wulle
Hath al to-dayschyd my skallyd skulle
Or I haue here more skathe
I schal lepe awey be lynkynge lathe — & ley kyn at þe fulle
Þer I may my ballokys bathe

Malus Angelus

3a, þe deuyl spede 3ou al þe packe
For sorwe I morne on þis mowle
I carpe, I crye, I come, I kacke — I lobe lyke an howle — ad mundum
I frete, I fart, I fesyl fowle
Now syr World, what so it cost
Helpe now, or þis we haue lost — þat makyth me to mowle
Al oure fare is not worth a thost

Mundus

How Coueytyse! Banyour avaunt!
Here comyth a batayl nobyl & newe
For syth þou were a lytyl faunt
Coueytyse, þou hast ben trewe
Haue do þat damysel, do hyr daunt
Byttyr balys þou hyr brewe — þat wolde þe wel befalle
Þat medys boy I þe graunt
Þe galows of Canwyke to hangyn on newe
Haue don, syr Coueytyse
Wyrke on þe best wyse — Do 3one vertuse all
Do Mankynde com & ryse

Auaricia

How, Mankynde, I am a-tenyde
For þou art þer so in þat holde
Cum & speke wyth þi best frende
Syr Coueytyse, þou knowyst me of olde

2377 s.d. pugnabunt] g *written over another letter, prob.* n (?); diu] *F* domini *E* diu
2379 abstynes] *FE emend to* Abstynens; myth] *E emends to* myrth
2385 cowche] *F* cowche [&]
2388 hathe] *E emends to* hathe me
2400 a] *FE emend to* as
2420 medys] md *canc. before* medys (*E*)
2421 of] *partly blotted*

& whyl we fyth
for owre ryth
In bemys bryth
late blastys blowe

tunc pugnabunt diu

GULA. out glotoun a down I dryue
abstynes hathe lost my myth
syr flesche I schal neuere thryue
I do not worthe þe deuelys dyrt
I may not leuyn longe
I am al betyn toppe & tayl
wyth abstynens wyl I no more dayl
I wyl gon cowche qwayl
at hom in ȝour gonge

LUXURIA. out on chastyte be þe rode
sche hathe dayschyd & so drenchyd
ȝyt haue sche þe curs of god
for al my fere þe qwene hath qwenchyd
for ferd I fall & feynt
In harde ropys mote sche ryde
here dare I not longe a byde
sumwhere myn hed I wolde hyde
as an Irchoun þat were schent

ACCIDIA. out I deye ley on watyr
I swone I swete I feynt I drulle
ȝene qwene wyth hyr pytyr patyr
hath al to dayschyd my skallyd skulle
it is as softe a wulle
or I haue here more skathe
I schal lepe a wey be lurkynge lathe
þere I may my ballokys bathe
& leykyn at þe fulle

MALUS ANGELUS. ȝa þe deuyl spede ȝou al þe packe
ffor sorwe I morne on þe mowle
I carpe I crye I coure I kacke
I frete I fart I fesyl fowle
I loke lyke an howle

ad mundum

now syr world what so it cost
helpe now or þis we haue lost
al oure fare is not worth a thost
þat makyth me to mowle

MUNDUS. how Coveytyse banyour a vaunt
here comyth a batayl nobyl & newe
for syth þou were a lytyl faunt
Coveytyse þou hast ben trewe
haue do þat damysel do hyr dawnt
byttyr balys þou hyr brewe
þe medys boy I þe graunt
þe galows of Canwyke to hangyn on newe
þat wolde þe wel be falle
haue don syr coueytyse
wyrke on þe best wyse
do mankynde com & aryse
fro ȝone vertuse all

AUARICIA. how mankynde I am a tenyde
for þou art þere so in þat holde
cum & speke wyth þi best frende
syr Coueytyse þou knowyst me of olde

what deuyl schalt þou þer lenger lende
wyth grete penaunce in þat castel colde
In to þe werld if þou wylt wende
a monge men to bere þe bolde
I rede be seynt gyle
how mankynde I þe sey
com to coueytyse I þe prey
we to schul to gedyr pley
if þou wylt a whyle

LARGITAS. a god helpe I am dysmayed
I curse þe Coveytyse as I can
for certys treytour þou hast betrayed
nerhand now Iche erthely man
so myche were men neuere a frayed
wyth Coueytyse syn þe werld be gan
god almythy is not payed
syn þou fende bare þe werldys bane
ful wyde þou gynnyst wende
now arn men waxyn ner woode
þey wolde gon to helle for werldys goode
þat lord þat restyd on þe rode
is maker of an h ende
Maledicti sunt auariciosi huius temporis

þer is no dysese nor debate
þorwe þis wyde werld so rounde
tyde nor tyme erly nor late
but þat Coveyse is þe grounde
þou norchyst pride Envye & hate
þou Coueytyse þou cursyd hounde
criste þe schelde fro oure gate
& kepe us fro þe saf & sounde
þat þou no good here wynne
swete Ihesu Ientyl Iustyce
kepe mankynde fro coueytyse
for I wys he is in al wyse
rote of sorwe & synne

AUARICIA. what eylyth þe lady largyte
damysel dyngne up on þi des
& I spak ryth not to þe
þerfore I prey þe holde þi pes
how mankynde cum speke wyth me
cum ley þi loue here in my les
Coueytyse is a frend ryth fre
þi sorwe man to slake & ses
coueytyse hathe many a ȝyfte
mankynd þyne hande hedyr þou reche
coueytyse schal be þi leche
þe ryth wey I schal þe teche
to thedom & to þryfte

HUMANUM GENUS. Coueytyse whedyr schuld I wende
what wey woldyst þat I sulde holde
to what place woldyst þou me sende
I gynne to waxyn hory & colde

2436 sey] *F* say *E* sey
2448 wende] g *canc. before* wende (*FE*)
2450 wolde] *F* wold *E* wolde
2452 h ende] *F reads* ende *E emends to* ende
2456 Coveyse] *F reads* Coueytyse *E emends to* Coveytyse
2482 colde] *E emends to* olde

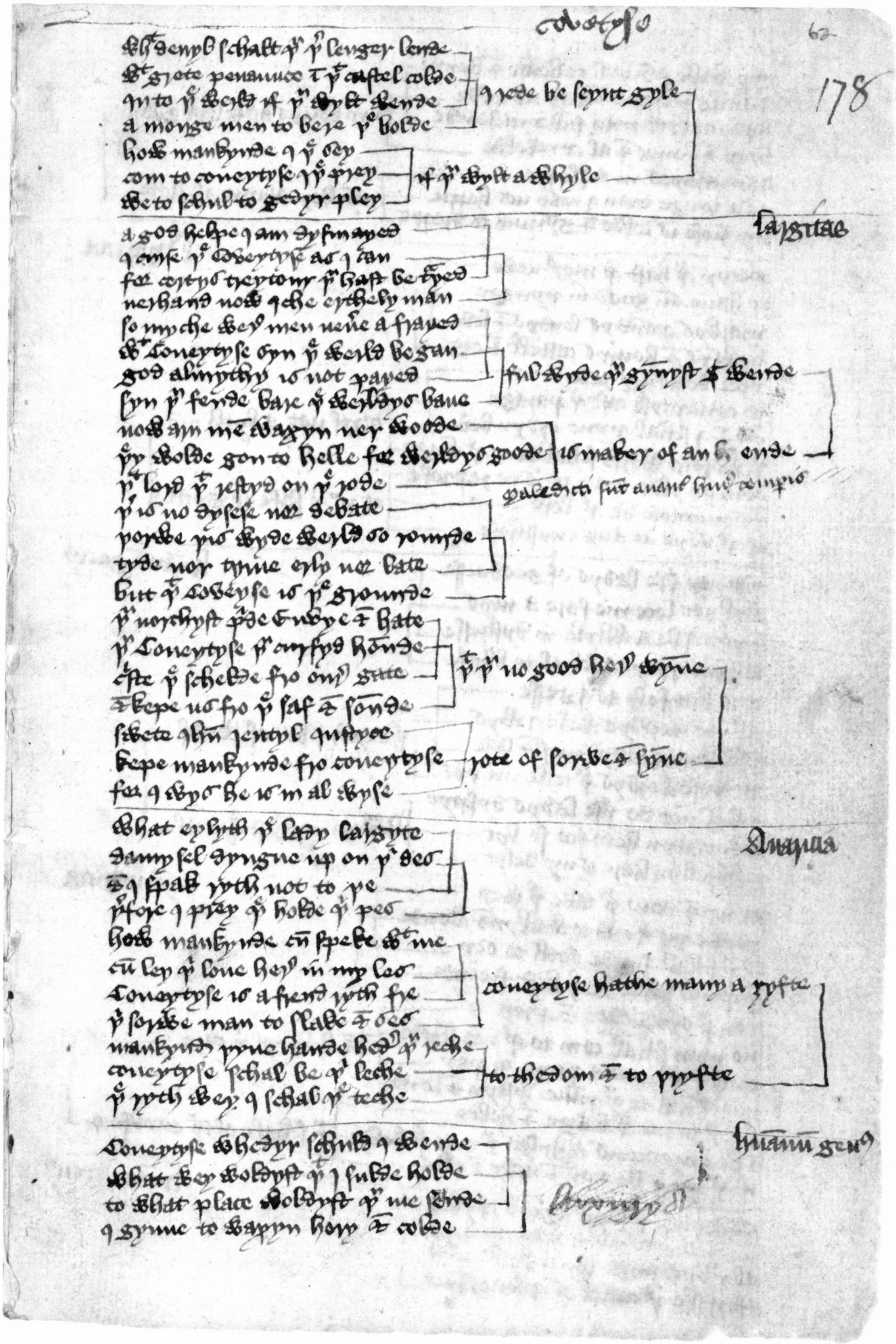

Covetyse 62 178

Wyth dewyl schalt þou þi lengyr lende
Wyth grete penaunce in þat castel colde
Into þe werld if þou wylt wende
Amonge men to bere þi holde — I rede be seynt gyle
How mankynde I þe sey
Com to coueytyse, ȝyf þou prey — if þou wylt a whyle
We to schul to-gedyr pley

Largitas

A, godys helpe, I am dysmayed
I curse þe, coueytyse, as I can
For certys, treytour, þou hast betrayed
nerhand now iche erthely man
So mythe were men neuere afrayed
Wyth coueytyse syn þe werld began
God almythy is not payed — Ful wyde þou gynnyst wende
Syn þou, fende, bare þe werldys bane
Now arn men waxin ner wode
Þei wolde gon to helle for werldys gode — Is maker of an hendynge
Þat lord þat restyd on þe rode

Vae dicti sunt avari simul tempore

Þer is no dysese nor debate
Þorwe þis wyde werld so rounde
Tyde nor tyme, erly nor late
But þat coueytyse is þe grounde
Þou norchyst pride, envye and hate
Þou coueytyse, þou cursyd hounde
Criste þe schelde fro oure gate — Þat þou no good here wynne
And kepe us fro þe, saf and sounde
Swete Ihesu, gentyl justyce
Kepe mankynde fro coueytyse — Rote of sorwe and synne
For iwys he is in al wyse

Avaricia

What eylyth þe, lady largyte
Damysel dyngne upon þi des
And I spak ryth not to þe
Þerfore I prey þe holde þi pes
How, mankynde, cum speke wyth me
Cum ley þi loue here in my les
Coueytyse is a frend ryth fre — Coueytyse hathe many a ȝyfte
Þi sorwe, man, to slake and ses
Mankynd, þine hande hedyr þou reche
Coueytyse schal be þi leche — To thedom and to þryfte
Þe ryth wey I schal þe teche

Humanum genus

Coueytyse, whedyr schuld I wende
What wey woldyst þat I sulde holde
To what place woldyst þou me sende
I gynne to waxyn hory and colde

~~luxurya~~

at top of the page, COVETYSE *added in a later hand, to indicate that this page should follow f. 179*ᵛ *where Avaricia is talking*

at bottom of the page, luxurya *written in a later hand to the right of the last lines, then canc.*

my bak gynnyth to bowe & bende
I crulle & crepe & wax al colde
Age makyth man ful vnthende
Body & bonys & al vnwolde — my bonys are febyl & sore
I am arayed in a slope
As a yonge man I may not hoppe — myn her waxit al hore
my nose is colde & gynnyth to droppe

Avaricia

petyr þu hast þe more nede
to haue sum good in þyn age
markys poundys londys & lede
howsys & homys castell & cage
þerfor do as I þe rede
to coueytyse cast þi parage
cum & I schal þyne erdyn bede
þe worthi wyf schal zeue þe wage — ceyt not a myth
com on olde man it is no repreue
þat coueytyse be þi leue
If þu deye at any myschefe — it is þi selfe to wyth

Humanum genus

nay nay þese ladys of goodnesse
wyl not lete me fare amys
& þou I be a whyle in dystresse
whanne I deye I schal to blysse
it is but foly as I gesse
al þis werdys wele I wys
þese louely ladys most & lesse — þus seyth þe bok of kendys
In wyse wordys þei telle me þis
I wyl not do þese ladys dyspyt
to forsakyn hem for so lyt — here arn my best frendys
to dwellyn here is my delyt

Avaricia

za up & doun þu take þe wey
þorwe þis werld to walkyn & wende
& þu schalt fynde soth to sey
þi purs schal be þi best frende
þou þu syt al day & prey
no man schal com to þe nor sende — & kelyn al þi care
but if þu haue a peny to pey
men schul to þe þanne lystyn & lende
þerfor to me þu hange & helde
& be coueytous whylys þu may þe welde — þu schalt ofte euyl fare
If þu be pore & nedy & elde

Humanum genus

Coueytyse þu seyst a good skyl
so grete god me avaunce
al þi byddynge don I wyl
I forsake þe castel of perseueraunce

my bake gynnyth to bowe & bende
I crulle & crepe & wax al colde
age makyth man ful vnthende
body & bonys & al vnwolde
my bonys are febyl & sore
I am arayed in a sloppe
as a ȝonge man I may not hoppe
my nose is colde & gynnyth to droppe
myn her waxit al hore

AUARICIA. Petyr þou hast þe more nede
to haue sum good in þyn age
markys poundys londys & lede
howsys & homys castell & cage
þerfor do as I þe rede
to coueytyse cast þi parage
cum & I schal þyne erdyn bede
þe worthi werld schal ȝeue þe wage
certys not a lyth
com on olde man it is no reprefe
þat Coueytyse be þe lefe
if þou deye at any myschefe
it is þi selfe to wyth

HUMANUM GENUS. nay nay þese ladys of goodnesse
wyl not lete me fare a mys
& þou I be a whyle in dystresse
whanne I deye I schal to blysse
it is but foly as I gesse
al þis werldys wele I wys
þese louely ladys more & lesse
In wyse wordys þei telle me þys
þus seyth þe bok of kendys
I wyl not do þese ladys dyspyt
to forsakyn hem for so lyt
to dwellyn here is my delyt
here arn my best frendys

AUARICIA. ȝa up & doun þou take þe wey
þorwe þis werld to walkyn & wende
& þou schalt fynde soth to sey
þi purs schal be þi best fremde
þou þou syt al day & prey
no man schal com to þe nor sende
but if þou haue a peny to pey
men schul to þe þanne lystyn & lende
& kelyn al þi care
þerfore to me þou hange & helde
& be coueytous whylys þou may þe welde
if þou be pore & nedy in elde
þou schalt oftyn euyl fare

HUMANUM GENUS. Coueytyse þou seyst a good skyl
so grete god me a vaunce
al þi byddynge don I wyl
I forsake þe castel of perseueraunce

2494 poundys] *or* ponndys *FE read* poundys
2499 worthi] *F* werthi *E* worthi
2521 best fremde] *F* best[e] frende *E emends to* best frende
2529 be] po r *canc. before* be (*E*); in] *F* & *E* in
2532 me] *F* me [wyl]

In coueytyse I wyl me hyle
for to gete sum sustynaunce
a forn mele men mete schul tyle
it is good for al chaunce
        sum good owhere to hyde
certys þis ȝe wel knowe
it is good whou so þe wynde blowe
aman to haue sum what of hys owe
        what happe so euere be tyde

BONUS ANGELUS. a ladyse I prey ȝou of grace
helpyth to kepe here mankynne
he wyl for sake þis precyous place
& drawe a ȝeyn to dedly synne
helpe ladys louely in lace
he goth fro þis worthi wonnynge
Coueytyse a wey ȝe chac
& schyttyth mankynd sum where here Inne
        in ȝoure worþi wyse
ow wrechyd man þou schalt be wroth
þat synne schal be þe ful loth
a swete ladys helpe he goth
        a wey wyth coueytyse
                tunc descendit ad auariciam

HUMILITAS. good aungyl what may I do þer to
hym selfe may hys sowle spylle
mankynd to don what he wyl do
god hath ȝouyn hym a fre wylle
þou he drenche & hys sowle slo
certys we may not do þere tylle
syn he cam þis castel to
we dyd to hym þat vs be felle
        & now he hath us refusyd
as longe as he was wyth inne þis castel walle
we kepte hym fro synne ȝe sawe wel alle
& now he wyl a ȝeyn to synne falle
        I preye ȝou holde us excusyd

PACIENCIA. resun wyl excusyn us alle
he helde þe ex be þe helue
þou he wyl to foly falle
it is to wytyn but hym selue
whyl he held hym in þis halle
fro dedly synne we dyd hym schelue
he brewyth hym selfe a byttyr galle
In dethys dynt whanne he schal delue
        þis game he schal be grete
he is endewyd wyth wyttys fyue
for to rewlyn hym in hys lyue
we vertuse wyl not wyth hym stryue
        a vyse hym & hys dede

CARITAS. of hys dede haue we nowt to done
he wyl no lenger wyth us be lad
whanne he askyd out we herd hys bone
& of hys presens we were ryth glad

2541 whou so] *F* whon-so *E* whouso
2543 be] re *erased before* be
2550 chac] chach *with final* h *erased* (*E*) *F* chace
2562 not] *added above the line* (*E*)

64
180

In coueytyse I wyl me hyde
For to gete sum sustynaunce
Aforn mele men mete schul tyle   Sum good ower to hyde
It is good for al chaunce
Sertys, sire, ȝe wel knowe
It is good whan so þe wynde blowe   What happe so euere betyde
Anan to haue sum what of his owe

Bonus angelus

A, ladys, I prey ȝow of grace
Helpyth to kepe here mankynne
He wyl forsake ȝour precyous place
And drawe aȝeyn to dedly synne
Helpe, ladys louely in lace
He goth fro ȝour worthi wonnynge   In ȝoure werys wyse   tunc
Coueytyse awey ȝe chace   descendit
And schyttyth Mankynd on wyþer hem ynne   ad auariciam
O wrechyd man, þou schalt be wroth
Þat synne schal be þe ful loth   Awey wyth coueytyse
A, swete ladys, helpe, he goth

Humilitas

Good aungyl, what may I do þer to?
Hym selfe may his sowle spylle
Mankynd to don what he wylde
God hath ȝoue hym a fre wylle
Þow he drecche and his sowle slo
Sertys we may not þer tylle
Syn he cam þis castel to   And now he hath no refusyd
We dyd to hym þat vs befelle
As longe as he wolde wyth inne þe castel walle
We kepte hym fro synne, ȝe sawe wel alle   I preye ȝou holde vs excusyd
And now he wyl aȝeyn to synne falle

Paciencia

Iesu wyl excusyn vs alle
He helde þat euer be ye helue
Þow he wyl to foly falle
It is to wytyn but hym selue
Whyl he held hym in þis halle
Fro dedly synne we dyd hym schelue
He brekyth hym selfe a bytter galle   Þis game he schal be gete
In dethys dynt whanne he schal delue
He is endewyd wyth wytte fyne
For to rewlyn hym in hys lyue   Acuse hym and his dede
We vertuse wyl not wyth hym styue

Caritas

Of hys dede haue we nowt to done
He wyl no lenger wyth vs be lad
Whanne he askyd ous we herd his bone
And of hys presens we were ryth glad

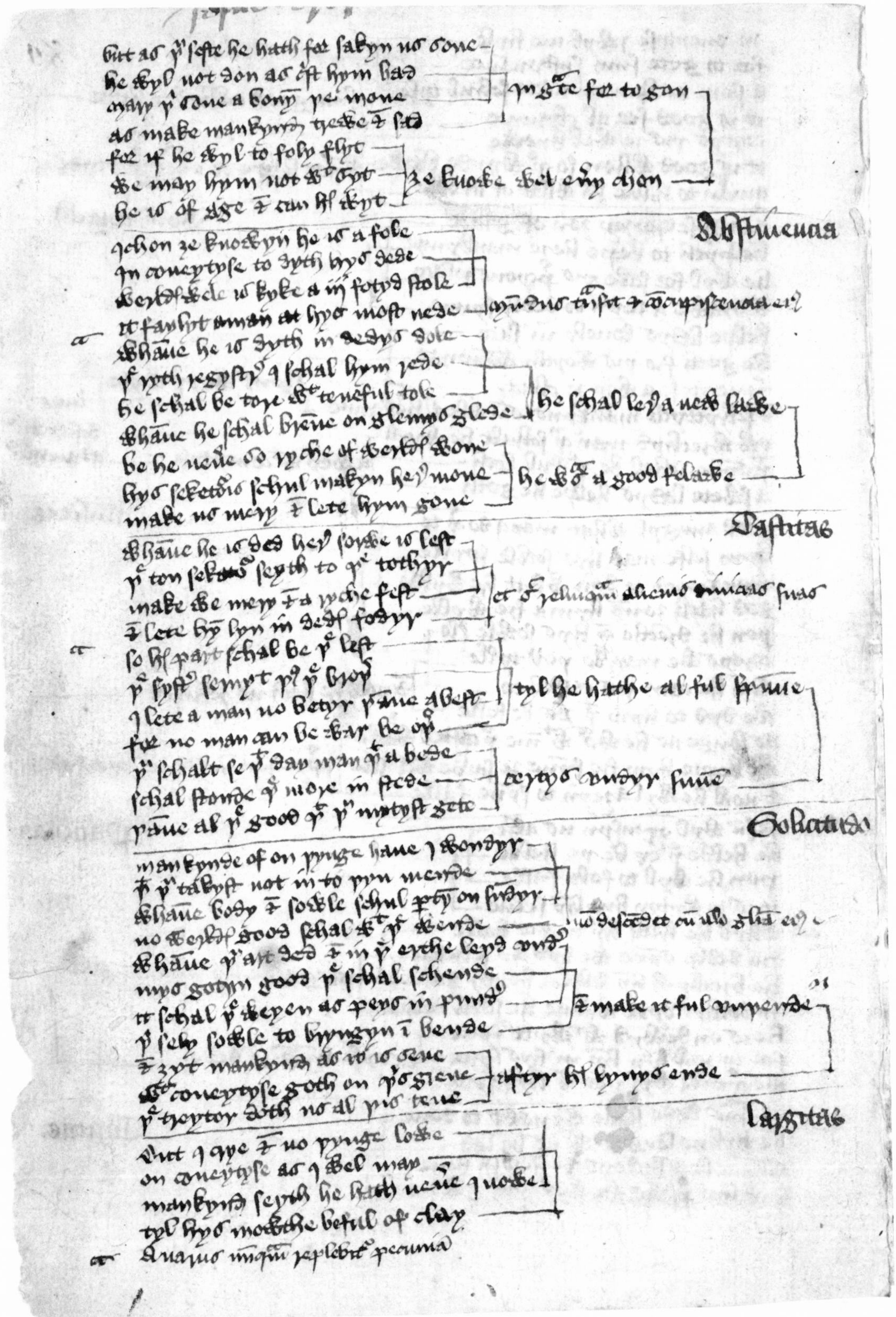

2593 may] *F* [ne] may
2598 kyke] *FE emend to* lyke
2610 sekatour] at *blotted*
2612a relinquam] *F emends to* relinquat *E to* relinquent
2614 seruyt] *F* semyt *E* seruyt
2619 stonde þe] *F emends to* þee stonde
2630 vnþende] *an* M *above* vnþende (?)

at top of the page, in a later hand, is written something that is too extensively trimmed away to be legible

but as þou seste he hath for sakyn us sone
he wyl not don as crist hym bad
Mary þi sone a bouyn þe mone
as make mankynd trewe & sad
　　　　In grace for to gon
for if he wyl to foly flyt
we may hym not wyth syt
he is of age & can hys wyt
　　　　ȝe knowe wel euery chon

ABSTINENCIA. Ichon ȝe knowyn he is a fole
In coueytyse to dyth hys dede
werldys wele is kyke a iij fotyd stole
it faylyt aman at hys most nede
　　　　　　　　Mundus transit & concupiscencia eius
whanne he is dyth in dedys dole
þe ryth regystre I schal hym rede
he schal be tore wyth teneful tole
whanne he schal brenne on glemys glede
　　　　he schal lere a new lawe
be he neuere so ryche of werldys wone
hys seketouris schul makyn here mone
make us mery & lete hym gone
　　　　he was a good felawe

CASTITAS. whanne he is ded here sorwe is lest
þe ton sekatour seyth to þe tothyr
make we mery & a ryche fest
& lete hym lyn in dedys fodyr
　　　　　　　　et sic relinquam alienis diuicias suas
so hys part schal be þe lest
þe systyr seruyt þus þe broþyr
I lete a man no betyr þanne a best
for no man can be war be oþyr
　　　　tyl he hathe al ful spunne
þou schalt se þat day man þat a bede
schal stonde þe more in stede
þanne al þe good þat þou mytyst gete
　　　　certys vndyr sunne

SOLICITUDO. mankynde of on þynge haue I wondyr
þat þou takyst not in to þyn mende
whanne body & sowle schul partyn on sundyr
no werldys good schal wyth þe wende
　　　　　　　　non descendet cum illo gloria eius
whanne þou art ded & in þe erthe leyd vndyr
mys gotyn good þe schal schende
it schal þe weyen as peys in pundyr
þi sely sowle to bryngyn in bende
　　　　& make it ful vnþende
& ȝyt mankynd as it is sene
wyth coueytyse goth on þis grene
þe treytor doth us al þis tene
　　　　aftyr hys lyuys ende

LARGITAS. Out I crye & no þynge lowe
on coueytyse as I wel may
mankynd seyth he hath neuere I nowe
tyl hys mowthe beful of clay
Auarus numquam replebitur pecunia

whane he is closyd in dethis dow
what helpyt ryches or gret a ray
It flyet a wey as any snow
a non aftyr þye endynge day
to wylde werldys wyse
now good men alle þat here be
haue my systerys excusyd & me
þou mankynde fro þis castel fle
wyte it coueytyse

MALUS ANGELUS. ȝa go forthe & lete þe qwenys cakle
þer wymmen arn are many wordys
lete hem gon hoppyn wyth here hakle
þer ges syttyn are many tordys
wyth coueytyse þou renne on rakle
& hange þyne hert up on hys hordys
þou schalt be schakyn in myn schakle
vnbynde þi baggys on hys bordys
on hys benchys a boue
parde þou gost owt of mankynde
but coueytyse be in þi mende
if euere þou þynke to be thende
on hym þou ley þi loue

HUMANUM GENUS. nedys my loue muste on hym lende
wyth coueytyse to waltyr & wave
I knowe non of al my kynde
þat he ne coueytyth for to haue
peny man is mekyl in mynde
my loue in hym I leye & laue
where þat euere I walke or wende
In wele & woo he wyl me haue
he is gret of grace
where so I walke in londe or lede
peny man best may spede
he is a duke to don a dede
now in euery place

BONUS ANGELUS. alas þat euere mankynde was born
on coueytyse is al hys lust
nyth & day mydnyth & morn
in penyman is al hys trust
coueytyse schal makyn hym lorn
whanne he is doluen al to dust
to mekyl schame he schal be schorn
wyth foule fendys to roten & rust
alas what schal I do
alas alas so may I say
man goth wyth coueytyse a way
haue me excusyd for I ne may
trewly not do þer to

MUNDUS. a. a. þis game goth as I wolde
mankynde wyl neuere þe werld forsake
tyl he be ded & vndyr molde
holy to me he wyl hym take

2648 *something illegible in left margin*
2655 hys] *F* his *E* hys
2661 muste] *F* must *E* muste
2667 þat] *squeezed between* where *and* euere
2685 me] *third stroke of* m *written over another letter, prob.* e

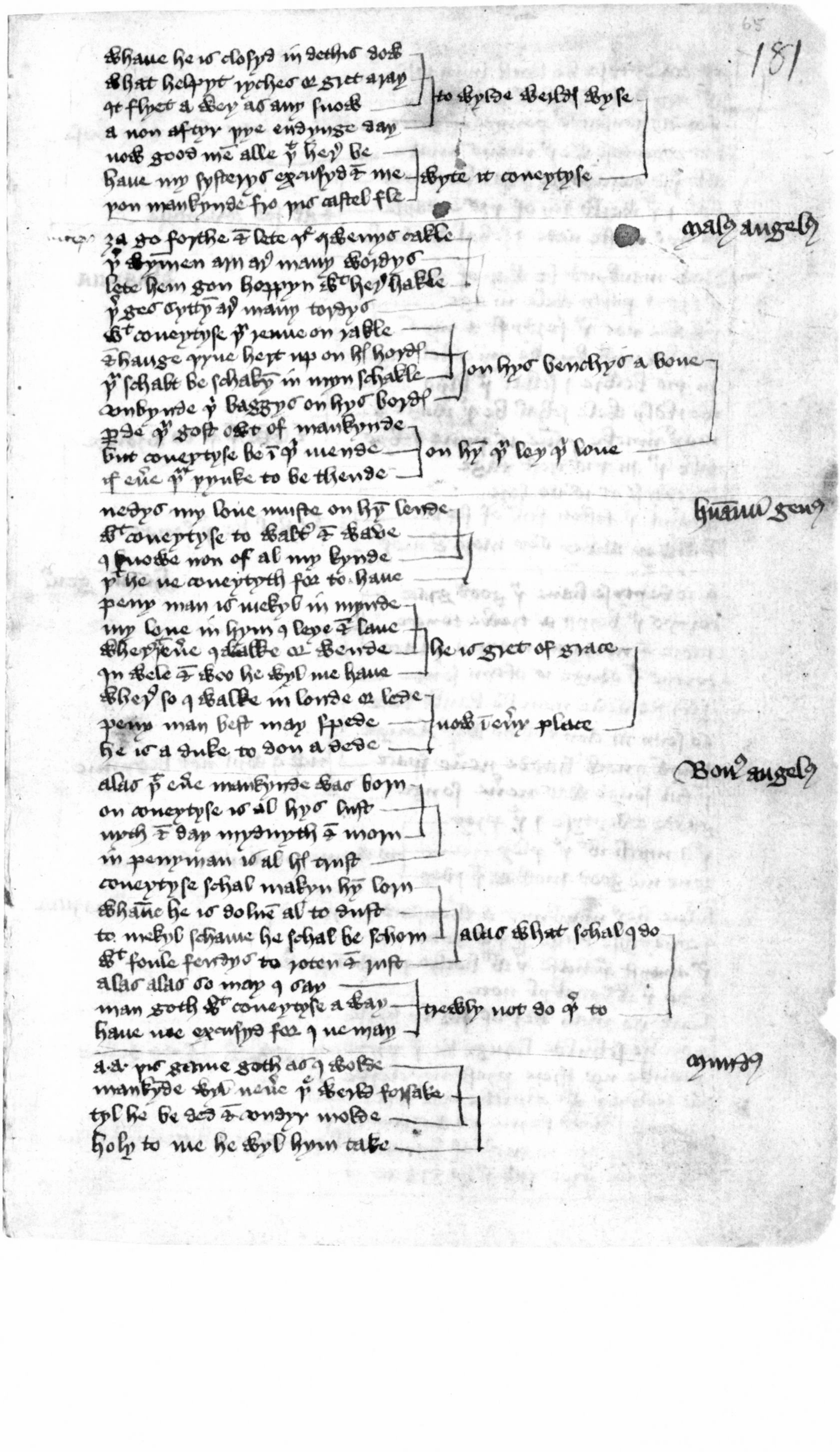
65 181

Whanne he is closyd in dethys dosk
What helpyt ryches or gret aray
It flyet awey as any smoke
Anon aftyr hys endynge day
Now good men alle þat her be
Haue my systerys excusyd & me
Þou mankynde fro þis castel fle

to wylde werldys wyse

Wyte it Coueytyse

Malus angelus

Ʒa go forthe & lete þe qweyntys cakle
Þer wymmen arn are many wordys
Lete hem gon hoppyn wyth here hakle
Þer ges syttyþ are many tordys
Wyth Coueytyse þou renne on rakle
& hange þyne hert up on hys hordys
Þou schalt be schakyd in myn schakle
Vnbynde þi baggys on hys bordys

on hys benchys a boue

Parde þou gost owt of mankynde
But Coueytyse be in þi mende
If euere þou þynke to be thende

on hym þi ley þi loue

Humanum genus

Nedys my loue muste on hym lende
Wyth Coueytyse to walt & wade
I knowe non of al my kynde
Þat he ne coueytyth for to haue
Peny man is mekyl in mynde
My loue in hym I leye & laue
Where þat euere I walke or wende
In wele & woo he wyl me haue

he is gret of grace

Where so I walke in londe or lede
Peny man best may spede
He is a duke to don a dede

now in euery place

Bonus angelus

Alas þat euere mankynde was born
On Coueytyse is al hys lust
Nyth & day mydnyth & morn
In peny man is al hys trust
Coueytyse schal makyn hym lorn
Whanne he is dolue al to dust
To mekyl schame he schal be schorn
Wyth foule fendys to roten & rust

Alas what schal I do

Alas alas so may I say
Man goth wyth Coueytyse away
Haue me excusyd for I ne may

trewly not do þer to

Anima

A a þis game goth as I wolde
Mankynde wyl neuere þe werld forsake
Tyl he be ded & vndyr molde
Holy to me he wyl hym take

to coveytyse he hath hym ȝolde
wt my wele he wyl awake
ffor a thousende pounde ~~of golde~~ I nolde
but coveytyse were hys make
certys on euery wyse
all þese gamys he schal be wayle
ffor I þe werld am of þis entayle
In hys moste nede I schal hym fayle
& al for coveytyse

Avaricia

Now mankynd be war of þis
þu art a party wele in age
I wolde not þu ferdyst amys
go we now knowe my castel cage
In þis bowre I schal þe blys
worldly wele schal be þi wage
more mucke þan is þin I wys
take þu in þis trost terage
& loke þt þu do wronge
coveytyse it is no sore
he wyl þe feffen ful of store
& alwey alwey sey more & more
& þt schal be þi songe

humanum genus

A coveytyse haue þu good grace
certys þu beryst a trewe tonge
more & more in many a place
certys þt songe is oftyn songe
I wyste neuer man be bank ne bace
so seyn in cley tyl he were clonge
I now I now hadde neuer space
þt ful songe was neuer songe
ner I wyl not begynne
goode coveytyse I þe prey
þt I myth wt þe pley
ȝeue me good inow or þt I dey
to wonne in werldys wynne

Avaricia

haue here mankynd a thousend marke
I coveytyse haue þe þis gote
þu mayst purchase þerwt bothe ponde & parke
& do þerwt mekyl note
lene no man here of for no karke
þou he schulde hange be þe þrote
monke nor ffrere prest nor clerke
ne helpe þerwt chyrche nor cote
tyl deth þi body delue
þou he schuld sterue in a cave
lete no pore man þer of haue
In grene gres tyl þu be grave
kepe sumwhat for þi selue

to coveytyse he hath hym ȝolde
wyth my wele he wyl a wake
ffor a thousende pounde I nolde
but coveytyse were mans make
        certys on euery wyse
all þese gamys he schal be wayle
ffor I þe werld am of þis entayle
In hys moste nede I schal hym fayle
        & al for coveytyse

AUARICIA. Now mankynd be war of þis
þou art a party wele in age
I wolde not þou ferdyst a mys
go we now knowe my castel cage
In þis bowre I schal þe blys
worldly wele schal be þi wage
more mucke þanne is þyne I wys
take þou In þis trost terage
        & loke þat þou do wronge
coveytyse it is no sore
he wyl þe feffen ful of store
& alwey alwey sey more & more
        & þat schal be þi songe

HUMANUM GENUS. a coveytyse haue þou good grace
certys þou beryst a trewe tonge
more & more in many a place
certys þat songe is oftyn songe
I wyste neuere man be bankys bace
so seyn in cley tyl he were clonge
I now I now hadde neuere space
þat ful songe was neuere songe
        nor I wyl not begynne
goode coveytyse I þe prey
þat I myth wyth þe pley
ȝeue me good Inow or þat I dey
        to wonne in werldys wynne

AUARICIA. haue here mankynd a thousend marke
I coveytyse haue þe þis gote
þou mayst purchase þer wyth bothe ponde & parke
& do þer wyth mekyl note
lene no man here of for no karke
þou he schulde hange be þe þrote
monke nor ffrere prest nor clerke
ne helpe þer wyth chyrche nor cote
        tyl deth þi body delue
þou he schuld sterue in a caue
lete no pore man þer of haue
In grene gres tyl þou be graue
        kepe sum what fore þi selue

2693 I] of golde *canc. before* I (*FE*)
2702 ferdyst] s *written over an* e
2738 fore] *F* for *E* fore

HUMANUM GENUS. I vow to god it is gret husbondry
of þe I take þese noblys rownde
I schal me rapyn & þat In hye
to hyde þis gold vndyr þe grownde
þer schal it ly tyl þat I dye
it may be kepte þer saue & sownde
þou my neygbore schuld be hangyn hye
þer of getyth he neythyr peny nor pownde
ȝyt am I not wel at ese
now wolde I haue castel wallys
stronge stedys & styf in stallys
wyth hey holtys & hey hallys
coveytyse þou muste me sese

AUARICIA. al schalt þou haue al redy lo
at þyn owyn dysposycyoun
al þis good take þe to
clyffe & cost toure & toun
þus hast þou gotyn in synful slo
of þyne neygborys be extorcyoun
more & more sey ȝyt haue do
tyl þou be ded & drepyn dounn
werke on wyth werldys wrenchys
more & more sey ȝyt I rede
to more þanne I now þou hast nede
al þis werld bothe lenthe & brede
þi coveytyse may not qwenche

HUMANUM GENUS. qwenche neuere no man may
me þynkyth neuere I haue I now
þer ne is werldys wele nyth nor day
but þat me thynkyth it is to slow
more & more ȝit I say
& schal euere whyl I may blow
on coveytyse is al my lay
& schal tyl deth me ouyr throw
more & more þis is my steuene
if I myth al wey dwellyn in prosperyte
lord god þane wel were me
I wolde þe medys forsake þe
& neuere to comyn in heuene

MORS. ow now it is tyme hye
to castyn mankynd to dethys dynt
In all hys werkys he is vnslye
mekyl of hys lyf he hath myspent
to mankynd I ney ny
wyth rewly rappys he schal be rent
whanne I com Iche man drede for þi
but ȝyt is þer no geyn went
hey hyl holte nyn hethe

2747 ese] *hole in MS over first* e
2757 be] *added above the line* (*E*)
2785 geyn went] *F* geyn [i]-went *E* geyn-went

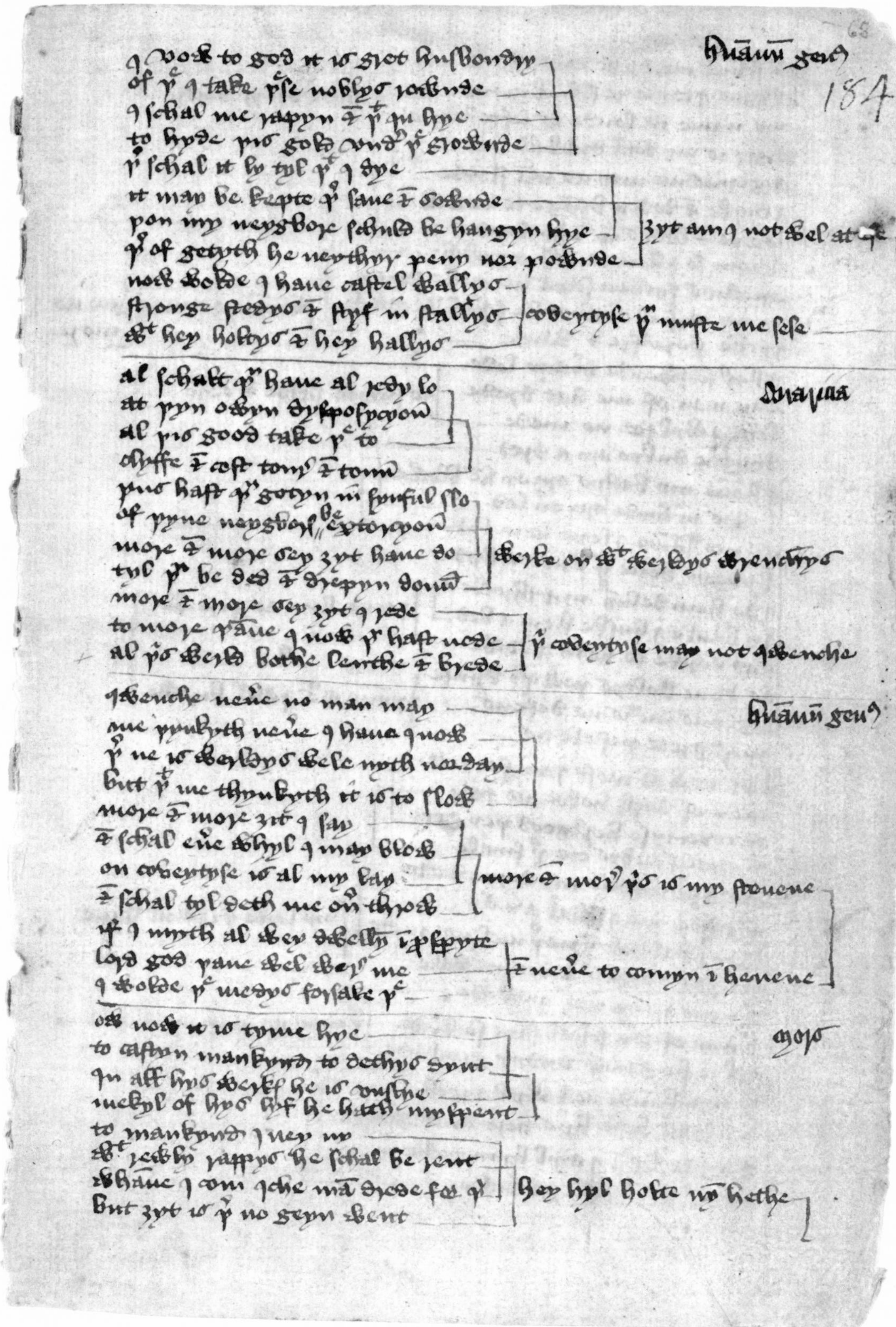

Humanum genus

I vow to God it is grot husbondry
of that I take these noblys rounde
I schal me rappyn & that in hye
to hyde this gold vnder the grownde
ther schal it ly tyl that I dye
it may be kepte ther saue & sownde
thow my neyborys schuld be hangyn hye
ther of getyth he neythyr peny nor pownde
now wolde I haue castel wallys
stronge stedys & styf in stallys
wyth hey holtys & hey hallys

3yt am I not wel at ese
coueytyse thou muste me sese

Avaricia

al schalt thou haue al redy lo
at thyn owyn dysposycyoun
al this good take the to
clyffe & cost toure & toun
this hast thou gotyn in synful slo
of thyne neyborys be extorcyoun
more & more sey 3yt haue do
tyl thou be ded & drepyn doun
more & more sey 3yt I rede
to more thane I now thou hast nede
al this werld bothe lenthe & brede

werke on wyth werldys wrenchys
thi coueytyse may not quenche

Humanum genus

Qwenche neuer no man may
me thynkyth neuer I haue I now
ther ne is werldys wele nyth nor day
but that me thynkyth it is to slow
more & more 3it I say
& schal euer whyl I may blow
on coueytyse is al my lay
& schal tyl deth me ouerthrow
yf I myth al wey dwellyn in prosperyte
lord God thane wel were me
I wolde the medys forsake the

more & mor this is my steuene
& neuer to comyn in heuene

Mors

Ow now it is tyme hye
to castyn mankynd to dethys dynt
In all hys werkys he is vnslye
mekyl of hys lyf he hath mysspent
to mankynd I ney ny
wyth rewly rappys he schal be rent
whane I com iche man drede for me
but 3yt is ther no geyn went

hey hyl holte nor hethe

ȝe schul me drede euery chone
When I come ȝe schul grone
my name in londe is lefte alone
I hatte drery dethe

Drery is my deth drawth
a geyns me may no man stonde
I durke & downe brynge to nowth
lordys & ladys in euery londe
whom so I haue a lessun tawth
onethys sythen schal he moue stonde
In my carful clothys he schal be cawth
ryche pore fre & bonde
When I come þer gon no more

Wher so I wende in any lede
euery man of me hatt drede
lette I wyl for no mede
to smyte sadde & sore

Dyngne dukys am I dred
When I haue my bastys on hem blowe
lordys in londe am on led
wt þis launce I leye hem lowe
Kyngys kene & knytys kyd
I do hem delyn in a throwe
In banke I buske hem a bed
sad sorwe to hem I sowe
I kene hem as I crowe

As kene boltys wow qwo kynse
a geyns me is no defens
In þe grete pestelens
þane wt I wel knowe

But now al most I am forȝete
men of deth holde no tale
In coveytyse here good þey gete
þe grete fyschys ete þe smale
But when I dele my derne dette
þo prude me I schal avale
hem schal helpe noþer mel nor mete
tyl þey be drawn to dethys dale
my lawe þei schul lerne

þer ne is peny nor pownde
þat any of ȝou schal saue sownde
tyl ȝe be grauen undyr grownde
þer may no man me werne

To mankynde now wyl I reche
he hathe hole hys hert on coveytyse
a newe lessun I wyl hym teche
þat he schal bothe grwachyn & gryse

ȝe schul me drede euery chone
whanne I come ȝe schul grone
my name in londe is lefte a lone
I hatte drery dethe

drery is my deth drawth
a geyns me may no man stonde
I durke & down brynge to nowth
lordys & ladys in euery londe
whom so I haue a lessun tawth
onethys sythen schal he mowe stonde
In my carful clothys he schal be cawth
ryche pore fre & bonde
whanne I come þei goo no more
where so I wende in any lede
euery man of me hat drede
lette I wyl for no mede
to smyte sadde & sore

dyngne dukys arn a dred
whanne my bastys arn on hem blowe
lordys in londe arn ouyr led
wyth þis launce I leye hem lowe
kyngys kene & knytys kyd
I do hem deluyn in a throwe
In banke I buske hem a bed
sad sorwe to hem I sowe
I tene hem as I trowe
as kene koltys þow þey kynse
a geyns me is no defens
In þe grete pestelens
þanne was I wel knowe

but now al most I am for ȝete
men of deth holde no tale
in coveytyse here good þey gete
þe grete fyschys ete þe smale
but whane I dele my derne dette
þo prowde men I schal a vale
hem schal helpyn noþyr mel nor mete
tyl þey be drewyn to dethys dale
my lawe þei schul lerne
þer ne is peny nor pownde
þat any of ȝou schal saue sownde
tyl ȝe be grauyn vndyr grownde
þer may no man me werne

to mankynde now wyl I reche
he hathe hole hys hert on coveytyse
a newe lessun I wyl hym teche
þat he schal bothe grwcchyn & gryse

2793 down brynge] *F* down [I] brynge *E* down-brynge

2805 bastys] *FE emend to* blastys

no lyf in londe schal ben hys leche
I schal hym proue of myn empryse
wyth þis poynt I schal hym broche
& wappyn hym in a woful wyse
        no body schal ben hys bote
I schal þe schapyn a schenful schappe
now I kylle þe wyth myn knappe
I reche to þe mankynd a rappe
        to þyne herte rote

HUMANUM GENUS. a deth deth drye is þi dryfte
ded is my desteny
myn hed is cleuyn al in a clyfte
ffor clappe of care now I crye
myn eye ledys may I not lyfte
myn braynys waxyn al emptye
I may not onys myn hod up schyfte
wyth dethys dynt now I dey
        syr werld I am hent
werld werld haue me in mende
goode syr werld helpe now mankend
but þou me helpe deth schal me schende
        he hat dyth to me a dynt

werld my wyt waxyt wronge
I chaunge boþe hyde & hewe
myn eye ledys waxyn al outewronge
but þou me helpe sore it schal me rewe
now holde þat þou haste be hete me longe
for all felechepys olde & newe
lesse me of my peynys stronge
sum bote of bale þou me brewe
        þat I may of þe ȝelpe
werld for olde a qweyntawns
helpe me fro þis sory chawns
deth hathe lacchyd me wyth hys launce
        I deye but þou me helpe

MUNDUS. owe mankynd hathe dethe wyth þe spoke
a geyns hym helpyth no wage
I wolde þou were in þe erthe be loke
& a noþyr hadde þyne erytage
oure bonde of loue schal sone be broke
In colde clay schal be þy cage
now schal þe werld on þe be wroke
for þou hast don so gret outrage
        þi good þou schalt for goo
werldlys good þou hast for gon
& wyth tottys þou schalt be torn
þus haue I seruyd here be forn
        a hundryd thousand moo

2848 braynys] s *written over another letter* (?)
2850 dynt] *F* dynt[e]
2859 helpe] l *blotted or written over another letter*

at top of the page, some lettering almost entirely trimmed away

183

no lyf in londe schal be þis leche
I schal hym proue of myn emprise
wt þis poynt I schal hym broche
& wappyn hym in a woful wyse — no body schal ben þis bote
I schal þe schappyn a schenful schappe
now I kylle þe wt myn knappe — to þine herte rote
I reche to þe mankynd a rappe

Humanum genus

a deth deth drye is þi dryfte
ded is my destenye
my hed is cleuyn al in a clyfte
ffor clappe of care now I crye
my eye ledys may I not lyfte
my braynys waxyn al emptye
I may not onys myn hod up schyfte — syr werld I am hent
wt dethys dynt now I dey
werld werld haue me in mende
goode syr werld helpe now mankend — he hat dyth to me a dynt
but þu me helpe deth schal me schende
werld my wyt waxit wronge
I change boþe hyde & hewe
myn eye ledys waxyn al outewronge
but þu me helpe sore it schal me rewe
now holde þat þu haste be hete me longe
for all felaschepys olde & newe
lesse me of my peynys stronge — þat I may of þe zelpe
sum bote of bale þu me brewe
werld for olde aquentawns
helpe me fro þis sory chawns — I deye but þu me helpe
deth hathe lacchyd me wt hys launce

Mundus

owe mankynd hathe dothe wt þe spoke
a-geyns hym helpyth no wage
I wolde þu were in þe erthe be loke
& a noþer hadde þine erytage
oure bonde of loue schal sone be broke
in colde clay schal be þi cage
now schal þe werld on þe be wroke — þi good þu schalt for goo
for þu hast don so gret outrage
werldlys good þu hast for gon
& wt tottys þu schalt be torn — a hundyrd thousand moo
þus haue I seruyd here be forn

humanum genus

ow weyle weyle euere worthe wo
& þi synful coveytyse
whane þe man schal fro ȝou go
ȝe werke wt hym on a wondyr wyse
þe wytte of þis werld is sorwe & wo
be war good men of þis gyse
þus hathe he seruyd many on mo
In sorwe slakyth al hys a syse
He beryth a tenynge tunge
whyl I leyd wt hym my lott
ȝe seyn whou fayre he me be hett
& now he wolde I were a clott
In colde cley for to clynge

mundus

How boy a ryse now þou muste wende
on myn erdyn be steppe & stalle
Go brynge mankynd a bytyr bende
& putte hym oute of hys halle
lete hym þerinne no lenger lende
ffor wrecchys I trowe be hys salle
ffor þou art not of hys kende
all hys erytage wyl þe wele be falle
þat feyth myn fayre feres
oftyn tyme I haue ȝou told
þe men þat ȝe arn to lest be hold
comonly schal ȝoure wonnynge wold
& ben ȝoure next eyrys

Garcio

Werld worthy in wedys wounde
I panke þe for þi grete gyfte
I go glad up on þis grounde
to putte mankynde out of hys thryfte
I trowe he stynkyth þis ilke stounde
In to a lake I schal hym lyfte
hys parkys placys & penys rounde
wt me schul dryue in þis dryfte
In baggys as þei ben bownde
for I þynke for to dele
I vow to god neyther corn nor mele
If he haue a schete he beryth hys wele
where inne he may be won
tunc iet ad humanum genus
whou farest mankynde art þou ded
be goddys body so I wene
he is heuyer þanne any led
I wold he were grauyn vndyr grene

humanum genus

A byde I breyd uppe wt myn hed
What art þou what woldyst þou mene
Whedyr comyst þou for good or qwed
wt peynys prycke þou doste me tene
þe sothe for to seyn

HUMANUM GENUS. ow werld werld euere worthe wo
& þou synful coveytyse
whanne þat aman schal fro ȝou go
ȝe werke wyth hym on a wondyr wyse
þe wytte of þis werld is sorwe & wo
be ware good men of þis gyse
þus hathe he seruyd many on mo
In sorwe slakyth al hys a syse
he beryth a tenynge tungge
whyl I leyd wyth hym my lott
ȝe seyn whou fayre he me be hett
& now he wolde I were a clott
In colde cley for to clynge

MUNDUS. how boy a ryse now þou muste wende
on myn erdyn be steppe & stalle
go brewe mankynd a byttyr bende
& putte hym oute of hys halle
lete hym þer Inne no lenger lende
ffor brostyn I trowe be hys galle
ffor þou art not of hys kende
all hys erytage wyl þe wele be falle
þus faryth myn fayre feres
oftyn tyme I haue ȝou told
þo men þat ȝe arn to lest be hold
comynly schal ȝoure wonnynge wold
& ben ȝoure next eyrys

GARCIO. werld worthy in wedys wounde
I þanke þe for þi grete ȝyfte
I go glad up on þis grounde
to putte mankynde out of hys þryfte
I trowe he stynkyth þis ilke stounde
In to a lake I schal hym lyfte
hys parkys placys & penys rounde
wyth me schul dryuen in þis dryfte
In baggys as þei ben bownde
for I þynke for to dele
I vow to god neythyr corn nore mele
if he haue a schete he beryth hym wele
where Inne he may be woun[de]
tunc iet ad Hmanum genus

whou faryst mankynde art þou ded
be goddys body so I wene
he is heuyer þanne any led
I wold he were grauyn vndyr grene

HUANUM GENUS. a byde I breyd uppe wyth myn hed
what art þou what woldyst þou mene
wheydyr comyst þou for good or qwed
wyth peynys prycke þou doste me tene
þe sothe for to sey

2891 lott] tt *blotted*
2892 be hett] *E emends to* behott

2920 S.D. Hmanum] *F* humanum *E* HUMANUM
2925 HUANUM] *FE* HUMANUM

telle me now so god þe saue
ffro whom comyst þou good knaue
what dost þou here wha woldyst þou haue
telle me or I deye

GARCIO. I am com to haue al þat þou hast
ponndys parkys & euery place
al þat þou hast gotyn fyrst & last
þe werld hathe grauntyd it me of hys grace
for I haue ben hys page
he wot wel þou schalt be ded
neuere more to ete bred
þerfore he hath for þe red
who schal haue þyne erytage

HUMANUM GENUS. what deuyl þou art not of my kyn
þou dedyst me neuere no maner good
I hadde leuer sum nyfte or sum cosyn
or sum man hadde it of my blod
In sum stede I wold it stod
now schal I in a dale be delue
& haue no good þer of my selue
be god & be hys apostelys twelue
I trowe þe werld be wod

GARCIO. ȝa ȝa þi parte schal be þe leste
deye on for I am maystyr here
I schal þe makyn a nobyl feste
& þanne haue I do myn deuere
þe werld bad me þis gold a reste
holt & hallys & castell clere
þe werldys Ioye & hys Ientyl Ieste
Is now þyne now myn boþe fere & nere
go hens for þis is myne
syn þou art ded & browth of dawe
of þi deth syr I am ryth fawe
þou þou knowe not þe werldys lawe
he hath ȝoue me al þat was þyne

HUMANUM GENUS. I preye þe now syn þou þis good schalt gete
telle þi name or þat I goo
GARCIO. loke þat þou it not for ȝete
my name is I wot neuere whoo

HUMANUM GENUS. I wot neuere who so welesay
now am I sory of my lyf
I haue purchasyd many a day
londys & rentys wyth mekyl stryf
I haue purchasyd holt & hay
parkys & ponndys & bourys blyfe
goode gardeynys wyth gryffys gay
to myne chyldyr & to myn wyfe
In dethe whanne I were dyth

2932 wha] *FE emend to* what
2935 ponndys] *F* poundys *E* Ponndys
2950 apostelys] s *written over another letter* (?)
2965 þe] *added above the line* (*E*)
2969 welesay] *F* wele say *E emends to* welaway
2974 ponndys] *F* poundys *E* ponndys

at top of the page, in a considerably later hand, in pencil: This ought to be p. 184

at bottom of the page, in a later hand: othyr (?)

182

telle me now so god þe saue
fro whom comyst þu good knaue
what dost þu here wha woldyst þu haue
telle me or I deye

Garcio

I am com to haue al þat þu hast
pondys parkys & euery place
al þat þu hast gotyn fyrst & last
þe werld hathe grauntyd it me of hys grace
for I haue be hys page
he wot wel þu schalt be ded
neuer more to ete bred
þerfor he hath for þe red
who schal haue þyne erytage

Humanum genus

what deuyl þu art not of my kyn
þu dedyst me neuer no maner good
I hadde leuer sum nyfte or sum cosyn
or sum man hadde it of my blod
in sum stede I wolde it stod
now schal I in a dale be delue
& haue no good þerof my selue
be god & be hys apostelys twelue
I trowe þe werld be wod

Garcio

3a 3a þi parte schal be þe leste
deye on for I am maystyr here
I schal þe make a nobyl feste
& þanne haue I do myn deuere
þe werld bad me þis good areste
holt & hallys & castell clere
þe werldys ioye & hys gentyl geste
is now þyne now myn bothe fer & ner
go hens for þis is myne
syn þu art ded & browth of dawe
of þi deth syr I am ryth fawe
yow þu knowe not þe werldys lawe
he hath 3oue me al þat was þyne

Humanum genus

I preye þe now syn þu þis good schalt gete
telle þi name or þat I goo

Garcio

loke þat þu it not forzete
my name is I wot neuere who

Humanum genus

I wot neuere who so welaway
now am I sory of my lyf
I haue purchasyd many a day
londys & rentys wt mekyl stryf
I haue purchasyd holt & hay
parkys & pondys & bowrys blyfe
goode gardeynys wt gryffys gay
to myne chyldyr & to my wyfe
in dethe whanne I were dyth

of my perchas I may be wo
for as yeit it is not so — hath al þat þe werld me be hyth
but a gedelynge I wot neuer who
now alas my lyf is lak
bitt balys I gynne to brewe
certis a vers þat dauid spak
I þe sawter I fynde it trewe
et Desamparat & ignorat & congregabit ea
tresor tresor it hathe no tak
it is oþer mennis olde & newe
ow ow my good gothe al to wrak — god kepe me fro dyspayr
sore may mankynd rewe
al my good wt out fayle
I haue gadryd wt gret trauayle
þe werld hathe ordeynyd of his entayle — I wot neuer who to be myn eyr
now good men takythe example at me
do for your self whyl ye han space
for many men þus serued be
yorwe þe werld in dyuerse place
I bolne & bleyke in blody ble
& as a flour fadyth my face
to helle I schal bothe fare & fle — I dye certeynly
but god me graunte of his grace
now my lyfe I haue lore
myn hert brekyth I syhe sore — I putte me in goddys mercy
a word may I speke no more
Anima
mercy pis ut my last tale
þer euer my body was abowth
but mercy helpe me in þis vale
of dampnynge drynke sore I me doute
body þou dedyst brew a bytter bale
to þi lustys wan þou gannyst lowte — & al it is for gyle
þi sely soule schal ben a bale
I beye þi dedys wt rewly rowte
euer þou hast be coueytowse
falsly to gete londe & howse — so welaway þe whyle
to me þou hast brewyn a bitter jowse
now swet aungel what is þi red
þe ryth red þou me reche
now my body is dressyd to ded
helpe now me & be my leche
dyth þou me fro deuelys drede
þy worthy weye þou me teche
I hope þat god wyl helpe & be my hed — for mercy made my body wrynge
ffor mercy was my laste speche

of my purchas I may be wo
for as þout it is not so
but a gedelynge I wot neuere who
hath al þat þe werld me be hyth

now alas my lyf is lak
bittyr balys I gynne to brewe
certis a vers þat dauid spak
I þe sawter I fynde it trewe
Tesauriȝat & ignorat cui congregabit ea
tresor tresor it hathe no tak
it is oþyr mens olde & newe
ow ow my good gothe al to wrak
sore may mankynd rewe
god kepe me fro dyspayr
al my good wyth out fayle
I haue gadryd wyth gret trauayle
þe werld hathe ordeynyd of hys entayle
I wot neuere who to be myn eyr

now good men takythe example at me
do for ȝoure self whyl ȝe han spase
for many men þus seruyd be
þorwe þe werld in dyuerse place
I bolne & bleyke in blody ble
& as a flour fadyth my face
to helle I schal bothe fare & fle
but god me graunte of hys grace
I deye certeynly
now my lyfe I haue lore
myn hert brekyth I syhe sore
a word may I speke no more
I putte me in goddys mercy

ANIMA. Mercy þis was my last tale
þat euere my body was a bowth
but mercy helpe me in þis vale
of dampnynge drynke sore I me doute
body þou dedyst brew a byttyr bale
to þi lustys whanne gannyst loute
þi sely sowle schal ben a kale
I beye þi dedys wyth rewly rowte
& al it is for gyle
euere þou hast be coueytows
falsly to getyn londe & hows
to me þou hast browyn a byttyr Iows
so welaway þe whyle

now swet aungel what is þi red
þe ryth red þou me reche
now my body is dressyd to ded
helpe now me & be my leche
dyth þou me fro deuelys drede
þy worthy weye þou me teche
I hope þat god wyl helpyn & be myn hed
ffor mercy was my laste speche
þus made my body hys ende

2982 lak] k *partly blotted*
2991 wyth out] *F* with-out[en]
3019 browyn] *F* brokyn *E* browyn

3029 *A leaf is missing at this point. The text jumps from 182*v *to 185.*

wyttnesse of all þat ben a bowte
syr Coueytyse he had hym owte
þerfor he schal wyth outyn dowte
wyth me to helle pytt

BONUS ANGELUS. ʒe a las & welawo
a ʒeyns coueytyse can I not telle
resun wyl I fro þe goo
for wrechyd sowle þou muste to helle
Coueytyse he was þi fo
he hathe þe schapyn a schameful schelle
þus hathe seruyd many on mo
tyl þei be dyth to dethys delle
to byttyr balys bowre
þou muste to peyne be ryth resun
wyth Coveytyse for he is chesun
þou art trappyd ful of tresun
but mercy be þi socowre

ffor ryth wel þis founnde he haue
a ʒeyns rythwysnesse may I not holde
þou muste wyth hym to careful caue
for greteskyllys þat he hathe tolde
fro þe a wey I wandyr & waue
for þe I clynge in carys colde
a lone now I þe laue
whylyst þou fallyst in fendys folde
In helle to hyde & hylle
rytwysnesse wyl þat þou wende
forthe a wey wyth þe fende
but mercy wyl to þe sende
of þe can I no skylle

ANIMA. alas mercy þou art to longe
of sadde sorwe now may I synge
holy wryt it is ful wronge
but mercy pase alle þynge
I am ordeynyd to peynys stronge
In wo is dressyd myn wonnynge
In helle on hokys I schal honge
but mercy fro a welle sprynge
þis deuyl wyl haue me a way
weleaway I was ful wod
þat I forsoke myn aungyl good
& wyth coueytyse stod
tyl þat day þat I schuld dey

MALUS ANGELUS. ʒa why woldyst þou be coueytous
& drawe þe a gayn to synne
I schal þe brewe a byttyr Ious
In bolnynnge bondys þou schalt brenne

3030 *Malus Angelus is speaking; speech-prefix presumably on lost previous leaf*
3034 BONUS] *capitals of speech prefixes on 185 are touched in red*

in the right margin, at l. 3059, in a later hand: he aperith þe sowle

3047 founnde] *E* founde; he] *E emends to* I
3053 I] *F* I [must]
3054 fallyst] a *written over another letter* (?)

at bottom of the page, in a later hand: so *or* 60 (?) holtys *or* holtch (?)

185

Wyttnesse of all þat ben abowte
Syr Coveytyse he had hym owte
Þerfor he schal wythowtyn dowte
Wyth me to helle pytt

Bonus angelus

Ey alas & welawo
Azens Coveytyse can I not telle
Resun wyl I fro þe goo
For wrechyd sowle þou muste to helle
Coveytyse he was þi fo
He hathe þe schapyn a schameful schelle
Þus hathe seruyd many on mo
Tyl þei be dyth to dethys delle
To byttyr balys bowr
Þou muste to peyne be ryth resun
Wyth Coveytyse for he is chesun
Þou art trappyd ful of tresun
But Mercy be þi socowr
Ffor ryth wel þis fowndе haue
Azens wykkydnesse may I not holde
Þou muste wyth hym to carful caue
For grett skyllys þat he hathe tolde
Fro þe a-wey I wandyr & waue
For þou I clynge in carys colde
Alone now I þe laue
Whylyst þou fallyst in fendys folde
In helle to hyde & hylle
Ryztwysnesse wyl þat þou wende
Forthe a-wey wyth þe fende
But Mercy wyl to þe sende
Of þe can I no skylle

[Tho a-perit þe soule]

Anima

Alas Mercy þou art to longe
Of sadde sorwe now may I synge
Holy Wryt it is ful stronge
But Mercy pase alle þynge
I am ordeynyd to peynys stronge
In wo is dressyd myn wonynge
In helle on hokys I schal honge
But Mercy fro a welle sprynge
Þis devyl wyl haue me a-way
Weleaway I was ful wod
Þat I forsoke myn Aungyl Good
& wyth Coveytyse stod
Tyl þat day þat I schuld dey

Malus angelus

Ya why woldyst þou be coveytous
& drawe þe a-zen to synne
I schal þe brewe a bytter jous
In bolnynge bondys þou schalt brenne

In hye helle schal be þyne hous
In pycke and ter to grone and grene
Þu schalt lye drenchyd as a mous
Þer may no man þe fro þe wene
for þat ilke wyll
Þat day þe ladys þu forsoke
and to my counsel þu hast toke
Þu were betyr an hangyd on hoke
up on a iebet hyll

Farter fowle þu schalt be frayed
Tyl þu be frettyd and al forbled
Foule mote þu be dysmayed
Þat þu schalt þus ben ouyrled
For coueytyse þu hast agreed
In bytter balys þu schalt be bred
Al mankynde may be wel payed
Whon coueytyse makyth þe a-dred
wyth rappys I þe rynge
We schul to helle bothe two
and bey in inferno
Nulla est redempcio
for no kynnys þynge

Now dagge we hens a dogge trot
In my dongeon I schal þe dere
On þe is many a synful spot
Þerfore þis schame I schal þe schere
Schame þu comyst to my neste
Why woldyst þu schrewe schalt neuer þe
But in þi lyue don after me
And þe good aungyl taught þe
al wey to þe beste
3a but þu woldyst hym not leue
to coueytyse al wey þu drow
Þerfor I schal þe euyl preue
Þat foul synne þi soule slow
I schal fonde þe to greue
and putte þe in peynys plow
Haue þis and euyl mote þu schewe
for þu seydyst neuer I now I now
þe lacche I þe þe lowe
Now þu wepe as a kat
for þi coueytyse haue þu þat
I schal þe bunche wyth my bat
and rynge þe on a roke
Lo synful tydynge
Boy on þi bak I brynge
Spedely þu sprynge
Þi placebo I schal synge
to deuelys delle
I schal þe bere to helle
I wyl not dwelle
Haue good day I goo to helle

In hye helle schal be þyne hous
In pycke & ter to grone & grenne
þou schalt lye drenkelyd as a movs
þer may no man þerfro þe werne
for þat ilke wyll
þat day þe ladys þou for soke
& to my counsel þou þe toke
þou were betyr an hangyn on hoke
up on a Iebet hyll

farter fowle þou schalt be frayed
tyl þou be frettyd & al for bled
foule mote þou be dysmayed
þat þou schalt þus ben ouyrled
for coueytyse þou hast a sayed
In byttyr balys þou schalt be bred
al mankynd may be wel payed
whou coueytyse makyth þe a dred
wyth rappys I þe rynge
we schul to hell bothe to
& bey in inferno
Nulla est redempcio
for no kynnys þynge

now dagge we hens a dogge trot
In my dongion I schal þe dere
on þe is many a synful spot
þerfore þis schame I schal þe schere
whanne þou comyst to my neste
why woldyst þou schrewe schalt neuere þe
but in þi lyue don aftyr me
& þi good aungyl tawth þe
al wey to þe beste

ȝa but þou woldyst hym not leue
to coueytyse al wey þou drow
þerfore schalt þou euyl preue
þat foul synne þi soule slow
I schal fonde þe to greue
& putte þe in peymys plow
haue þis & euyl mote þou scheue
for þou seydyst neuere I now I now
þus lacche I þe þus lowe
þow þou kewe as a kat
for þi coueytyse haue þou þat
I schal þe bunche wyth my bat
& rouge þe on a rowe

lo synful tydynge
boy on þi bak I brynge
spedely þou sprynge
þi placebo I schal synge
to deuelys delle
I schal þe bere to helle
I wyl not dwelle : haue good day I goo to helle

3082 day] y *blotted*
3084 were] be *canc. before* were (*E*)
3093 whou] *or* whon *F* whon *E* Whou
3095 hell] *F* helle
3096 bey] *F* bey [for euer]
3106 tawth] *F* [he] tawth
3110 schalt] *preceded by* f *or canc.* s
3113 peymys] *FE emend to* peynnys
3120 rouge] *or* ronge *F* ronge *E* rouge
3127–28 *a double line, numbered accordingly*

MISERICORDIA. A mone I herd of mercy meve
& to me mercy gan crye & call
but if it haue mercy sore it schal me greve
ffor ell it schal to hell ffall
Rythwysnes my systyr cheve
þys ȝe herde so dyde we all
ffor we were mad frendys leve
whanne þe Ievys proferyd criste eysyl & gall
on þe good ffryday
God grauntyd þat remission
Mercy & absolicion
þorwe vertu of hys passion
to no man schuld be seyd nay

þerfore my systyr Rytwysnes
Pes & trewthe to ȝou I tell
whanne man crieth mercy & wyl not ses
Mercy schal be hys waschynge well
wytnesse of holy kyrke
ffor þe leste drope of blode
þat god bledde on þe rode
it hadde ben satysfaccion goode
ffor al mankyndys werke

IUSTICIA. systyr ȝe sey me a good skyl
þat mercy pasyt mannys mysdode
but take mercy who so wyl
he muste it aske wyth love & drede
& euery man þat wyl ffulfyll
þe dedly synnys & folw mysdede
to graunte hem mercy me þynkyth it no skyl
& þerfore systyr ȝou I rede
lete hym a bye hys mysdede
ffor þou he lye in hell & stynke
it schal me neuere ouyr þynke
as he hath browyn lete hym drynke
þe devyl schal qwyte hym hys mode
vnusquisque suum honus portabit

trowe ȝe þat whanne a man schal deye
þanne þow þat he mercy craue
þat a non he schal haue mercye
nay nay so crist me saue
non omne qui dicit domine domine intrabit regnum celorum
for schuld no man do no good
all þe dayes of hys lyve
but hope of mercy be þe rode
schulde make boþe werre & stryve
& torne to gret grewaunse

3132 ell] *F* ellis *E* ell; hell] *F* helle
3134 we] ȝe *changed to* we (*E*)
3142 systyr] *F* systers *E* systyr
3149 goode] *first written* gode, *with second* o *added above the line* (*E*)
3152 mysdode] *F* mysdede *E emends to* mysdede
3163 mode] *or* mede *FE* mede

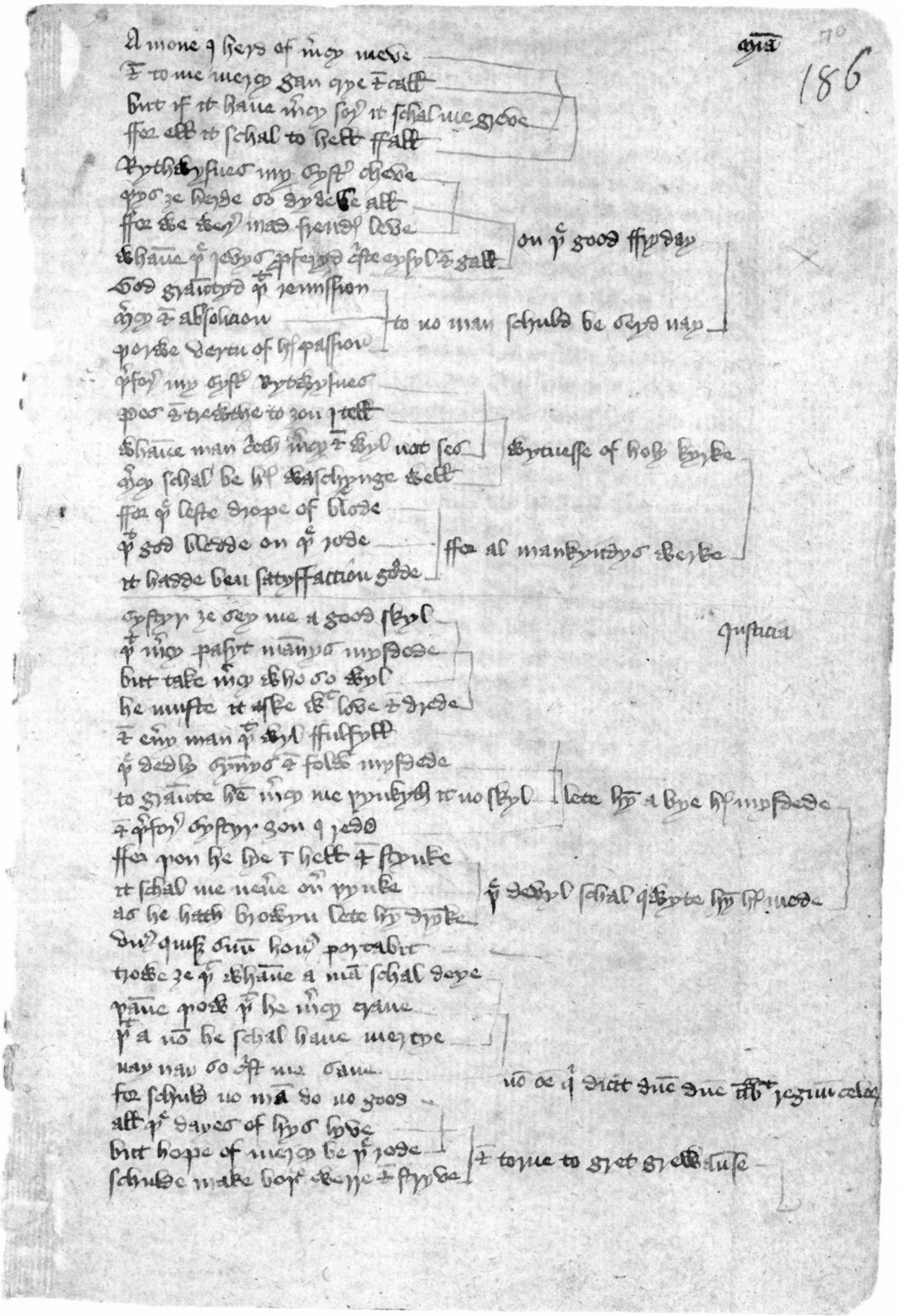

Mia 70 186

A mone I here of mercy meve
& to me mercy gan crye & calle
but if it haue mercy sore it schal me greve
ffor ell it schal to helle ffall
Rythwysnes my syster cheere
Þis ȝe herde os dydde all
ffor whom mad frendys dede
whanne þe iewys p̄feryd cryste eysyl & gall — on þe good ffryday
God grauntyd þt remyssion
Mercy & absolucion
þorwe vertu of his passion — to no man schulde be werd nay
Þerfor my syster Rythwysnes
Pees & trewthe to ȝou I telle
whanne man cryeth mercy & wyl not ses
Mercy schal be his waschynge well — wytnesse of holy kyrke
ffor þe leste drope of blode
þat god bledde on þe rode
It hadde ben satysfaccion gode — ffor al mankyndys werke

Iusticia

Systyr ȝe sey me a good skyl
Þat mercy passyt mannys mysdede
but take mercy who so wyl
he muste it aske wt love & drede
& euery man þt wyl ffulfylle
þe dedly synnys & folwe mysdede
to graunte hem mercy me þinkyth it no skyl — lete hym a bye his mysdede
& þerfor systyr ȝou I rede
ffor þou he lye in helle & stynke
It schal me neuer ouer þynke
As he hath browyn lete hym drynke — þe devyl schal quyte hym his mede
Vnusquisque suum honus portabit
Trowe ȝe þt whanne a man schal deye
þanne þow þt he mercy crye
þat anon he schal haue mercye
nay nay so cryst me saue — Non omnis qui dicit domine domine intrabit regnum celorum
ffor schulde no man do no good
All þe dayes of hys lyve
but hope of mercy be þe rode
schulde make bothe were & stryve — & torne to gret grevaunse

Who so in hope dothe any dedly synne
to his lyuys ende & wyl not blynne
Rytfully þanne schal he wynne
Crystis gret vengaunse

Veritas

Rytwysnes my syster fre
your jugement is good & trewe
In good feyth so þynkyt me
Late hym his owyn dedys rewe
I am Veritas & trewthe wyl be
In word & werke to olde & newe
Wo neuere man I falle of me
Dampnyd nor sauyd but to his dew
I am euer at mans ende
Whane body & sowle party atwynne
þanne wey I his goodes dedys & his synne
& weþer of hem be mor or mynne
he schal it wyth sone fynde
For I am trewþe & trewþe wyl bere
As grete god hym self dos byd
þat schal no þynge þe sowle dere
but synne þat þe body dyd
Syth þat he deyed in þe coueytous synne
I trewþe wyl þat he goo to pyne
of þat synne cowde he not blynne
þerfor he schal his sowle tyne
to þe pytte of helle
Ellys schulde we boþe trewþe & rytwysnes
Be put to on mekyl dystresse
& euery man schulde be þe wers
þat þerof myth here telle

Pax

Pes my systerys verite
I prey you Rytwysnes be stylle
Lete no man be you dampnyd be
nor deme ye no man to helle
he is on kyn tyl vs thre
þow he haue now not al his wylle
ffor his loue þat deyed on tre
Late saue mankynd fro al peryle
& schelde hym fro myschaunsse
If ye tweyne putte hym to dystresse
It schuld make gret heuynesse
Be twene vs tweyne mercy & pees
& þat were gret greuaunce

who so in hope dothe any dedly synne
to hys lyvys ende & wyl not blynne
Rytfully þanne schal he wynne
Crystis gret vengaunse

VERITAS. Rytwysnes my systyr fre
ȝour Iugement is good & trewe
In good feyth so þynkyth me
late hym hys owyn dedys rewe
I am veritas & trew wyl be
in word & werke to olde & newe
was neuere man in fawte of me
dampnyd nor savyd but it were dew
I am euere at mans ende
whanne body & sowle partyn atwynne
þanne wey I hys goodys dedys & hys synne
& weydyr of hem be more or mynne
he schal it ryth sone fynde

for I am trewþe & trewþe wyl bere
as grete god hym self vs byd
þer schal no þynge þe sowle dere
but synne þat þe body dyd
syth þat he deyed in þat Coveytous synne
I trewþe wyl þat he goo to pyne
of þat synne cowde he not blynne
þerfore he schal hys sowle tyne
to þe pytte of hell
Ellys schuld we boþe trewþe & rytwysnes
be pud to ouyr mekyl dystresse
& euery man schuld be þe wers
þat þer of myth here tell

PAX. Pes my systyr verite
I preye ȝou Rytwysnes be stylle
lete no man be ȝou dampnyd be
nor deme ȝe no man to helle
he is on kyn tyl vs thre
þow he haue now not al hys wylle
ffor hys loue þat deyed on tre
late saue mankynd fro al peryle
& schelde hym fro myschaunsse
If ȝe tweyne putte hym to dystresse
it schuld make gret hevynesse
be twene vs tweyne Mercy & Pes
& þat were gret grevaunce

3179 þynkyth] *F* þynkit *E* þynkyth
3187 goodys] *FE emend to* goode
3200 pud] *E emends to* put

3215 *This tail-rhyme line would normally be written over to the right.*

Rytwysnes & trewthe do be my red
& Mercy go we to ȝone hey place
we schal enforme þe hey godhed
& pray hym to deme þis case
ȝe schal tell hym ȝoure entent
of trewthe & of Rytwysnesse
& we schal pray þat hys Iugement
may pase be vs mercy & Pes
all ffoure now go we hens
wytly to þe Trinite
& þer schal we sone se
what þat hys Iugement schal be
wyth ovtyn any deffens
tunc ascendet ad prem omnes pariter & dixit verita[s]

VERITAS. heyl god al myth : we cum þi dowterys in syth
Trewth Mercy & Ryth : & Pes pesyble in ffyth

MISERICORDIA. we cum to preve : if man þat was þe ful leve
If he schal cheve : to hell or heuene be þi leve

IUSTICIA. I Rytwysnes : þi dowtyr as I ges
late me neuere þe lesse : at þi dom putte me in pres

PAX. Pesyble kynge : I pes þi dowtyr ȝynge
here my Preyinge : whanne I pray þe lord of a thynge

DEUS. welcum in ffere : bryther þanne blossum on brere
My dowterys dere : cum forth & stand ȝe me nere

VERITAS. lord as þou art kyng of kyngys crownyd wyth crowne
as þou lovyste me Trewþe þi dowtyr dere
lete neuere me trewþe to fall a downe
my feythfful ffadyr saunz pere
Quoniam veritatem dilexisti
ffor in all trewthe standyth þi renowne
þi feyth þi hope & þi powere
lete it be sene lord now at þi dome
þat I may haue my trewe prayere
to do trewþe to mankynd
for if mankynd be dempte be ryth
& not be Mercy most of myth
here my threwthe lord I þe plyth
in presun man schal be pynyd

lord whov schuld mankynd be savyd
syn he dyed in dedly synne
& all þi comaundementys he depravyd
& of fals covetyse he wolde neuere blynne
Aurum sitisti Aurum bibisti

3228 wyth ovtyn] *F* with-owtyn *E* Wythovtyn
3228 S.D. ascendet] *FE emend to* ascendent; prem] *F* Patrem *E* PATREM; pariter] *F* paritores *E* pariter; dixit] *F emends to* dicat, *E to* dicet
3229–48 *double lines, numbered accordingly*
3252a Quoniam] *F* Quia *E* Quoniam
3253 standyth] *F* standit *E* standyth
3260 threwthe] *E emends to* trewthe

71
187

Ryghtwysnes & trewthe do be my red
& they go we to yone hey place
we schal enforme þe hey godhed
& pray hym to deme þis case
ye schal tell hym your entent
of trewthe & of ryghtwysnesse
& we schal pray þat his iugement — All fforþe now go we hens
may passe be vs tweyn & pes
wyth to þe Trinite
& þat schal we sone se — wythoutyn any dessens
what þat his iugement schal be — tunc ascendent ad patrem omnes pariter & dicat veritas

Veritas
Heyl god al myghty: we cum þi doughterys in syght
Trewth mercy & ryght: & pees pesyble in fyght

Misericordia
We cum to preve: if man þat was þi ful lef
yf he schal cheve: to helle or hevene be þi lef

Justicia
I ryghtwysnes: þi doughter as I ges
late me nevere þe lesse: at þi dom putte me in pres

Pax
Pesyble kynge: I pees þi doughter yinge
here my preyinge: whanne I pray þe lord of all thynge

Deus
Welcum in fere: brytther þanne blossum on brere
my doughterys dere: cum forth & stand ye me nere

Veritas
lord as þou art kyng of kyngys crownyd wyth crowne
as þou lovyste me Trewthe þi doughter dere
lete nevere me trewþe to fall adowne — Quia veritate dilexisti
my feythful ffadyr saunz pere
ffor in all trewthe standyth þi renowne
þi feyth þi hope & þi powere
lete it be sene lord now at þi dome — to do trewþe to mankynd
þat I may have my trewe prayere
for if mankynd be demyd be ryght
& not be mercy most of myght
here my trewthe lord I þe plyght — in presun man schal be pynyd
lord whow schulde mankynd be savyd
syn he dyed in dedly synne
& all þi comaundementys he depravyd
& of fals covetyse he wolde nevere blynne — dum citisti dum bibisti

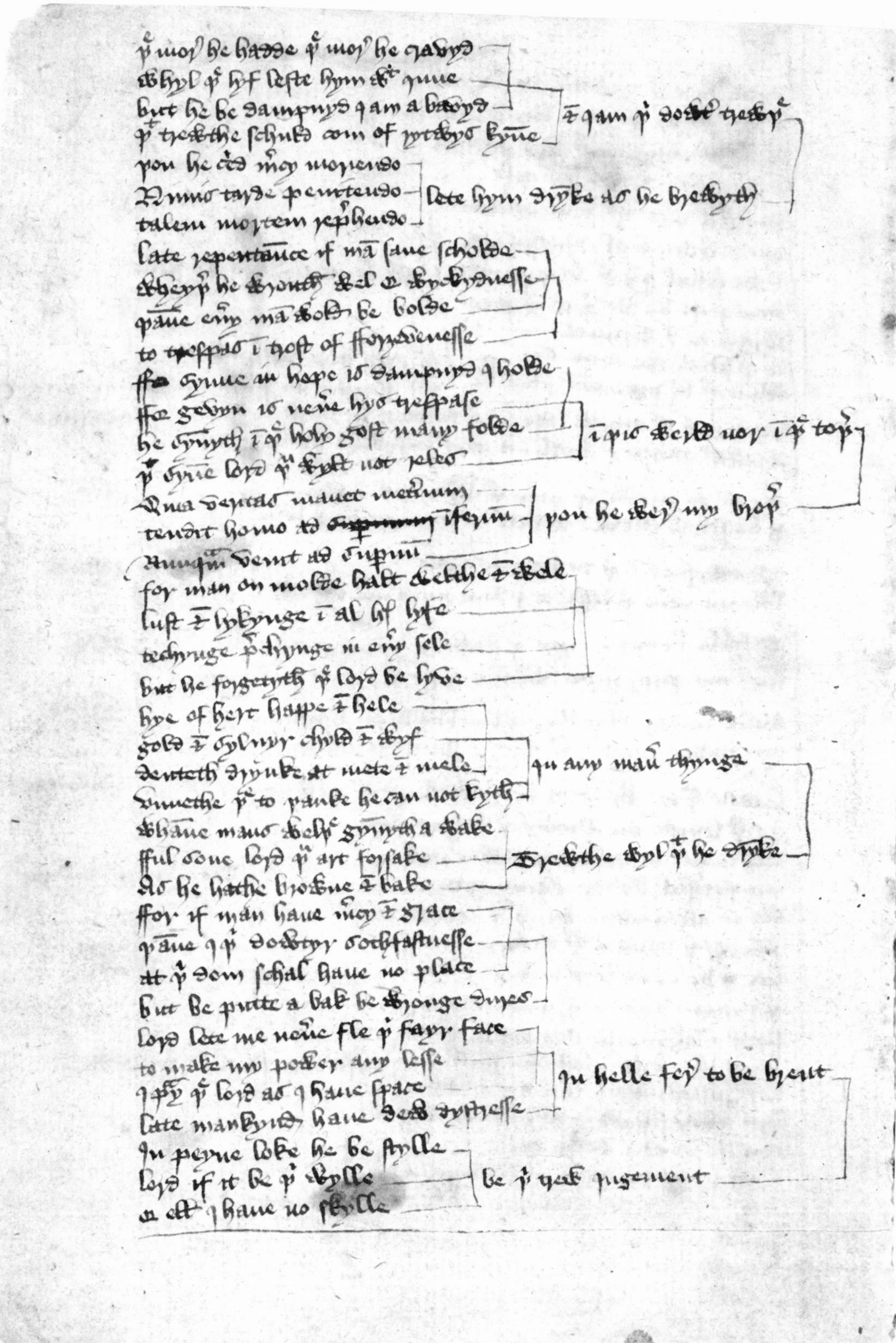
þe more he hadde þe more he crauyd
Whyl þat lyf leste hym with-inne
But he be dampnyd I am a bowyd
þat wrethe schuld com of wrechys kynne
& I am þe dowte therfore
Non hec est mors moriendo
Nimis tarde penitendo
talem mortem reprehendo
Late hym drynke as he brewyth
Late repentaunce if man save scholde
Wherþer he wrouȝt wel or wyckydnesse
Þanne euery man wold be bolde
to trespas in trost of fforȝeuenesse
ffor synne in hope is dampnyd I holde
ffor geuyn is neuer hys trespase
he synnyth in þe holy gost many foldis
þat synne lord þou wylt not relese
in þis werld nor in þe toþer
Quia veritas manet medium
tendit homo ad supremum iterum
Numquam venit ad supinum
Non he wer my broþer
For man on molde halt welthe & wele
lust & lykynge in al his lyfe
techynge prechynge in euery sele
but he forgetyth þe lord be lyve
hye of hert happe & hele
gold & syluyr child & wyf
deyntethe drynke at mete & mele
unnethe þe to þanke he can not kythe
in any maner thinge
Whane mans welþe synnyth a wake
ffull sone lord þou art forsake
As he hathe browne & bake
Drenkethe wyl þat he drynke
ffor if man haue merci & grace
þanne I þe dowtyr sothfastnesse
at þe dom schal haue no place
but be putte a bak be wronge dures
Lord lete me neuer fle þi fayr face
to make my power any lesse
I pray þe lord as I haue space
late mankynd haue dew ryȝtnesse
In helle fer to be brent
In peyne loke he be stylle
lord if it be þi wylle
or ellys I haue no skylle
be þat trew iugement

þe more he hadde þe more he cravyd
whyl þe lyf lefte hym wyth Inne
but he be dampnyd I am a bavyd
þat trewthe schuld com of rytwys kynne
& I am þi dowtyr trewþe
þou he cried mercy moriendo
Nimis tarde penitendo
talem mortem reprehendo
lete hym drynke as he brewyth

late repentaunce if man saue scholde
wheyþyr he wrouth wel or wyckydnesse
þanne euery man wold be bolde
to trespas in trost of fforȝevenesse
ffor synne in hope is dampnyd I holde
ffor gevyn is neuere hys trespase
he synnyth in þe holy gost many folde
þat synne lord þou wylt not reles
in þis werld nor in þe toþyr
Quia veritas manet ineternum
tendit homo ad infernum
Nunquam venit ad supernum
þou he were my broþyr

for man on molde halt welthe & wele
lust & lykynge in al hys lyfe
techynge prechynge in euery sele
but he forgetyth þe lord be lyve
hye of hert happe & hele
gold & syluyr chyld & wyf
denteth drynke at mete & mele
vnnethe þe to þanke he can not kyth
In any maner thynge
whanne mans welþe gynnyth a wake
fful sone lord þou art forsake
As he hathe browne & bake
Trewthe wyl þat he drynke

ffor if man haue mercy & grace
þanne I þi dowtyr sothfastnesse
at þi dom schal haue no place
but be putte a bak be wronge dures
lord lete me neuere fle þi fayr face
to make my power any lesse
I þray þe lord as I haue space
late mankynd haue dew dystresse
In helle fere to be brent
In peyne loke he be stylle
lord if it be þi wylle
or ell I haue no skylle
be þi trew Iugement

3278 trespas] r *written over another letter* (?)
3279 ffor] or *not clearly distinguished from* o
3285 infernum] supernum *canc. before* infernum (*E*)
3312 ell] *F* ellys *E* ell

MISERICORDIA. O pater misericordiarum & deus tocius consolacionis
qui consolatur nos in omni tribulacione nostra
O þou fadyr of mytys moste
Mercyful god in Trinite
I am þi dowtyr wel þou woste
& mercy fro heuene þou browtyst fre
schew me þi grace in euery coste
In þis cas my counforte be
lete me lord neuere be loste
at þi Iugement whov so it be
of mankynd
Ne had mans synne neuere cum in cas
I mercy schuld neuere in erthe had plas
þerfore graunte me lord þi grace
þat mankynd may me fynd

& mercy lord haue on þis man
aftyr þi mercy þat mekyl is
vn to þi grace þat he be tan
of þi mercy þat he not mys
as þou descendyst fro þi trone
& lyth in a maydyns wombe I wys
In carnat was in blod & bone
lat mankynd cum to þi blys
as þou art kynge of heuene
ffor werldly veyn glory
he hathe ben ful sory
Punchyd in purgatory
for all þe synnys seuene

Si pro ppeccato vetus adam non cecidisset
Mater pro nato numquam grauidada ffuisset
Ne had Adam synnyd here be fore
& þi hestys in paradys had offent
Neuere of þi modyr þou schuldyst a be bore
ffro heuene to erthe to haue be sent
but xxx^{ti} wyntyr here & more
bowndyn & betyn & al to schent
Scornyd & scovrgyd sadde & sore
& on þe rode rewly rent
Passus sub pilato poncio
as þou henge on þe croys
on hye þou madyste a voys
mans helthe þe gospel seys
whanne þou seydyst scitio
scilicet salutem animarum

þane þe Ieves þat were vnquert
dressyd þe drynke Eysyl & galle
it to taste þou myth nowth styrt
but seyd consummatum est was alle
a knyt wyth a spere so smert
whanne þou forgafe þi fomen þrall
he stonge þe lord vn to þe hert
þanne watyr & blod gan ovte wall
aqua baptismatis & sanguis redempcionis

3313a misericordiarum] *F* maxime *E* misericordiarum
3339a ppeccato] *E emends to* peccato
3339b grauidada] *FE emend to* grauidata
3345 schent] *written above* rent, *canc.* (*E*)
3349 croys] y *written over another letter* (?)
3352 scitio] *F* scicio *E* Scitio
3361 baptismatis] *F* bap[t]ismatis

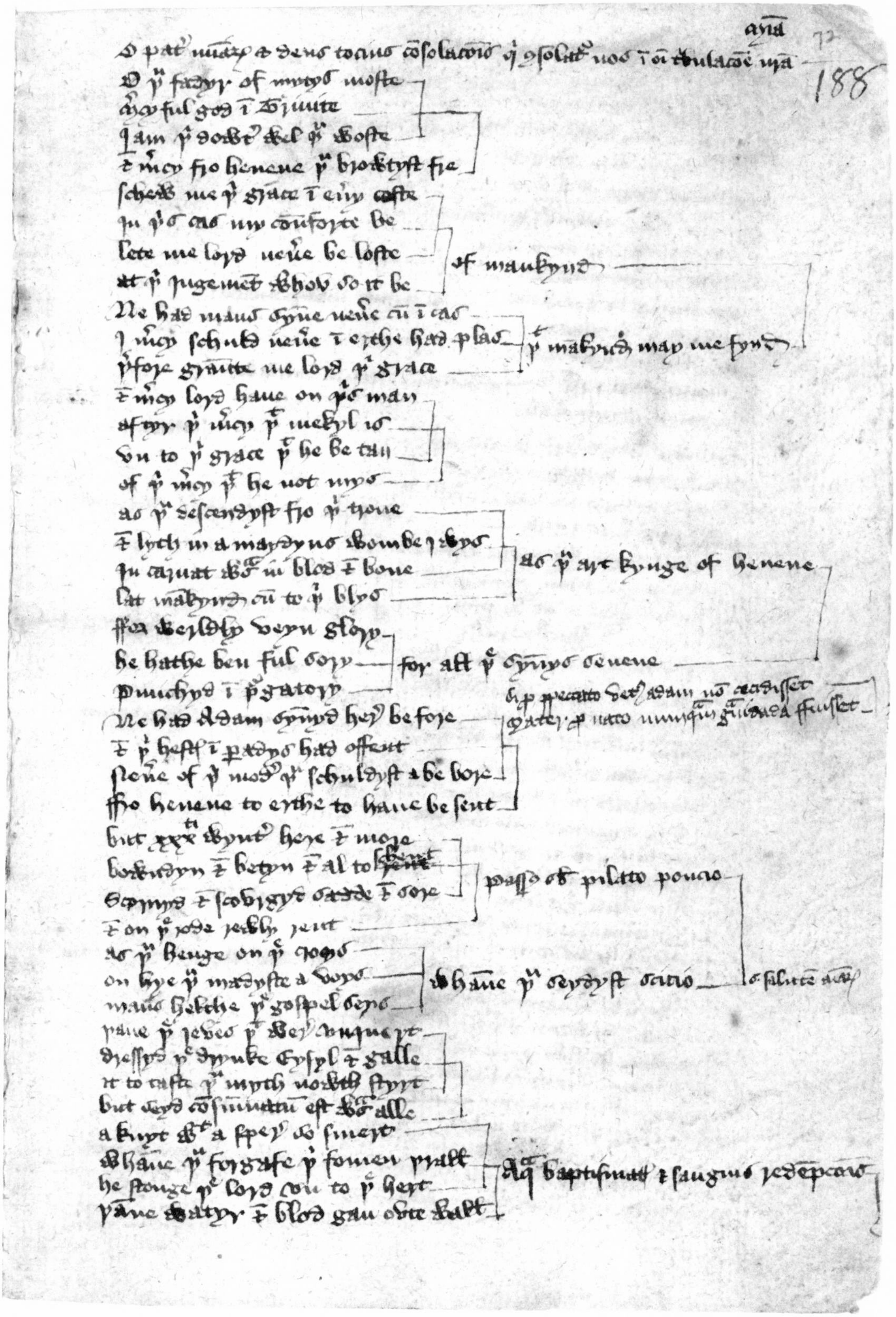

72 188

O pater misericordiarum et deus totius consolacionis qui consolatur nos in omni tribulacione nostra

O þu fadyr of myʒtys moste
Mercyful god in trinite
I am þi doughter wel þu woste
& mercy fro heuene þu broughtyst fre
Schewe me þi grace in euery coste
In þis cas my conforte be
Lete me lord neuer be loste
At þi iugement whow so it be — of mankynd
Ne had man synned neuer in cas
Mercy schuld neuer in erthe had plas — þat mankynd may me fynd
Therfore graunte me lord þi grace
& mercy lord haue on þis man
Aftyr þi mercy þat mekyl is
Vn to þi grace þat he be tan
Of þi mercy þat he not mys
As þu descendyst fro þi trone
& lyʒt in a maydyns wombe iwys — As þu art kynge of heuene
In carnat was in blod & bone
Lat mankynd cum to þi blys
For werldly weyn glory
He hathe ben ful sory — For all þe synnys seuene
Punchyd in purgatory
Ne had Adam synnyd here before — Nisi peccatum detur Adam non descendisset / Mater pietatis nunquam fuisset
& þi hest in paradys had offent
Neuer of þi moder þu schuldyst a be bore
Fro heuene to erthe to haue be sent
But xxxti wyntur here & more
Bowndyn & betyn & al to schent — Passus sub Pilato Poncio
Scornyd & scowrgyd sadde & sore
& on þe rode rewly rent
As þu henge on þe crosse
On hye þu madyst a vose — Whane þu cryedyst sitio — Pro salute mea
Man as tellethe þe gospel wyse
Thane þe Iewes þat wer vnwyse
Dressyd þe drynke eysyl & galle
It to taste þu myʒt noʒt styrt
But seyd consummatum est was alle
A knyʒt wyth a sper so smert
Whane þu forgafe þi fomen [illegible] — Aqua baptismatis & sanguinis redempcionis
He stonge þe lord euen to þe hert
Thane watyr & blod gan owte walle

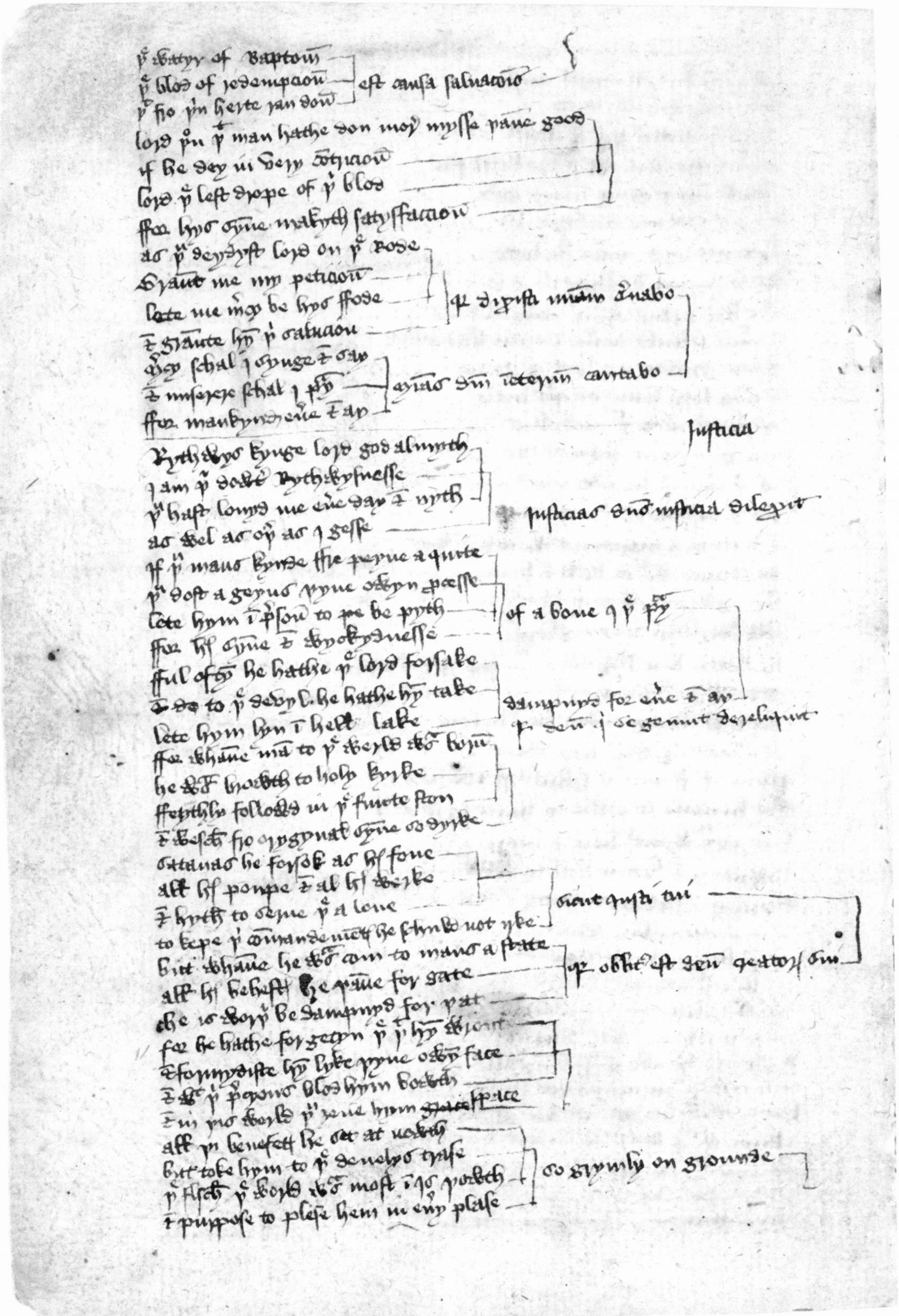

3362 Baptomm] *F* Baptoum *E* baptomm
3373 salucion] *F reads* saluacion *E emends to* saluacion
3374 seruabo] *F reads* (?) arenabo, *emends to* amabo *E* seruabo
3382a Iusticias] quia *partly erased before* Iusticias (*E*)
3383 If] *F* Iff *E* If; ffre] *F reads* Fro *E emends to* fro
3385 preson] *F* prison *E* preson; be] pe *canc. before* be (*E*)
3389 to] do *canc. before* to (*E*)
3390 hell] *F* helle
3397 ponpe] *FE emend to* pompe
3403 he] *a blot or stain before* he
3404 deum] *E emends to* Domini
3408 space] grace *canc. before* space, *which is elevated somewhat above the line* (*E*)
3411 flsch] *FE emend to* flesch; Is] *E emends to* his

þe watyr of Baptomm
þe blod of redempcioun
þat fro þin herte ran doun
est causa saluacionis

lord þou þat man hathe don more mysse þanne good
if he dey in very contricioun
lord þe lest drope of þi blod
ffor hys synne makyth satysfaccioun
as þou deydyst lord on þe Rode
Graunt me my peticioun
lete me mercy be hys ffode
& graunte hym þi salucion
quia dixisti misericordiam seruabo
Mercy schal I synge & say
& miserere schal I pray
ffor mankynd euere & ay
Misericordias domini ineternum cantabo

IUSTICIA. Rythwys kynge lord god almyth
I am þi dowtyr Rythwysnesse
þou hast louyd me euere day & nyth
as wel as oþyr as I gesse
Iusticias dominus iusticia dilexit
If þou mans kynde ffre peyne a quite
þou dost a geyns þyne owyn processe
lete hym in preson to be pyth
ffor hys synne & wyckydnesse
of a bone I þe pray
fful oftyn he hathe þe lord forsake
& to þe devyl he hathe hym take
lete hym lyn in hell lake
dampnyd for euere & ay
quia deum qui se genuit dereliquit

ffor whanne man to þe werld was bornn
he was browth to holy kyrke
ffeythly followd in þe funte ston
& wesch fro orygynal synne so dyrke
satanas he forsok as hys fone
all hys ponpe & al hys werke
& hyth to serue þe a lone
to kepe þi commandementys he schuld not irke
sicut Iusti tui
but whanne he was com to mans a state
all hys behestys he þanne for gate
he is worþi be dampnyd for þat
quia oblitus est deum creatoris sui

for he hathe for getyn þe þat hym wrout
& formydiste hym lyke þyne owyn face
& wyth þi precyous blod hym bowth
& in þis world þou ȝeue hym space
all þi benefetys he set at nowth
but toke hym to þe deuelys trase
þe flsch þe world was most in Is þowth
& purpose to plese hem in euery plase
so grymly on grounde

I pray þe lord lovely
of man haue no mercy
but dere lord lete hym ly
In hell lete hym be bounde

man hathe forsake þe kynge of heuene
& hys good aungels gouernaunce
& solwyd hys sovle wyth synnys seuene
be hys badde aungels comberaunce
vertuis he putte ful evyn a way
whanne Coveytyse gan hym a vaunce
he wende þat he schulde a levyd ay
tyl deth trypte hym on hys daunce
he loste hys wyttys fyve
ouyr late he callyd confescioun
ouyr lyt was hys contricioun
he made neuere satisfaccioun
dampne hym to helle be lyve

ffor if þou take mans sowle to þe
a geyns þi rythwysnesse
þou dost wronge lorde to trewth & me
& puttys us fro oure devnesse
lord lete vs neuere fro þe fle
Ner streyne vs neuere in stresse
but late þi dom be by vs thre
Mankynde in hell to presse
lord I þe be seche
ffor Rytwysnes dwell euere sure
to deme man aftyr hys deseruiture
for to be dampnyd it is hys vre
on man I crie wreche
letabitur Iustus cum viderit vindictam

Misericordia. Mercy my systyr rythwysnes
þou schape mankynde no schonde
leve systyr lete be þi dresse
to saue man lete vs fonde
ffor if man be dampnyd to hell dyrknes
þanne myth I wryngyn myn honde
þat euere my state schulde be les
my fredam to make bonde
mankynd is of oure kyn
ffor I mercy pase al thynge
þat god made at þe begynnynge
& I am hys dowtyr ȝynge
dere systyr lete be þi dyn
Et misericordia eius super omnia opera eius

of mankynde aske þou neuere wreche
be day ner be nyth
for god hym self hath ben hys leche
of hys mercyful myth
to me he gan hym be teche
be syde al hys ryth
for hym wyl I prey & preche
to gete hym fre respyth
& my systyr pese
for hys mercy is wyth out be gynnynge
& schal be wyth outyn begynnynge
as dauid seyth þat worthy kynge
in scriptur is no les
Et misericordia eius a progenie in progenies & cetera

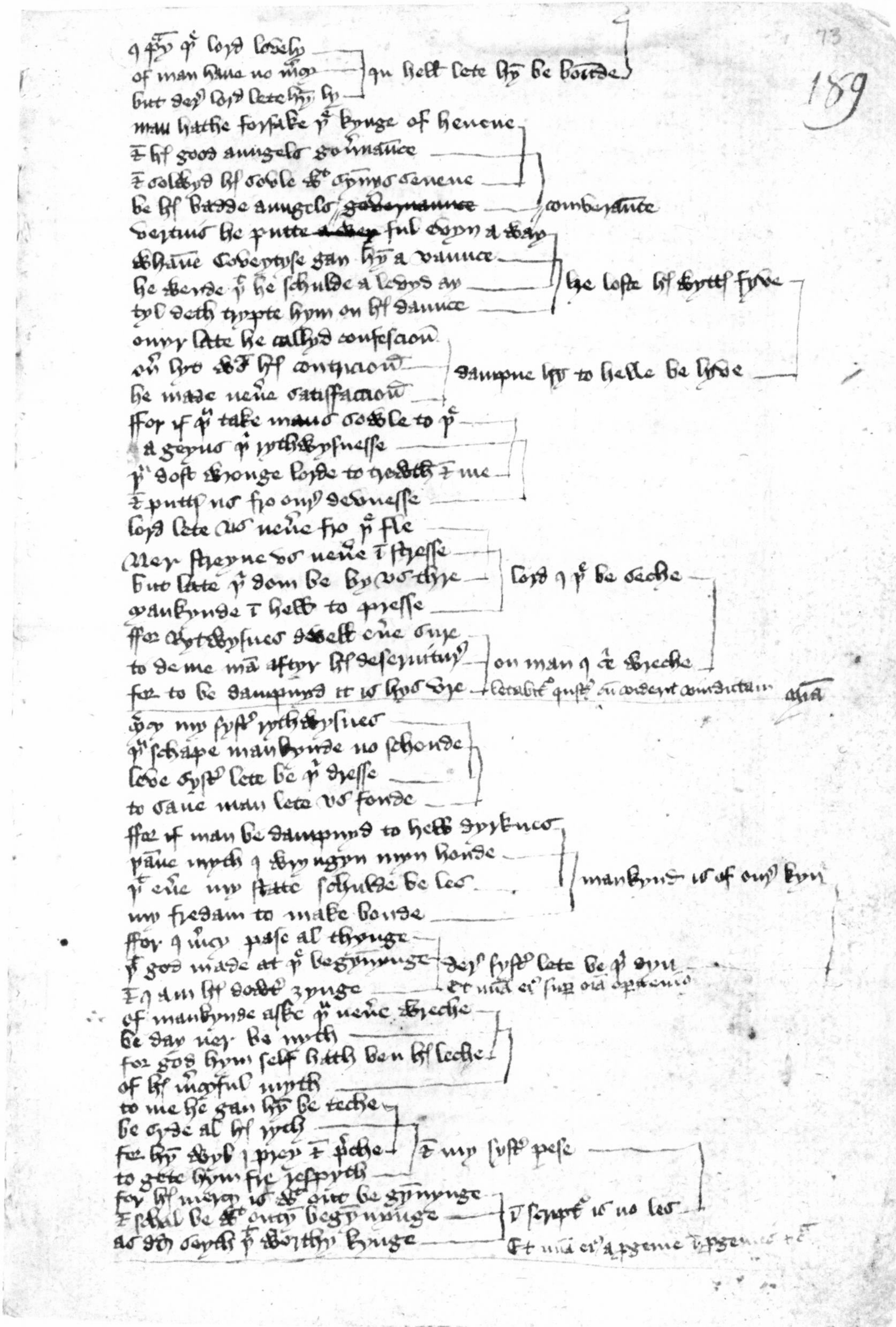

3421 comberaunce] *written in right margin to replace* governaunce, *canc.* (*E*)
3422 ful] a wey *canc. before* ful (*E*)
3427 confescioun] *E* Confescion
3432 a] *some letter erased before* a (?)
3440 dwell] *F reads* dwellis *E emends to* dwellys
3453 al] *F* al[le]
3456a misericordia] *F conjectures emending to* miserationes
3467 begynnynge] *FE emend to* endynge
3469 scriptur] *F* scripture *E* scriptur

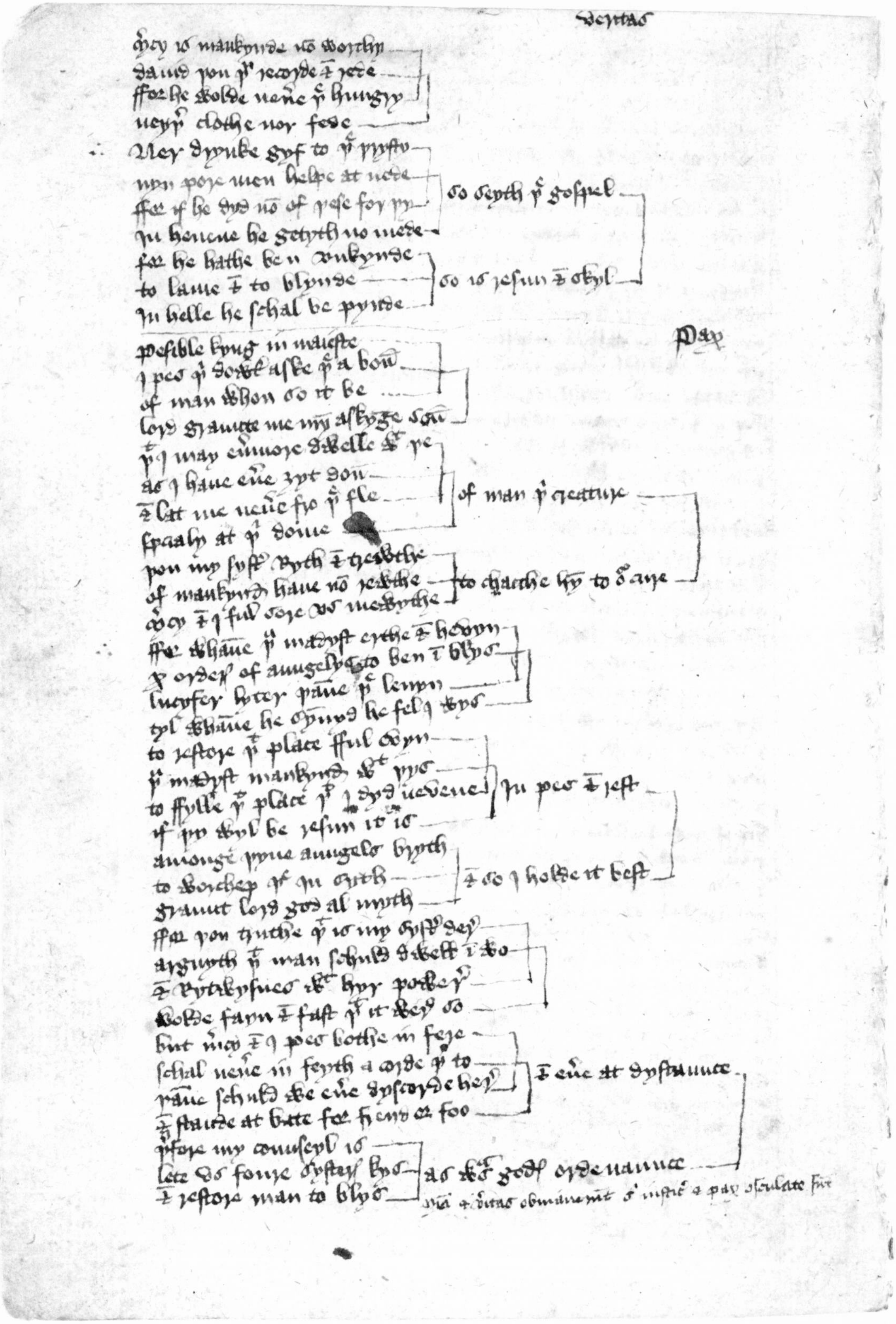
Veritas

Mercy is mankynde no worthy
Dauid þou þat seyde & yere
ffor he wolde neuere þe hungry
neyþer clothe nor fede
Ner drynke gyf to þe thyrsty
Non pore men helpe at nede
ffor if he dyd nost of þese for þi
In heuene he getyth no mede
for he hathe ben vnkynde
to lame & to blynde
In helle he schal be pynde
So seyth þe gospel
So is resun & skyl

Pax

Pesible kyng in maieste
I pes þat wold aske þe a bone
of man whan so it be
lord graunte me myn askyng sone
þat I may euermore dwelle wyth þe
as I haue euere ȝyt don
& lat me neuere fro þe fle
specialy at þe dome
þou my syster ryth & trewthe
of mankynd haue no rewthe
mercy & I ful sore vs mewythe
Of man þe creature
to charche hym to dare
ffor whane þou madyst erthe & heuyn
þe order of aungels to ben in blys
lucyfer lyter þane þe leuyn
tyl whane he synned he fel iwys
to restore þe place ffull evyn
þou madyst mankynd wyth þis
to ffylle þe place þat I dyd neuene
if þou wyl be resun it is
amonge þyne aungels bryth
to worchep þe in syth
graunt lord god al myth
In pes & rest
& so I holde it best
ffor þou trewthe þat is my syster
argewyth þat man schuld dwelle in wo
& ryghtwysnes wyth hyr þerto
wolde fayn & fast þat it were so
but mercy & I pees bothe in fere
schal neuere in feyth acorde þer to
þane schuld we euere dyscorde here
& stande at bate for frend or foo
& euer at dystaunce
þerfore my counseyl is
lete vs foure systers kys
& restore man to blys
As was goddys ordenaunce
Misericordia & veritas obviauerunt sibi iusticia & pax osculate sunt

VERITAS. Mercy is mankynde non worthy
dauid þou þou recorde & rede
ffor he wolde neuere þe hungry
neyþyr clothe nor fede
Ner drynke gyf to þe þrysty
nyn pore men helpe at nede
ffor if he dyd non of þese for þy
In heuene he getyth no mede
so seyth þe gospel
for he hathe ben vnkynde
to lame & to blynde
In helle he schal be pynde
so is resun & skyl

PAX. Pesible kyng in maieste
I pes þi dowtyr aske þe a bonn
of man whou so it be
lord graunte me myn askynge sonn
þat I may euermore dwelle wyth þe
as I haue euere ȝyt donn
& lat me neuere fro þe fle
spcialy at þi dome
of man þi creature
þou my systyr Ryth & trewthe
of mankynd haue non rewthe
Mercy & I ful sore vs mewythe
to cacche hym to oure cure

ffor whanne þou madyst erthe & hevyn
x orderys of aungelys to ben in blys
lucyfer lyter þanne þe leuyn
tyl whanne he synnyd he fel I wys
to restore þat place fful evyn
þou madyst mankynd wyth þys
to ffylle þat place þat I dyd nevene
if þy wyl be resun it is
In pes & rest
amonge þyne aungels bryth
to worchep þe In syth
graunt lord god al myth
& so I holde it best

ffor þou truthe þat is my systyr dere
arguyth þat man schuld dwell in wo
& Rytwysnes wyth hyr powere
wolde fayn & fast þat it were so
but mercy & I Pes bothe in fere
schal neuere in feyth a corde þer to
þanne schuld we euere dyscorde here
& stande at bate for frend or foo
& euere at dystaunce
þerfore my counseyl is
lete vs foure systerys kys
& restore man to blys
as was godys ordenaunce
misericordia & veritas obuiauerunt sibi iusticia & pax osculate sunt

3484 bonn] *F* bone *E* bonn
3486 sonn] *F* sone *E* sonn
3488 donn] *F* done *E* donn
3490 spcialy] *F reads* specialy *E emends to* Specialy; dome] *a blot after* dome
3492 systyr] *F reads* systers *E* systyr
3495 cacche] chacche *with first* h *expunged* (*E*)
3521a sibi] *F reads* sed *E* sibi

ffor if ȝe ryth & truthe schuld haue your wylle
I pes & mercy schuld euere haue trauest
þanne vs be twene had bene a gret perylle
þat oure Ioyes in heuene schuld a ben lest
þerfore gentyl systerys consentyth me tyll
ellys betwene oure self schuld neuere be rest
where schuld be luf & charite late þer cum non ille
loke oure Ioyes be perfyth & þat I holde þe best
In heuene ryche blys
ffor þer is pes wyth owtyn were
þere is rest wyth owtyn ffere
þer is charite wyth owtyn dere
oure fadyris wyll so is
hic pax hic bonitas hic laus hic semper honestas

þerfore Ientyl systerys at on word
truth Ryth & mercy hende
lete us stonde at on a cord
at Pes wyth owtyn ende
late loue & charyte be at oure bord
alle veniauns a wey wende
to heuene þat man may be restoryd
lete us be all hys frende
be fore oure fadyrs face
we schal deuoutly pray
at dredful domysday
& I schal for vs say
þat mankynd schal haue grace
et tuam deus deposcimus pietatem ut ei tribuere digneris lucidas & quie[tas] mansione[s]

lord for þi pyte & þat pes
þou sufferyst in þi pasciounn
boundyn & betyn wyth out les
fro þe fote to þe crounn
tanquam ouis ductus es
whanne gutte sanguis ran a dounn
ȝyt þe Ives wolde not ses
but on þyn hed þei þryst a crounn
& on þe cros þe naylyd
as petously as þou were pynyd
haue mercy of mankynd
so þat he may ffynde
oure preyer may hym a vayle

Pater sedens in trono. Ego cogito cogitaciones pacis non affliccionis
ffayre falle þe pes my dowtyr dere
on þe I þynke & on mercy
syn ȝe a cordyd beth all in fere
my Iugement I wyl ȝeue ȝou by
not aftyr deseruynge to do reddere
to dampne mankynde to turmentry
but brynge hym to my blysse ful clere
In heuene to dwelle endelesly
at ȝour prayere for þi
to make my blysse perfyth
I menge wyth my most myth
alle pes sum treuthe & sum Ryth
& most of my mercy

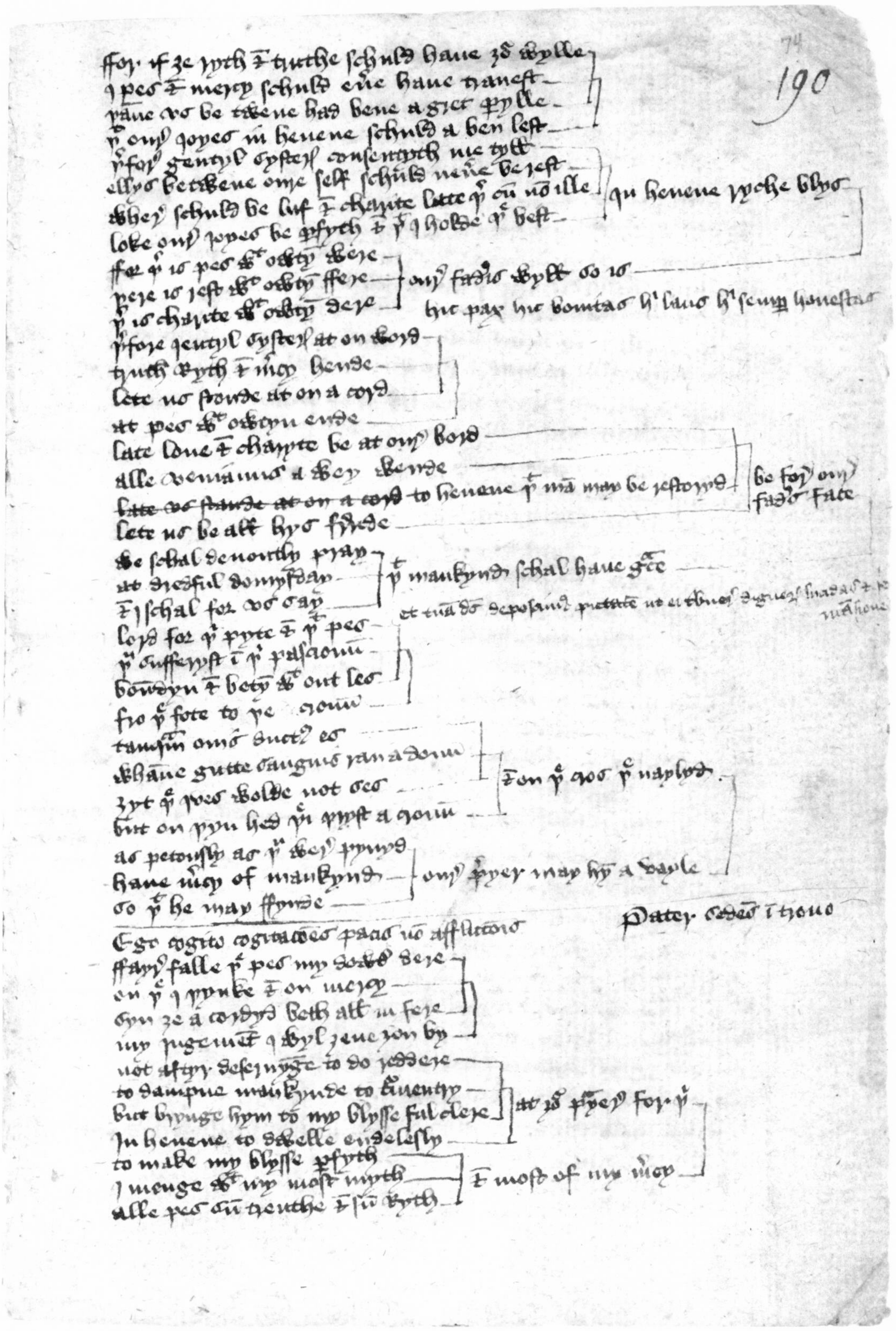

3534 oure] *E* Our
3541 *The scribe first repeated l. 3537* (*writing* late vs stande *instead of* lete us stonde *as in l. 3537*), *then canc. it and wrote the correct line to the right* (*E*).
3549 pasciounn] *E* pascioun
3551 crounn] *E* croun
3553 sanguis] *F proposes* sangu[in]is; a dounn] *FE* adoun
3555 crounn] *E* croun
3560 preyer] *F* prayer *E* preyer

Mia dni plena est terra | Amen / dic filiabz
My dowteres hende : lufly & lusti to lende
God to zoue sende : & fro hym take mankynd
Brynge hym to me : & set hym here be my kne
In heuene to be : in blysse wt gammyn & gle

He schal fulfylle : þu hest as iesu & wylle — Veritas
Ffro zoue god wylle : mankinde to bynge þe tylle

tunc ascendent ad maiu angeli oes quit & dia — Pax
A qu foule wyth : lete go þe soule so tyth
In heue lyth : mankynde sone schal be pyth

Go þu to helle : þu deuyl bold as a belle — Iusticia
Þt þu in to dwelle : in bras & brunston to welle — tunc ascendit ad thronu

Lo here mankynd : lytel pane lef is on hynde — Maria
Þt hath ben pyned : þu men lord lete hym fynde

Pat dedeo i quo

Sicut scintilla in medio maris
My mercy mankynd zeue i þe
Cum syt at my ryth honde
Fful wel haue i louyd þe
Unkynd þow i þe fonde
As a sparke of fyr in þe se
My mercy is synne quenchand
Þu hast cause to loue me
Abovyn al thynge in land — & kepe my comaundement
If þu me loue & drede
Heuene schal be þy mede — þis is myn iugement
My face þe schal fede
et Ego occidam & viuificabo percuciam & sanabo & nemo est qui de manu mea possit eruere
Kyng kayser knyt & kampyoun
Pope patriark prest & prelat i pes
Duke dowtyest in dede be dale & be doun
Lytyl & mekyl þe mor & þe les
All þe statf of þe werld is at my renoun
To me schal þu zeue acompt at my dygne des
Whane myhel wt hym blowe at my dred dom
Þe count of her consciens schal putte hem i pres — & zeld a rekenynge
Of her space whon þey han spent
& of her trew talent — an answer schal me brynge
At my gret iugement

Misericordia domini plena est terra Amen
dicet filiabus
My dowters hende : lufly & lusti to lende
goo to ȝone fende : & fro hym take mankynd

brynge hym to me : & set hym here be me kne
In heuene to be : in blysse wyth gamyn & gle

Veritas. we schal fulfylle : þin hestys as resun & skylle
ffro ȝone gost grylle : mankynde to brynge þe tylle
tunc ascendent ad malum angelum omnes pariter & dicet

Pax. A þou foule wyth : lete go þat soule so tyth
In hene lyth : mankynde sone schal be pyth

Iusticia. Go þou to helle : þu devyl bold as a belle
þer In to dwelle : In bras & brimston to welle
tunc ascendent ad tronum

Misericordia. lo here mankynd : lyter þanne lef is on lynde
þat hath ben pynyd : þi mercy lord lete hym fynde

Pater sedens in iudicio. Sicut sintill in medio maris
My mercy mankynd ȝeue I þe
cum syt at my ryth honde
ffful wel haue I louyd þe
vnkynd þow I þe fonde
as a sparke of fyre in þe se
My mercy is synne quenchand
þou hast cause to love me
a bovyn al thynge in land
& kepe my comaundement
If þou me loue & drede
heuene schal be þi mede
My face þe schal fede
þis is myn Iugement

Ego occidam & viuificabo percuciam & sanabo & nemo est qui de manu mea possit eruere
kyng kayser knyt & kampyoun
Pope patriark prest & prelat in pes
duke dowtyest in dede be dale & be doun
lytyl & mekyl þe more & þe les
all þe statys of þe werld is at myn renoun
to me schal þei ȝeue a compt at my dygne des
whanne Myhel hys horn blowyth at my dred dom
þe count of here conscience schal putten hem in pres
& ȝeld a reknynge
of here space whou þey han spent
& of here trew talent
at my gret Iugement
an answere schal me brynge

3573a s.d. dicet] *F* Dicat *E* Dicet
3574–97 *double lines, numbered accordingly*
3585 s.d. pariter] *F* paritores *E* pariter; dicet] *F* dicat *E* dicet
3588 hene] *FE emend to* heuene
3591 þu] *F reads* þou *E emends to* þou
3593a s.d. ascendent] *F* ascendant *E* ascendent
3597a sintill] *F reads* sintille *E emends to* sintilla

Ecce requiram gregem meum de manu pastoris
& I schal Inquire of my flok & of here pasture
whou þey haue leuyd & led here peple soiet
þe goode on þe ryde syd schul stond ful sure
þe badde on þe lyfte syd þer schal I set
þe vij dedys of mercy who so hadde vre
to ffylle þe hungry for to geue mete
or drynke to þrysty þe nakyd vesture
þe pore or þe pylgrym hom for to fette
þi neybour þat hath nede
who so doth mercy to hys myth
to þe seke or in presun pyth
he doth to me I schal hym qvyth
heuene blys schal be hys mede

Et qui bona egerunt ibunt in vitam eternam qui vero mala in ignem eternum
& þei þat wel do in þys werld here welthe schal a wake
In heuene þei schal heynyd in bounte & blys
& þei þat evyl do þei schul to helle lake
In byttyr balys to be brent my Iugement it is
My vertus in heuene þanne schal þei qwake
þer is no wyth in þis werld þat may skape þis
all men example here at may take
to mayntein þe goode & mendyn here mys
þus endyth oure gamys
To saue ȝou fro synnynge
Evyr at þe begynnynge
Thynke on ȝoure last endynge
Te deum laudamus

hec sunt nomina ludentium

In primis ij vexillatores . Mundus & cum eo voluptas stulticia & garcio
Belyal & cum eo Superbia Ira & Invidia . Caro & cum eo Gula luxuria & accidi[a]
Humanum genus . & cum eo bonus angelus. & malus angelus. Auaricia detraccio
confessio. penitencia. humilitas paciencia caritas abstinencia castitas
Solicitudo & largitas. mors . anima. Misericordia veritas Iusticia & Pax
Pater sedens in trono Summa xxxvj ludentium

3623a pastoris] *F* pastorum *E* pastoris
3626 ryde] *E emends to* ryth
3638 heynyd] *F emends to* heynyd [be] *E to* be heynyd; &] *F* & [in]

(The players' names)
ludentium] *F* ludorum *E* ludentium
6 Summa] *a separating mark before* Summa; ludentium] *F* ludores *E* ludentium

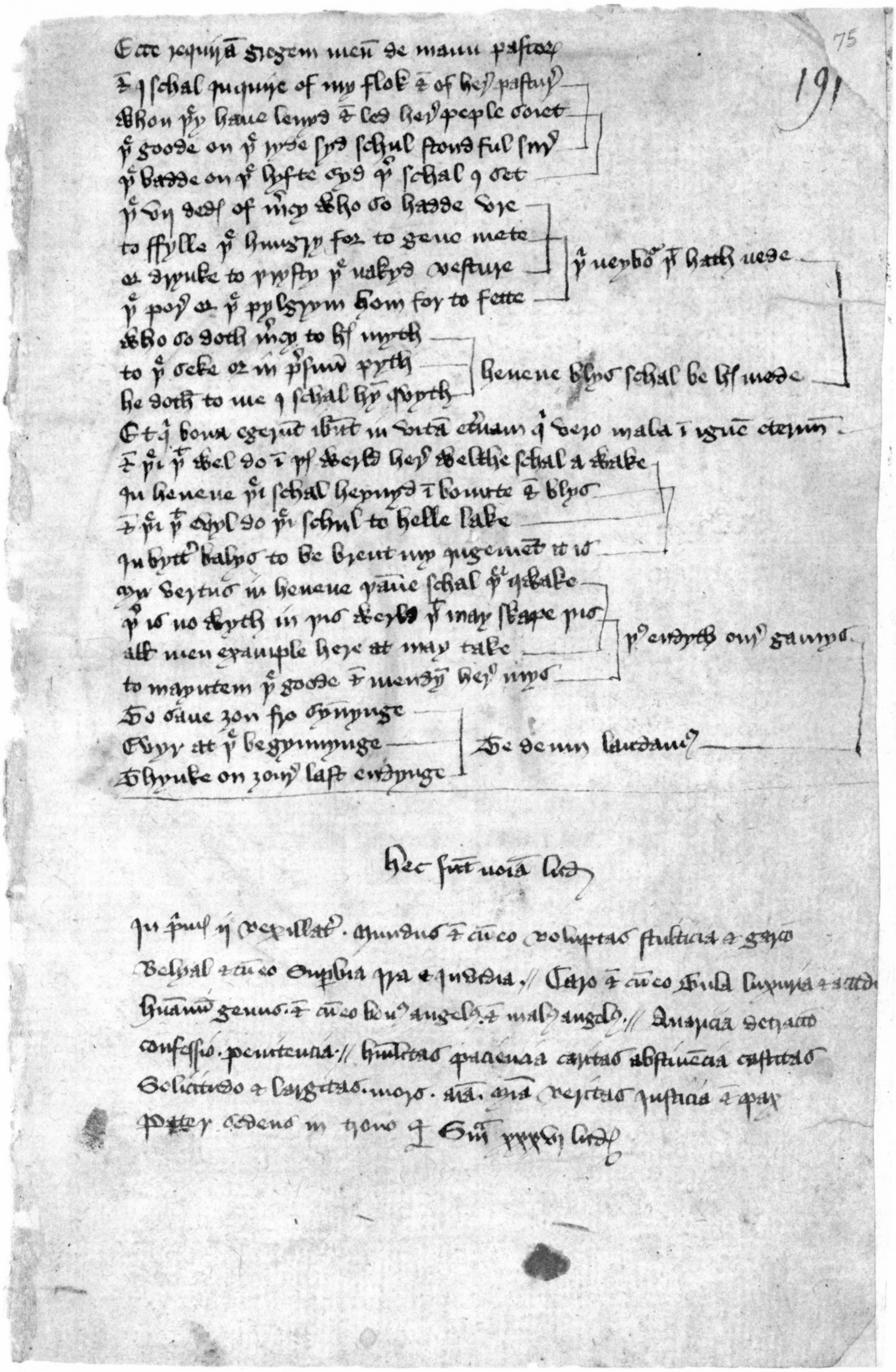

Ecce requiram gregem meum de manu pastorum
& I schal requyre of my flok & of her pastur
Whon þei haue lerned & led her peple ariȝt
þe goode on þe ryȝt syde schul stond ful ryȝt
þe badde on þe lyfte syde þe schal I set
þe [illegible] dedes of mercy who so hadde here
to ffylle þe hungry for to geue mete
or drynke to þrysty þe naked vesture
þe pore or þe pylgrym hom for to fette — þe nedes þat hath nede
who so doth mercy to his myȝt
to þe seke or in prisoun pyth
he doth to me I schal hym quyth — Heuene blys schal be his mede
Et qui bona egerunt ibunt in vitam eternam qui vero mala in ignem eternum
& þen þe wel do & þis world her welthe schal awake
In heuene þei schal [illegible] & bounte & blys
& þen þe euyl do þei schul to helle lake
In bytter balys to be brent my iugement it is
My vertues in heuene þanne schal þei quake
þer is no wyth in þis world þat may scape þis
all men ensample here at may take — þe endyth our gamys
to mayntem þe goode & mende her mys
So saue ȝou þis [illegible]
Cryst at þe begynnynge — Te deum laudamus
Thynke on ȝour last endynge

Hec sunt nomina [illegible]

[illegible] mundus & cum eo voluptas stulticia & [illegible]
Belyal & cum eo superbia ira & invidia // [illegible] & cum eo [illegible] luxuria [illegible]
[illegible] genus & cum eo [illegible] angeli & mali angeli // [illegible]
confessio penitencia // humilitas paciencia caritas abstinencia castitas
[illegible] & largitas [illegible] veritas iusticia & pax
[illegible] sedens in trono [illegible]

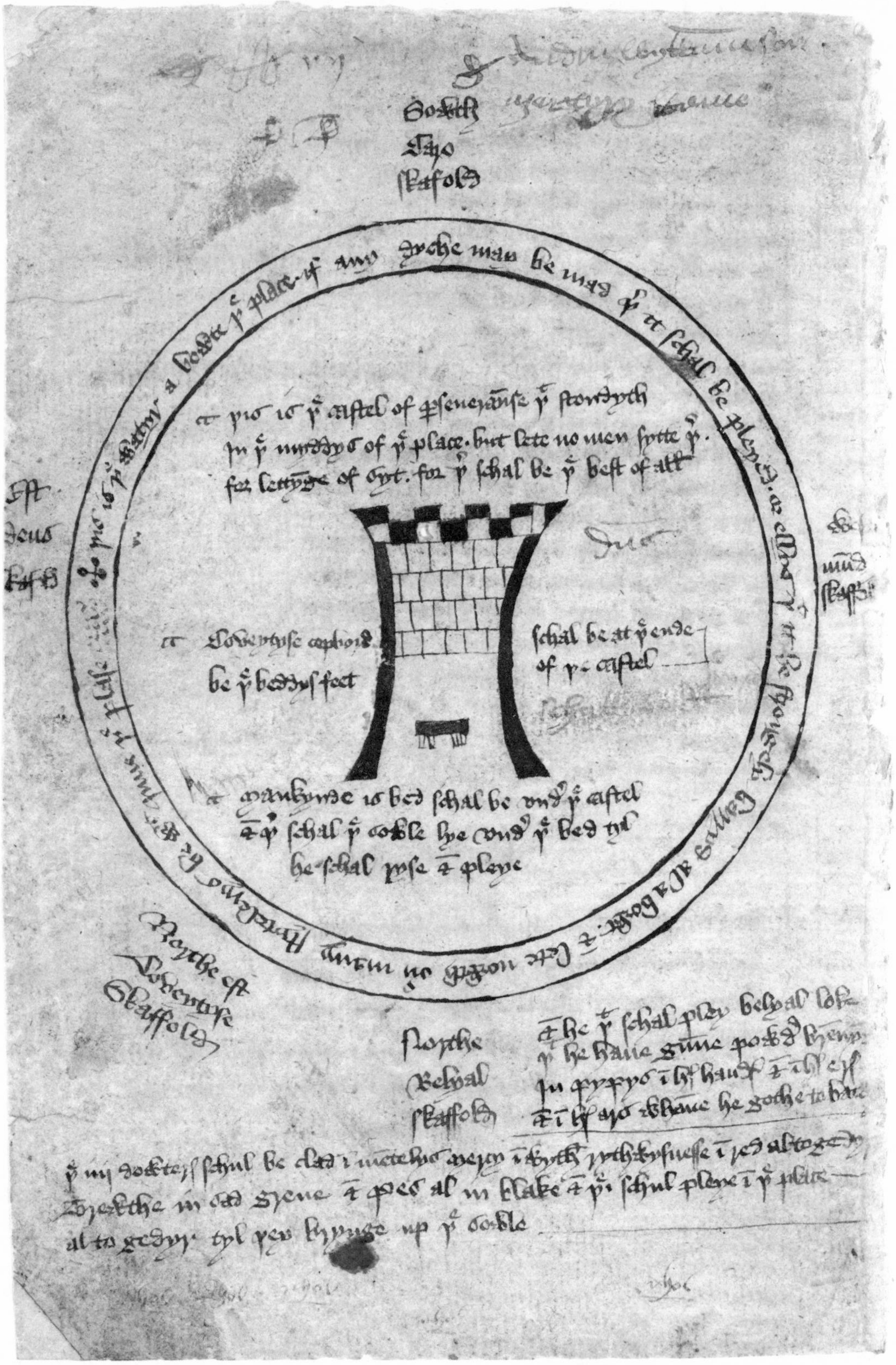
Sowth
Caro
skafold
þis is þe watyr abowte þe place, if any dyche may be mad þer it schal be pleyed, or ellys þat it be strongely barryd al abowt, & lete nowth ovyr many stytelerys be wythinne þe plase
Est
Deus
skafold
West
Mundus
skafold
þis is þe castel of perseueraunse þat stondyth in þe myddys of þe place, but lete no men sytte þer, for lettynge of syt, for þer schal be þe best of all
Coveytyse copbord be þe beddys feet schal be at þe ende of þe castel
Mankyndeis bed schal be vndyr þe castel & þer schal þe sowle lye vndyr þe bed tyl he schal ryse & pleye
Northe est
Coveytyse
skafold
Northe
Belyal
skafold
& he þat schal pley belyal loke þat he haue gunnepowdyr brennynge in pypys in hys handys & in hys erys & in hys ars whanne he gothe to batayl
þe iiii dowterys schul be clad in mentelys, mercy in wyth, rythwysnesse in red altogedyr, trewthe in sad grene, & pes al in blake, & þei schul pleye in þe place al to gedyr tyl þei brynge up þe sowle

Sowth
Caro
skafold

þis is þe watyr a bowte þe place if any dyche may be mad þer it schal be pleyed . or ellys þat it be strongely barryd al a bowt . & lete nowth ouyr many stytelerys be wyth Inne þe plase

þis is þe castel of perseueraunse þat stondyth
In þe myddys of þe place . but lete no men sytte þer
for lettynge of syt . for þer schal be þe best of all

Est deus [s]kafold	Coveytyse copbord be þe beddys feet	schal be at þe ende of þe castel	Wes[t] mund[us] skaffol[d]

Mankynde is bed schal be vndyr þe castel
& þer schal þe sowle lye vndyr þe bed tyl
he schal ryse & pleye

Northe est
Coveytyse
Skaffold

Northe
Belyal
skaffold

& he þat schal pley belyal loke
þat he haue gunne powdyr brennyng[e]
In pypys in hys handys & in hys erys
& in hys ars whanne he gothe to batay[l]

þe iiij dowterys schul be clad in mentelys Mercy in wyth rythwysnesse in red altogedyr
Trewthe in sad grene & Pes al in blake & þei schul pleye in þe place
al to gedyr tyl þey brynge up þe sowle

batayl] *F* bat[tel] *E* batayl
schul pleye] *F* schal pleye *E* schul pleye
There is a cross marking the beginning of the inscription surrounding the diagram, and three paragraph marks resembling a superior a above, to the right of, and below the castle.

at top right of the page, in a later hand, very difficult to decipher: possibly some persons' names, such as Andr Wylliamson (?)
to the right of the castle: dominus (*abbreviated*)
under the inscription "schal be at þe ende of þe castel": schal be at þe *repeated in a later hand, now very faint*
at bottom of the page, upside down: Iohn *four times*

Wisdom

ffyrst enteryde Wysdome in a Ryche purpull clothe of golde [wyth a mantyll of the] same ermynnyde wyth in hawynge a bowt hys neke a [ryall hood furred] wyth Ermyn wp on hys hede a cheweler wyth browys a berde of golde [of sypres] Curlyde a Ryche Imperyall Crown þer wp on sett wyth precyus stonys [& per] lys In hys leyfte honde a balle of golde wyth a cros þer wpp on and in [his] Ryght honde a Regall scheptur thus seyenge

WYSDOM. Yff ȝe wyll wet þe propyrte
Ande þe resun of my nayme imperyall
I am clepyde of hem þat in erthe be
Euerlastynge wysdom to my noble egalle
Wyche name accordyt best in especyall
And most to me ys convenyent
All thow eche persone of þe trinyte be wysdom eternall
And all thre on euerlastynge wysdome to gedyr present

Neuerþeles for as moche as wysdom ys propyrly
Applyede to þe sune by resune
And also yt fallyt to hym specyally
By cause of hys hye generacion
Therfor þe be lowyde sone hathe þis sygnyficacion
Custummaly wysdom now gode now man
Spows of þe chyrche & wery patrone
Wyffe of eche chose sowle thus wysdom be gane

Here entrethe Anima as a mayde in a wyght clothe of golde gyedly purfyled wyth menyver a mantyll of blake þer wppe on a cheuele[r] lyke to wysdom wyth a ryche chappetelot lasyde be hynde hangynge do[wn] wyth ij knottys of golde & syde tasselys knelynge down to wysdom thus s[eyng]

1 S.D. *words in square brackets supplied from the Digby MS (D), Bodleian Library Digby 133, a fragment of the play extending through l. 752* S.D.; enteryde] *D* entreth; Curlyde] *D* curled *FE read* curlyed; precyus] *D* precious riche (*with* riche *added above the line*) (*E*)
3 of] in erthe *canc. before* of (*E*)
4 noble] *D* nobley *F emends to* noblé *E to* nobley
7 wysdom] *D* wysdam *F* wysdam *E* wysdom
10 sune] *D* son
11 to] yt fa *canc. before* to (*E*)
12 hye] *D* highest
14 Custummaly] *D* Customably
15 wery] *D* verray
16 S.D. *letters in square brackets supplied from D;* gyedly] *D* gytely *F* gy[n]tely *E emends to* gysely; menyver] menver *with a* y *over the* n *canc. before* menyver (*E*); chappetelot] *D* chapetelet *E emends to* chappelet; knelynge] ke *canc. before* knelynge (*E*)

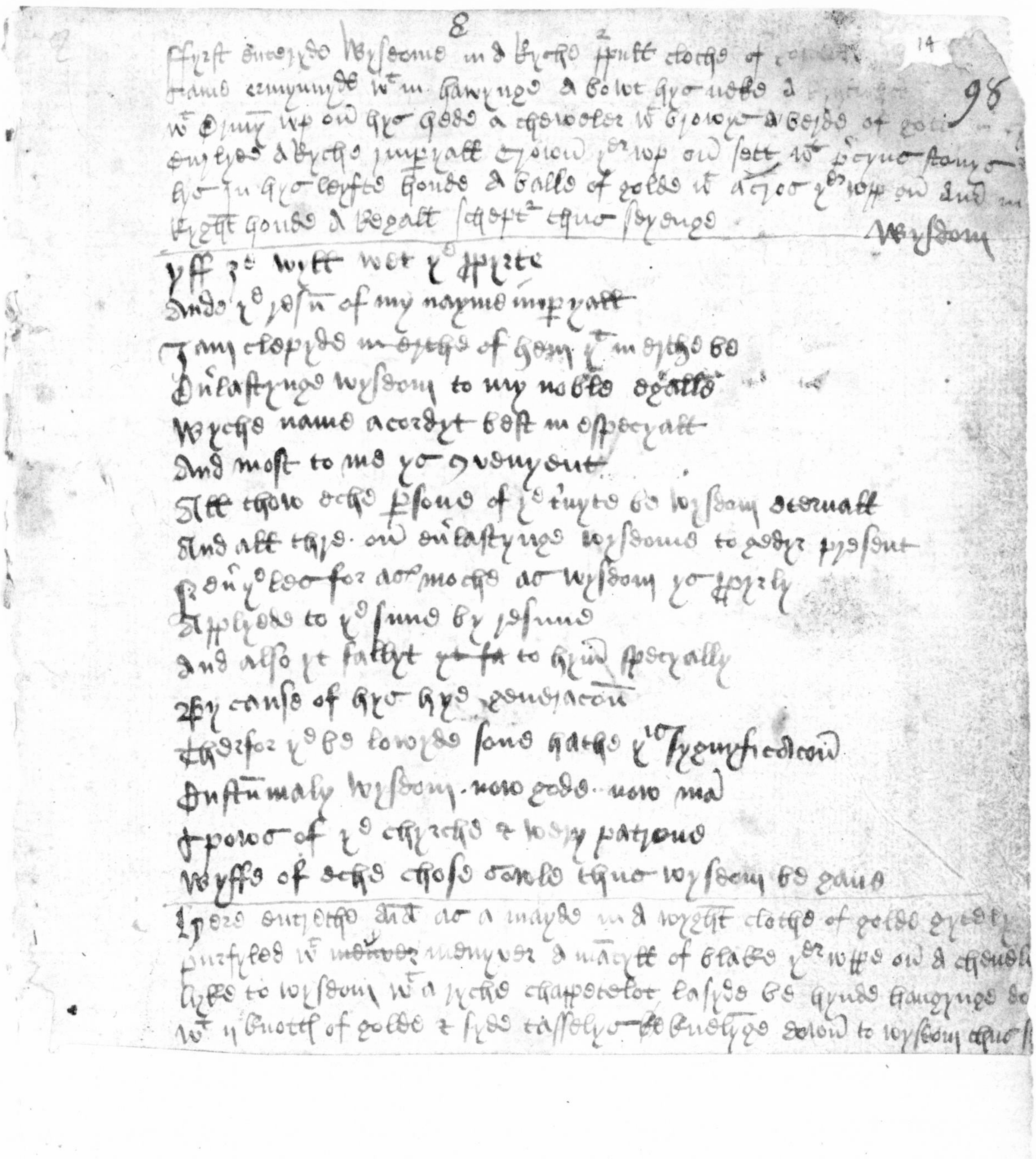

8 14 98

ffyrst enteryde Wysdome in a ryche purull clothe of golde wt a mantyll of the
same ermynnyde wt in hawynge abowt hys neke a ryall hood furred
wt ermyn vp on hys hede a cheweler wt browys a berde of golde of sypres
curlyde a ryche imperyall crown ther vp on sett wt precyus stonys
& perlys in hys leyfte honde a balle of golde wt a cros ther vppon and in
hys ryght honde a regall scheptr thus seyenge

Wysdom

Yff ye wyll wet ye propyrte
Ande ye reson of my nayme imperyall
I am clepyde in erthe of hem yt in erthe be
Euerlastynge wysdom to my noble egall
Wyche name acordyt best in especyall
And most to me ys convenyent
All thow eche person of ye trynyte be wysdom eternall
And all thre on euerlastynge wysdome togedyr present
Neuertheles for as moche as wysdom ys propyrly
Applyede to ye sune by resune
And also yt fallyt ~~yt fa~~ to hym specyally
By cause of hys hye generacon
Therfor ye be lowyde sone hathe this sygnyficacon
Custumaly wysdom now gode now man
Spowse of ye chyrche & wery patrone
Wyffe of eche chose sowle thus wysdom be gane

Here entreth Anima as a mayde in a whyght clothe of golde gysely
purfyled wt ~~menyver~~ menyver a mantyll of blake ther vppe on a cheueler
lyke to wysdom wt a ryche chappelet lasyde be hynde hangynge do
wt ii knottys of golde & syde tasselys knelynge downe to wysdom thus s

in right margin, in a later Tudor hand in mirror writing:
Thus me to cum mande to wryght wyth my left hande (*see also 114*[v]*, bottom*)

Anima. Hanc amaui et exquisiui
ffro my thowte thys haue I sowte
To haue to my spowse most specyally
ffor a louer of yowr schappe am I wrowte
A boue all hele & bewty þat euer was sowght
I haue louyde wysdom as for my lyght
ffor all goodnes wyth hym ys broughte
I wysdom I was made all bewty bryghte

Off yowr name þe hye felycyte
No creature knowyt full exposycion
Wysdam. Sapiencia specialior est sole
I am foundon lyghte wyth owt comparyson
Off sterrys a boue all þe dysposicion
fforsothe of lyght þe very bryghtnes
Merowre of þe dyvyne domynacion
And þe Image of hys goodnes

Wysdom ys better þan all worldly precyosnes
And all þat may dysyryde be
Ys not in comparyschon to my lyknes
The lengthe of þe yerys in my ryght syde be
Ande in my lefte syde ryches ioy & prosperyte
Lo þis ys þe worthynes of my name
Anima. A soueren wysdom yff yowr be nygnyte
Wolde speke of loue þat wer a game
Wysdom.

17 Anima] *partly obscured by the folio number, 99*
18 thowte] *D* yougthe *FE emend to* yougthe
23 ys] *D* he; broughte] n *canc. before* broughte (*E*)
24 I wysdom] *D* In Wysdam *FE emend to* In wysdom
27 Wysdam] *D* Wysdam *F* Wysdom *E* Wysdam
33 worldly] worldy *canc. before* worldly (*E*) *D* wordly *F reads* worldy worldly *uncanc.*
36 lengthe] g *added above the line* (*E*); ryght] ryth *canc. before* ryght (*E*)

at top and bottom of the page and in right margin, the name John *written repeatedly; also, in mirror writing,* Thomas *at l. 23*

in the bottom right margin, in a different ink, M mather mea Et mater tua a cerf que quam (?)

at bottom left, in a later hand, kstf lkbfr pfr (*cipher for* iste liber per; *see* 119v *and* 121v); *above* kstf, Jo *as in* John

at bottom left, upside down, hn (*last two letters of* John) *and* John Thom

at bottom center, a capital J; *to the lower right, the number* ij

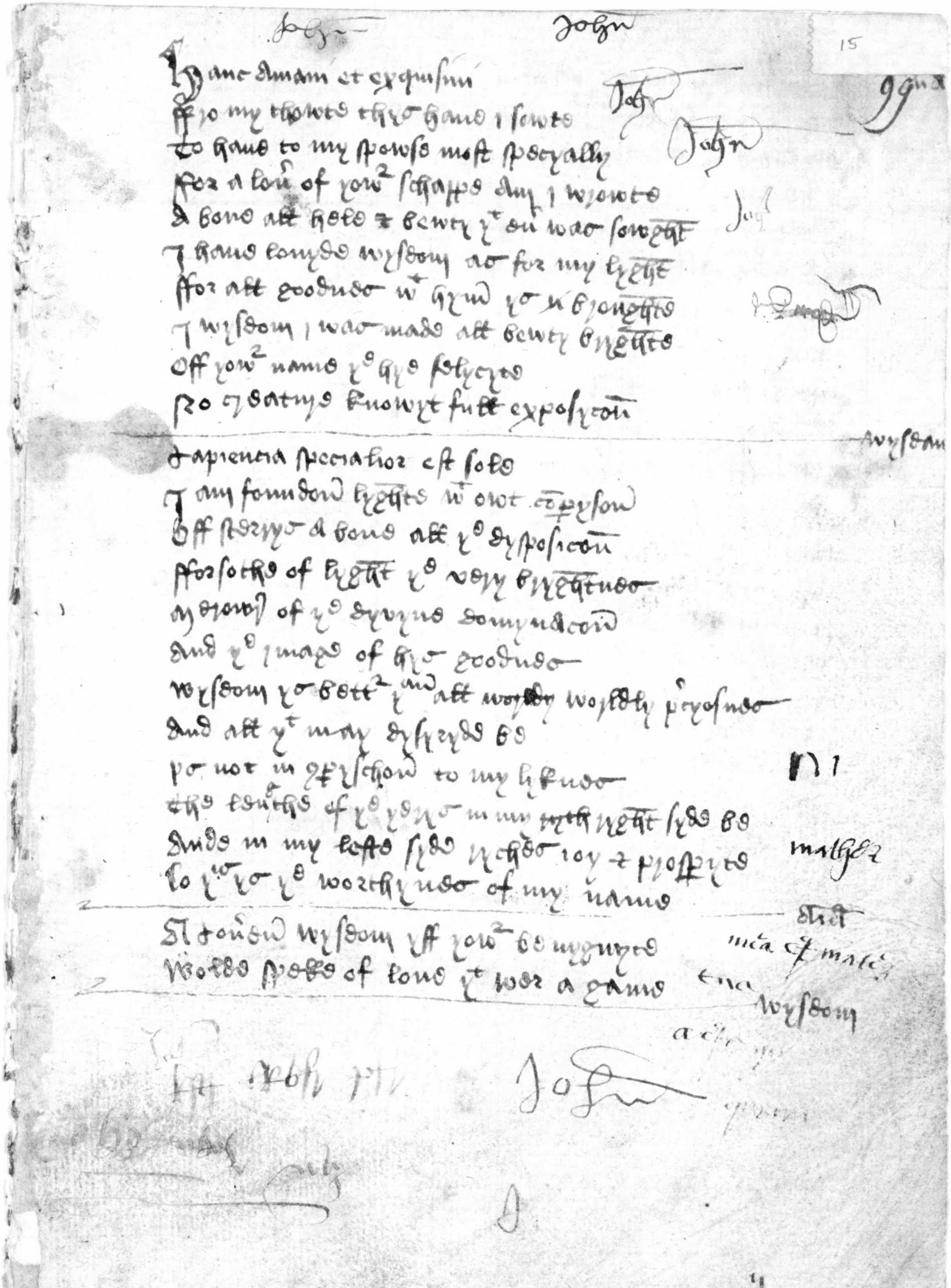
Hanc amaui et exquisiui
ffro my yowthe thys haue I sowte
To haue to my spowse most specyally
ffor a louer of yowr schappe am I wrowte
Above all hele & bewty yt euer was sowght
I haue louyde wysdom as for my lyght
ffor all goodnes wt hym ys broughte
In wysdom I was made all bewty bryghte
Off yowr name ye hye felycyte
No creature knowyt full exposycyon

Sapiencia speciosior est sole
I am foundon lyghte wt owt comparyson
Off sterrys a boue all ye dysposicyon
fforsothe of lyght ye very bryghtnes
Merowr of ye dyvyne domynacion
And ye image of hys goodnes
Wysdom ys better yan all worldly precyosnes
And all yt may dysyryde be
Ys not in comparyschon to my lyknes
The lengthe of ye yerys in my ryght syde be
And in my lefte syde ryches ioy & prosperyte
Lo yis ys ye worthynes of my name

A souereyn wysdom yff yowr benygnyte
Wolde speke of loue yt wer a game
wysdom

Off my loue to speke yt ys myrakle
Ther holde now sowll wt joyfull mynde
How louely i am here amyable
to be halsyde & kyssyde of mankynde
to all clene sowlys i am full kynde
And euer present wer yt they be
I loue my louers wt owtyn ende
That ther loue stande stedfast in me
The prerogatyff of my loue ys so grett
yt we tastyt ther of ye left droppe syn
All lustes & lykyngs worldly xall lett
They xall seme to hym fylthe and ordure
They yt of ye heuy burthen of synne hathe cure
my loue dyschargethe & puryfyethe clene
It strenthe strengthethe ye mynde ye sowll makyt pure
And yewyt wysdom to hem yt perfette bene
Who takyt me to spowse may verely wene
yff a boue all thyngs ye loue me specyally
That rest & tranquyllyte he xall sene
And dey mooste sweetnes of joy spetuall
The hye worthynes of my loue
Angell nor man can tell pleynly
yt may be felt frome experyence aboue
But not spoke ne tolde as yt ys verely
The godly loue no creature can specyfye

[WYSDOM.] Off my Loue to speke yt ys myrable
Be holde now sowll wyth Ioyfull mynde
How louely I am how amyable
To be halsyde & kyssyde of man kynde
To all clene sowlys I am full hende
And euer present wer þat þey be
I loue my lovers wyth owtyn ende
That þer loue haue stedfast in me

The prerogatyff of my loue ys so grett
Þat wo tastyt þer of þe lest droppe sure
All lustys & lykyngys worldly xall lett
They xall seme to hym fylthe and ordure
They þat of þe hewy burthen of synne hathe cure
My loue dyschargethe & puryfyethe clene
It strengtheth þe mynde þe sowll makyt pure
And yewyt Wysdom to hem þat perfyghte bene
Wo takyt me to spowse may veryly wene
Yff a boue all thynge ȝe loue me specyally
That rest & tranqwyllyte he xall sene
And dey in sekyrnes of Ioy perpetuall

The hye worthynes of my loue
Angell nor man can tell playnly
Yt may be felt from experyens a boue
but not spoke ne tolde as yt ys veryly
The godly loue no creature can specyfye
[What wrech is that louyth not this love]

41 yt] *D* it *F* þat *E* yt
47 my] *D* the
50 wo tastyt] *D* who tast
51 worldly] *D* wordely; xall] *D* shall (*and generally elsewhere throughout*)
52 to] *D* tyll
55 strengtheth] strengthe, *with* g *added above the line, canc. before* strengtheth (*E*); makyt] *D* makith

in lower right margin in a later hand: Rfgnpxxlld xxpd (*cipher for* Rainowlld Wod, *except that* fg *ought to be* bk; *see 121*v)

57 Wo] *D* who *F emends to* Who
58 ȝe] *D* ye *F emends to* he; specyally] *D* specially *E emends to* specyall
61 hye] *D* hey loue of my *with* loue of my *subpuncted*
63 from experyens] *D* in experience from *E emends to* in experyens from
66 *line supplied from D, emending to* wrech *from* wreth (*E*)

Þat Louyt Hys Louers euer so tendyrly
That hys syght from them neuer can remowe

ANIMA. O worthy spowse and soueren father
O swet amyke owr ioy owr blys
To yowr loue wo dothe repeyer
All felycyte yn þat creature ys
Wat may I yeue yow a geyn for þis
O creator louer of yowr creature
Though be owr freelte we do a mys
Yowr grett mercy euer sparyth reddure

A soueren wysdom sanctus sanctorum
Wat may I yeue to yowr most plesaunce
WYSDOM. ffili prebe michi cor tuum
I aske not ellys of all þi substance
Thy clene hert þi meke obeysance
yeue me þat & i am contente
ANIMA. A soueren Ioy my hertys affyance
The fervowre of my loue to yow I present

That mekyt my herte yowr loue so ferwent
Teche me þe scolys of yowr dyvynyte
WYSDOM. Dysyer not to sauour in cunnynge to excellent
But drede & conforme yowr wyll to me
ffor yt ys þe heelfull dyscyplyne þat in wysdam may be
The drede of god þat ys begynnynge
The wedys of synne yt makyt to flee
And swete wertuus herbys in þe sowll sprynge
ANIMA.

69 father] faye *canc. before* father (*E*) *D* fayre *FE emend to* fayer
78 may I yeue] *D* I may I yeve; plesaunce] ple (?) *canc. before* plesaunce
83 my] *D* myn
84 present] *D* represente
87 cunnynge] *D* cunnyngys
89 wysdam] *F* Wysdom *E* Wysdam
91 yt] *D* it *F* þat *E* yt

in the right margin and at bottom of the page, p *with one to five cross-strokes indicating* a, e, i, o, *and* u *in cipher; see* 121^{v}; *also* s's *and* f's *at bottom right, number* iij

16

100

yᵗ longt hys louers on so tendyrly
That hys syght from them neuer can remoue — Ani

O worthy spowse and souerayn fayr fayer
O swet amyke owr joy owr blys
To yowr loue wo dothe repeyer
All felycyte in that creatur ys
Wat may I yeue yow ageyn for thys
O creator louer of yowr creatur
Thowgh be owr freelte we do amys
Yowr grett mercy euer sparyth reddure
A souerayn wysdom sanctus sanctorum
Wat may I yeue to yowr most ~~ple~~ pleasaunce — Wysdom

Fili prebe mihi cor tuum
I aske not ellys of all thi substance
Thi clene hert thi meke obeysance
Yeue me that & I am contente — Ani

A souerayn joy my hertys affyaunce
The fervowre of my loue to yow I present
That mekyt my herte yowr loue so fervent
Teche me the scolys of yowr dyvynyte — Wysdom

Dysyer not to sauour in cunnynge to excellent
But drede & conforme yowr wyll to me
For yt ys the heelfull dyscyplyne that in wysdam may be
The drede of god that ys the begynnynge
The wedys of synne yt makyt to flee
And swete vertuse herbys in the sowll sprynge — Ani

O endles wysdom how may I haue knowynge
Off yi godhede incomprehensyble

wysdom

By knowynge of yowr sylff ȝe may haue felynge
Wat gode ys in yowr sowle sensyble
The more knowynge of yowr selff passyble
Ye more veryly ȝe xall god knowe

Anima

O souereyn Auctoryte most credyble
Yowr resons I attende as I owe
I yt represent here ye sowll of man
Wat ys a sowll wyll ȝe declare

wysdom

Yt ys ye ymage of gode yt all be gan
And not only ymage but thy lyknes ȝe ar
Off all creaturys ye fayrest ȝe war
In to ye tyme of Adamys offence

Anima

Lorde sythe we thy sowlys yt nowt wer yer
Wyche of ye fyrst man bye we ye vyolence

wysdom

ffor euery creature yt hath ben or xall
Was in natur of ye fyrst man Adame
Off hym takynge ye fylthe of synne orygynall
ffor of hym all creaturys cam
Than by hym of reson ȝe haue blame
And be made ye bronde of helle
Wen ȝe be bore fyrst of yowr dame
Ȝe may in no wyse in hevyn dwell

[ANIMA.] O endles wysdom how may I haue knowynge
Off þi godhede in comprehensyble
WYSDOM. By knowynge of yowr sylff ȝe may haue felynge
Wat gode ys in yowr sowle sensyble
The more knowynge of yowr selff passyble
Þe more veryly ȝe xall god knowe
ANIMA. O soueren auctoure most credyble
yowr lessun I attende as I owe

I þat represent here þe sowll of man
Wat ys a sowll wyll ȝe declare
WYSDOM. Yt ys þe ymage of gode þat all be gan
And not only ymage but hys lyknes ȝe are
Off all creaturys þe fayrest ȝe ware
In to þe tyme of adamys offence
ANIMA. Lorde sythe we thy sowlys þat nowt wer þer
Wy of þe fyrst man bye we þe vyolence

WYSDOM. ffor euery creature þat hath ben or xall
was in natur of þe fyrst man adame
Off hym takynge þe fylthe of synne orygynall
ffor of hym all creaturys cam
Than by hym of reson ȝe haue blame
And be made þe brondys of helle
Wen ȝe be bore fyrst of yowr dame
Ȝe may in no wyse in hewyn dwell

103 be gan] *D* by gan   107 þat] *or* yet *D* that *F* þat *E* yet

ffor ȝe be dysvyguryde be hys synne
Ande dammyde to derknes from godys syghte
ANIMA. How dothe grace þan ageyn be gynne
Wat reformythe þe sowll to hys fyrste lyght
WYSDOM. Wysdam þat was gode & man ryght
Made a full sethe to þe fadyr of hewyn
By þe dredfull dethe to hym was dyght
Off wyche dethe spronge þe sacramentys sevyn

Wyche sacramentys all synne wasche a wey
ffyrst bapten clensythe synne orygynall
And reformyt þe sowll in feythe verray
To þe gloryus lyknes of gode eternall
Ande makyt yt as fayer and as celestyall
As yt neuer dyffowlyde had be
Ande ys crystys own specyall
hys restynge place hys plesant see

ANIMA. I a sowle watt thyngys be
By wyche he hathe hys very knowynge
WYSDOM. Tweyn partyes þe on sensualyte
Wyche ys clepyde þe flechly felynge
The v. owtewarde wyttys to hym be serwynge
Wan þey be not rewlyde ordynatly
The sensualyte þan wyth owte lesynge
Ys made þe ymage of synne then of hys foly

126 bapten] *D* baptem *F emends to* bapteme *E to* baptem

133 I] *D* In *FE emend to* In; watt] *D* what

135 on] *D* on is the

in the right margin, in pencil, in a considerably later hand: 7 Sacraments

at bottom, in cipher, with one to five cross-strokes on the letter p *to represent* a, e, i, o, *and* u: Robetum oliuer

at bottom right, the number iiij

Ffor ȝe be dysvyguryde be hys synne
Ande dampnyde to derknes from godis syghte

How dothe grace than and begyn be synne — Ania 101
Wat reformythe the sowll to hys fyrste lyght

Wysdam that was gode & man ryght — Wysdom
Made a full sethe to the fadyr of hewyn
By the dredfull dethe to hym was dyght
Off wyche dethe spronge the sacramentis sevyn — 7 Sacra-ments
Wyche sacramentis all synne wasche awey
Ffyrst baptem clensythe synne orygynall
And reformyt the sowll in feythe verray
To the gloryus lyknes of gode eternall
Ande makyt yt as fayer and as celestyall
As yt neuer dyffowlyde had be
Ande ys crystis own specyall
Hys restynge place hys plesant see

In a sowle watt thyngys be — Ania
By wyche he hathe hys very knowynge

Tweyn partyes the on sensualyte — Wysdom
Wyche ys clepyde the fleschly felynge
The v. owtewarde wyttis to hym be seruynge
Whan they be not rewlyde ordynatly
The sensualyte than withowte lesynge
Ys made the ymage of synne then of hys foly

[illegible]

The other partes that ben clepyde resone
Ande that ys the ymage of gode verely
Ffor by that the sowll of gode hathe cognycion
And be that hym servyt & honowyt duly
Be the nether partes of reson he knowyt dyscretly
All erthely thynges how they xall be vsyde
What suffysyth to hys myghtes bodely
Ande what nedyt not to be refusyde
Thes twayn do sygnyfye
Yowr derkenes & yowr aray
Blake & whyte fowll & fayer verely
Every sowll hes that ys no nay
Blake by felynge of synne that cummyth all day
Wyche felynge cummythe of sensualyte
Ande whyte by knowenge of reson veray
Off the blyssyde ynfenyt deyte
Thus a sowle ys bothe fowlle & fayer
Ffowll as a best be felynge of synne
Ffayer as a angell of hevyn the ayer
By knowynge of gode by hys reson within

Thaw mekely I sey thus & begynne
With v. prudent vyrgyns of my reme
Thes be the v wyttes of my sowll within me
Nigra sum sed formosa filia Jerusalem

Ma

5 wits are 5 virgins

The other parte þat ys clepyde resone
Ande þat ys þe ymage of gode propyrly
ffor by þat þe sowll of gode hathe cognycion
And be þat hym serwyt & louevyt duly
Be þe neyther parte of reson he knowyt dyscretly
All erthely thyngys how þey xall be vsyde
Wat suffysyth to hys myghtys bodely
Ande wat nedyt not to be refusyde

Thes tweyn do sygnyfye
Yowr dysgysynge & yowr a ray
Blake & wyght fowll & fayer vereyly
Euery sowll here þis ys no nay
Blake by sterynge of synne þat cummyth all day
Wyche felynge cummythe of sensualyte
Ande wyght by knowenge of reson veray
Off þe blyssyde infenyt deyte

Thus a sowle ys bothe fowlle & fayer
ffowll as a best be felynge of synne
ffayer as a angell of hewyn þe ayer
By knowynge of gode by hys reson wyth in
ANIMA. Than may i sey thus & be gynne
Wyth v. prudent vyrgyns of my reme
Thow be þe v wyttys of my sowll wyth inne
Nigra sum sed formosa filia Ierusalem

141 The] *D* That
143 cognycion] g *added above the line* (*E*) *F* conycion
159 as a] *D* as; ayer] *D* hayr
164 sed] *D* &

at bottom left, in a considerably later hand, in pencil: 5 wits are 5 virgins

Her enteryd v vyrgynes wyth kertyllys & mantelys wyth cheu[elers]
& chappelettys and synge Nigra sum sed formosa filia ierusalem si[cut]
tabernacula cedar & sicut pelles salamonis   va va va

Anima. The doughters of ierusalem me not lake
ffor þis dyrke schadow I bere of humanyte
That as þe tabernacull of cedar wyth owt yt ys blake
Ande wyth Ine as þe skyn of salamone full of bewty
Quod fusca sum nolite considerare me
Quia decolorauit me sol Iouis
Wysdom. Thus all þe sowlys þat in þis lyff be
Stondynge in grace by lyke to thys

A quinque prudentes yowr wyttys fyve
kepe yow clene & ȝe xall neuer deface
ye godys ymage euer xall ryve
ffor þe clene sowll godys restynge place
Thre myghtys euery cresten sowll has
Wyche bethe applyede to þe trinyte
Mynde. All thre here lo by for yowr face
Mynde
Wyll. Wyll
Wndyrstondynge. Ande vndyrstondynge we thre

Wysdam. Ȝe thre declare þan thys
yowr syngnyfycacion & yowr propyrte
Mende.

164 s.d. *words and letters in square brackets supplied from D;* enteryd] *D* entreth; wyth] *D* in white *F* with [white] *E emends to* in white; filia] *F* filia[e]; va va va] *i.e., it is void, cancelled (not found in D)*
168 full] o *canc. before* full
172 by] *D* be *E emends to* be
175 euer] *D* euer *FE emend to* neuer
176 sowll] *D* soule is *F emends to* sowll is *E to* sowll ys
180 vndyrstondynge] wns *canc. before* vndyrstondynge (*E*) *F* Vnderstondynge

Her entryd v vyrgynes wt cerclettys & matches wt crown
& chappelettys And synge Nigra sum sed formosa filia Jerusalem sicut
tabernacula cedar & sicut pelles salamonis

Anima 102

The doughters of Jerusalem me not lake
ffor this dyrke schadow I bere of humanyte
That as the tabernacull of cedar wtout yt ys blake
Ande wtin as the skyn of salamone ys full of bewty
Quod fusca sum nolite considerare me
Quia decoloravit me sol Jovis

Wysdom

Thus all the sowlys that in this lyff be
Stondynge in grace be lyke to thee
A quinque prudentes yowr wyttys fyve
Kepe yow clene & ye xall never deface
Ye goddys ymage never xall ryve
ffor the clene sowll ys goddys restynge place
Thre myghtys every crysten sowll has
Wyche bethe applyede to the trynyte

Mynde

All thre here lo by for yowr face
Mynde

Wyll

Wyll

Vndyrstondynge

Ande ~~wn~~ vndyrstondynge we thys

Wysdam

Ye thre declare than thre
yowr sygnyfycacon & yowr propyrte

Mynde

I am mynde yt in ye sowle ys
The veray fygure of ye deyte
Wen in my selff I haue mynde & se
The benefyttes of gode & hys worthynes
How holi I was mayde how fayer how fre
How glorys how Ilett to hys lykenes
Thys insyght bryngyt to my mynde
Wat grace I ought a geyn
yt thus hathe ordeynyde wt owt ende
Me in hys blys for to reyne
Than myn insuffycyens ys to me peyn
That I haue not wer of to yelde my dett
Thynkynge my selff creature most veyn
Than for sorow my bren I bete
Wen in my mynde I brynge to gedyr
ye yerys & dayes of my synfullnes
The instabullnes of my mynde hedyr & thedyr
My febell fallynge & frelnes
My selff wreche nought than I confes
ffor by my selff I may not ryse
Wt owt specyall grace of godes goodnes
Thus mynde makyt me my selff to dyspyse
I seke & fynde no wey comforte
But only in gode my creatur
Than on to hym I do resorte
And say haue mynde of me my savyowr

[MENDE.] I am mynde þat in þe sowle ys
The veray fygure of þe deyte
Wen in my selff I haue mynde & se
The benefyttys of gode & hys worthynes
how holl I was mayde how fayere how fre
how gloryus how Ientyll to hys lyknes

Thys insyght bryngyt to my mynde
Wat grates I ought a geyn
þat thus hathe ordenyde wyth owt ende
Me in hys blys euer for to regne
Than myn in suffycyens ys to me peyn
That I haue not wer of to yelde my dett
Thynkynge my selff creature most veyn
Than for sorow my bren I knett

Wen in my mynde I brynge to gedyr
þe yerys & dayes of my synfullnes
The sustabullnes of my mynde hedyr & thedyr
My oreble fallynge & freellnes
My selff ryght nought than I confes
ffor by my selff I may not ryse
Wyth owt specyall grace of godys goodnes
Thus mynde makyt me me selff to dyspyse

I seke & fynde no were comforte
But only in gode my creature
Than on to hym I do resorte
Ande say haue mynde of me my sauowr

188 how Ientyll] *D* & how gentyll
190 ought] *D* ough to god *F emends to* ought to God *E to* ough to God
191 wyth owt] *D* wyth outen
199 sustabullnes] *D* sustabylnesse *E emends to* vnstabullnes
200 My oreble fallynge] *D* Myn horrible fallyngys
204 me selff] *D* my self *E emends to* myselff
206 creature] *E emends to* Creator

Thus mynde to mynde bryngyth þat fawowre
Thus by mynde of me gode I kan know
Goode mynde of gode yt ys þe fygure
Ande thys mynde to haue all crysten ow

Wyll. And I of þe soull am þe wyll
Off þe godhede lyknes & fygure
Wyt goode wyll no man may spyll
Nor wyth owt goode wyll of blys be sure
Wat soule wyll gret mede recure
he must grett wyll haue in thought or dede
Wertuusly sett wyth consyens pure
ffor in wyll stondyt only mannys dede

Wyll for dede oft ys take
Therfor þe wyll must weell be dysposyde
Than þer begynnyt all grace to wake
Yff wyth synne yt be not a nosyde
Therfor þe wyll must be wyll apposyde
Or þat yt to þe mevynge yewe cosent
The lybrary of reson must be wnclosyde
Ande aftyr hys domys to take entent

Owr wyll in gode must be only sett
And for gode to do wysly
Wan gode wyll resythe gode ys in ws knett
Ande he performyt þe dede veryly
Off hym cummyth all wyll sett perfyghtly

214 fygure] *D* a fygure
215 Wyt] *D* wyth *E emends to* Wyth
216 wyth owt] *D* wyth outen
218 in thought or dede] in dede & in thought *changed to* in thought or dede (*E*); or *written above* & *and canc., then written above line between* thought *and* dede

in right margin, in a later hand: kstf lkbfr pfrtknft (*cipher for* iste liber pertinet; *see* 119^{v}, 121^{v})
at bottom right, the number vj

220 stondyt only] *D* onely standyth
224 wyth synne yt] *D* it wyth synne
225 be wyll] *D* be wele *E emends to* be wele
226 mevynge yewe cosent] *D* mevyngys yeve consent *FE emend to* mevynge yewe consent
230 wysly] *D* wylfully *E emends to* wylfully

Thus mynde to mynde bryngyth yt forgoten 19
Thus by mynde of me gode I haue knowe 103
Goode mynde of gode yt ys ye feyth
Ande thys mynde to haue all crysten owe — Wyll

And I of ye soule am ye wyll
Off ye godhede lykenes & fygure
Wyt goode wyll no man may spyll
For wt owt goode wyll of blys be sure
What soule wyll gret mede recure
He must grett wyll haue in ~~dede~~ thought or dede
Vertuusly sett wt consyens pure
ffor in wyll stondyt only mannys dede
Wyll for dede oft ys take
Therfor ye wyll must well be dysposyde
Than yer begynnyt all grace to wake
yff wt synne yt be not anosyde
Therfor ye wyll must be wyll apposyde
Or yt yt to ye mevynge yeue consent
The lybrary of reson must be vnclosyde
Ande aftyr hys domys to take entent
Owr wyll in gode must be only sett
And for gode to do wylfully
Whan gode wyll resythe gode ys in us knett
Ande he performyt ye dede veryly
Off hym cummyth all wyll sett perfyghtly

v

Ffor of owr selff we haue ryght nought
But synne wrechydnes & foly
He yt ys grunder & grounde of wytt & thought
Than yt goode wytt seyde before
Yt be honorable to yche creatur
Iff he cast hym to restore
The soule yt he hath take of cur
Wyche of god ys ye fygure
As longe as ye fygure ys kept fayer
Ande ordeynyde eu for to endure
In blys of wyche ys he ye verry hayer Wndyrstondynge

The iij^de pte of ye soule ys wndyrstondynge
For by wndyrstondynge I beholde wat gode ys
In hym selff be gynnynge wt owt begynnynge
Ande ende wt owt ende yt xall now mys
Incomprehensyble in hym selff he ys
Hys werkys in me I kan not comprehende
How xulde I holly hym yan yt wrought all yis
Thus by knowynge of me to knowynge of gode I ascende
I knowe in angelys he ys desyderable
For hym to beholde ye desyer sodenly
In hys seyntys most dylectable
For in hym yei ioy assydualy
In creaturys hys werkys ben most wondyrly
For all ys made by hys myght

ffor of owr selff we haue ryght nought
But syne wrechydnes & foly
he ys be gynner & gronde of wyll & thought
Than þis goode wyll seyde before
ys behoueable to yche creature
Iff he cast hym to restore
The soule þat he hath take of cure
Wyche of god ys þe fygure
As longe as þe fygure ys kept fayer
Ande ordenyde euer for to endure
In blys of wyche ys he þe veray hayer

WNDYRSTONDYNGE. The iij[de] parte of þe soule ys wndyrstondynge
ffor by wndyrstondyng I be holde wat gode ys
In hym selff be gynnyng wyth owt be gynnyge
Ande ende wyth owt ende þat xall neuer mys
In comprehensyble in hym selff he ys
hys werkys in me I kan not comprehende
how xulde I holly hym þan þat wrought all þis
Thus by knowynge of me to knowynge of gode I assende

I know in angelys he ys desyderable
ffor hym to be holde þe dysyer souerenly
In hys seyntys most dylectable
ffor in hymm þer Ioy assyduly
In creaturys hys werkys ben most wondyrly
ffor all ys made by hys myght

238 behoueable] *D* behouefull
240 he hath] *D* hath
243 for to] *D* to
244 ys he] *D* is
247 be gynnyge] *F reads* begynnyng *E emends to* begynnynge
248 wyth owt] *D* wyth outen
254 þe] *D* thei *FE emend to* þei
256 þer] *D* thei *F reads* þei *E emends to* þei
257 wondyrly] *D* wonderfully
258 all] *D* all this

By wysdom gouernyde most souerenly
And hys benygnyte inspyryt all soullys wyth lyght

Off all creaturys he ys lowyde souereyn
ffor he ys gode of yche creature
And þey be hys peple þat euer xall reynge
In wom he dwellyt as hys tempull sure
Wan I thys knowynge make reporture
Ande se þe loue he hathe for me wrought
yt bryngyt me to loue þat prynce most pure
ffor for loue þat lorde made a man of nought

Thys ys þat loue wyche ys clepyde charyte
ffor gode ys charyte as awtors tell
Ande woo ys in charyte in gode dwellyt he
Ande gode þat ys charyte in hym dwellys
Thus wndyrstondynge of gode compellys
To cum to charyte than haue hys lyknes lo
Blyssyde ys þat sowll þat þis speche spellys
Et qui creauit me requieuit in tabernaculo meo

WYDOM. lo thes iij myghtys in on soule be
Mynde wyll & wndyrstondynge
By mynde of gode þe fadyr knowyng haue ye
By wndyrstondynge of gode þe sone ye haue knowynge
By wyll wyche turnyt in loue brennynge
Gode þe holy gost þat clepyde ys lowe
Not iij godys but on gode in beynge

259 By] *D* bi his *E emends to* By hys
260 hys] *D* be his; inspyryt] *D* inspired
263 hys] *FE read* his *D* his
264 as] *D* as in
265 thys] *D* of this *E emends to* of thys
268 a man] *D* man
270 tell] *D* telles *F reads* tellys *E emends to* tellys
277 WYDOM] *D* WYSDAM *F reads* WYSDOM *E emends to* WYSDOM; on] *D* o
281 in] *D* in to *FE emend to* into

in the right margin, kstf (*cipher for* iste; *see* 119^{v}, 121^{v}); kst; iste *in cipher with the vowels represented by* p *with three cross-strokes through the tail* (*for* i) *and two cross-strokes* (*for* e); *and the word* Iste; *below in right margin, at l. 272,* bbw *or* bbll *or* bbbb (?) *and below that, smudged,* bbbrkf (?)

at bottom of the page, an alphabet omitting j *and* u, *as key to a number cipher in which the letters of the alphabet are numbered* 1 *through* 24; *below, left, in this cipher, the name* Iohn / Plandon (9.14.8.13 / 15.11.1.13.4.14.13); *to the right, with several corrected numbers, evidently an imperfect attempt at the same name, reading* (*as it stands*) Ingn / Okamdnm (9.13.7.13 / 14.10.1.12.4.13.12); *most of the letters above* d *are off by just one number, so that the last name is* Plandon *if we change* 14 *to* 15, 10 *to* 11, 12 *to* 13, *etc.*

104

By wysdom gouernyde most ordenatly
And hys benyngnyte inspyryt all soullys wt lyght
Off all creaturys he ys lowyde souereyn
Ffor he ys gode of yche creature
And yey be hys pepole yt euer xall reyne
In wom he dwellyt as hys tempull sure
Wan I thys knowynge make reporture
Ande se ye loue he hathe for me wrought
yt bynedyt me to loue yt prynce most pure
Ffor. for loue yt lorde made a man of nought
Thys ys yt loue wyche ys clepyde charyte
Ffor gode ys charyte as awtor tell
Ande woo ys in charyte in gode dwellyt he
Ande gode yt ys charyte in hym dwellys
Thus undyrstondynge of gode compellys
to cum to charyte than haue hys lykenes lo
Blyssyde ys yt sowll yt thys speche spellys
Et qui creauit me requieuit in tabernaculo meo

Wydom

lo thes iij myghtys in on soule be
Mynde wyll & undyrstondynge
By mynde of gode ye fadyr knowynge haue ye
By undyrstondynge of gode ye sone ye haue knowynge
By wyll wyche turnyt in loue brennynge
Gode ye holy gost yt clepyde ys loue
Not iij godys but on gode in beynge

a b c d e f g h i k l
+ u x y z

9 14 8 13 / 15 11 1 13
+ 1 4 13

9 13 7 13 / 14 10 1 12 7 13 17

Thus schall clene soule be symylytude of gode a bowe
By mynde feythe in þe father have we
Hoppe in owr lorde Jhu by undyrstondynge
And be wyll in þe holy gost charyte
So thes iij pryncypall vertues of yow iij sprynge
Thys þe clene soule stondyth as a kynge
And a bove all þis ye have fre wyll
Off þat be war be for all thynge
For yff þat perverte all þis dothe spyll
Ye have iij enmyes of hem be war
The worlde þe flesche & þe fende
Yowr fyve wyttes from hem ye spar
That þe sensualyte þey brynge not yow to hende
No thynge xulde offende gode in no kynde
And yff þer do so þat þe nether parte of resone
In no wyse þer to lende
Than þe over parte xall have fre domynacion
Whan suggestyon to þe mynde doth apere
Undyrstondynge delyght not þer in
Consent not wyll yll lessons to lere
And than suche steryngs be no syn
They do but purge þe soule wher ys suche contraryosye
Thus in me wysdom yowr werkys begynne
Fyght & ye xall have þe crown of glory
That ys everlastynge joy to be parteners þer inne Ant

Thus eche clene soule ys symylytude of gode a bowe

By mynde feythe in þe father haue we
hoppe in owr lorde Ihesu by wndyrstondynge
Ande be wyll in þe holy gost charyte
lo thes iij pryncypall wertus of yow iij sprynge
Thys þe clene soule stondyth as a kynge
Ande a bowe all þis ȝe haue free wyll
Off þat be ware be for all thynge
ffor yff þat perverte all þis dothe spyll

Ye haue iij enmyes of hem be ware
The worlde þe flesche & þe fende
Yowr fywe wyttys from hem ȝe spare
That þe sensualyte þey brynge not yow by hynde
No thynge xulde offende gode in no kynde
Ande yff þer do se þat þe nether parte of resone
In no wys þer to lende
Than þe ouer parte xall haue fre domynacion

Wan suggestyon to þe mynde doth a pere
Wndyrstondynge delyght not ȝe þer in
Consent not wyll yll lessons to lere
Ande than suche steryngys by no syn
The do but purge þe soule wer ys suche contrauersye
Thus in me wysdom yowr werkys be gynne
ffyght & ȝe xall haue þe crown of glory
That euer ys lastynge ioy to be parteners þer Inne
ANIMA.

289 Thys] *D* thus
296 yow by hynde] *D* to mynde
297 xulde] *D* shuld (*and elsewhere generally throughout*)
298 do se] *F* dose *E* do se
302 ȝe] *D* the
304 by] *D* be *E emends to* be
305 The] *D* thei *FE emend to* Thei
308 euer ys lastynge] *D* is euerlastyng *E emends to* ys euerlastynge

[Anima.] Soueren Lorde I am bownde to the
Wan I was nought þou made me thus gloryus
Wan I perysschede thorow synne þou sauyde
Wen I was in grett perell þou kept me christus
Wen I erryde þou reducyde me Ihesus
Wen I was ignorant þou tawt me truthe
Wen I synnyde þou corecte me thus
Wen I was hewy þou comfortede by ruthe

Wan I stonde in gracc þou holdyste me þat tyde
Wen I fall þou reysyst me myghtyly
Wen I go wyll þou art my gyde
Wen I cum þou reseywyste me most louynly
Thou hast a noyntyde wyth þe oyll of mercy
Thy benefyttys lorde be in numerable
Werfor lawde endeles to þe I crye
Recomendynge me to þin endles powre durable

here in þe goynge owt þe v wyttys synge tota pulcra es & cetera they g[oyng] be for Anima next & her folowynge wysdom & aftyr hym mynde w[yll] & wndyrstondynge all iij in wyght cloth of golde theveleryde & cr[es]tyde in sute And aftyr þe songe entreth lucyfer in a dewyllys [a]ray wyth owt: & wyth in as a prowde galonte seynge thus on thys wy[se]

Lucyfer. Owt harow I rore
ffor envy I lore
My place to restore
god hath mad a man

310 gloryus] *F reads* glorius
311 sauyde] *D* sauyd me *FE emend to* sauyde me
316 comfortede] *D* conforted me *E emends to* comfortede me; *written in right margin in a later hand:* este (*perhaps to correct* comfortede *to* comfortedeste)
319 wyll] *D* wele
320 louynly] *D* louyngly
321 a noyntyde] *D* anoynted me *FE emend to* anoyntyde me

at bottom, in a different hand: In the name of god amen I Rychard Cake of Bury senior (?); *rest of line smudged at bottom right, the number* viij

324 þin] *D* thi
324 s.d. *words and letters in square brackets supplied from D;* theveleryde] *D* chevelered *E emends to* chevereryde; in sute] *D* in on sute *F emends to* in on sute; dewyllys] *D* deuely
328 a man] *D* man

21

105

+ Jhesu lorde I am bounde to the
When I was nought thou made me thus glorius
When I fysschede thorow synne thou savyde
When I was in grett perell thou kept me thus
When I erryde thou reducyde me thus
When I was ignorant thou taught me truthe
When I synnyde thou corecte me thus
When I was hevy thou comfortede by mercye
When I stode in grace thou holdyste me that tyde
When I fall thou reysyst me myghtyly
When I go wyth thou art my gyde
When I cum thou resseyvyste me most lovynly
Thu hast redemyde me with the blode of mercy
Thy benefetts lorde be innumerable
Wherfor lawde endeles to the I gyve
Recomendynge me to thy endeles power durable

Here in the goynge owt the v wyttes synge tota pulcra es & c they goynge before and next & her folowynge wysdom & after hym mynde wyll & understondynge all iii in whyght cloth of golde cheveleryde & crestyde insute and after the songe entreth lucyfer in a dewyllys aray wt owt & wt in as a prowde galonte seynge thus on this wyse

lucyfer

Owt harrow I rore
ffor envy I lore
my place to restore
god hath mad a man

In the name of god amen I Wyllyam Bake of Brys

[illegible]

my

All ou[r]e þer not those
Woode & þer wose
I xall tempte hem so sore
For I am he þat syn begane

I was a angell of lyghte
Lucyfer I hyght
Presumynge in godys syght
Werfor I am lowest in hell

In reformynge of my place ys dyght
Man wham I haue most dyspyght
Euer castynge me wyth hem to fyght
In þat heuynly place he xulde not dwell

I am as wyly now as than
þe knowynge þat I had yet I can
I know all compleccyons of a man
Wer to he ys most dysposyde

And þerin I tempte ay whan
I marre hys myndys to þer wan
That whoo ys hym þat god hym be gan
Many a holy man wyth me ys mosyde

Of gode. man ys þe fygure
hys symylytude hys pycture
Gloryosest of ony creature
þat euer was wrought

Wyche I wyll dysfygure
Be my fals conjecture
yff he tende my reporture
I xall brynge hym to nought

In þe soule ben thre partyes I wys
Mynde Wyll. Vnderstondynge of blys
ffygure of þe godhede I know well thys
And þe flesche of man þat ys so changeable

That wyll I tempte as I gesse
Thow þat I perwert synne non ys
But yff þe soule consent to þis
For in þe wyll of þe soule the dedys ben damnable

All cum þey not thore
Woode & þey wore
I xall tempte hem so sorre
for I am he þat syn be gane

I was a angell of lyghte
lucyfeer I hyght
Presumynge in godys syght
werfor I am lowest in hell
In reformynge of my place ys dyght
Man whan I haue most dyspyght
Euer castynge me wyth hem to fyght
In þat hewynly place he xulde not dwell

I am as wyly now as than
Þe knowynge þat I hade yet I can
I know all compleccions of a man
wer to he ys most dysposyde
Ande þer in I tempte ay whan
I marre hys myndys to þer wan
That whoo ys hym þat god hym be gan
Many a holy man wyth me ys mosyde

Of gode man ys þe fygure
hys symylytude hys pyctowre
Gloryosest of ony creature
þat euer was wrought
Wyche I wyll dysvygure
Be my fals coniecture
Yff he tende my reporture
I xall brynge hym to nought

In þe soule ben iij partyes I wys
Mynde . wyll . wndyrstondynge of blys
ffygure of þe godhede I know well thys
And þe flesche of man þat ys so changeable
That wyll I tempte as I gees
Thow þat I perwert synne non ys
But yff þe soule consent to þis
for in þe wyll of þe soule the dedys ben damnable

333 a angell] *D* aungell
338 whan] *E emends to* whom; haue] *D* haue in *FE emend to* haue in
339 to] *D* for to
340 he] *D* that he
343 a man] *D* man
345 tempte] *D* tempte hym
346 þer] *D* thei
347 whoo] *D* wo; þat] *D* that *crossed out*
348 a] *D* an
363 soule] sour (?) *canc. before* soule; to þis] *D* vnto mys *E emends to* to mys
364 the dedys ben] *D* ben the dedys

To þe mynde of þe soule I xall mak suggestyun
Ande brynge hys wndyrstondynge to dylectacion
So þat hys wyll make confyrmacion
than am I sekyr I nowe
That dethe xall sew of damnacion
Than of þe sowll þe dewll hath dominacion
I wyll go make hys examynacion
to all þe dewllys of he[lle] I make a wow

ffor for to tempte man in my lyknes
yt wolde brynge hym to grett feerfullnes
I wyll change me in to bryghtne
& so hym to be gyl[e]
Sen I xall schew hym perfyghtnes
And wertu provyt yt wykkydnes
Thus wndyr colors all thynge perverse
I xall neuer rest tyll þ[e] soule I defyle

her lucyfer dewoydyth & cummyth in a geyn as a goodly galont

MYNDE. My mynde ys euer on Ihesu
That enduyde ws wyth wertu
hys doctrine to sue
euer I purpos
WNDYRSTONDYNGE. My wndyrstondynge ys in trew
That wyth feyth ws dyd renew
hys laws to pursew
ys swetter to me þan sawowre of þe rose

WYLL. And my wyll ys hys wyll veraly
That made ws hys creaturys so specyally
yeldynge on hym laude & glory
for hys goodnes
LUCYFER. Ye fonnyde fathers founders of foly
vt quid hic statis tota die ociosi
ȝe wyll pyse or ȝe yt aspye
the dewyll hath a cum beryde yow expres

369 dethe] *D* dede
371 hys] *D* this
372 *letters in square brackets supplied from D*
373 ffor] *D* But
375 bryghtne] *D* brightnesse *F reads* bryghtnes *E emends to* bryghtnes
376 *letter in square brackets supplied from D*
378 provyt] *D* provyt *changed to* prove (?) *E emends to* prove
380 *letter in square brackets supplied from D*
385 My] *D* Myn
388 þan] *D* than the
389 ys] hys *with* h *crossed out* (*E*)
391 on] *D* vn to *FE emend to* onto
395 pyse] *D* pisshe *F* p[er]yse *E emends to* perysche

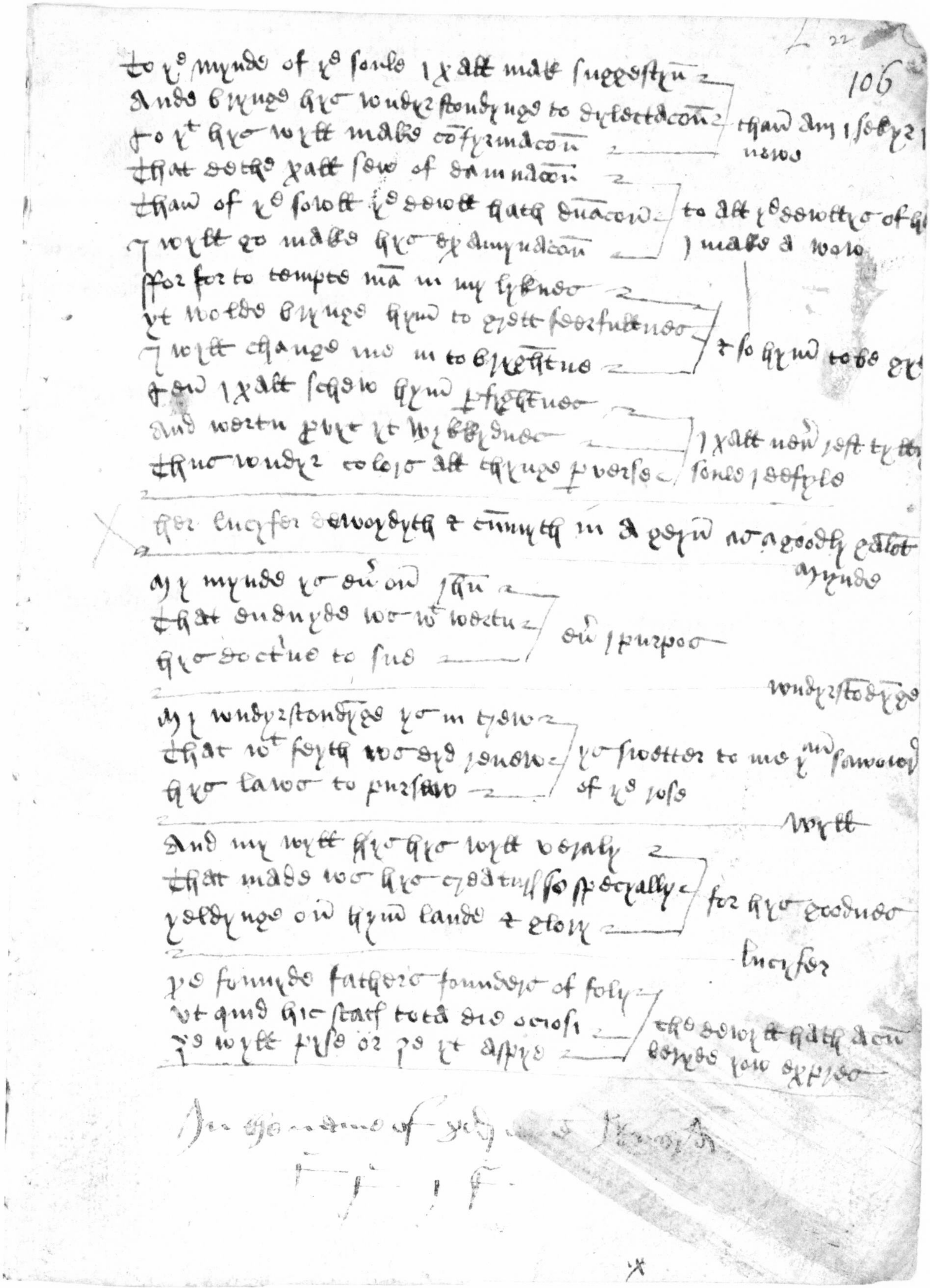

at bottom, in a different hand: In the name of god amen
I Rychard *followed by practice* f's *and* s's (*see 105*)
below, right, the number ix

lucyfer

Mynde mynde I haue in mynde thys

Mynde

ho ys not ydyll yt wt gode ys

lucyfer

Yes I prwe well thys
thys ys my suggestyn
All thyngys hat dew tymes
prayer fastynge labor all thes — be my pleynerly
Whan tyme ys not kept yt dede ys amys — to your informacon
thow ys a ma yt hwyt wordly
hathe wyff chylderne & srvantes besy
And other charges yt I not specyfye — yt ys leefull to yis man
to lewe hys labor usyde truly
hys charges perysche yt gode gaff duly
Ande yewe hym. to preyer & es of body — woso do thus wt god
Mertha plesyde gode grettly thor — ys not than

Mynde

ye but Marya plesyde hym moche mor

lucyfer

yet ye lest hade blys for eu mor
ys not yis anow

Mynde

Contemplatyff lyff ys sett befor

lucyfer

I may not beleve yt in my lore
For god hym selff wan he was man borne
what lyff ledde he answer yu now
was he eu in contemplacon

Mynde

I suppose not by my relacon

lucyfer

LUCYFER. Mynde mynde ser haue in mynde thys
MYNDE. he ys not ydyll þat wyth gode ys
LUCYFER. No ser I prowe well thys
thys ys my suggestyun
All thnge hat dew tymes
prayer fastynge labour all thes
Wan tyme ys not kept þat dede ys a mys
be more pleynerly to yowr informacion

here ys a man þat lywyt wordly
hathe wyff chylderne & serwantys besy
And other chargys þat I not specyfye
yt ys leeffull to þis man
To lewe hys labour wsyde truly
hys chargys perysche þat gode gaff duly
Ande yewe hym to preyer & es of body
wo so do thus wyth god ys not than

Mertha plesyde gode grettly thore
MYNDE. ye but Mara plesyde hymm moche more
LUCYFER. yet þe lest hade blys for euer more
ys not þis a now
MYNDE. Contemplatyff lyff ys sett be for
LUCYFER. I may not belewe þat in my lore
ffor god hym selff wan he was man borre
Wat lyff lede he answer þou now

Was he euer in contemplacion
MYNDE. I suppos not by my relacion
LUCYFER.

397 LUCYFER] *speech-prefix repeated unnecessarily at top of page;* in mynde] *D* mynde of
399 thys] *D* yis *E emends to* yis
400 thys] *D* lo this (*this tail-rhyme should be to the right, as should also ll. 416, 420, 432, 436, etc.*)
401 thnge hat] *D* thynge hath *FE emend to* thynge hat
403 a mys] *D* mys
404 be] *E emends to* þe; pleynerly] *D* plenerly
405 wordly] *D* wardly *F* wor[l]dly
408 yt ys] *D* Is it *FE emend to* Ys yt
410 perysche] *D* parisch
414 Mara] *D* Maria *FE emend to* Maria; hymm] *F* hym
415 þe] *a stroke before* þe (?)
416 þis] *D* that

[LUCYFER.] And all hys lyff was informacion
Ande example to man
Sumtyme wyth synners he had conversacion
Sumtyme wyth holy also comunycacion
Sumtyme he laboryde preyde sumtyme tribulacion
Thys was vita mixta þat gode here be gan

Ande þat lyff xulde ye here sewe
MYNDE. I kan not be lewe thys ys trew
LUCYFER. Contemplatyff lyff for to sewe
yt ys grett drede & se cause why
They must fast wake & prey euer new
wse harde lywynge & goynge wyth dyscyplyne dew
kepe sylence wepe & surphettys eschewe
Ande yff þey fayll of thys þey offende gode hyghly

Wan þey haue wastyde by feyntnes
Than febyll þer wyttys & fallyn to fondnes
Sum in to dyspeyer & sum in to madnes
wet yt well god ys not plesyde wyth thys
lewe lewe suche syngler besynes
Be in þe worlde vse thyngys nesesse
The comyn ys best expres
Who clymyt hye hys fall gret ys

MYNDE. Truly me seme ȝe haue reson
LUCYFER. Aplye yow then to þis conclusyun
MYNDE.

427 preyde] *points before and after* preyde
430 I] Contemp *written and subpuncted before* I (*E*); kan not be lewe thys] *D* can be leve that ye say
434 lywynge] *D* levyngys
442 vse] wse *canc. before* vse (*E*)

bottom right: number x

23 107

And all hys lyff was informacion
Ande example to man
Sumtyme wt synneres he had conuersacion
Sumtyme wt holy also comunycacion
Sumtyme he laboryde. preyde. sumtyme tribulacion
Thys was vita mixta yt gode here began
Ande yt lyff xulde ye here sewe

Mynde

Be temp I can not be lewe thys ys trewe

Lucyfer

Be contemplatyff lyff for to sewe
yt ys grett drede & se cause why
They must fast wake & prey euer new
Wse harde lywynge & goynge wt dyscyplyne dew
kepe sylence wepe & surphettys eschewe
Ande yff they fayll of thys they offende gode hyghly
Wan they haue wastyde by feyntnes
Than febyll ther wyttys & fallyn to fondnes
Sum in to dyspeyr & sum in to madnes
Wet yt well god ys not plesyde wt thys
Lewe lewe suche synglere besynes
Be in the worlde vse thyngys nesesse
The comyn ys best expres
Who clymyt hye hys fall gret ys

Mynde

Truly me seme ye haue reson

Lucyfer

Aplye yow then to thys conclusyon

Mynde

x.

I kan make no replicacyon
I haue not forgett þis informacōn

Lucyfer

Thynke þer-wppon yt ys yowr saluacōn
Now & Wndyrstondynge wolde haue delectacōn
All syngler deuocyons he wolde lett
Yowr v wyttys abrode lett sprede
Se how comly to man ys precyus wede
What worschyppe yt ys to be manfull in dede — þat bryngyt in dominacōn
Off þe symple what profyght yt ys to take hede
Beholde how ryches dystroyt nede — & of lust & lykynge commyth generacōn
Yt makyt man fayer hym-sylf for to fede
Wndyrstondynge tendre ȝe þis informacōn

Wndyrstondynge

In thys I fele in maner of dylectacōn

Lucyfer

A, ha, ser! þen þer make a pawsacōn
Se & beholde þe worlde abowte
Lytyll thynge suffysyt to saluacōn
All maner synnys dystroyt contrycōn
They þat dyspeyer mercy haue grett compunccōn
Gode plesyde best wyth goode wyll no dowte
Therfor wyll I rede yow inclyne
Lewe yowr stodyes þow ben dywyn
Yowr prayers yowr penance of ipocryttys þe syne
And lede a comun lyff
What synne ys in mete in ale in wyn
Wat synne ys yt in ryche clothynge so fyne

Iohn

[MYNDE.] I kan make no replicacion
[your resons be grete]
I kan not for gett þis Informacion
LUCYFER. Thynke þer wpp on yt ys yowr saluacion
Now & wndyrstondynge wolde haue delectacion
All syngler deuocions he wolde lett

Yowr v wyttys a brode lett sprede
Se how comunly to man ys precyus wede
Wat worschype yt ys to be manfull in dede
　　　　þat brygyt in dominacion
Off þe symple what profyght yt to tak hede
Be holde how ryches dystroyt nede
It makyt man fayer hym werkys for to fede
　　　　& of lust & lykynge commyth generacion

Wndyrstondynge tender ȝe þis informacion
WNDYRSTONDYNGE. In thys I fele in manere of dylectacion
LUCYFER. A ha ser then þer make a pawsacion
Se & be holde þe worlde a bowte
lytyll thynge suffysyt to saluacion
All maner synnys dystroyt contryscion
They þat dyspeyer mercy haue grett compunccion
Gode plesyde best wyth goode wyll no dowte

Therfor wyll I rede yow in clyne
lewe yowr stodyes þow ben dywyn
yowr prayers yowr penance of Ipocryttys þe syne
Ande lede a comun lyff
what synne in met in hale in wyn
wat synne ys in ryches in clothynge fyne

448 *line supplied from D*
454 comunly] *D* comly *FE emend to* comly
455 yt ys] *D* it
456 brygyt] *D* bryngeth *FE emend to* bryngyt
459 werkys] *D* wele (*added above line*) *E emends to* wele

in right margin, at l. 468: John kyn *or* kyr (?)

462 in manere] *D* a manere
469 wyll] *written above* well, *canc.* (*E*)
470 þow] *D* tho *F* þow [þey]
473 in met in hale] *D* is in mete in ale *F emends to* ys in met, in hale *E to* ys in met, in ale

All thynge gode ordenyde to man to inclyne
Lewe yowr nyse chastyte & take a wyff

Better ys fayer frut þan fowll pollucion
What seyth sensualite to þis conclusyon
WYLL. At þe fyue wyttys gyff informacion
Yt semyth yowr resons be goode
LUCYFERE. The wyll of þe soule hathe fre dominacion
Dyspute not to moche in þis wyth reson
yet þe nethyr parte to þis taketh sum instruccion
And so xulde þe ouer parte but he were woode

WYLL. Me seme as ȝe sey in body & soule
Man may be in þe worlde & be ryght goode
LUCYFER. Ser by sent powle
But trust not þes prechors for þey be notgoode
ffor þey flatter & lye as þey wore woode
Ther ys a wolffe in a lombys skyn
WYLL. ya I woll no more row a geyn þe floode
I woll sett my soule a mery pynne

LUCYFER. Be my trowthe than do ye wyslye
Gode lowyt a clene sowll & a mery
A corde yow iij to gedyr by
[& ye may not mysfare]
MYNDE. To þis suggestyon a gre we
WNDYRSTONDYNGE.

479 At] *D* As *E emends to* As
483 instruccion] instrucccion *with the middle* c *subpuncted*
487 Ser] *D* ya sere *F* Ser, [ȝis] *E emends to* Ya, ser
490 lombys] bo *canc. before* lombys (*E*) *D* lombe
492 a] *D* on a *E emends to* on a
493 than] *D* that
496 *line supplied from D*
497 we] *D* me

in the right margin, in a later hand, an X *and brackets marking ll. 487–97*
*in the left margin, at l. 491, ink blotting from the signature on 107*ᵛ
at bottom of the page, in cipher, with one to five cross-strokes on p *for the vowels* a, e, i, o, *and* u: gonolde; *to the left of this,* ge *canc.; to the right,* gpnpldf, *another cipher for* gonolde *in which each vowel is represented by the next letter of the alphabet; above this, the letter* g; *below, in backwriting (i.e., spelled backwards),* thomas gonnolld; *below to the right, number* xi

24
108

All thynge gode ordenyde to mã to mekyne
Lewe yowr nyse chastyte & take a wyff
Better ys fayer frut than fowll pollucon
What seyth sensualite to this conclusyon — wyll

As the fyue wyttes gyff informacon
yt semyth yowr resons be goode — lucyfere

The wyll of the soule hathe fre dominacon
Dyspute not to moche in this wt reson
yet the nethyr parte to this takyth sum instruccon
And so schulde the ouer parte but he wer woode — wyll

Me semyth as ye sey in body & soule
Man may be in the worlde & be ryght goode — lucyfer

Ser by sent powle
But trust not thes prechors for they be not goode
For they flatter & lye as they wer woode
Ther ys a wolffe in a ~~lo~~ lombys skyn — wyll

Ya I woll no more rowe a geyn the floode
I woll sett my soule a mery pryme — lucyfer

Be my trowthe than do ye wysly
Gode lowyt a clene sowll & a mery
Acorde yow in to gedyr by — mynde

To this suggestyon agre we — vndyrstondynge

d
[illegible] [illegible]
[illegible] [illegible]

Dowblett ther in schame treuly

Wyll

And I consent therto frelye

Lucyfer

A ser all men than a wey case
Be in the worlde se that a bowte
Best goode frely cast no dowte
to the ryche thes se mo lowly lowght
Yeue to your body that ye nede
Ande euer be mery let revell rowte

Mynde

Ya ellys I be schrewe my snowte

Vnderstondynge

And yff I care cache I the gowte

Wyll

And yff I spare the dewyll me spede

Lucyfer

Go your wey than and do wysly
Change that syde aray

Mynde

I it defye

Vnderstondynge

We wyll be fresche hamp la plu joly
ffarwell penance

Mynde

To worschyppis I wyll my mynde aplye

Vndyrstondynge

My vndyrstondynge in worschyppe and glory

Wyll

And I in lust of lechery
As was sumtyme gyse of ffrawnce
Wyth wy wyppe ffarwell quod I the dewyll ys wppe

Lucyfer

[WNDYRSTONDYNGE.] Delyght þer In I haue truly
WYLL. And I consent þer to frelye
LUCYFER. A ser all mery þan a wey care

Go in þe worlde se þat a bowte
Geet goode frely cast no dowte
To þe ryche ye se men lowly lought
yeue to yowr body þat ys nede
Ande euer be mery let reuell rowte
MYNDE. ya ellys I be schrew my snowte
WNDYRSTONDYNGE. And yff I care cache I þe gowte
WYLL. And yff I spare þe dewyll me spede

LUCYFER. Go yowr wey than & do wysly
Change þat syde a ray
MYNDE. I yt dyfye
WNDYRSTONDYNGE. We woll be fresche hanip la plu Ioly
ffarwell penance
MYNDE. To worschyppys I wyll my mynde a plye
WNDYRSTONDYNGE. My wndyrstondynge in worschyppys & glory
WYLL. And I in lustys of lechery
As was sumtyme gyse of frawnce
wyth wy wyppe ffarwell quod I þe dewyll ys wppe
LUCYFER.

500 A] *D* A ha; a wey] *D* and a wey
507 I þe] *D* me the
510 change . . . dyfye] *written as two lines in MS E emends to one line*
511 hanip] *D* and it hanip *F* hamp *or* hanip *or* hauip
514 My] *D* Myn
517–18 wyth . . . wppe] *written as two lines in D, divided after* wyppe *E emends to two lines;* wy wyppe] *D* why whyppe
518 *D has* Exiant (?) *here F reads* Exeunt *E* Exient

in left margin, in a later hand, X *at ll. 507 and 516*

[LUCYFER.] Off my dysyere now haue I summe
Wer onys brought in to custume
Then far well consyens he wer clumme
I xulde haue all my wyll
Resone I haue made bothe dethe & dumme
Grace ys owt & put a rome
Wethyr I wyll haue he xall cum
So at þe last I xall hym spyll

I xall now stere hys mynde
To þat syne made me a fende
pryde wyche ys a geyn kynde
And of synnys hede
So to couetyse he xall wende
ffor þat enduryth to þe last ende
And on to lechery and I may hymm rende
Than am I seker þe soule ys dede

That soule god made in comparable
To hys lyknes most amyable
I xall make yt most reprouable
Ewyn lyke to a fende of hell
At hys deth I xall apere informable
Schewynge hym all hys synnys abhomynable
prewynge hys soule damnable
So wyth dyspeyer I xall hym qwell

Wyll clennes ys man kyn
verely þe soule god ys wyth in
Ande wen yt ys in dedly synne

523 bothe] *E reads* both; dethe] *D* deff *F emends to* deffe *E to* deff

530 of] *D* of all
543 Wyll] *D* Whyll

in right margin, in a later hand, two X's *at l. 524*

at bottom right, number xii

25
109

Off my dysyres now haue I summe
Wer onys brought in to custume
Then farwell consyens he wer clumme
I xulde haue all my wyll
Hem haue I made bothe deffe & dumme
Grace ys owt & put a romme
Wethyr I wyll haue he xall cum
So at the last I xall hym spyll
I xall now stere hys mynde
To that syne made me a fende
Pryde wyche ys agayn kynde
And of synnys hede
So to couetyse he xall wende
Ffor that enduryth to the last ende
And onto lechery and I may hym rende
Than am I seker the soule ys dede
That soule god made incomparable
To hys lyknes most amyable
I xall make yt most reprouable
Evyn lyke to a fende of hell
At hys deth I xall apere informydable
Schewynge hym all hys synnys abhomynable
Prevynge hys soule dampnable
So with dyspeyer I xall hym qwell
Wyll clennes ys man kynd
Verely the soule god ys with in
And when yt ys in dedly synne

xv

yt wepely yᵉ deuelys place
Theyre by colours dryue
Many a soule to hell I wyn
Wyde to go I may not blyne
Wᵗ yᵗ ys fals boy god gyff hym euell grace

Ther he taryt a ~~boy~~ fende boy wᵗ hym & goth hys wey syngynge

Mynde
Lo me here in a new a ray
Wyth wyse cast a wey
ffarwell pfeccon
Me semyt my selff most lyghtly ay
It ys but honest no pryde no nay
I wyll be fresshest by my fay
ffor yᵗ a cordyt wᵗ my coplexccion

Undyrstondynge
Ande haue here me so fresche as yow
All mery & mery & glade now
I haue get goode gode wott how
ffor ioy I sprynge I skyppe
Goode makyt on mery to gode a vowe
ffarwell consyence I know not yow
I am at ese hade I now
Surplus on syde I lett hym slyppe

John Thomas

Wyll
lo here on as iolye as ye
I am so lykynge me seme I fle
I haue a tastyde lust farwell chastyte
My hert ys on most lyght
I am full of full of felycyte & or
My delyght ys all in bewte there ys no ioy but yᵗ in me
A woman me semyth a heuenly syght

Mynde

yt werely þe deuelys place
Thus by colours gyane
Many a soule to hell I wynn
Wyde to go I may not blyne
wyth þis fals boy god gyff hym euell grace

her he takyt a screwde boy wyth hym & goth hys wey cryenge

MYNDE. lo me here in a new a ray
Wyppe wyrre care a wey
ffarwell perfeccion
Me semyt my selff most lyghtly ay
It ys but honest no pryde no nay
I wyll be freshest by my fay
ffor þat a cordyt wyth my complexccion

WNDYRSTONDYNGE. Ande haue here me as fresche as yow
All mery mery & glade now
I haue get goode gode wott how
ffor ioy I sprynge I sckyppe
Goode makyt on mery to gode a vowe
ffare well consyens I know not yow
I am a eas hade I now
Truthe on syde I lett hym slyppe

WYLL. lo here on as iolye as ȝe
I am so lykynge me seme I fle
I haue a tastyde lust far well chastyte
My hert ys euer more lyght
I am full of full of felycyte
My delyght ys all in bewte
þer ys no Ioy but þat in me
A woman me semyth a hewynly syght
MYNDE.

546 yt] *D* It is *F emends to* Yt [is] *E to* Yt ys
547 gyane] *D* and false gynne *FE emend to* and false gynne
548 to hell] *D* to hevyn
550 euell] *D* ille
550 S.D. screwde] boy *canc. before* screwde (*E*) *D* shrewed *E emends to* schrewde
551 a new] *D* newe; *F conjectures a line missing after 551*
552 wyrre] *F* wyrre [&]

in right margin at l. 554, in a different hand, a capital J *or* I; *below, at l. 562,* John Thomas

554 lyghtly] *D* lykly *F emends to* lykly *E to* lyghly
558 me] *D* one *E emends to* one
559 All mery] & *canc. after* All mery *F reads* All mery &
564 a eas hade I now] *D* at ease had I Inowe *FE emend to* at eas hade I inow
569 My] *D* Myn
570 full of full of] *D* full of *FE emend to* full of
572–73 *line 573, the tail-rhyme line, should be over to the right instead of 572*

[MYNDE.] Ande thes ben my syngler solace
kynde fortune & grace
kynde nobyll of kynrede me yewyn hase
Ande þat makyt me soleyn
ffortune in worldys worschyppe me doth lace
Grace yewyt curryus eloquens & þat mase
That all on cunnynge I dysdeyn

WNDYRSTON[DYNGE]. And my ioy ys especyall
To hurde wppe ryches for fer to fall
To se yt to handyll yt to tell yt all
And strenght to spare
To be holde ryche & reyall
I bost I a vawnt wer I xall
Ryches makyt a man equall
To hem sumtyme hys souereyngys wer

WYLL. To me ys ioy most delectable
ffresche dysgysynge to seme amyable
Spekynge wordys delectable
perteynynge on to loue
It ys ioy of Ioys inestymable
To halse to kys þe affyable
A louer ys son perceyvable
Be þe smylynge on me wan yt doth remove

MYNDE. To a vaynte thus me semyth no schame
ffor galontys now be in most fame
Curtely personys men hem proclame
[moche we be sett bye]
WNDYRSTONDYNG[E].

576 nobyll] *D* nobley *E emends to* nobley; yewyn] *D* yovyn *F reads* þe ioyn *emends to* yovyn
579 *F conjectures from the rhyme scheme that a line may be missing after 579*
582 for] *F* fro
584 strenght] *D* streightly *E emends to* streight
588 hys] to *canc. before* hys (*E*)
589 delectable] *D* laudable *E emends to* laudable
597 MYNDE] *omitted in F;* a vaynte] *D* a vaunte *E emends to* avaunte
600 *line supplied from D*

26
110

Ande thee bow my syngler solace
Kynde fortune & grace
Kynde nobyll of kynrede me ȝeven hase
Ande that makyt me so boyn
ffortune in worldys worschyppe me doth lace
Grace ȝevyt curyus eloquence & that mase
That all oun cunnynge I dysdeyn

undyrston

And my ioy ys specyall
to hurde wppe ryches for fer to fall
to se yt to handyll yt to tell yt all
And strenght to spare
to be holde ryche & ryall
I bost I avaunt wer I xall
Ryches makyt a man equall
to hem sumtyme hys souereyns wer

wyll

to me ys ioy most delectable
ffresche dysgysynge to seme amyable
Spekynge wordys delectable
Perteynynge on to loue
It ys ioy of ioys inestymable
to halse to kys the affyable
A louer ys son perceyvable
Be the smylynge on me wan yt doth remeve

mynde

to avaunte thus me semyth no schame
ffor galontys now be in most fame
Curtely personys men hem proclame

undyrstondyng

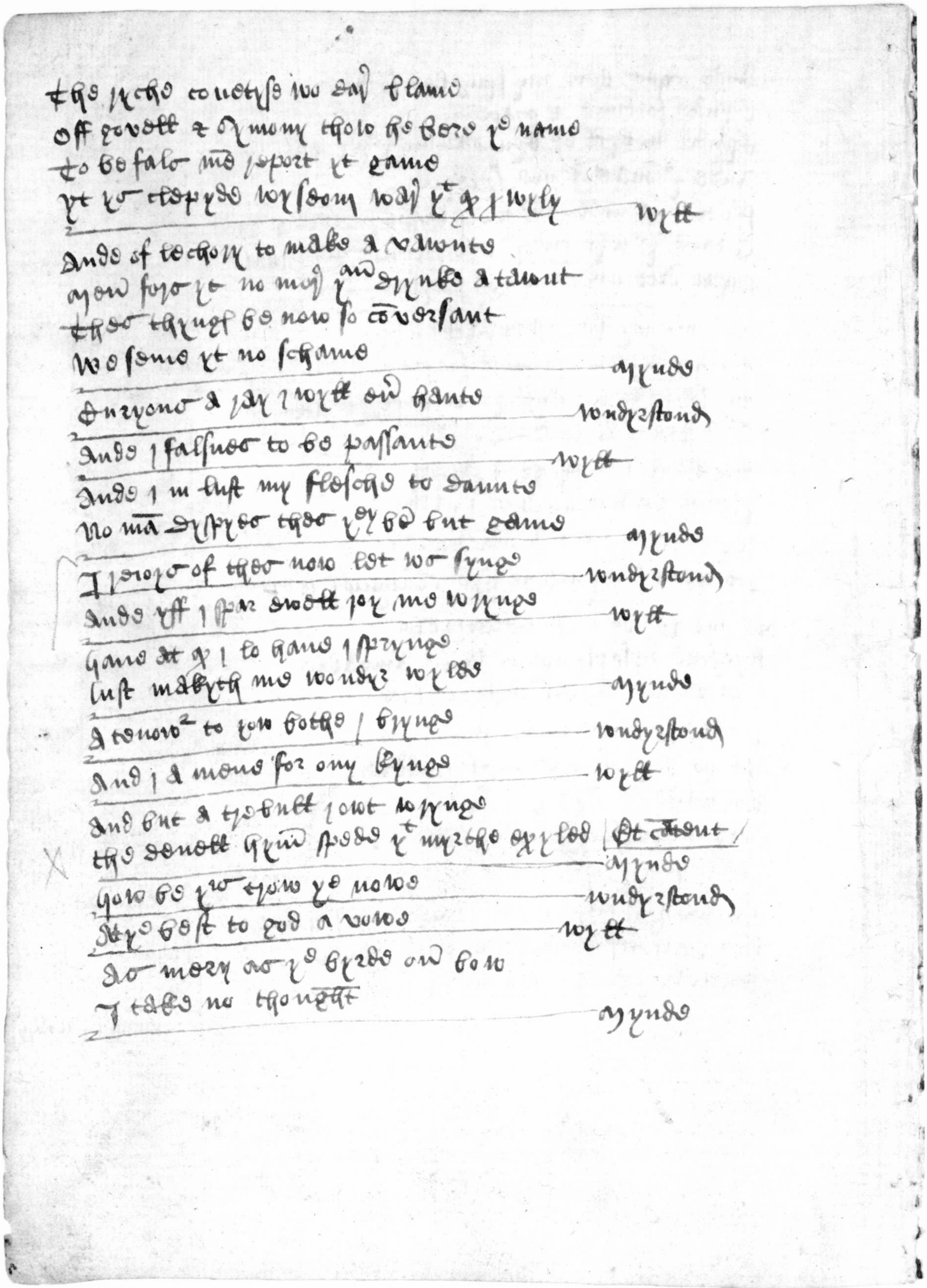
the ryche covetyse wo and blame
Off covett & symony thow the bere ye name
to be fals me report yt game
yt ys clepyde wysdom was yt & I wyly — wytt
Ande of rechesse to make a vawnte
Men sey yt no mor yan drynke a tawnt
thes thynges be now so conversant
we seme yt no schame — mynde
Envyone & Ire I wyll on haunte — understond
Ande I falsnes to be passante — wytt
Ande I in lust my flesche to daunte
No man dysprase thes they be but game — mynde
I serve of thes now bot wo synge — understond
Ande yff I spar dwell for me wynnge — wytt
Game at & I to game I sprynge
lust makyth me wonder wylde — mynde
A venewe to yow bothe I brynge — understond
And I a mone for ony thynge — wytt
And but a tyme I wot wrynge
the devell hym spede yt myrthe exylde | Et cetera
— mynde
yow be yt sum ye nowe — understond
Stryve best to god a vowe — wytt
so mery as ye byrde on bow
I take no thought — mynde

[WNDYRSTONDYNGE.] The ryche couetyse wo dare blame
Off govell & symony thow he bere þe name
To be fals men report yt game
yt ys clepyde wysdom ware þat quod ser wyly

WYLL. Ande of lechory to make a vawnte
Men fors yt no more þan drynke a tawnt
Thes thyngys be now so conversant
We seme yt no schame
MYNDE. Curyous a ray I wyll euer hante
WNDYRSTONDYNGE. Ande I falsnes to be passante
WYLL. Ande I in lust my flesche to daunte
No man dyspyes thes þey be but game

MYNDE. I reioys of thes now let ws synge
WNDYRSTONDYNGE. Ande yff I spar ewell Ioy me wrynge
WYLL. haue at quod I lo haue I sprynge
lust makyth me wondyr wylde
MYNDE. A tenowr to yow bothe I brynge
WNDYRSTONDYNGE. And I a mene for ony kynge
WYLL. And but a trebull I owt wrynge
the deuell hym spede þat myrthe exyled

Et cantent

MYNDE. how be þis trow ye nowe
WNDYRSTONDYNGE. At þe best to god a vowe
WYLL. As mery as þe byrde on bow
I take no thought
MYNDE.

601 couetyse] *D* covetouse *E emends to* covetouse
603 report] *D* reportith
604 ser wyly] *D* Wyly *F reads* ser *as* I *crossed through*
605 lechory] *D* lechory *F* lechery *E* lechory
613 I] *D* In
615 haue] *D* howe *FE emend to* howe

in left margin, a bracket commencing at l. 613 and an X *at 620*

[MYNDE.] The welfare of þis worlde ys in ws I ma vowe
WNDYRSTONDYNGE. lett eche man tell hys condycions howe
WYLL. Be gynne ye ande haue at yow
ffor I am a schamyde of ryght nought

MYNDE. Thys ys a cause of my worschyppe
I serue myghty lordeschyppe
Ande am in grett tenderschyppe
Therfor moche folke me dredys
Men sew to my frendeschyppe
ffor meyntnance of her schendeschyppe
I support hem by lordeschyppe
ffor to get goode þis a grett spede ys

WYLL .B. A wat trow ȝe be me
More þan I take spende I threys iij
Sumtyme I yeff sumtyme þey me
Ande am euer fresche & gay
ffew placys now þer be
But onclennes we xall þer see
It ys holde but a nysyte
lust ys now cumun as þe way

WNDYRSTONDYNGE .A. And I vse Ierowry
Enbrace questys of periury
Choppe & chonge wyth symonye
& take large yeftys
By þe cause neuer so try
I preue yt fals I swere I lye
wyth a quest of myn affye
The redy wey þis now to thryfte ys
MYNDE.

625 ma] *D* a
629 ys a] *an unfinished* a *canc. before* ys a (*E*) *D omits* a *after* is
637–52 *The scribe wrote these two stanzas in reverse order, then marked Wyll's stanza "B" and Wndyrstondynge's "A" to indicate the correct order. D follows the correct order.*
637 A] *D* and *E emends to* And
642 we] *D* ye *added above the line*
644 þe] *D* thei
645 Ierowry] *D* Iorourry *E emends to* jorowry
649 By þe cause] *D* be the case *E emends to* Be þe cause

27 111

The welfar of þis worlde ys in us I ma vowe — Undyrstond
Lett eche man tell þer condycions howe — Wyll
Begynne ye ande haue at yow
Ffor I am aschamyde of wyll nought — Mynde

Thys ys a cause of my worschyppe
I serue myghty lordeschyppe
Ande am in gret tendurschyppe
Therfor moche folke me dredys
Men sue to my frendeschyppe
Ffor meyntnance of þer schendeschyppe
I support them by lordeschyppe
Ffor to get goode þis a grett spede ys — Wyll

A what trow ye be me
More þen I take spende I thryse
Sumtyme I yeff sumtyme þey me
Ande am euer fresche & gay
Ffew placys now þer be
But onclennes we xall þer see
It ys holde but a nysete
Lust ys now comun as þe way — Undyrstondynge

And I vse jorowry
Enbrace questys of periury
Choppe & chonge wyth symonye — & take large yeftys
Be þe cause neuer so try
I preue yt fals I swere I lye
Wyth a quest of myn affye
The redy wey þis now to thryfte ys — Mynde

John   John Thorne

Law procedyth not for meyntenance — understond
Trowthe rennyth not for habundance — wytt
And lust ys in so grett usance
We fere yt nought — mynde
In us ye worlde hathe most affyance — understond
Now they be in so grett aqweyntance — wytt
Now ther be onthe of owr allyance
Wytt ye worlde ys thus take we no thought — mynde
Thought nay ther a gret stryve | — understond
We have yt nedyt be so thryve | — wytt
And yff yt I cast now wyve |
Let them cast yt hathe for to geve — mynde
We lordschyppe xall gow must yt bye — understond
We wytt have law must have monye — wytt
Ther povert ys ye male wyse
Thow wytt be he xall now renewe — mynde
Wronge ys born wyth boldly
Thow all ye worlde know yt openly
Mayntenance ys now so myghty
Ande all for mede — wndyrst
The law ys so coloyrde falsly / yt ye pore trowth ys take
By sleyght & by periury / wytt nought a gede
Brybery be so gredy — wytt

they was is comely on pylgrymage
wott ye good
marya
the fyrst was maydynandelon [illegible]
they syn a
marya

[MYNDE.] Law procedyth not for meyntnance
WNDYRSTONDYNGE. Trowthe recurythe not for habundance
WYLL. And lust ys in so grett vsance
We fors yt nought
MYNDE. In vs þe worlde hathe most affyance
WNDYRSTONDYNGE. Non thre be in so grett a qweynttance
WYLL. ffew þer be outhe of owr allyance
Wyll þe worlde ys thus take we no thought

MYNDE. Thought nay þer a geyn stryve I
WNDYRSTONDYNGE. We haue þat nedyt vs so thryve I
WYLL. And yff þat I care neuer wyve I
let them care þat hathe for to sewe
MYNDE. Wo lordschyppe xall sew must yt bye
WNDYRSTONDYNGE. Wo wyll haue law must haue monye
WYLL. Ther pouert ys þe male wrye
Thow ryght be he xall neuer renewe

MYNDE. wronge ys born wpe boldly
Thow all þe worlde know yt opynly
Mayntnance ys now so myghty
Ande all for mede
WNDYRSTONDYNGE. The law ys so coloryde falsly
By sleyttys & by periury
Brybys be so gredy
þat þe pore trowth ys take ryght nought a hede
WYLL.

659 outhe] *D* out
661 a geyn] *D* geyne
663 yff] *D* gyve
664 them] *D* hem
672 all] *D* all Is *F emends to* all ys
676 þe] *D* to the *FE emend to* to þe; nought a] *D* non

at top of the page, in a different hand, John; *smudged,* John Thomas
at bottom of the page, in a different hand: there were iij lowely on pyllgrymag wolld goon a / marya / the fy[r]st was mary maudellen whom cryst forgaue her syn a / marya (*this fragment of a ballad is continued on f. 112*)

[WYLL.] Wo gett or loose ye be ay Wynnande
Mayntnance & periury now stande
Ther wer neuer so moche reynande
seth gode was bore
MYNDE. Ande lechery was neuer more vsande
Off lernyde & lewyde in þis lande
WNDYRSTONDYNGE. So we thre be now in hande
WYLL. ya & most vsyde euery were

MYNDE. Now wyll we thre do make a dance
Off thow þat longe to owr retenance
Cummynge in by contenance
þis were a dysporte
WNDYRSTONDYNGE. Therto I geve a cordance
Off thow þat ben of myn affyance
WYLL. let se by tyme þe meyntnance
Clepe in fyrst yowr resorte

here entur vj dysgysyde in þe sute of mynde wyth rede berdys & lyoun[s] rampaunt on here crestys & yche a warder in hys honde her Mynstrall trumpes eche answere for hys name

MYNDE. let se cum In Indignacion & sturdynes
Males also & hastynes
Wreche & dyscorde expres
And þe vij^{te} am I mayntennance
vij ys a numbyr of dycorde & inperfyghtnes
lo here ys a yomandrye wyth lowe day to dres

677 loose] *D* lese
678 Mayntnance] *F* Mayntnaunce; *similarly at 686* retenaunce, *687* contenaunce *etc.*
679 Ther] *D* there *E emends to* Thei
691 þe] *MS D* þe *or* ye (*E*)
692 S.D. *letter in square brackets supplied from D;* Mynstrall] *D* menstrall *E emends to* mynstrallys
693 MYNDE] *F emends to* MAYNTENNANCE
697 dycorde] *D* discorde *FE emend to* dyscorde

in left margin, in a contemporary hand, a scribe has written va *at l. 685 and* cat *at l. 784, to indicate that the intervening passage containing the dance of the three groups of retainers was to be omitted* (*E*) *F speculates that a stanza may be missing at this point; at ll. 685 and 692* S.D., *in a different hand,* X's

in right margin at l. 685, in pencil, in a considerably later hand: Dance

at bottom of the page, in a different hand, continuing from bottom of 111^{v}*:* the secunde was mary regypte (*or* Iegypte) next of all hyr kyn a / marya / þe therde was owr bllyssyde lady þe flower of all women a / marya

28 112

Wo gett or losse þe be by wynnande
Mayntenance & peryury now stande
Ther wer neu(er) so moche reygnande — seth gode was bore
— Mynde
Ande lechery was neu(er) mor vsande
Off lernyde & lewyde in þis lande
— Wndyrst
So we thre be now in hande
— Wytt
Ya & most vsyde euery wer
— Mynde
va.

Now wyll we thre do make a dance
Off thow þᵗ longe to owr retenance
Cummynge in by contenance — þis wer a dysporte
— Wndyrst
Therto I gyve a countenance
Off thow þᵗ bene of myn affyance
— Wytt
Let se by tyme þe meyntnance
Clepe in fyrst yowr resorte

Here entur vj dysgysyde in þe sute of mynde wᵗ rede berdys & lyons rampande on here crestys & yche a warder in hys honde her mynstrall trumpes eche answer for hys name
— Mynde
Let se cum in indignacion & sturdynes
Malesone also & hastynes
Wreche & dyscorde expres
And þe vijᵗᵉ am I meyntenance
Vij ys a nowmber of dyscorde & inperfyghtnes
Lo here ys a yomandrye wᵗ loue day to dres

The seconde was mary regynyte [redacted]-et of all thyr kynde
marya
þe thyrde was our blyssyde lady þe flower of all women
marya

Ande þe devll hade swor yt þei wolde ber wp falsnes
Ande maynten yt at þe best þis ys þe dewllys dance
Ande here mynstrellys be conuenyent
ffor trumpys xulde blow to þe jugemente
Off batell also yt ys instrumente
yevynge comfort to fyght
Therfor þey be expedyente
to thes meny of mayntenance
Blow lett see madam regent
Ande daunce ye laddys yowr hertys be lyght

lo þat other spare. thes meny wyll spende — wondyrfull
ya wo to hym xall hem offende — wyll
who wyll not to hem condescende
he xall haue thretys — mynde
ther spyt þat law wolde amende — wondyrfull
yit mayntenance no man dar reprehende — wyll
thes meny thre synnys comprehende
pryde. invy. & wrathe in hys hestys — wondyrfull

Now wyll I than be gyn my trace
Jurowr in on hoode beror to face
ffayer speche & falsehede in on space ys
the quest of holborn cum in to þis place
Ageyn þe ryght euer þey rechase
Off whom þei holde not harde ys hys grace
Many a tyme haue damnyde truthe

Ande þe deule hade swore yt þey wolde ber wp falsnes
Ande maynten yt At þe best þis ys þe deullys dance

Ande here menstrellys be convenyent
ffor trumpys xulde blow to þe Iugemente
Off batell also yt ys on Instrumente
yevynge comfort to fyght
Therfor þey be expedyente
To þes meny of meyntnance
Blow lett see madam regent
Ande daunce ye laddys yowr hertys be lyght

lo þat other spare thes meny wyll spende
WNDYRSTONDYNGE. ya wo ys hym xall hem offende
WYLL. Wo wyll not to hem condescende
he xall haue threttys
MYNDE. they spyll þat law wolde a mende
WNDYRSTONDYNGE. yit mayntnance no man dare reprehende
WYLL. Thes meny thre synnys comprehende
Pryde . Invy . & wrathe in hys hestys

WNDYRSTONDYNGE. now wyll I than be gyn my traces
Iorowr in on hoode beer to facys
ffayer speche & falsehede in on space ys
[is it not ruthe]
The quest of holborn cum in to þis placys
A geyn þe ryght euer þey rechase
Off wom þey holde not harde hys grace ys
Many a tyme haue dammyde truthe

703 ys *added above the line* (*E*)
706 þes] *D* these; meyntnance] *D* mayntement *FE emend to* meyntement
708 be] *D* ben
709 spare] *a point after* spare; thes] *D* this
710 ya wo] *D* ye who
715 Thes] *D* these
716 hestys] *D* hestys *E emends to* hettys
718 Iorowr . . . beer] *D* Ioroure . . . berith *E prints* Jorowrs . . . beer *F emends to* Jorowur . . . berith
720 *line supplied from D*
722 rechase] *D* rechases *E emends to* rechases

in right margin at l. 706, smudged: Amen amen dico vobys (?); *above, an* S (?) *and an* H; *at l. 699,* an X
in left margin, at ll. 717 and 721: X's

Here entrethe vj Iorours in a sute gownyde wyth hodys a bowt her
nekys hattys of meyntenance þer vp on vyseryde dyuersly here mynstrell a ba[g] pyp[e]

Wndyrstondynge. let se fyrst wronge & sleyght
Dobullnes & falsnes schew yowr myght
Now raveyn & dyscheyit
Now holde yow here to gydyr
Thys menys consyens ys so streytt
That þey report as mede yewyt beyght
here ys þe quest of holborn an euyll endyrecte
They daunce all þe londe hydyr & thedyr
A I periury yowr fownder
Now dance on ws all the worlde doth on ws wondyr

lo here ys a menye loue well fare
Mynde. ye þey spende þat tru men spare
Wyll. haue þey a brybe haue þey no care
Wo hath wronge or ryght
Mynde. They fors not to swere & starre
Wyll. Thouht all be false les & mare
Wndyrstondynge. Wyche wey to þe woode wyll þe hare
they knewe & þey at rest sett als tyghte
Some seme hem wyse
ffor þe fadyr of vs covetyse

Wyll. Now meyntnance & periury
Hathe schewyde þe trace of þer cumpeny
ye xall se a sprynge of lechery
þat to me attende

724 s.d. bagpype] *D* bagpy
725 Wndyrstondynge] Mynde *canc. and changed to* Wndyr. (*E*) *D* Mynde *F emends to* Periury
726 falsnes] *D* falsehed
730 That þey] *D* that
731 endyrecte] *D* endyrecte *F reads* endyrecte *E* entyrecte
732 They] y *above the line*; þe] *D* this
733 A] *D* And *F reads* & *E emends to* And
737 haue þey no care] *D* thei haue no care
740 Thouht] *D* though *F reads* Thought *E emends to* Though
746 þer] *D* here

in left margin, at top, an X
at bottom of the page, in a later hand: met & drynke th[e]y had inowe but logynge (*F*); logynge *written above* clothyng *canc.* (*E*)

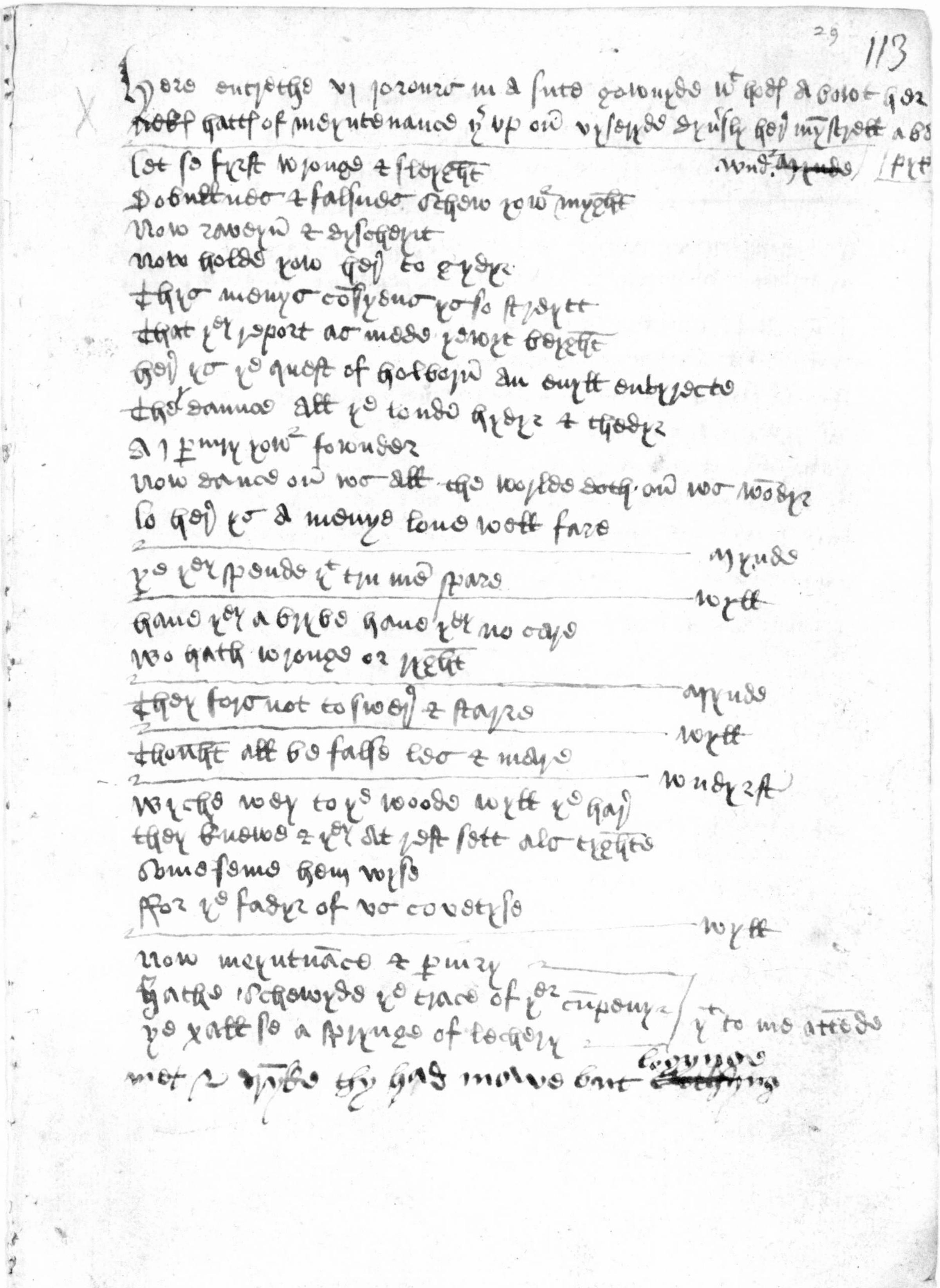

29 113

Here entyrthe vj jorours in a sute gownyde wt hodys a bowt her nekk hattys of meyntenance ther vp on vysoryde dyuersly here mynystrell a bs

Wndr. ~~Mynde~~ / wyll

let se fyrst wronge & sleyght
Dobulnes & falsnes schew yow myght
Now Raveyn & dysceyt
Now holde yow here togydyr
thys meny cosyns ys so streytt
that ther sport ar mede grete bryght
Wyt ye ye quest of holborne an euyll entyrecte
they dance all ye londe hydyr & thedyr
And I perjury yowr fowndor
Now dance on vs all the worlde doth on vs wondyr
lo wyth a meny cone well fare

Mynde
ye yer sounde yt thu me spare

wyll
haue yer a bene haue yer no care
wo hath wronge or ryght

Mynde
~~they fere not to swere & stare~~

wyll
~~thowght all be false lees & mare~~

wndyrst
wyche wey to ys wode wyll ye hare
they knowe & yei at ryst sett als tyghte
Some seme hem wyse
Ffor ye fadyr of vs coveytyse

wyll
Now meyntnace & pmiury
hathe ischewyde ye trace of yer enpryse
ye xall se a sprynge of lechery — yt to me attende
met & dysbe thy hed meve but ~~lechyng~~ Lechrye

Her forme ys of the brewys clene reballon
they weyn for sothe wen yt yer lye
Off ye comyn yer synge eche wyse by & by
they may sey wt tender I trow fat a mende

Her entrety vy wome in sut dysgysyde as galonts & in de
gysonde wt wonderfull vysage comyght her mystrell & songe wytt | fyke

On slepers yelloe here & sykenes
All in all surfet & gredynes
ffor ye flessche sponse ~~& mast~~ breche & mastyes
wt ientyll fornycacion
your mynstrell & songe fyke mote
yt fowll ys in thyn selff but to ye oyer swete
thys forthe rose of loue here ~~[illegible]~~ breyeth I y bete
they dance of yi damosellys ys though yi rerye — mynde

ye may not endur wt owt my meyntenance — wnde
that ys bought wt a bybe of our fortune — wytt
whom beholdest yu vs of yi aquayntance
I sett ys at nought — mynde
On yt worde I woll take vengeaunce
wer vyce be ~~[illegible]~~ gederyde on ys sin myschance
hyde here thee harlott her eyes ys of france
yer xall a bey byttely by thyn yt all wrought — wnde

tell apsse ye ande yu speke
yt longe body bake — have the a geyn
to bett I not spare — wytt

here forme ys of þe stewys clene rebaldry
They veyn sey sothe wen þat þey lye
Off þe comyn þey synge eche wyke by & by
they may sey wyth tenker I trow lat a mende

here entreth vj women in sut dysgysyde as galontys & iij as Matrones wyth wondyrfull vysurs conregent here mynstrell a horne pype

WYLL. Cum slepers rekleshede & Idyllnes
All in all surfet & gredynes
ffor þe flesche spouse breche & mastres
Wyth Ientyll fornycacion
yowr mynstrell a horne pype mete
Þat fowll ys in hym selff but to þe erys swete
thre fortherers of loue hem schrew I quod bete
Thys dance of þis damesellys ys thorow þis regyn

MYNDE. ye may not endure wyth owt my meyntenance
WNDYRSTONDYNGE. That ys bought wyth a brybe of owr substance
WYLL. Whom breydest þou vs of þin aqueyntance
I sett þe at nought
MYNDE. On þat worde I woll tak vengeaunce
wer vycys be gederyde euer ys sum myschance
hurle hens thes harlottys here gyse ys of france
þey xall a bey bytterly by hym þat all wrought

WNDYRSTONDYNGE. Ill spede þe ande þou spare
þi longe body bare
To bett I not spare
haue the a geyn
WYLL.

750 veyn] *D* wene *E emends to* wene
752 tenker] *D* tynker
752 S.D. entreth] *D* entre; dysgysyde] *FE emend to* thre dysgysyde; conregent] *E emends to* congruent; mynstrell] *D* mynstrallys; *the Digby MS* (*D*) *ends after this* S.D.
755 breche] & mast *canc. before* breche (*E*)
757 a] *F reads* &
759 schrew] scre *canc. before* schrew (*E*)
760 regyn] *F* regy[o]n
762 substance] *F reads* festance
763 Whom] *E emends to* Whow
766 gederyde] gat *canc. before* gederyde (*E*)

[WYLL.] Holde me not let me go ware
I dynge I dasche þer go ther
Dompe deuys can ye not dare
I tell yow owtwarde on & tweyn
Exient

MYNDE. Now I schrew yow thus dansaunde
WNDYRSTONDYNGE. ye & ewyll be þou thryvande
WYLL. No more let vs be stryvande
Nowe all at on
MYNDE. Here was a meny on thryvande
WNDYRSTONDYNGE. to þe deull be þey drywande
WYLL. he þat ys yll wy wande
wo hys hym by þe bon

MYNDE. leue then þis dalyance
Ande set we a ordenance
Off better chevesaunce
how we may thryve
WNDYRSTONDYNGE. At west myster wyth owt varyance
þe nex terme xall me sore a vawnce
ffor retornys for enbraces for recordaunce
lyghtlyer to get goode kan no man on lyue

MYNDE. Ande at þe parvyse I wyll be
A powlys be twyn ij ande iij
wyth a menye folowynge me
Entret Iuge partynge & to supporte
WYLL. Ande euer þe latter þe leuer me
Wen I com lat to þe cyte
I walke all lanys & weys to myn affynyte
& I spede not þer to þe stews I resort
MYNDE.

775 deuys] *F* Denys
776 owtwarde] *FE read* outwarde
790 me sore a vawnce] my sowraunce *canc. before* sore, *with* me *written above* my (*E*)

in left margin at l. 784: cat, *indicating the end of a cut passage beginning at l. 685; see marginalia at l. 685; at ll. 775 and 800,* X's

794 A] *F* A[t]
796 *a point after* Entret
797 *The scribe first wrote and then canc. l. 802* (*E*)*; in the crossed-out line, F reads* þis *for* yis

30 114

Spelde me not let me go wythe
Syngynge I desyre y^er go ther — I tell yow outwarde on a word
Dompe dewys can ye not say — Exeunt — ayende

Now I schrew yow thus dasaunde — wndyrst
ye & owȝtt be yn thryvande — wyrlt
No more let vs be stryvande
Nowe all at on — ayende

Hey wee a mony on thryvande — wndyrst
to ye deuell be ther dryvande — wyrlt
the y^t yo yll wy wande
wo the kynd by ye bow — ayende

cut

lene thow thi dalyaunce
Ande let vs a dysdaunce — How we may thryve
Off bett' chevesaunce — wndyrst

At wesfmynst' w^t owte varyaunce
ye nex terme shall ~~my~~ me soroumce for a varyaunce
For retorne for enbrace for recordaunce
Cretelyer to get goode kan no man on' lyue — ayende

Ande at ye partysse I wyll be
a powlys be tweyne ȝ ande ȝ
w^t a meny folowynge me
Endentyt. inge ȝtynge & to supposse — wyrlt

ye furtyme I take a monde
Ande on ye latter ye lord me
Now I com fast to ye cyte
I walke all lanys & weys to my affynyte
& I spede not ther to ye fewe I dost — ayende

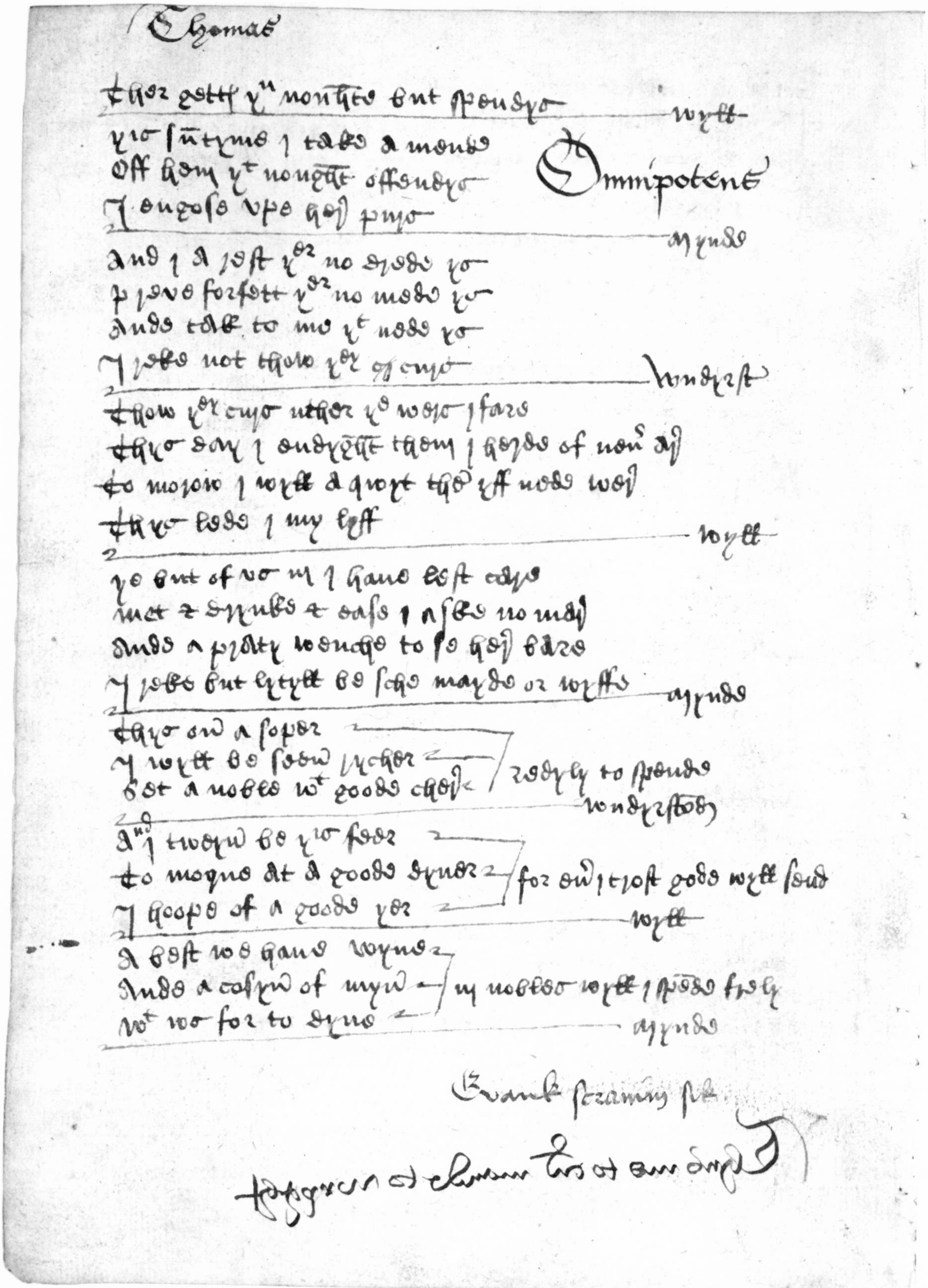

Thomas

ther getteth yu nouhte but spendyr —— wytt
yis sumtyme I take a mouse
Off hem yt nought offendyr
I encrese vpe her pryse —— mynde

Omnipotent

And I a rest yer no drede ye
I leve forsett yer no mede ye
Ande take to me yt nede ye
I seke not there yer esonye —— vndyrst

Thow yer eyne uther ye were I fare
Thys day I ondyrght them I here of non as
to morow I wyll a grote this yf nede wer
Thys bede I my lyff —— wytt

ye but of vs m I haue lest care
met & drynke & ease I aske no mor
Ande a praty wenche to se her bare
I reke but lytyll be scho mayde or wyffe —— mynde

Thys on a soper
I wyll be seen rycher
set a nobles wt goode chere — redyly to spende
vndyrstond

And I twoyn be yis feer
to meyne at a goode dyner — for euyr trost gode wyll send
I hoope of a goode yer —— wytt

A best we haue wyne
Ande a cosyn of myn — iij nobles wyll I spede trely
wt vs for to dyne —— mynde

Frank Scramming ...

[MYNDE.] Ther gettys þou nouhte but spendys
WYLL. yis sumtyme I take a mende
Off hem þat nought offendys
I engose vpe here purs
MYNDE. And I a rest þer no drede ys
preve forfett þer no mede ys
Ande tak to me þat nede ys
I reke not thow þey curs

WNDYRSTONDYNGE. Thow þey curs nther þe wers I fare
Thys day I endyght them I herde of neuer are
To morow I wyll a qwyt them yff nede were
Thys lede I my lyff
WYLL. ye but of vs iij I haue lest care
met & drynke & ease I aske no mare
Ande a praty wenche to se here bare
I reke but lytyll be sche mayde or wyffe

MYNDE. Thys on a soper
I wyll be seen rycher
Set a noble wyth goode chere
redyly to spende
WNDYRSTONDYNGE. And I tweyn be þis feer
To moque at a goode dyner
I hoope of a goode yer
for euer I trost gode wyll send

WYLL. A best we haue wyne
Ande a cosyn of myn
wyth ws for to dyne
iij nobles wyll I spende frely
MYNDE.

801 nouhte] *F reads* noughte *E* nouhte
802 a mende] *when the scribe first wrote this line in error at l. 797, he wrote* a mendys (*E*) *F reads* a-mendis *E emends to* amendys
804 engose] *FE emend to* engrose
808 curs] cr *canc. before* curs (*E*)
809 nther] *or* uther *F* uther *E emends to* never
821 And] A *changed to* And (*E*)
825 A] *FE emend to* And
828 spende] *F reads* spede

at top, in a different hand: Thomas
in right margin at l. 803, in a different hand: Omnipotent
at bottom, in a different hand: Evank scranim sik (kis min arcs knave, *in backwriting*); *below, in mirror writing:* Thus me to cum mande to wryght (*see also* 98v)

[MYNDE.] we xall a corde well & fyne
WNDYRSTONDYNGE. Nay I wyll not passe schylyngys nyne ix
WYLL. No þou was neuer but a swyn
I woll be holdyn Ientyll by sent audre of Ely

Ande now in my mynde I haue
My cosyn Ienet .N. so gode me save
Sche mornyth wyth a chorle a very knaue
& neuer kan be mery
I pley me þer wen I lyst rawe
Than þe chorle wyll here dysprawe
how myght make hym thys to lawe
I wolde onys haue hy[m] in þe wyrry

MYNDE. ffor thys I kan a remedye
I xall rebuk hym thus so dyspytuusly
Þat of hys lyff he xall very
& qwak for very fere
Ande yff he wyll not leve þer by
On hys bodye he xall a bye
Tyll he leue þat Ielousy
nay suche chorlys I kan lere

WNDYRSTONDYNG. Nay I kan better hym qwytte
A rest hym fyrst to pes for fyght
Than in a nother schere hym endyght
he ne xall wete by wom ne howe
haue hym in þe marschalsi seyn a ryght
Than to þe amralte for þey wyll byght
A preuenire facias than haue as tyght
Ande þou xalt hurle hym so þat he xall haue I now

WYLL. Wat & þes wrongys be espyede
WNDYRSTONDYNGE.

830 nyne ix] *E emends to* nyne
839 how] *E emends to* Who
843 very] *F reads* wery *E emends to* wery
852 howe] wow *canc. before* howe (*E*)
853 marschalsi] *F reads* Marschalse

at top right, ink blotting from Thomas *written at top left on f. 114*[v]
at bottom right, in another hand in mirror writing: Joh Thomas Wyllym book; *above this, also in mirror writing,* Joh Thoms (?) *smudged*

115

We xall a corde well & fyne — wndyrst

Nay I wyll not passe schylyngys nyne ij — wyll

No þu was neu' but a swyn
I wolle be holdyn ferþer by sent Audre of Ely
Ande now in my mynde I haue
My cosyn Jenet N. so gode me saue — & now bam be mery
Sche mornyth wt a chylde a very knaue
I pray me yer wen I lyst raue
Than ye chorle wyll her dysprave — I wolde ony haue hy
How myght make hym there to rave — in ye wyrry — ayens

ffor thys I haue a remedye
I xall rebuk hym thus so dyspytuly — & quak for very fere
yt of hys lyff he xall wery
Ande yff he wyll not leue yer by
On hys bodye he xall a bye — nay suche chorlys I haue lere
Tyll he leue yt Jelousy — wndyrstondyng

Nay I haue bett' hym queynte
A rest hym fyrst to pes for fyght
Than in a nother schere hym endyght
He ne xall wete by whom ne wote howe
Haue hym in ye marschalsi seyn a nyght
Than to ye amyralte for yer wyll breke
A p'nomyr facias than haue as tyght
Ande yu xall begyle hym so yt he xall haue I now — wytt

What & yee wrongys be espyede — wndyrst

Wᵗ þe crose & þe pyll I xall wyne yt
That þou xall now man dyssever yt
Þt may me apere — Mynde

Ther ys no craft but we may trye yt — Wndyrst.

Mede stoppyt be yt neuer so allyede — Wyll

Wyth yow tweyn wo ys sekyrde
He may sey he hathe a beschrewde fyer — Mynde

Thow woldyst haue wondyr of sleytys þt be — Wndyrst.

Thys make summe ryche & summe neuer the — Wyll

Þer must nedys grett good gett be
Now go we to þe wyne — Mynde

In trewþe I grante haue at wᵗ þe — Wndyrst.

Ande for a peny or ij I wyll not fle — Wyll

Mery mery all mery þan be we
Who þt ws tarythe curs haue he & myn — Wysdom

O thou mynde remembyr the
Turne þi werkys þou gost a mysse
Be what þi soule ys þou myght not fle
Dethe to euery creatur certen ys
Ther þt lyue well þer xall haue blys
Thay þt endyn yll þey goo to hell
I am wysdom sent to tell yow thys
Se in what stat þou doyst indwell — Mynde

To my mynde yt cummyth from farre
That dowtles man xall dey

[WNDYRSTONYNGE.] Wyth þe crose & þe pyll I xall wrye yt
That þer xall neuer man dyscrey yt
Þat may me a ppeyere
MYNDE. Ther ys no craft but we may trye yt
WNDYRSTONDYNGE. Mede stoppyt be yt neuer so allyede
WYLL. Wyth yow tweyn wo ys replyede
he may sey he hathe a schrewde seyer

MYNDE. Thow woldyst haue wondyr of sleyghtys þat be
WNDYRSTONDYNGE. Thys make sume ryche & summe neuer the
WYLL. þey must nedys grett goodys gett þe
Now go we to þe wyne
MYNDE. In trewþe I grante haue at wyth þe
WNDYRSTONDYNGE. Ande for a peny or ij I wyll not fle
WYLL. Mery mery all mery þan be we
Who þat ws tarythe curs haue he & myn

WYSDOM. O thu mynde remembyr the
Turne þi weys þou gost a myse
Se what þi ende ys þou myght not fle
Dethe to euery creature certen ys
They þat lyue well þey xall haue blys
Thay þat endyn yll þey goo to hell
I am wysdom sent to tell yow thys
Se in what stat þou doyst in dwell

MYNDE. To my mynde yt cummyth from farre
That dowtles man xall dey

862 stoppyt] sp *canc. before* stoppyt (*E*)
867 þe] *F* ye *E* þe
873 thu] *or* thou *FE* thou
879 am] an *canc. before* am (*E*)

at bottom and in lower right margin, penmanship flourishes and designs

Ande thes weys we go we erre
Wndyrstondynge wat do ye sey
WNDYRSTONDYNGE. I sey man holde forthe þi wey
The lyff we lede ys sekyr y nowe
I wyll no wndyrstondynge xall lett my pley
Wyll frende how seyst thowe
WYLL. I wyll not thynke þeron to gode a vowe
We be yit but tender of age
Schulde we leve þis lyue ya whowe
We may a mende wen we be sage

WYSDOM. Thus many on vnabylythe hym to grace
They wyll not loke but slumber & wynke
þey take not drede before þer face
howe horryble þer synnys Stynke
Wen þey be on þe pyttys brynke
Than xall þey trymbull & qwake for drede
yit mynde I sey yow be thynke
In what perell ye be now take hede

Se howe ye haue dyvyguryde yowr soule
Be holde yowrselff loke veryly in mynde

here anima apperythe in þe most horrybull wyse fowlere þan a fende

MYNDE. Out I tremble for drede by sent powle
Thys ys fowler þan ony fende
WYSDOM. Wy art þou creature so on kynde
Thus to defoule godys own place
þat was made so gloryus wyth owt ende
Thou hast made þe deullys rechace

899 yow] *F* [to] yow

901 dyvyguryde] *FE emend to* dysvyguryde

in left margin at l. 902 S.D., *an* X
at bottom and in lower right margin, ornaments

32 116

Ande ther wey we go we erre
Vndyrstondynge what do ye sey — Vndyrstonde

I sey man holde forthe thi wey
The lyff we lede ys sekyr ynowe
I wyll no vndyrstondynge xall lett my pley
Wyll fyndyth how sleyt thrawe — Wyll

I wyll not thynke yow to gode a vowe
We be yit but tendyr of age
Schulde we leve thys lyff ya whowe
We may amende when we be sage — Wysdom

Thus many on vnabylythe hym to grace
They wyll not loke but dreme & wynke
They take not drede before thi face
Howe horrybull ther synnys stynke
Wen they be on the pyttys brynke
Than xall they trymbull & quake for drede
Yit Mynde I sey yow be thynke
In what perell ye be now take hede
Se howe ye haue dysfyguryde yowr soule
Beholde yowr sylff loke veryly in mynde

Here Anima apperyth in the most horrybull wyse fowler than a fende — Mynde

Out I tremble for drede by Seynt Powle
Thys ys fowler than ony fende — Wysdom

Why art thou creatura so onkynde
Thus to defoule Godys own place
That was made so gloryus wyth owt ende
Thou hast made the Deullys rechace

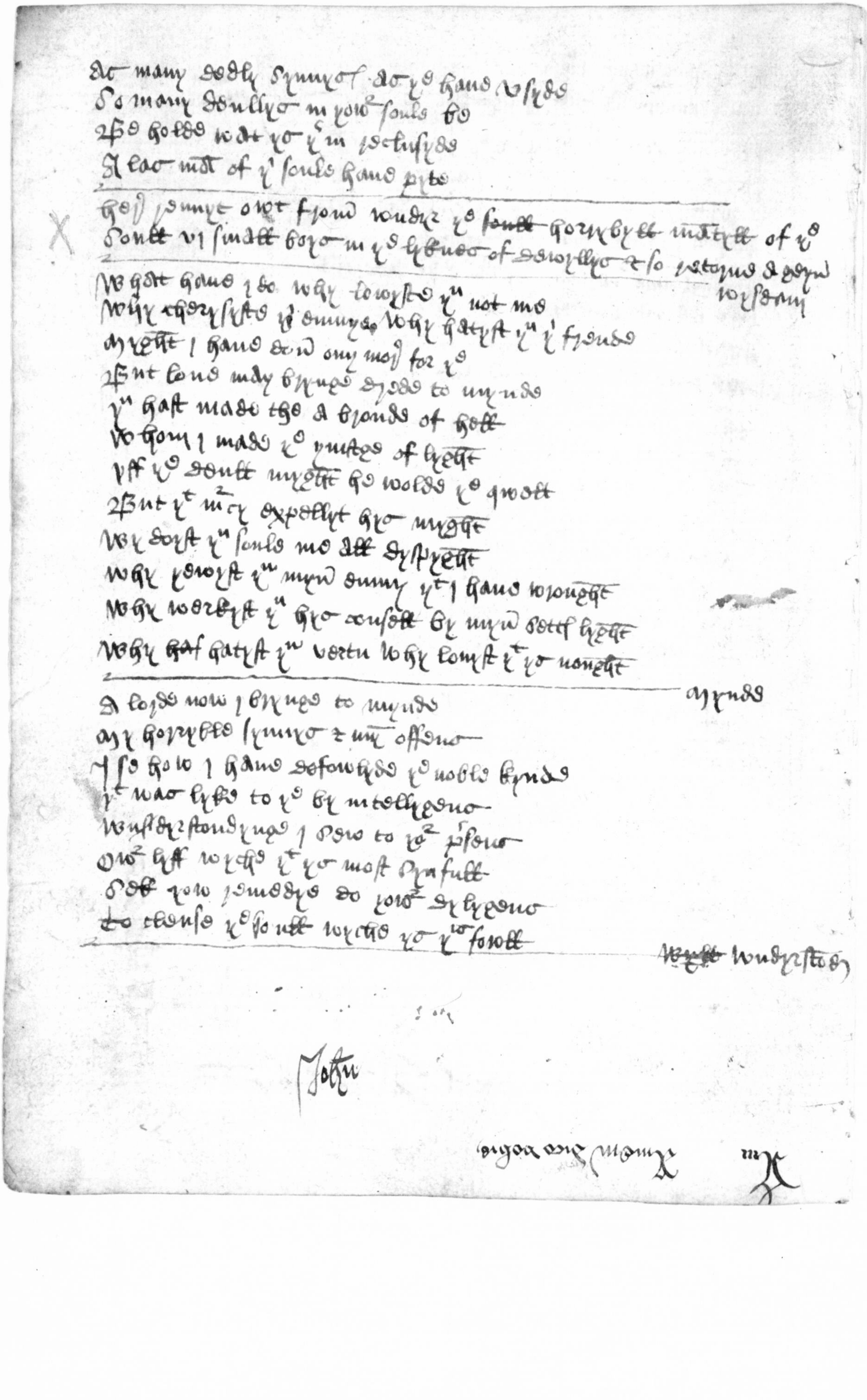

As many dedly synnys as þe haue vsyde
So many dowllys in yowr soule be
Be holde what ys þer in seclusyde
Alas muste of þi soule haue pyte

These synnys owt from vndyr þe ~~soull~~ horryble mattyr of þe
Soull vi smalle bees in þe hyues of dewyllys & so retorne agayn

Whate haue y do why lovyste þu not me — wysdom
Why cherysshte þi enmys why hatyst þu þi frende
Mekell y haue don ony mon for þe
But love may brynge dede to mynde
þu hast made the a bronde of helle
Whom y made þe yuntes of lyght
Yff þe deuell myght he wolde þe quelle
But þe mercy expellyt hys myght
Why doyst þu soule me ~~all~~ dyspyte
Why forgyst þu myn enmy þat y haue wrought
Why worchyst þu thys counsell by myn selff lyght
Why ~~hast~~ hatyst þu vertu why lovyst þat ys nought

A lorde now y brynge to mynde — Mynde
My horryble synnys & my offens
I se how y haue defowlyde þe noble kynde
þat was lyke to þe by intelligens
Vnderstondynge y sew to your presens
Your lyff wyche þat ys most synfull
Sende yow remedye do your dylygens
To clense þe soull whyche ys þi foull — ~~Wyll~~ vndyrston

John

As many dedly synnys as ye haue vsyde
So many deullys in yowr soule be
Be holde wat ys þer in reclusyde
Alas man of þi soule haue pyte

here rennyt owt from wndyr ye horrybyll mantyll of þe Soull vj small boys in þe lyknes of dewyllys & so retorne a geyn

WYSDAM. What haue I do why lowyste þou not me
Why cherysyste þi enmye why hatyst þou þi frende
Myght I haue don ony more for þe
But loue may brynge drede to mynde

þou hast made the a bronde of hell
Whom I made þe ymage of lyght
Yff þe deull myght he wolde þe qwell
But þat mercy expellyt hys myght
Wy doyst þou soule me all dyspyght
Why yewyst þou myn enmy þat I haue wrought
Why werkyst þou hys consell by myn settys lyght
Why hatyst þou vertu why louyst þat ys nought

MYNDE. A lorde now I brynge to mynde
My horryble synnys & myn offens
I se how I haue defowlyde þe noble kynde
þat was lyke to þe by intellygens
Wndyrstondynge I sew to your presens
Owr lyff wyche þat ys most synfull
Sek yow remedye do yowr dylygens
To clense þe so ull wyche ys þis fowll
WNDYRSTONDYNGE.

912 S.D. horrybyll] soull *canc. before* horrybyll (*E*); vj] *E emends to* seven
924 hatyst] has *canc. before* hatyst (*E*)
929 Wndyrstondynge] *the scribe first wrote* Wnst, *then canc. the* st *and completed* Wndyrstondynge (*E*); sew] *E emends to* schew
933 WNDYRSTONDYNGE] WYLL *canc., changed to* WNDYRSTONDYNGE (*E*)

in left margin at l. 912 S.D., *an* X
at bottom, in different hands, John, *and, upside down,* Am Amen dico vobis

[Wndyrstondynge.] Be yow mynde I haue very knowenge
That grettly gode we haue offendyde
Endles peyn worthyi be owr dysyrynge
Wyche be owrselff neuer may be a mendyde
Wyth owt gode in whom all ys comprehendyde
Therfor to hym let vs resort
he lefte vp them þat be descendyde
he ys resurreccion & lywe to hem wyll resort

Wyll. My wyll was full yowe to syne
By wyche þe soule ys so abhomynable
I wyll retorne to gode & new be gynne
Ande in hym gronde my wyll stable
Þat of hys mercy he wyll me able
to haue þe yiffte of hys specyall of hys specyall grace
how . hys seke soule may be recurable
At þe Iugment be fore hys face

Anima. Than wyth yow iij þe soule dothe crye
Mercy gode why change I nowte
I þat thus horryble in synne lye
Sythe mynde wyll & wndyrstondynge be brought
to haue knowynge þey Ill wrought
What ys þat xall make me clene
Put yt lorde in to my thowte
Thi olde mercy let me remene

Wysdom. Thow þe soule mynde take
Ande wndyrstondynge of hys synnys all wey
Beynge in wyll yt forsake

935 dysyrynge] *FE emend to* dysyrvynge
946 of hys specyall of hys specyall] *FE emend to* of hys specyall
954 þat] *F* yt *or* þat
957 Thow] *F* Then [xall]
959 yt] *F* yt [to]

at bottom, in a different hand, upside down: Wythe hufa / Wythe huffa wyth huffa wyth huffa onys agen / A gallant glorius; *to the side of this writing, also upside down, a capital* N

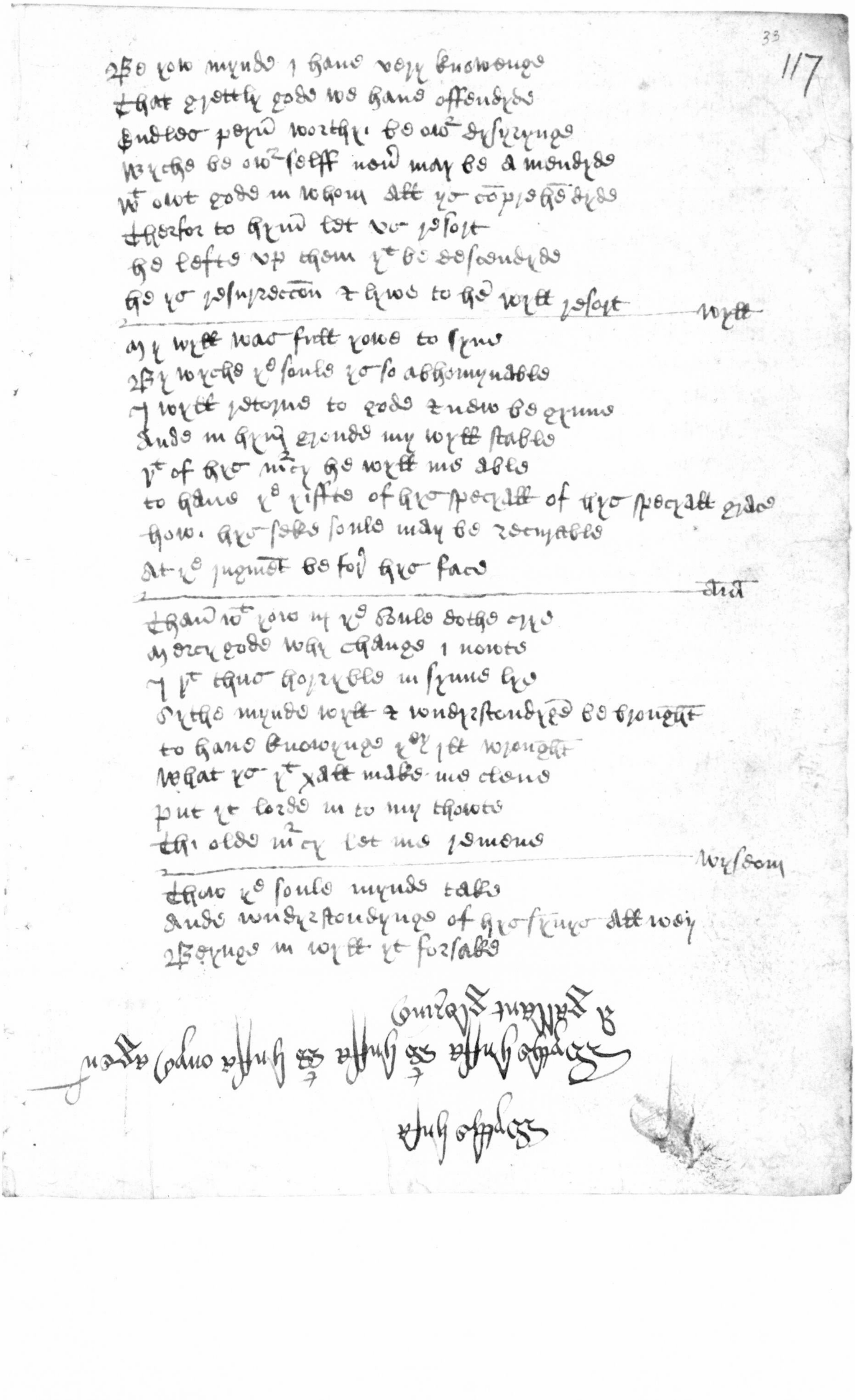

33 117

By yow mynde I haue very knowynge
That gretly gode we haue offendyde
Endles peyn worthy be owr deseruynge
Wyche be owr self now may be a mendyde
Wt owt gode in whom all ys comprehendyde
Therfor to hym let vs resort
He lefte vp them yt be descendyde
He ys resurreccon & lyue to hym wyll resort — Wyll

My wyll was fulle grett to syn
By wyche ye soule ys so abhomynable
I wyll retorne to gode & new begyn
Ande in hym grounde my wyll stable
yt of hys mercy he wyll me able
to haue ye yiftys of hys specyall of hys specyall grace
How. hys fowle soule may be recurable
At ye jugment be for hys face — vnd

Than wt yowr mynde ye soule dothe cry
Mercy gode why change I nowe
I yt thus horryble in synne ly
Sythe mynde wyll & vndyrstondynge be brought
to haue knowynge yey ill wrought
What ys yt xall make me clene
Put yt lorde in to my thowte
Thi olde mercy let me remene — Wysdom

Thow ye soule mynde take
Ande vndyrstondynge of hys synnys all wey
Beynge in wyll yt forsake

Jesu Th

yit thes do not only synne a wey
But very cōtrycyon who yt haue may
yt ys purger & clenser of synne
A tere of ye ey wt sorow ~~very~~ veray
yt rubbyt & waschyt ye soule wt in
All ye penaunce yt may be wrought
Ne all ye preyer yt seyde be can
Wt owt sorowe of hert relesyt nought
That in especyall reformyth man
And makyt hym as clene as when he be gane
Go seke yis medsyne soull yt be seke
Wt verey feythe & be ye sekyr than
The vengeaunce of gode ye make full meke
By undyrstondynge haue very cōtrycōn
Wt mynde of yor synne cōfessyon make
Wyt wyll yeldynge du satysfaccōn
yan yowr soule be clene I undyrtake

Anima

I wepe for sorow lorde I se yen a wake
I that yis longe hath slumberyde in synne

hic recedunt demones

Wysdom

Lo how cōtrycōn avoydyth ye devullys blake
Dedly synne ys non yow wt in
Ffor gode ye haue offendyde hyely
And yowr modyr holy chyrche so mylde
yerfor gode ye must aske mercy
By holy chyrch to be reconsylyde
Trustynge verely ye xall non be revylyde
Yff ye haue yowr charter of pardon by cōfessyon

yit thes do not only synnys a wey
But very contrycyon who þat haue may
Þat ys purger & clenser of synne
A tere of þe ey wyth sorow veray
þat rubbyt & waschyt þe soule wyth In

All þe penance þat may be wrought
Ne all þe preyer þat seyde be kan
Wyth owt sorowe of hert relesyt nought
That in especyall reformyth man
Ande makyt hym as clene as when he be gane
Go seke þis medsyne soull þat be seke
wyth veray feythe & be ye sekyr than
The vengeaunce of gode ys made full meke

By wndyrstondynge haue very contrycion
wyth mynde of your synne confessyon make
Wyt wyll yeldynge du satysfaccion
þan yowr soule be clene I wndyrtake
ANIMA. I wepe for sorow lorde I be gyn a wake
I that þis longe hath slumberyde in syne
hic recedunt demones
WYSDOM. lo how contrycion a voydyth þe deullys blake
dedly synne ys non yow wyth In

ffor gode ye haue offendyde hygly
Ande yowr modyr holy chyrche so mylde
þerfor gode ye must aske mercy
By holy chyrch to be reconsylyde
Trustynge verely ye xall neuer be revylyde
yff ye haue yowr charter of pardon by confessyon

963 veray] wery *canc. before* veray (*E*)
975 Wyt] *E emends to* Wyth
980 non] *F* now
981 hygly] *F* hyghly *E emends to* hyghly

at top, in a different hand: John Tho
in the right margin, flourishes and a p *with four cross-bars on the tail*
at bottom left: kstf (*cipher for* iste; *see* 119[v]), *canc.*

Now haue ye for yeffnes þat were fylyde
Go prey yowr modyr chyrche of her proteccion

ANIMA. O fadyr of mercy ande of mercy
Wyth wepynge ey & hert contryte
To owr modyr holy chyrche I wyll resort
My lyff pleyn schewenge to here syght
Wyth mynde vndyrstondynge & wyll ryght
Wyche of my sowll þe partyes be
To þe domys of þe chyrche we xall vs dyght
Wyth veray contricion thus copleynnyng we

here þey go owt & in þe goynge þe soule syngyth in þe most la metabull wyse wyth drawte notys as yt ys songyn in þe passyon wyk[e]

ANIMA. Magna velud mare contricio contricio tua quis consoletur tui plorans plorauit in nocte & lacrime eius in maxillis eius

WYSDOM. thus seth gode mankynde tyll
The ix poyntys ples hym all other be fore
Gyff a peny in thy lyve wyth goode wyll
To þe pore . & þat plesythe gode more
Þat mowyntenys in to golde tramposyde wore
Ande aftyr thy dethe for the dysposyde
Ande all þe goodys þou hast in store
Xulde not profyght so moche wan þi body ys closyde

The secunde poynt gode sethe thus
Wepe on tere for my loue hertyly
Or for þe passyon of me Ihesus
Ande þat plesyt me more specyally
Than yff þou wepte for þi frendys or goodys worldly

988 Go] *F* To
989 ande of mercy] *FE emend to* ande of comfort
996 copleynnyng] *F* co[m]pleyninge *E emends to* compleynnyng
996 S.D. la metabull] *FE emend to* lamentabull

996b & lacrime] *F reads* in lacrime, *emends to* et lacrime
998 The] *F* The[s]
1001 Þat] *FE emend to* þan; tramposyde] *F emends to* transposyde; wore] *F* were *E* wore

at bottom left: bmfn dkcp xxpbks (*cipher for* amen dico vobis, *with the vowels replaced by the following letter of the alphabet; see 121*[v])

Now haue ye for yeffnes yt wes fylyde
to pray yow² modyr chyrche of her p̄tectioun — Stist

O fadyr of m̄cy ande of m̄cy
wt wepynge ey & hert contryte
to owr modyr holy chyrche I wyll resort
my lyff pleyn schewenge to here syght
wt mynde vndyrstondynge & wyll ryght
wyche of my sowll ye partes be
to ye domys of ye chyrche we xall vs dyght
wt veray contricion thus compleynynge we

Ho yt ys so olde & in ye yonge ye soule synneth in ye most la
motabull wyse wt grevous noth do yt ye songeres in ye passyon wyth

Magna velud mare contricio contricio tua quis consolet[ur] tui plorans — Stist
plorauit in nocte & lacrime eius in maxillis eius — Wysdom

thus seth gode mankynde tyll
the ix poyntes pleas hym all other before
Gyff a peny in thy lyve wt goode wyll
to ye pore, & yt plesythe gode more
yan mowntenys in to golde transposyde wer
ande after thy dethe for the dysposyde
ande all ye goodes yu hast in store
yulde not p̄fyght so moche wt yi body yo desyrde
the secunde poynt gode sethe thus
Wepe on tere for my loue hertyly
or for ye passyon of me Jhesus
ande yt plesyt me more specyally
than yff yu wepte for yi frendes or goodes worldly

[illegible]

John

As moche wat' as ye se is comynge
so contricion ys a soueren remedy
that destroyethe synnes yt relessyt peynes
* the iiide gode sethe suffre paciently for my love
off thi neyburs a worde of ~~repue~~ repreve
ande yt to me mor dothe me move
than yu disciplynyde thi body wt peynes grevous
wt as many roddes as myght growe on erthe
In ye space of dayes sevyne
lo who suffreth most for gode ys most lovede
~~Slandyr~~ repreve only a dusyte
* the iiiite gode sethe wake one ower for ye love of me
and yt to me ys mor plesaunce
than yff yu sent xii kynges free
to my sepulkyr wt grett puyssaunce
ffor my dethe to take vengeaunce
lo wakynge ys a holy thynge
yer yt ys hade wt goode usance
Many grace of yt doth sprynge
* the vte gode sethe have pyte & compassyon
Off thi neybur wyche ys seke & nedy
And yt to me ys mor delectacion
than yu fastyde xlty yer by & by
thre dayes in ye weke as streytly
as yu cowdes in wat' & brede
lo pyte gode plesyth grettly
Ande yt ys a vertu soveren as clerkys rede
* the vite gode seth in yis wyse
Refreyn thy speche for my reverence

John Tomas Jannys

As moche water as þe se conteynys
lo contrycion ys a soueren remedy
That dystroythe synnys þat relessyt peynys

the iij^{de} gode sethe suffyr pacyenly for my loue
Off þi neybure a worde of repreve
Ande þat to mercy mor dothe me move
than þou dyscyplynyde þi body wyth peynys grewe
wyth as many roddys as myght grow or prywe
In þe space of days Iornye
lo who suffyryth most for gode ys most lewe
Slandyr repreve only aduersyte

The iiij^{te} gode sethe wake on owyr for þe loue of me
And þat to me ys more plesaunce
than yff þou sent xij kyngys free
to my sepulkyr wyth grett puysschaunce
ffor my dethe to take vengeaunce
lo wakynge ys a holy thynge
þer yt ys hade wyth goode vsance
Many gracys of yt doth sprynge

The v^{te} gode sethe haue pyte & compassyon
Off þi neybur wyche ys seke & nedy
And þat to me ys more dylectacion
than þou fastyde xl^{ty} yer by & by
thre days in þe weke as streytly
As þou cowdys in water & brede
lo pyte gode plesyth grettly
Ande yt ys a vertu soueren as clerkys rede

The vj^{te} gode seth on þis wyse
Refreyn thy speche for my reuerens

1013 *a paragraph sign in the left margin, marking the corporal deeds of mercy, appears here and at 1021, 1029, 1037, 1045, 1053, and 1057;* pacyenly] *F* pacyen[t]ly
1014 repreve] reprove *canc. before* repreve (*E*)
1016 than] *F* than [yf]
1017 or] on *changed to* or (*E*); prywe] *FE emend to* þrywe

at top, in a different hand: John
at bottom, in a different hand: John Tomas Jamys M (*or* N?)

1018 days] *FE emend to* a days
1020 only] *E emends to* ony
1021 owyr] *F* awyr
1032 than] *F* than [yff]

lett not thy tonge thy evyn crysten dyspyse
Ande þan plesyst more myn excellens
Than yff þou laberyde wyth grett dylygens
Wp on thy nakyde feet & bare
Tyll þe blode folwude for peyn & vyolens
Ande aftyr eche stepe yt sene were

The vii^{te} cryst seth in þis maner
thy neybur to ewyll ne sterre not thu
but all thynge torne in to wertu chere
Ad than more plesyst me now
then yf a thowsende tymys þou renne thorow
A busche of thornys þat scharpe were
Tyll þi nakyde body were all rought
Ande evyn rent to þe bonys bare

The viij^{te} gode sethe þis man tyll
Oftyn pray & aske of me
Ande þat plesythe me more on to my wyll
Than yf my modyr & all sentys preyde for þe

The ix^{te} gode sethe lowe me souerenly
Ande þat to me more plesant ys
Than yf þou went wp on a pyler of tre
Þat wer sett full of scharpe prykkys
So þat þou cut þi flesche in to þe smale partys
lo gode ys plesyde more wyth þe dedys of charyte
Than all þe peynys man may suffer I wys
Remembyr thes poyntys man in þi felycite
Here entrethe anima wyth þe v wyttys goynge be fore Mynde on
þe on syde & wndyrstondynge on þe other syde & wyll folowyng
all in here fyrst clothynge her chapplettys & crestys and all hauyng

1040 plesyst] *E emends to* plesyst þou
1046 thu] *FE* thou
1048 Ad] *FE emend to* And; plesyst] *FE emend to* plesyst þou
1051 rought] *E emends to* rough

at bottom, ink blottings from writing at bottom of 118^{v}

119

lett not thy tonge thy derlyn chyldern dyssayve
ande than plesyst mor myn excellence
& than yff yᵘ labouryde wᵗ grett dylygence
vp on thy nakyde feet & bare
tyll ye blode folowde for peyn & vyolence
ande after eche stepe yᵗ sene were
the vijᵗᵉ cryst seth in this maner
thy neybur to ewyll ne sterye not than
but all thynges tourne in to wertu chere
ye than more plesyst me now
than yf a thowsande tymys yᵘ ronne therto
a busche of thornys yᵗ scharpe were
tyll yʳ nakyde body wer all sought
ande evyn sent to ye bonys bare
the viijᵗᵉ gode sethe yᵗ me tyll
oftyn pray & aske of me
ande yᵗ plesythe me more on to my wyll
than yf my modyr & all seyntes prayde for ye
the ixᵗᵉ gode sethe love me souerenly
ande yᵗ to me most plesant ys
than yf yᵘ went vp on a pyler of tre
yᵗ wer sett full of scharpe prykkys
so yᵗ yᵘ cut yʳ flessche in to ye smale pecys
lo gode ys plesyde more wᵗ ye dedes of charyte
than all ye peynys man may suffer here
remembyr these poyntes man in yʳ herte

here endythe and wᵗ ye v wyttis gevynge be fore appende on
ye on syde & vnderstondynge on ye other syde & wyll folowyng
all in her fyrst clothynge her chappelettes & crosse and all hange

on crosse hyngynge in hys dyynge | Cuius sequens duo versus
que sequu[n]t in psaltere salutacio decipiat & nome[n] d[omi]ni in modo de dia

O meke Jhesu to the I crye
O swet Jhesu my delectacon
O Jhesu the sune of virgyne marye
Full of mercy & compassion
My soule ys waschede be thy passion
Fro the synne of dethe by sensualyte
As be the I have a new resurrection
The lyght of grace I fele in me
In to twoyn myghtes of my soule I the offendyde
the on by my inwarde wyttes thow ben gostly
the other by my outwarde wyttes corporale
tho be the v. wyttes bodyly
wt the whiche twoyn myghtes mercy I crye
My moder holy chyrche hath yove me grace
Whom ye fyrst toke to your mercy
yet of my selff I may not satysfye my trespace
Magna est misericordia tua
wt full feyth of forgevenes to the lordes I come

Vulnerasti cor meum soror mea sponsa — Wysdom
In vno ictu oculorum tuorum
ye have woundyde my hert syster spouse dere
In the twoyn syghtes of your eye
By the recognycion ye have clere
And by the hye love ye have godly
It perschyt my hert to here yow crye
Now ye have forsake synne & be contryte

Ex

[illegible]
[illegible]

on crownys syngynge in here commynge I Quid retribuam domino pro omnibus que retribuit mihi Calicem salutaris accipiam & nomen domini Inuocabo

ANIMA. O meke Ihesu to þe I crye
O swet Ihesu my delectacion
O Ihesu þe sune of vyrgyne marye
ffull of mercy & compassyon
My soule ys waschede be thy passyon
ffro þe synnys cummynge by sensualyte
A be the I haue a new resurreccion
The lyght of grace I fele in me

In tweyn myghtys of my soule I the offendyde
The on by my Inwarde wyttys thow ben gostly
þe other by my outwarde wyttys comprehendyde
Tho be þe v. wyttys bodyly
Wyth þe wyche tweyn myghtys mercy I crye
My modyr holy chyrche hath yowe me grace
Whom ye fyrst toke to yowr mercy
yet of my selff I may not satysfye my trespas

Magna est misericordia tua
Wyth full feyth of for yewenes to þe lorde I come
WYSDOM. Vulnerasti cor meum soror mea sponsa
In vno ictu oculorum tuorum

ye haue wondyde my hert syster spowse dere
In þe tweyn syghtys of yowr ey
By þe recognycion ye haue clere
Ande by þe hye lowe ye haue godly
It perrysschyt my hert to here yow crye
Now ye haue for sake synne & be contryte

1064 S.D. I] *E emends to* in

at bottom in a different hand, smudged: kst (*canc.*) kstf lkbfr pfrtknft bd mf Rpbfrtxm plkxxfr; *cipher for* iste liber pertinet ad me Robertvm oliver,

1073 tweyn] te *canc. before* tweyn (*E*)

with vowels replaced by the next letter in the alphabet; see 121^{v}*; another line below smudged and difficult to read*

Ye were neuer so leve to me verelye
Now be ye reformyde to yowr bewtys bryght

Ande ther yowr v wyttys offendyde has
Ande to mak a sythe by Impotent
My v wyttys þat neuer dyde trespas
hathe made a sythe to þe father suffycyent
Wyth my syght I se þe people vyolent
I herde hem vengeaunce on to me call
I selte þe stenche of caren here present
I tastyde þe drynke mengylde wyth gall

By towchynge I felte peyns smerte
My handys sprede a brode to halse þe swyre
My fete naylyde to a byde wyth þe swet herte
My hert clowyn for þi loue most dere
Myn hede bowhede down to kys þe here
My body full of holys as a dove hows
In thys ye be reformyde soule my plesynge
Ande now ye be þe very temple of Ihesus

ffyrst ye were reformyde by baptyme of ygnorans
And clensyde from þe synnys orygynall
Ande now ye be reformyde by þe sakyrment of penance
Ande clensyde from þe synnys actuall
Now ye be fayrest crystys own specyall
Dysfygure yow neuer to þe lyknes of þe fende
Now ye haue receyuyde þe crownnys victoryall
To regne in blys wyth owtyn ende

MYNDE. haue mynde soule wat gode hath do

1094 by] *E emends to* be
1099 selte] *or* felte *F* felte *E emends to* smelte
1100 mengylde] *the scribe first wrote* mengl, *then expunged the* l *and finished* mengylde
1102 þe] *E emends to* þi
1107 plesynge] *E emends to* plesere
1111 penance] *F* penaunce
1114 yow] *a point before* yow (?)

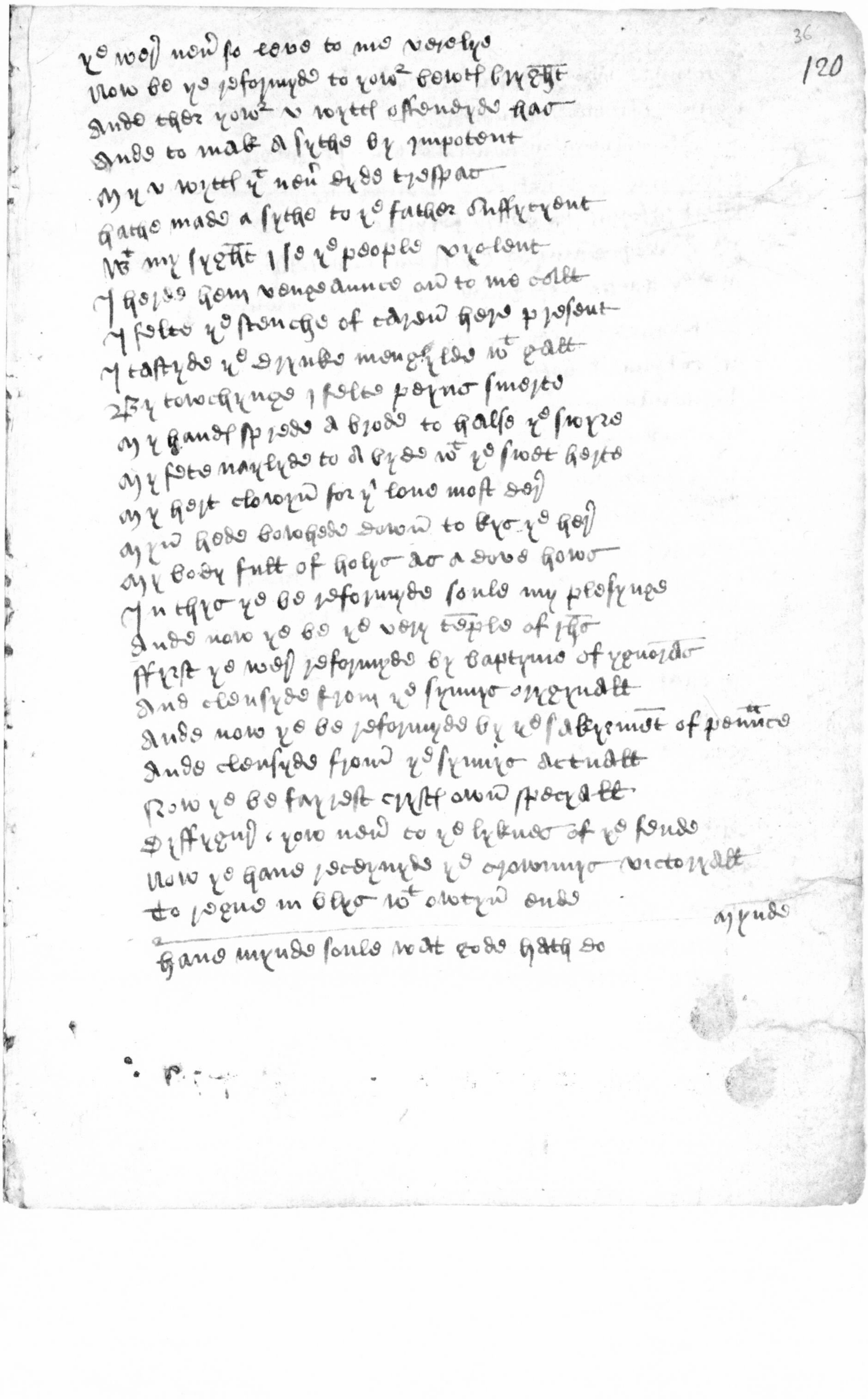
36
120
ye wer now so leve to me verelye
Now be ye reformyde to yowr bewte bryght
Ande ther yowr v wyttes offendyde has
Ande to make a sythe be impotent
My v wyttes þat neu dyde trespas
Hathe made a sythe to ye father suffycyent
Wt my syght I se ye people vyolent
I herde hem vengeaunce on to me call
I smelle ye stenche of caren here present
I tastyde ye drynke mengylde wt gall
By towchynge I felte peyns smerte
My handes sprede a brode to halse ye swete
My fete naylyde to abyde wt ye swete herte
My hert clowyn for thy love most dere
Myn hede bowhede down to kys ye here
My body full of holys as a dove hows
In this ye be reformyde soule my plesyng
Ande now ye be ye very temple of Jhc
ffyrst ye wer reformyde by baptyme of ygnorans
And clensyde from ye synnys orygynall
Ande now ye be reformyde by ye sakyrment of penance
Ande clensyde from ye synnys actuall
Now ye be fayrest Crystys own specyall
Dysfygure yow neu to ye lykenes of ye fende
Now ye have receyvyde ye crownys victoryall
To regne in blys wt owtyn ende
Mynde
Haue mynde soule wat god hath do

Reformyde yow in feyth veryly
Nolite conformari huic seculo
Sed reformamini in nouitate spiritu sensus vestri
Conforme yow not to thys tymys glory
But reforme in gostly felynge
Ye that were dampnyde by synne endelesly
Mercy hathe reformyde yow ande crownyde as a kynge

Vndyrstondynge Take vndyrstondynge soule now ye
Wyth contynuall hope in Godys be hest
Renouamini spiritu mentis vestre
Et induite nouum hominem qui secundum deum creatus est
Ye be reformyde in felynge not only as a best
But also in the ouer parte of yowr reson
Be wyche ye haue lyknes of Gode most
Ande of that mercyfull very cognycyon

Wyll Now ye soule yn charyte reformyde ys
Wyche charyte ys Gode verely
Exspoliantes veterem hominem cum actibus suis
Spoyll yow of yowr olde synnys & foly
Ande be renuyde in Godys knowynge ageyn
That enduyde wyth grace so specyally
Conseruynge in peyn ande in blys for to reyn

Anima Then wyth yow thre I may sey thus
Of owr Lorde soueren persone Jhesus
Suauis est dominus vniuersis et miseraciones eius super omnia opera eius

Reformyde yow in feyth veryly
Nolite confirmare huic seculo
Sed reformamini in nouitate spiritus sensus vestri
Conforme yow not to þis pompyus glory
But reforme in gostly felynge
Ye þat were dammyde by synn endelesly
Mercy hathe reformyde yow ande crownyde as a kynge

WNDYRSTONDYNGE. Take vndyrstondynge soule now ye
Wyth contynuall hope in godys be hest
Renouamini spiritu mentis vestre
Et Induite nouum hominem qui secundum deum creatus est
Ye be reformyde in felynge not only as a best
But also in þe ouer parte of yowr reasun
Be wyche ye haue lyknes of gode mest
Ande of þat mercyfull very congnycion

WYLL. Now þe soule yn charyte reformyde ys
Wyth charyte ys gode verely
Exspoliantem veterem hominem cum actibus suis
Spoyll yow of yowr olde synnys & foly
Ande be renuyde in gode knowynge a geyn
That enduyde wyth grace so specyally
Conseruynge in peyn euer in blys for to reyn

ANIMA. Then wyth yow thre I may sey thus
Of owr lorde soueren person Ihesus
Suauis est dominus vniuersis Et miseraciones eius super omnia oper eius

1119 confirmare] *E emends to* conformari
1120 nouitate] *F* nouitatem
1129 only] *added above the line (E)*
1134 Wyth] *E emends to* Wyche
1136 *After this line, F adds another line taken from Colos. iii. 9:* et induentes novum, eum qui renovatur in agnitionem.
1137 gode] *E emends to* Godys
1140 thus] *E emends to* this
1142–43 *written by the scribe on a single line; FE print as two lines*
1143 oper] *F* opera *E emends to* opera

at top right in a different hand: John

at bottom left, smudged: kstf *in cipher for* iste (?)

O thu hye soueren wysdam my ioy cristus
hewyn erthe & eche creature
Yelde yow reuerens for grace pleyntuus
Ye yeff to man euer to Induyr

Now wyth sent powle we may sey thus
Þat be reformyde thorow feythe in Ihesum
We haue peas & a corde betwyx gode & ws
Iustificati ex fide pacem habemus ad deum
Now to Salamonys conclusyon I com
Timor domini inicium sapiencie
Vobis qui timetis deum
Orietur sol Iusticie

The tru son of ryghtusnes
Wyche þat ys on lorde Ihesu
Xall sprynge in hem þat drede hys meknes
Nowe ye mut euery soule renewe
In grace & vycys to eschew
Ande so to ende wyth perfeccion
That þe doctryne of wysdom we may sew
Sapiencia patris grawnt þat for hys passyon AMEN

Wysdom
Anima v wyttys
Mynde
Wndyrstondynge
Lucyfer

1144 thu] *FE* thou
1149 Ihesum] Ie *canc. before* Ihesum (*E*) *F reads* Jhesus
1151 habemus] *F* habeamus *E* habemus
1157 on] *F* one *E emends to* Owr

in right margin at l. 1147, Jo; *at l. 1154, flourishes at bottom right, in a different hand:* O liber si quis cui constas forte queretur / hyngham que monacho dices super omnia consto (*E; F reads* quem *for* que *and* consta[s] *for* consto)

37

121

O thu hye souereyn wysdam my joy xpe
Rewyn ethe & othe creatury
yelde yow reuerens for grace pleynteus
ye yeff to man eu' to induyr
Now wt seynt powle we may sey thus
yt be reformyde thorow feythe in jesu
we haue pese & a corde be twyx gode & we
Justificati ex fide pacem hēm ad deū
Now to Salamonys cōclusyon I com
Timor dnī inicium sapiencie

Vobis qui timetis deum
Oriet' sol justicie
The tru son of ryghtusnes
Wyche yt ys owr lorde Jhu
Xall sprynge in hem yt drede hys meknes
Nowe ye mut euery soule renewe
In grace & vyces to eschewe
Ande so to ende wt pfeccon
That ye doctryne of wysdom we may sew
Sapiencia patris grawnt yt for hys passyon Amen

Wysdom
Anima v wyttes
Mynde
Wnderstondynge
Lucyfer

O liber si quis cui constas forte queret'
Hyngham q monacho dicas sup' om'a
constat

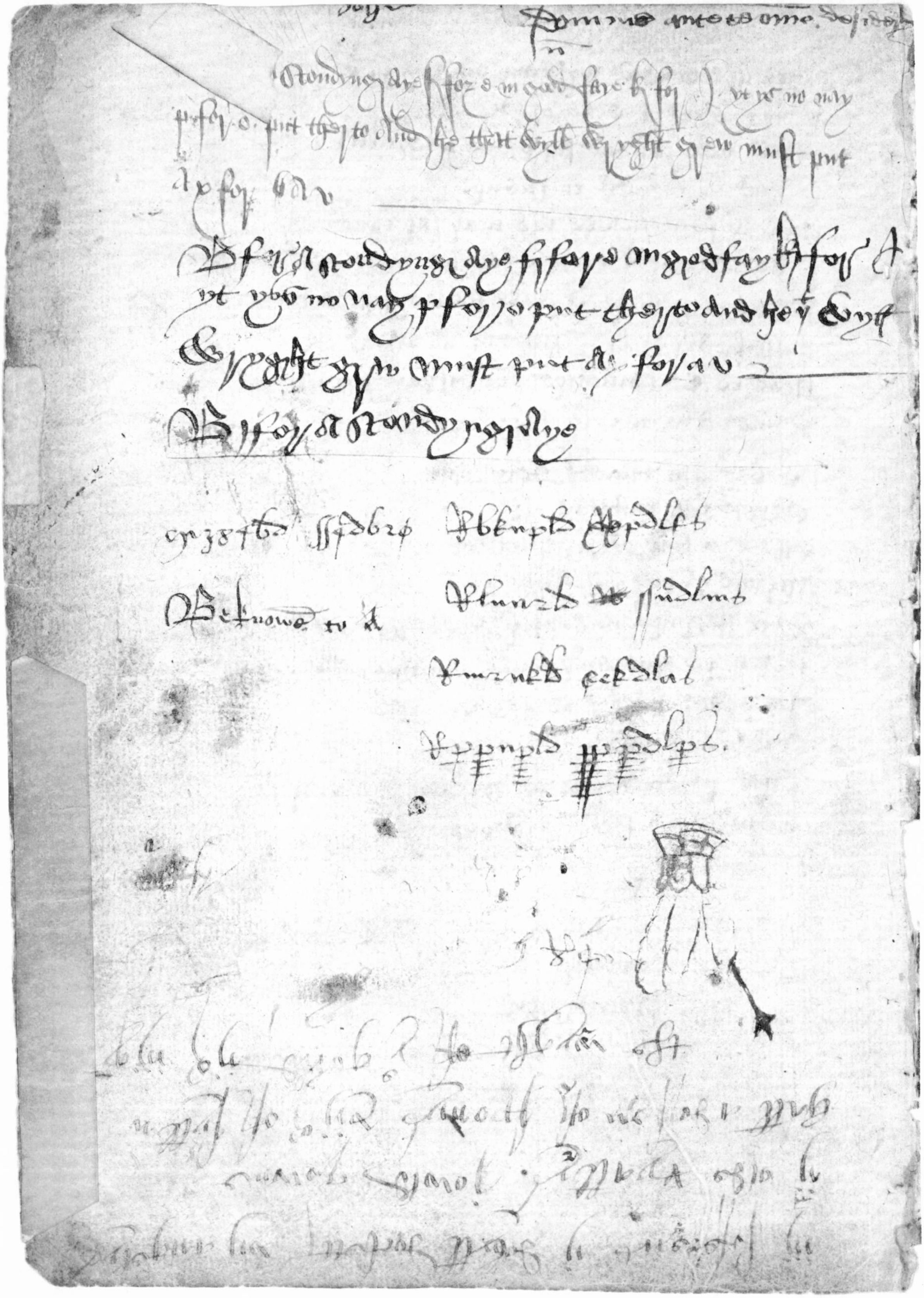

at top: John; *to the right:* Domine ante te omne desiderem (?)

[B for a] Stondyng aye f for e in good faye k for I yt ys no nay
p for o put therto and he that wyll wryght grew must put
a x for a v

B for a stondyng aye f for e in god fay k for I
yt yss no nay p for o put therto and he þat wyll
Wryght grw must put a x for a v

B for a stondyng aye

(*five ciphers on the name* Rainold Wodles:)

q1384ld 554dl2ø (?) Rbknpld xxpdlfs
Rlnnrld ssndlms (?)
Be knowen to A Rmrnkld Eekdlas
Rppnpld pppdlps

(*upside down:*)
iij soferens ij dobyll dockettys vij angelys
ij olde ryallys j owld crowne
hall a dossen of sponys xij oz of syllw[er]
the wyght of þe golld ij oz iij q

The ciphers on Rainold Wodles *are not altogether clear, perhaps not altogether accurate. The cipher in the left column, center of page, appears to use the number* 1 *for* a, 2 *for* e, 3 *for* i, 4 *for* o, *and* 5 *for* u (*with* 55 *for* uu *or* w). *The letters* l *and* d *are apparently left unchanged. In the right column, the first cipher illustrates the* "grew" *or* "grw" *writing explained in the cipher keys at the top of the page, with each vowel replaced by the next letter of the alphabet. The bottom cipher illustrates another cipher used frequently in the MS, with the vowels represented by* p *with one to five cross-bars through its tail for* a, e, i, o, *and* u. *The two center ciphers are puzzling.*

Mankind

MERCY. The very fownder & begynner of owr fyrst creacion
A monge ws synfull wrechys he oweth to be magnyfyede
þat for owr dysobedyenc he hade non indygnacion
To sende hys own son to be torn & crucyfyede
owr obsequyouse seruyce to hym xulde be aplyede
where he was lorde of all & made all thynge of nought
ffor þe synfull synnere to hade hym revyuyde
And for hys redempcyon sett hys own son at nought

yt may be seyde & veryfyede mankynde was dere bought
By þe pytouse deth of Ihesu he hade hys remedye
he was purgyde of hys defawte þat wrechydly hade wrought
By hys gloryus passyon þat blyssyde lauatorye
O souerence I be seche yow yowr condycions to rectyfye
Ande wyth humylite & reuerence to haue a remocyon
To þis blyssyde prynce þat owr nature doth gloryfye
þat ȝe may be partycypable of hys retribucyon

I haue be þe very mene for yowr restytucyon
Mercy ys my name þat mornyth for yowr offence
Dyverte not yowr sylffe in tyme of temtacyon
þat ȝe may be acceptable to gode at yowr goyng hence
þe grett mercy of gode þat ys of most preemmynence
Be medytacyon of owr lady þat ys euer habundante
To þe synfull creature þat wyll repent hys neclygence
I prey gode at yowr most nede þat mercy be yowr defendawnte

In goode werkys I a wyse yow souerence to be perseuerante
To puryfye yowr sowlys þat þei be not corupte
ffor yowr gostly enmy wyll make hys a vaunce
yowr goode condycions yf he may interrupte
O ȝe souerens þat sytt & ȝe brothern þat stonde ryght wppe
pryke not yowr felycytes in thyngys transytorye
Be holde not þe erth but lyfte yowr ey wppe
Se how þe hede þe members dayly do magnyfye
Who ys þe hede forsoth I xall yow crertyfye
I mene owr sauyowr þat was lykynnyde to a lambe

1 fyrst] *F reads* syest *or* syrst
3 dysobedyenc] *MF* dysobedyenc[e]
7 hade] *M reads* lade, *emends to* late *B emends to* haue
9 yt] *or* þat *MBF* þat *E* Yt
21 þe] To *canc. before* þe (*E*)
22 medytacyon] medytacyon *with* t *expunged* (*E*) *M emends to* medyacyon *BF read* medytacyon; habundante] *MB read* habundance, *emend to* habundante
23 neclygence] *M* ne[g]lygence
27 a vaunce] *MFE emend to* avaunte
31 yowr] w *canc. before* yowr
33 crertyfye] *MBFE read* certyfye

in the right margin, penmanship flourishes and brackets; the upper character may be an h
at bottom right, number i

Mercy 122

The very fownder and begynner of owr fyrst creacyon
Amonge ws synfull wrechys he oweth to be magnyfyede,
Þat for owr dysobedyenc he hade non indygnacyon
To sende hys own son to be torn and crucyfyede.
Owr obsequyouse seruyce to hym xulde be aplyede,
Where he was lorde of all and made all thynge of nought,
For þe synnfull synnere to hade hym revyvyde
And for hys redempcyon sett hys own son at nought.
Yt may be seyde and veryfyede, mankynde was dere bought.
By þe pytuose deth of Jhesu he hade hys remedye.
He was purgyde of hys defawte þat wrechydly hade wrought
By hys gloryus passyon, þat blyssyde lauatorye.
O souerence, I beseche yow yowr condycyons to rectyfye
Ande wyth humylite and reuerence to haue a remocyon
To þis blyssyde prynce þat owr nature doth gloryfye,
Þat ȝe may be partycypable of hys retribucyon.
I haue be þe very mene for yowr restytucyon.
Mercy ys my name, þat mornyth for yowr offence.
Dyverte not yowrsylffe in tyme of temtacyon,
Þat ȝe may be acceptable to Gode at yowr goyng hence.
Þe grett mercy of Gode, þat ys of most preemmynence,
Be medyacyon of owr Lady þat ys euer habundante
To þe synfull creature þat wyll repent hys neclygence.
I prey Gode at yowr most nede þat mercy be yowr defendawnte.
In goode werkys I awyse yow, souerence, to be perseuerante
To puryfye yowr sowlys, þat þei be not corupte;
For yowr gostly enmy wyll make hys avaunte,
Yowr goode condycyons yf he may interrupte.
O ȝe souerens þat sytt and ȝe brothern þat stonde ryght wppe,
Pryke not yowr felycytes in thyngys transytorye.
Beholde not þe erth, but lyfte yowr ey wppe.
Se how þe hede þe members dayly do magnyfye.
Who ys þe hede forsoth I xall yow certyfye:
I mene owr Sauyowr, þat was lykynnyde to a lambe

Ande hys sayntys be þe mebers þat dayly he doth satysfye
wt þe precyose ryuer þat runnyth from hys wome
Ther ys non such foode be watr nor by londe
So precyouse so gloryouse so nedefull to owr entent
ffor yt hath dyssoluyde mankynde from þe bytt' bonde
Of þe mortall enmye þat vemynousse serpente
ffrom þe wyche gode p'serue yow all at þe last jugement
ffor sekyrly þer xall be a streyt examynacyon
The corn xall be sauyde þe chaffe xall be brente
I be sech yow hertyly haue þis p'medytacyon
I be seche yow hertyly leue yowr calcacyon — Myscheff
Leue yowr chaffe leue yowr corn leue yowr dalyacyon
Yowr wytt ys lytyll yowr hede ys mekyll ye are full of predycacyon
But ser I p'ye þis questyon to claryfye
Dryff draff mysse masche
Sume was corn & sume was chaffe
My dame seyde my name was Raffe
On schett yowr lokke & take an halpeny
Why com ye hethyr brother ye were not dysyryde — Mercy
ffor a wynter corn thresscher ser I haue hyryde — Myscheff
Ande ye sayde þe corn xulde be sauyde & þe chaff xulde be feryde
Ande he prouyth nay as yt schewth be þis werse
Corn s'uit bredibus chaffe horsibus straw fyrybusque
Thys ys as moche to say to yowr leude wndyrstondynge
As þe corn xall s'ue to brede at þe nexte bakynge
Chaff horsybus & reliqua
The chaff to horse xall be goode p'uente
When a man ys forcolde þe straw may be brent
And so forth & c
Avoyde goode brother ye ben culpable — Mercy
To interrupte thus my talkyng delectable
Ser I haue nober horse nor sadyll — Myscheff
Therfor I may not ryde
Hye yow forth on fote brother in goddys name — Mercy
I say ser I am cumme hedyr to make yow game — Myscheff
Yet bade ye me not go out in þe deullys name
Ande I wyll abyde
Mercy

Ande hys sayntys be þe members þat dayly he doth satysfye
wyth þe precyose reuer þat runnyth from hys wombe

Ther ys non such foode be water nor by londe
So precyouse so gloryouse so nedefull to owr entent
ffor yt hath dyssoluyde mankynde from þe bytter bonde
Of þe mortall enmye þat vemynousse serpente
ffrom þe wyche gode preserue yow all at þe last Iugement
ffor sekyrly þe xall be a strerat examynacyon
The corn xall be sauyde þe chaffe xall be brente
I be sech yow hertyly haue þis premedytacyon

MYSCHEFFE. I be seche yow hertyly leue yowr calcacyon
leue yowr chaffe leue yowr corn leue yowr dalyacyon
yowr wytt ys lytyll yowr hede ys mekyll ȝe are full of predycacyon
But ser I prey þis questyon to claryfye
Dryff draff mysse masche
Sume was corn & sume was chaffe
My dame seyde my name was raffe
On schett yowr lokke & take an halpenye

MERCY. Why com ȝe hethyr broþer ȝe were not dysyryde
MYSCHEFF. ffor a wynter corn threscher ser I haue hyryde
Ande ȝe sayde þe corn xulde be sauyde & þe chaff xulde be feryde
Ande he prouyth nay as yt schewth be þis werse
Corn seruit bredibus chaffe horsibus straw fyrybus que
Thys ys as moche to say to yowr leude wndyrstondynge
As þe corn xall serue to brede at þe nexte bakynge
Chaff horsybus & reliqua
The chaff to horse xall be good provente
when a man ys for colde þe straw may be brent
And so forth & c.

MERCY. A voyde goode broþer ȝe ben culpable
To interrupte thus my talkyng delectable
MYSCHEFF. Sere I haue noþer horse nor sadyll
Therfor I may not ryde
MERCY. Hye yow forth on fote brother in godys name
MYSCHEFF. I say ser I am cumme hedyr to make yow game
ȝet bade ȝe not go out in þe deullys name
Ande I wyll a byde
MERCY.

37 londe] *MB read* lande
40 þat vemynousse] *last 3 letters blotted MB emend to* [the] venymouse
42 þe] *MBF read* þer *E emends to* þer strerat] *MB read* sterat *M proposes* streat *B* storat *F* strait *or* strict
45 calcacyon] *M* calc[ul]acyon *B conjectures* calculacyone (?)
48 prey] *F* prey [yow]
49 *E emends line to* Mysse-masche, dryff-draff (*for rhyme*)
55 feryde] *M emends to* fyryde
60 reliqua] *M* reliquid *B* reliquia *F* reliqu[i]d
61 provente] *MBF read* produce *E* provente
66 nor] *blotted MB read* for, *emend to* nor
67 may] y *blotted*
68 on] *blotted*
70 not] *added above the line in lighter ink;* name] man *canc. before* name (*E*)
71 *a leaf missing here*

at top, in a later hand, smudged and partly illegible:
A And yf ther be any man or womans (?)

at bottom center: pro (?)

Ande how mynstrellys pley þe comyn trace
ley on wyth þi ballys tyll hys bely breste

NOUGHT. I putt case I breke my neke how than
NEW GYSE. I gyff no force by sent tanne
NOW A DAYS. leppe a bout lyuely þou art a wyght man
lett ws be mery wyll we be here
NOUGHT. xall I breke my neke to schew yow sporte
NOW ADAYS. Therfor euer be ware of þi reporte
NOUGHT. I be schrew ye all her ys a schrewde sorte
haue þer att þen wyth a mery chere

her þei daunc

MERCY seyth: Do wey do wey þis reull sers do wey
NOW ADAYS. Do wey goode adam do wey
Thys ys no parte of þi pley
NOUGHT. ȝys mary I prey yow for I loue not þis rewelynge
Cum forth goode fader I yow prey
Be a lytyll ȝe may assay
A non of wyth yowr clothes yf ȝe wyll pray
Go to for I haue hade a praty scottlynge

MERCY. Nay brother I wyll not daunce
NEW GYSE. yf ȝe wyll ser my brother wyll make yow to prawnce
NOW ADAYS. wyth all my herte ser yf I may yow a vaunce
ȝe may assay be a lytyll trace
NOUGHT. ȝe ser wyll ȝe do well
Trace not wyth þem be my cownsell
ffor I haue tracyde sumwhat to fell
I tell yt ys a narow space

But ser I trow of ws thre I herde yow speke
NEW GYSE. Crystys curse hade þerfor for I was in slepe
NOW ADAYS. A I hade þe cuppe redy in my honde redy to goo to met
Therfor ser curtly grett yow well
MERCY. ffew wordys few & well sett
NEWGYSE. ser yt ys þe new gyse & þe new Iett
Many wordys & schortely sett
Thys ys þe newgyse euery dele

MERCY. lady helpe how wrechys delyte in þer sympull weys
NOW A DAYS.

72 *New Gyse appears to be speaking*
73 ballys] *M reads* bollys, *emends to* bowys
74 neke] *M reads* reke, *emends to* neke
75 no] *M reads* us, *emends to* no
76 leppe] *M reads* Leffe, *emends to* Leppe
78 schew] *MB* show *F* schow *E* schew
79 NOW A DAYS] A DY *canc. before* A DAYS
81 þen] *M* them *B* þem *F* þem *or* pen *E* þen
81 S.D. daunc] *MF* daunce *E emends to* daunce
82 reull] *MBF* reuell *E* reull
83 goode] gode *written, with another* o *added above the line*
84 þi] *M* thin
86 Cum] *MB* Euer *FE* Cum
88 pray] *E emends to* play
90 daunce] *M* dauunce *or* daunce
96 tracyde] *or* tracyed *MBFE* tracyed; fell] fylde *canc. before* fell (*E*) *MBF read* fylde fell, *uncanc. M emends to* fell
97 tell] *MF* tell [yow]
99 hade] *M emends to* haue ȝe (*following Kittredge*) *B to* haue *F to* had [ȝ]e
100 A] *MBFE emend to* A[nd]; cuppe redy] *ME emend to* cuppe
106 sympull] *M reads* synnfull *with 3 strokes each for* nn *and* u *E emends to* synfull

at top right: ff, i, *and an* X
in lower right margin: various practice letters including h, m'*s*, y'*s*; *below, at a slant,* amst (?); *to the right,* thom / as tt / oc (?)
at bottom right, number iij, h'*s*

ff 123

Ande how mynstrellys pley þe comyn trace
Ley on wyth þi ballys tyll hys bely breste — Nought
I putt case I breke my neke how than — New gyse
I gyff no force by Sent Tanne — Now a days
Leppe a bout lyuely þou art a wyght man
Lett ws be mery wyll we be here — Nought
Qwat I breke my neke to schew yow sporte — New gyse
Therfor euer be ware of þi reporte — Now a days
I beschrew ye all her ys a schrewde sorte — Nought
Haue þer at þe wyth a mery chere
Do wey do wey þis reull sers do wey — Her þei daunce Mercy seyth
Do wey goode adam do wey — Now a days
Thys ys no parte of þi pley
Ȝis mary I prey yow for I loue not þis reuelynge — Nought
Cum forth goode fader I yow prey
Be a lytyll ȝe may assay
Anon of wyth yowr clothes yf ȝe wyll play
Go to for I haue had a praty scottlynge
Nay brother I wyll not daunce — Mercy
If ȝe wyll ser my brother wyll make yow to prawnce — New gyse
Wyth all my hert ser yf I may yow avaunce — Now a days
Ȝe may assay be a lytyll trace
Ȝe ser wyll ȝe do well — Nought
Trace not wyth þem be my counsell
For I haue tracyed sumwat to fell
I tell yt ys a narow space
But ser I trow of ws thre I herde yow speke
Crystys curse had þerfor for I was in slepe — New gyse
And I had þe cuppe redy in my honde redy to goo to met — Now a days
Therfor ser curtly grett yow well
Few wordys few and well sett — Mercy
Ser yt ys þe new gyse and þe new jett — New gyse
Many wordys and schortely sett
Thys ys þe new gyse euery dele
Lady helpe how wrechys delyte in þer synfull weys — Mercy
Now a days

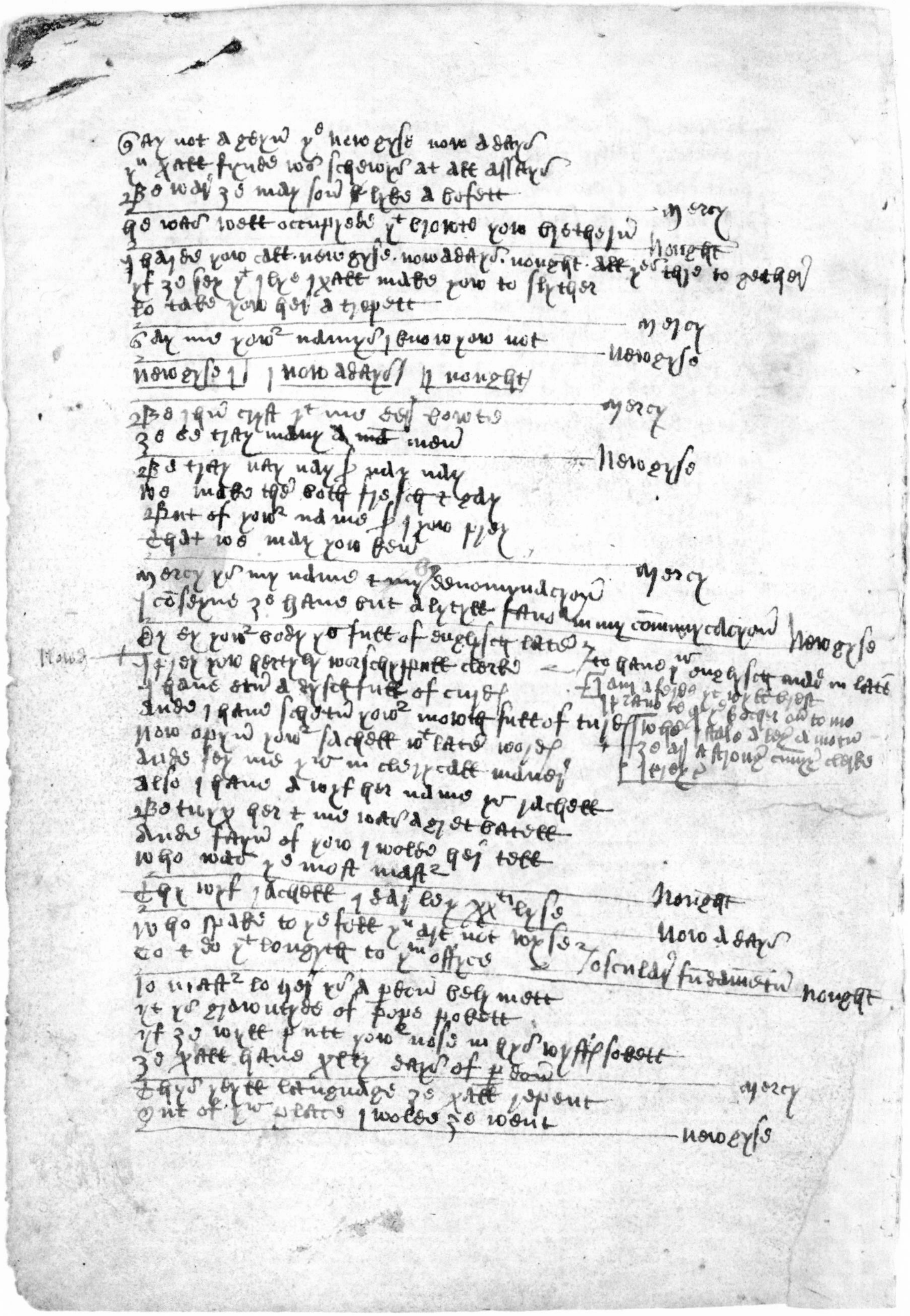

107 not] *M* no[ugh]t
108 schewys] *MFE emend to* sch[r]ewys
109 lyke] k *canc. before* lyke (*E*)
110 brethern] *M proposes* hether *or* brether
113 lo] *M* So
115 I now adays] *MF* Now-a-days [I] *B* now-a-days
117 men] a man *canc. before* men (*FE*)
122 by] and my *canc. and changed to* by *in a lighter ink* (*E*) *MBF read* and my *with* by *above line*

[Now a days.] Say not a geyn þe new gyse now a days
þou xall fynde ws schewys at all assays
Be ware ȝe may son lyke a bofett
Mercy. he was well occupyede þat browte yow brethern
Nought. I harde yow call . new gyse . nowadays . nought . all þes thre to gethere
yf ȝe sey þat I lye I xall make yow to slyther
lo take yow here a trepett

Mercy. Say me yowr namys I know yow not
New gyse. New gyse I I now adays I nought
Mercy. Be Ihesu cryst þat me dere bowte
ȝe be tray many men
New gyse. Be tray nay nay ser nay nay
we make them both fresch & gay
But of yowr name ser I yow prey
That we may yow ken

Mercy. Mercy ys my name by denomynacyon
I conseyue ȝe haue but a lytyll fauour in my communycacyon
New gyse. Ey ey yowr body ys full of englysch laten
I am a ferde yt wyll brest
prauo te quod þe bocher on to me
when I stale a leg a motun
ȝe are a strong cunnyng clerke
Now a [days]. I prey yow hertyly worschyppull clerke
to haue þis englysch mad in laten

I haue etun a dyschfull of curdys
Ande I haue schetun yowr mowth full of turdys
Now opyn yowr sachell wyth laten wordys
Ande sey me þis in clerycall manere
Also I haue a wyf her name ys rachell
Be tuyx her & me was a gret batell
Ande fayn of yow I wolde here tell
who was þe most master

Nought. Thy wyf rachell I dare ley xx^{ti} lyse
Now a days. who spake to þe foll þou art not wyse
Go & do þat longyth to þin offyce
osculare fundamentum
Nought. lo master lo here ys a pardon bely mett
yt ys grawntyde of pope pokett
yf ȝe wyll putt yowr nose in hys wyffys sokett
ȝe xall haue xl^{ty} days of pardon

Mercy. Thys ydyll language ȝe xall repent
Out of þis place I wolde ȝe went
New gyse.

123 fauour] *M reads* fans, *emends to* fors *BF read* faus *E* fauour

125–28 *These lines were added afterward in the right margin, ending in* I prey cetera *to indicate that the verse here continues with l. 129. There is an insertion mark in the left margin between ll. 125 and 129, and the speech-prefix* Now a. *This ed. follows the order of E, whose arrangement is the most sensible although the rhyme scheme suggests that the stanza is still imperfect. MBF treat 125–28 as a note and do not include in the line numbering.*

126 prauo te] *M* I rausch *B* I ranoch *F* It ram be (?) *E* Prauo te; bocher] *M* baeger *B* boc þer *FE* bocher

127 stale] *M* stall

129 worschyppull] *M* worschypfull *F* worschypp[f]ull

130 *line added in the right margin above ll. 125–28, treated as a note by MBF;* to haue] *MB* haue; laten] *BE read* la[ten]

133 laten] *MB read* late[n]

135 rachell] *M* Rackell

141 þat] *M* reads doyt, *emends to* that *B reads* yt

142 *B treats as a note in right margin*

143 bely mett] *M reads* bely melt *queries* be lymett *B queries* be-limet

147 ydyll] *M reads* yeyll, *emends to* ydyll *B* yvyll

[NEW GYSE.] Goo we hens all thre wyth on assent
My fadyr ys yrke of owr eloquence
þer for I wyll no lenger tary
Gode brynge yow master & blyssyde mary
To þe number of þe demonycall frayry

NOWADAYS. Cum wynde cum reyn
Thow I cumme neuer a geyn
þe deull put out both yowr eyn
ffelouse go we hens tyght
NOUGHT. Go we hens a deull wey
her ys þe dore her ys þe wey
ffarwell Ientyll Iaffrey
I prey gode gyf yow goode night   Exiant simul cantent

MERCY. Thankyde be gode we haue a fayer dylyuerance
Of þes iij onthryfty gestys
They know full lytyll what ys þer ordynance
I preue by reson þei be wers þen bestys

A best doth after hys naturall Instytucyon
ȝe may conseyue by there dysporte & be hauour
þer Ioy ande delyte ys in derysyon
Of her owyn cryste to hys dyshonur

Thys condycyon of leuyng yt ys preiudycyall
Be ware þer of yt ys wers þan ony felony or treson
how may yt be excusyde be for þe Iustyce of all
when for euery ydyll worde we must ȝelde a reson

They haue grett ease þerfor þei wyll take no thought
But how þen when þe angell of hewyn xall blow þe trumpe
Ande sey to þe transgressors þat wykkydly hath wrought
Cum forth on to yowr Iuge & ȝelde yowr a cownte

Then xall I mercy be gyn sore to wepe
Noþer comfort nor cownsell þer xall non be hade
But such as þei haue sowyn such xall þei repe
þei be wanton now but þen xall þei be sade

The goode new gyse now a days I wyll not dysalow
I dyscomende þe vycyouse gyse I prey haue me excusyde
I nede not to speke of yt yowr reson wyll tell it yow
Take þat ys to be takyn & leue þat ys to be refusyde

MANKYNDE. Of þe erth & of þe cley we haue owr propagacyon
By þe prouydens of gode þus be we deryvatt
To whos mercy I recomende þis holl congrygacyon

149 hens] *MB read* haue *M emends to* hens *B to* of
153 *M queries a line lost here*
154 Cum . . . cum] *MB read* Euer . . . euer
161 simul] *MB omit F* silentio *E* simul; cantent] *MBF omit, since it is added in a different hand*
169 her] *M* [t]her
173 ydyll] *M reads* yeyll *B* yvyll; we] *M reads* ws *B* wo
174 ease] *M* ca[u]se; þei] *M* the[i]
178 sore] *MBF* sor *E* sore
185 þat . . . þat] *MB read* yt . . . yt, *emend to* þat . . . þat
186 cley] *M reads* cler, *emends to* gler(*following Kittredge*) *or* cley *B* cler

in upper right margin, in a different hand: In the name of god amen; *above that,* h, *several* ll'*s, a capital* A
in right margin at l. 156, in a different hand: Nova deis (*E*), *with a bracket assigning ll. 154–61 to Nowadays; at l. 165, an* l (?)
at bottom right, number iiij

124

In the name of God amen

Goo we hens all thre wyth on assent
My fadyr ys yrke of owr eloquence
Therfor I wyll no lenger tary
Gode brynge yow master & blyssyde Mary
To the number of the demonycall frayry — Nowadays

Cum wynde cum reyne
Thow I cumme neuer agayne
The deull put out both yowr eyne
Felouse go we hens tyght — Newgyse

Go we hens a deull wey — Nought
Here ys the dore her ys the wey
Farwell jentyll Jaffrey
I prey God gyf yow goode nyght — Exiant simul cantent

Mercy

Thankyde be God we haue a fayer dylyuerance
Of thes thre onthryfty gestys
They know full lytyll what ys ther ordynance
I preue by reson thei be wers then bestys
A best doth after hys naturall instytucyon
Ye may conseyue by ther dysporte & behauour
Ther joy ande delyte ys in derysyon
Of her owyn Cryste to hys dyshonur
Thys condycyon of leuyng yt ys prejudycyall
Be ware therof yt ys wers than ony felony or treson
How may yt be excusyde befor the justyce of all
When for euery ydyll worde we must yelde a reson
They haue grett ease therfor thei wyll take no thought
But how then when the angell of hevyn xall blow the trumpe
And sey to the transgressors that wykkydly hath wrought
Cum forth onto yowr juge & yelde yowr acownte
Then xall I mercy begyn sore to wepe
Nother comfort nor cownsell ther xall non be hade
But such as thei haue sowyn such xall thei repe
Thei be wanton now but then xall thei be sade
The goode new gyse nowadays I wyll not dysalow
I dyscomende the vycyouse gyse I prey haue me excusyde
I nede not to speke of yt yowr reson wyll tell it yow
Take that ys to be takyn & leue that ys to be refusyde

Mankynde

Of the erth & of the cley we haue owr propagacyon
By the prouydens of Gode thus be we deryvatt
To whos mercy I recomende this holl congrygacyon

I hope on to hys blysse ye be all predestynatt
Euery man for hys degre I trust xall be partycypatt
Yf we wyll mortyfye owr carnall condycyon
And owr voluntarye dysyres that euer be pervercyonatt
To renunce them and yelde ws wnder Godys provycyon
My name ys Mankynde I haue my composycyon
Of a body and of a soull of condycyon contrarye
Betwyx them tweyn ys a grett dyvisyon
He that xulde be subjecte now he hath the victory
Thys ys to me a lamentable story
To se my flesch of my soull to haue gouernance
Wher the goodewyff ys master the goodeman may be sory
Alasse what was thi fortune and thi chaunce — I may both syth and sobbe this ys a pytuose remembrance / O thou my soull so sotyll in thy substance
To be assocyat wyth my flesch that stynkyng dungehyll
Lady helpe souerens yt doth my soull myche yll
To se the flesch prosperouse and the soull trodyn wnder fote
I xall go to yondyr man and asay hym I wyll
I trust of gostly solace he wyll be my bote
All heyll semely father ye be welcom to this house
Of the very wysdam ye haue partycypacyon
My body wyth my soull ys euer querulose
I prey yow for sent charyte of yowr supportacyon
I beseche yow hertyly of yowr gostly comforte
I am onstedfast in lyvynge my name ys Mankynde
My gostly enmy the Deuyll wyll haue a grett dysporte
In sympull gydynge yf he may se me ende

Mercy
Cryst sende yow goode comforte ye be welcum my frende
Stonde wppe on yowr fete I prey yow aryse
My name ys Mercy ye be to me full hende
To eschew vyce I wyll yow avyse

Mankynde
O Mercy of all grace and vertu ye are the well
I haue herde tell of ryght worschyppfull clerkys
Ye be aproxymatt to God and nere of hys consell
He hat instytut you above all hys werkys
O yowr louely wordys to my soull are swetere then hony

Mercy
The temptacyon of the flesch ye must resyst lyke a man
For ther ys euer a batell betwyx the soull and the body
Vita hominis est milicia super terram
Oppresse yowr gostly enmy and be Crystys own knyght

I hope on to hys blysse ye be all predestynatt

Euery man for hys degre I trust xall be partycypatt
yf we wyll mortyfye owr carnall condycyon
Ande owr voluntarye dysyres þat euer be pervercionatt
To renunce þem & yelde ws wnder godys provycyon

My name ys mankynde I haue my composycyon
Of a body & of a soull of condycyon contrarye
Be twyx þem tweyn ys a grett dyvisyon
he þat xulde be subiecte now he hath þe victory

Thys ys to me a lamentable story
To se my flesch of my soull to haue gouernance
Wher þe goode wyff ys master þe goode man may be sory
I may both syth & sobbe þis ys a pytuose remembrance

O þu my soull so sotyll in thy substance
A lasse what was þi fortune & þi chaunce
To be assocyat wyth my flesch þat stynkyng dunge hyll

lady helpe souerens yt doth my soull myche yll
To se þe flesch prosperouse & þe soull trodyn wnder fote
I xall go to yondyr man & a say hym I wyll
I trust of gostly solace he wyll be my bote

All heyll semely father ȝe be welcom to þis house
Of þe very wysdam ȝe haue partycypacyon
My body wyth my soull ys euer querulose
I prey yow for sent charyte of yowr supportacyon

I be seche yow hertyly of yowr gostly comforte
I am onstedfast in lywynge my name ys mankynde
My gostly enmy þe deull wyll haue a grett dysporte
In sympull gydynge yf he may se me ende

MERCY. Cryst sende yow goode comforte ȝe be welcum my frende
Stonde wppe on yowr fete I prey yow aryse
My name ys mercy ȝe be to me full hende
To eschew vyce I wyll yow a vyse

MANKYNDE. O mercy of all grace & vertu ȝe are þe well
I haue herde tell of ryght worschyppfull clerkys
ȝe be aproxymatt to gode & nere of hys consell
he hat instytut you a boue all hys werkys

O yowr louely wordys to my soull are swetere þen hony
MERCY. The temptacyon of þe flesch ȝe must resyst lyke a man
ffor þer ys euer a batell be twyx þe soull & þe body
vita hominis est nnilicia super terram

Oppresse yowr gostly enmy & be crystys own knyght

192 pervercionatt] *M* pervertonnat *B* pervertonnatt
193 þem] *MBF* þes *E* þem
196 þem] *MBF* þe *E* þem
197 subiecte] *M reads* seietle, *emends to* soiette *B* seiette *or* soiette *F* s[u]biecte *E* subjecte
201–2 *added in right margin; treated as a note in MBF. M queries placing after 204. Placement in this ed. follows E;* remembrance] *MB* remembrence; O þu] *M* & in *BF* O in *E* O thou
206 trodyn] drod *or* dred *canc. before* trodyn (*E*)
207 a say] *MB* assay *F* a-say *E* asay
210 wysdam] *MB* wysdaum
216 sympull] *M reads* synnfull *with 3 strokes each for* nn *and* u *E emends to* synfull
220 To] I *crossed out, replaced by* To (*E*)
221 & vertu] *added above the line* (*E*)
224 hat] *M* hat[h]
225 wordys] *MB* workes *F* workis *E* wordys
228 nnilicia] *M reads* milicia *B* unilicia *corr. to* milicia *FE* nnilicia *corr. to* milicia

Be neuer a cowarde a geyn yowr aduersary
yf ȝe wyll be crownyde ȝe must nedys fyght
Intende well & gode wyll be yow adiutory

Remember my frende þe tyme of contynuance
So helpe me gode yt ys but a chery tyme
Spende yt well serue gode wyth hertys affyance
Dystempure not yowr brayn wyth goode ale nor wyth wyn

Mesure ys tresure y for byde yow not þe use. Mesure yowrsylf euer be ware of excesse
þe superfluouse gyse I wyll þat ȝe refuse
when nature ys suffysyde a non þat ȝe sese

yf a man haue an hors & kepe hym not to hye
he may then reull hym at hys own dysyere
yf he be fede ouer well he wyll dysobey
Ande in happe cast hys master in þe myre

New gyse. ȝe sey trew ser ȝe are no faytour
I haue fede my wyff so well tyll sche ys my master
I haue a grett wonde on my hede lo & þer on leyth a playster
Ande a noþer þer I pysse my peson
Ande my wyf were yowr hors sche wolde yow all to banne
ȝe fede yowr hors in mesure ȝe are a wyse man
Itrow & ȝe were þe kyngys palfrey man
A goode horse xulde be gesumme

Mankynde. Wher spekys þis felow wyll he not com nere
Mercy. All to son my brother I fere me for yow
he was here ryght now by hym þat bowte me dere
wyth oþer of hys felouse þei kan moche sorow

They wyll be here ryght son yf I owt departe
Thynke on my doctryne yt xall be yowr defence
lerne wyll I am here sett my wordys in herte
wyth in a schorte space I must nedys hens

Now a days. þe sonner þe leuer & yt be ewyn a non
I trow yowr name ys do lytyll ȝe be so long fro hom
yf ȝe wolde go hens we xall cum euery chon
Mo þen a goode sorte
ȝe haue leve I dare well say
when ȝe wyll go forth yowr wey
Men haue lytyll deynte of yowr pley
Be cause ȝe make no sporte

Nought. yowr potage xall be for colde ser when wyll ȝe go dyn
I haue sen a man lost xx^{ti} noblys in as lytyll tyme
ȝet yt was not I be sent qwyntyn
ffor I was neuer worth a pottfull a wortys sythyn I was born

231 yf] *M* If
237–38 *two lines written in MS as one line*
248 pysse] *M reads* pyose, *emends to* pysse
249 to banne] *M* to-sane *queries* to-lam *BF* to-samne *E* to-banne
251 man] *M queries* mare *B* mare
252 horse] *M emends to* horses (*following Kittredge*); gesumme] *M reads* gesumma, *emends to* geson *BFE* gesumme *E emends to* gesunne
255 hym] us *canc. before* hym (*E*)
264 Mo þen] *M reads* Mo the, *emends to* Me thynk (*following Kittredge*) *B* Mo þe *queries* Mo þen
265 leve] *MB read* lever *M emends to* leve
266 when] *M* To [t]hem *B* to hem *queries* to hom *F* to hem *E* When
271 qwyntyn] *first* y *faded*; *M reads* Gis certeyn *B* qw[ ]ntyne *F* Qisyntyn *E* Qwyntyn
272 was] *M* wos

in right margin at l. 264, in a different hand: Novad, *with a bracket assigning ll. 261–68 to Nowadays*

at bottom, in a different hand: ynsynfull (?); *at bottom right, number* v *and the name* John

4

125

Be nott a cowarde agayn yowr aduersary
Yf ye wyll be crownyd ye must nedys fyght
Intende well & gode wyll be yow adiutory
Remembyr my frende ye tyme of contynuance
So helpe me gode yt passyth but a chery tyme
Spende yt well serve gode wt hertys affyance
Dystempure not yowr brayn wt goode ale nor wt wyn
Mesure ys tresure. y forbyde yow not ye vse. Mesure yowrsylf euer be ware of excesse
Ye superfluouse gyse I wyll yt ye refuse
When nature ys suffysyde anon yt ye sese
Yf a man haue an hors & kepe hym not to hye
He may then reull hym at hys own dysyere
Yf he be fede ouerwell he wyll dysobey
Ande in happe cast hys master in ye myre

Newgyse

Ye sey trew ser ye are no faytour
I haue fede my wyff so well tyll sche ys my master
I haue a grett wonde on my hede lo & theron leyth a playster
Ande anoder ther I pysse my peson
Ande my wyf were yowr hors she wolde yow all to banne
Ye fede yowr hors in mesure ye are a wyse man
I trow & ye were ye kyngys palfreyman
A goode horse shulde be gesunne

Mankynde

Wher spekys this felow wyll he not com nere

Mercy

All to sone my brother I fere me for yow
He was here ryght now by hym yt bowte me dere
Wt other of hys felouse yei kan moche sorow
They wyll be here ryght sone yf I owt departe
Thynke on my doctryne yt shall be yowr defence
Lerne wyll I am here sett my wordys in herte
Wtin a schorte space I must nedys hens

Nowadays

The sonner ye lever & yt be ewyn anon
I trow yowr name ys do lytyll ye be so long fro hom
Yf ye wolde go hens we shall cum euerychon
Mo then a goode sort
Ye haue leve I dare well say
When ye wyll go forth yowr wey
Men haue lytyll deynte of yowr pley
Because ye make no sporte

[illegible]

Nought

Yowr potage shall be forcolde ser when wyll ye go dyn
I haue sen a man lost xxti noblys in as lytyll tyme
Yet yt was not I be sent qwyntyn
For I was neuer worth a pottfull a wortys sythyn I was born

[illegible]

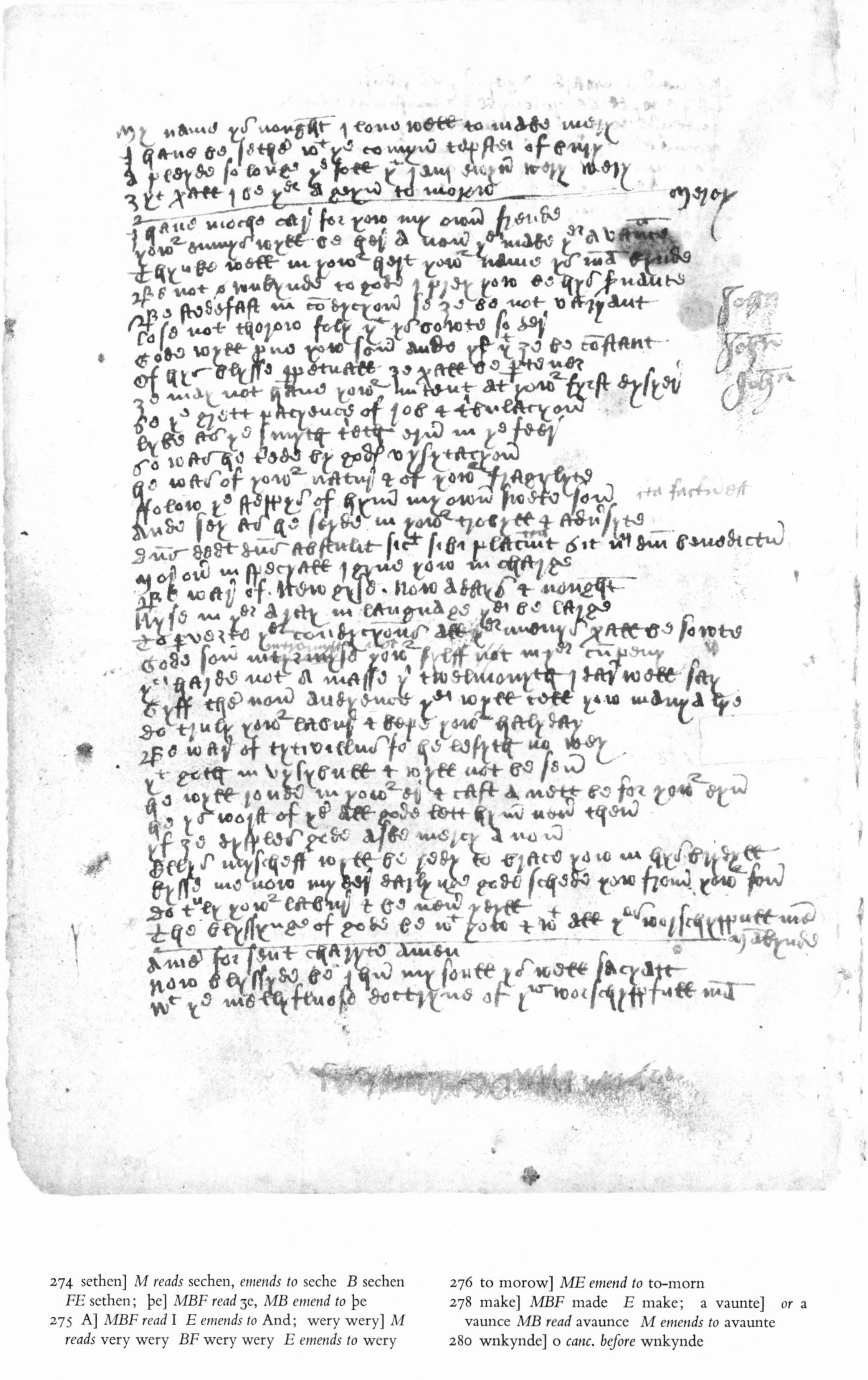

274 sethen] *M reads* sechen, *emends to* seche *B* sechen *FE* sethen; þe] *MBF read* ȝe, *MB emend to* þe

275 A] *MBF read* I *E emends to* And; wery wery] *M reads* very wery *BF* wery wery *E emends to* wery

276 to morow] *ME emend to* to-morn

278 make] *MBF* made *E* make; a vaunte] *or* a vaunce *MB read* avaunce *M emends to* avaunte

280 wnkynde] o *canc. before* wnkynde

My name ys nought I loue well to make mery
I haue be sethen wyth þe comyn tapster of bury
A pleyde so longe þe foll þat I am ewyn wery wery
ʒyt xall I be þer a geyn to morow

MERCY. I haue moche care for yow my own frende
yowr enmys wyll be here a non þei make þer a vaunte
Thynke well in yowr hert yowr name ys mankynde
Be not wnkynde to gode I prey yow be hys seruante

Be stedefast in condycyon se ʒe be not varyant
lose not thorow foly þat ys bowte so dere
Gode wyll proue yow son ande yf þat ʒe be constant
Of hys blysse perpetuall ʒe xall be partener

ʒe may not haue yowr intent at yowr fyrst dysyere
Se þe grett pacyence of Iob & tribulacyon
lyke as þe smyth trieth ern in þe feere
So was he triede by godys vysytacyon

he was of yowr nature & of yowr fragylyte
ffolow þe steppys of hym my own swete son
Ande sey as he seyde in yowr trobyll & aduersyte
Dominus dedit dominus abstulit sicut sibi placuit sit nomen domini benedictum

More ouer in specyall I gyue yow in charge
Be ware of New gyse . Nowadays & nought
Nyse in þer a ray in language þei be large
To perverte þer condycyouns all þer menys xall be sowte

Gode son intromytt not yowr sylff in þer cumpeny
þei harde not a masse þi twelmonyth I dare well say
Gyff them non audyence þei wyll tell yow many a lye
Do truly yowr labure & kepe yowr haly day

Be ware of tityvillus fo he lesyth no wey
þat goth in vysybull & wyll not be sen
he wyll ronde in yowr ere & cast a nett be for yowr eyn
he ys worst of þem all gode lett hym neuer then
yf ʒe dysples gode aske mercy a non
Ellys myscheff wyll be redy to brace yow in hys brydyll
kysse me now my dere darlynge gode schede yow from yowr fon
Do truly yowr labure & be neuer ydyll
The blyssynge of gode be wyth yow & wyth all þes worschyppull men
MANKYNDE. Amen for sent charyte amen

Now blyssyde be Ihesu my soull ys well sacyatt
wyth þe mellyfluose doctryne of þis worschyppfull man

282 bowte] *F* sowte
286 &] *ME emend to* in (*following Kittredge*)
288 triede] *MB* lede
289 fragylyte] *M reads* frayylyte, *emends to* fraylyte
292 placuit] ita *written above* placuit *and canc.; see marginalia*
296 þer] *MB emend to* yower *F queries* þi (?) *E to* yowr; all þer] *E emends to* all þe
297 intromytt not yowr sylff] *changed from* intyrmyse yowr sylff not (*MBE*)
298 þi] *MBFE emend to* þi[s]
300 kepe] *M reads* kefe, *emends to* kepe
301 fo] *MB read* for *F* fo[r] *E emends to* for; no] *M reads* us, *emends to* no
303 eyn] *ME emend to* ey
305 yf] *M* Yff
307 schede] *MBE emend to* sche[l]de; fon] *MB read* son, *emend to* fon (*following Kittredge*)
309 þes] *M reads* yower *queries omit or* yow *B* yowur; worschyppull] *M* worschypfull *F* worschypp[f]ull
312 worschyppfull] *M* worschypfull

in right margin, thrice, in a different hand: John
in right margin at l. 290, in a different hand: ita factum est (*B proposes that this phrase replaces the* ita *written above l. 292*)
at bottom, some writing, smudged and illegible

The rebellyn of my flesch now yt ys superatt
Thankynge be gode of þe commynge þat I kam

her wyll I sytt & tytyll in þis papyr
The incomparable astat of my promycyon
Worschypfull souerence I haue wretyn here
The gloryuse remembrance of my nobyll condycyon

To haue remos & memory of my sylff þus wretyn yt ys
To defende me from all superstycyus charmys
Memento homo quod cinis es & in cinerem reuerteris
lo I ber on my bryst þe bagge of myn armys

NEW GYSE. The wether ys colde gode sende ws goode ferys
Cum sancto sanctus eris & cum peruerso peruerteris
Ecce quam bonum & quam Iocundum quod þe deull to þe frerys
habitare fratres in vnum
MANKYNDE. I her a felow speke wyth hym I wyll not mell
Thys erth wyth my spade I xall assay to delffe
To eschew ydullnes I do yt myn own selffe
I prey gode sende yt hys fusyon

NOW A DAYS. Make rom sers for we haue be longe
we wyll cum gyf yow a crystemes songe

NOUGHT. Now I prey all þe yemandry þat ys here
To synge wyth ws wyth a mery chere

yt ys wretyn wyth a coll yt ys wretyn wyth a cole
NEW GYSE & NOW A DAYS. yt ys wretyn wyth a colle yt ys wretyn cetera
NOUGHT. he þat schytyth wyth hys hoyll he þat schytyth wyth hys hoyll
NEWGYSE NOWADAYS. he þat schytyth wyth hys hoyll cetera
NOUGHT. But he wyppe hys ars clen but he cetera
NEWGYSE NOWADAYS. But he wype hys ars clen but he cetera
NOUGHT. On hys breche yt xall be sen on hys breche cetera
NEW GYSE NOW A DAYS. On hys breche yt xall be sen on hys cetera
CANTANT OMNES. hoylyke holyke holyke holyke holyke holyke

NEW GYSE. Ey mankynde gode spede yow wyth yowr spade
I xall tell yow of a maryage
I wolde yowr mowth & hys ars þat þs made
wer maryede Iunctly to gether
MANKYNDE. hey yow hens felouse wyth bredynge
leue yowr derysyon & yowr Iapyng
I must nedys labure yt my lyvynge
NOW A DAYS.

314 Thankynge] *M emends to* Thankyd; be] *F* be [to]; commynge . . . kam] *MBF emend to* connynge . . . kan
319 remos] *MBF emend to* remo[r]s
320 superstycyus] *M* superstycyous
321 in cinerem] *MB read* cinere, *emend to* [in] cinere[m]
322 lo] *a point after* lo (?)
323 goode] god *canc. before* goode (*E*)
324 peruerso] *M reads* peruerse, *emends to* peruerso
325 quam] *M reads* quiam, *emends to* quam; Iocundum] *M reads* Iocundie, *emends to* iocundum
326 vnum] *M reads* vino *queries* vnion *emends to* uno *B reads* vino *queries* vnione
327 I her] *M* Ther; hym] *another* hym *canc. before* hym (*E*)
328 erth] *another* erth *canc. before* erth (*E*)
329 ydullnes] *M reads* yeullnes *B* ycullnes *MB emend to* ydullnes
330 yt] *MB read* þat *M deletes B queries placing* þat *before* gode
342 breche] hy *canc. before* breche
343 hoylyke] *M* Holyke (*M omits song*)
344 spade] *M reads* space, *emends to* spade
346 þs] *or* ys *MBE emend to* þis *F reads* þis

in left margin at ll. 323–25 and at bottom, in a different hand: John *and a capital* J

at bottom, a smudged John (?); *at right, number* vi

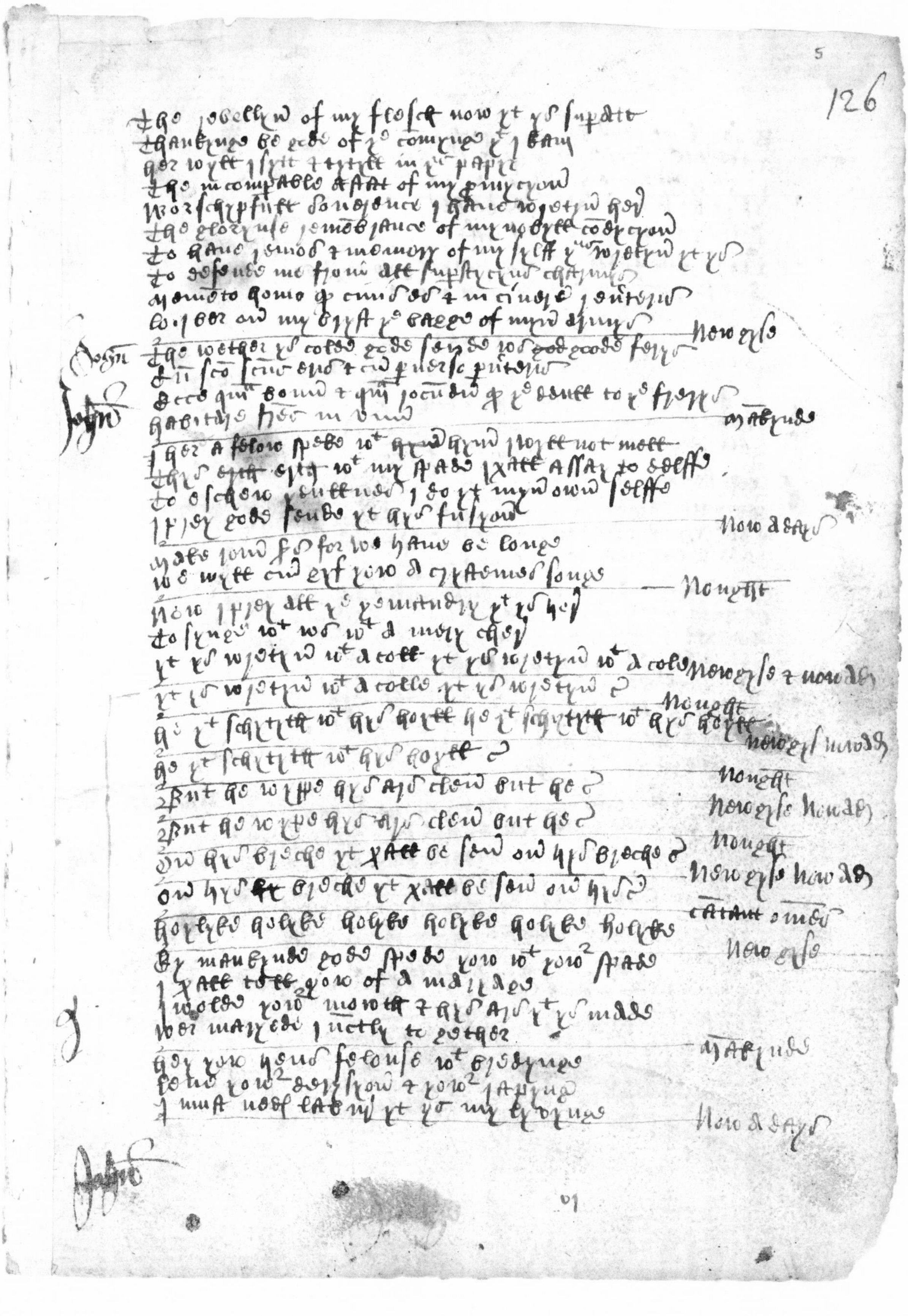

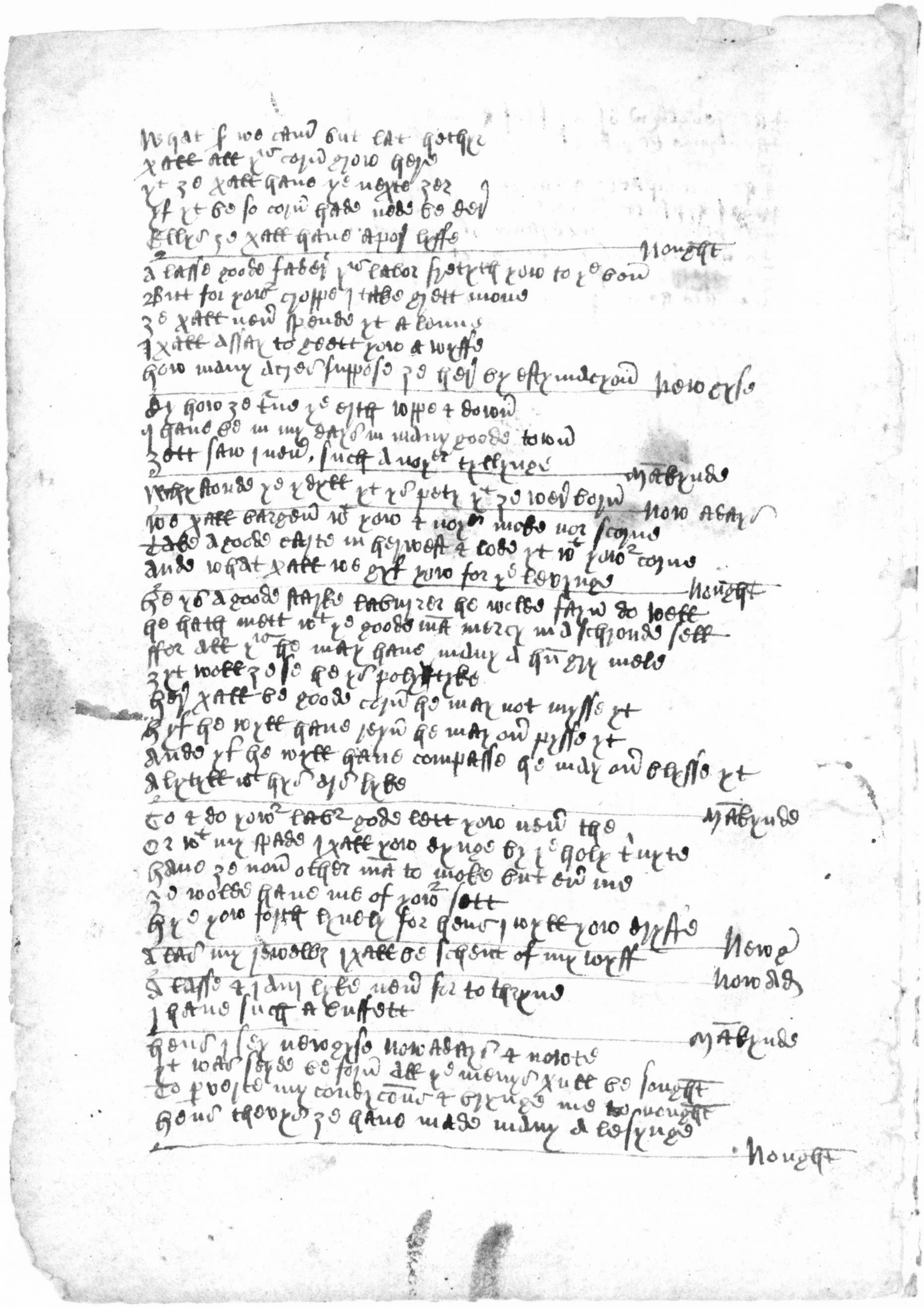

What I we cand but tat gothe
Xall all þᵗ come yow [illegible]
ʒᵗ ʒe xall haue þᵉ nekke ʒer
yf yt be so cown had nede be ded
Ellys ʒe xall haue a pore lyffe — Nought
A tale goode faber þᵗ labor sytyth yow to þᵉ bon
But for yowr [illegible] I take [illegible] nowe
ʒe xall now [illegible] yt a comyng
I xall assay to gett yow a wyffe
How many dayes suppose ʒe [illegible] vndrestond — New gyse
By how ʒe [illegible] þᵉ [illegible] vppe & down
I haue be in my days in many goode town
ʒett saw I never, such a [illegible] tydynges — Mankynde
[illegible] ʒe [illegible] yt ʒe [illegible] þᵗ ʒe wold [illegible] — Now adays
We xall [illegible] wt yow & neuer more not [illegible]
Take a goode [illegible] in [illegible] & [illegible] yt wt yowr [illegible]
And what xall we gyff yow for þᵉ [illegible] — Nought
He ys a goode [illegible] [illegible] he wolde [illegible] do welle
He hath mett wt þᵉ goode man mercy in a [illegible] sell
ffor all þᵗ he may haue many a [illegible] euyll mele
ʒyt woll [illegible] he þᵉ [illegible]
He xall be goode [illegible] he may not [illegible] yt
yf he wyll haue [illegible] he may [illegible] yt
And yf he wyll haue compasse he may [illegible] yt
A [illegible] wt [illegible]
To & do yowr [illegible] gode lett yow [illegible] — Mankynde
Or wt my spade I xall yow [illegible] by þᵉ holy [illegible]
Haue ʒe now other man to make but [illegible]
ʒe wolde haue me of yowr sett
Hye yow forth [illegible] for [illegible] I [illegible] yow [illegible] — Newg
Alas my [illegible] I xall be [illegible] of my [illegible] — Nowad
A [illegible] & I [illegible] now for to [illegible]
I haue such a [illegible]
Here I sey Newgyse Nowadays & Nought — Mankynde
yt was [illegible] be [illegible] all þe [illegible] xull be sought
To [illegible] my condycons & [illegible] me [illegible] nought
Here [illegible] ʒe haue made many a lesynge — Nought

[Now a days.] What ser we cam but lat hethyr
xall all þis corn grow here
þat ȝe xall haue þe nexte ȝer
yf yt be so corn hade nede be dere
Ellys ȝe xall haue a pore lyffe
Nought. A lasse goode fadere þis labor fretyth yow to þe bon
But for yowr croppe I take grett mone
ȝe xall neuer spende yt a lonne
I xall assay to geett yow a wyffe

how many acres suppose ȝe here by estymacyon
New gyse. Ey how ȝe turne þe erth wppe & down
I haue be in my days in many goode town
ȝett saw I neuer such a noþer tyllynge
Mankynde. Why stonde ye ydyll yt ys pety þat ȝe were born
Now a days. we xall bargen wyth yow & noþer moke nor scorne
Take a goode carte in herwest & lode yt wyth yowr corne
Ande what xall we gyf yow for þe levynge

Nought. he ys a goode starke laburrer he wolde fayn do well
he hath mett wyth þe goode man mercy in a schroude sell
ffor all þis he may haue many a hungry mele
ȝyt woll ȝe se he ys polytyke
here xall be goode corn he may not mysse yt
yf he wyll haue reyn he may ouer pysse yt
Ande yf he wyll haue compasse he may ouer blysse yt
A lytyll wyth hys ars lyke

Mankynde. Go & do yowr labur gode lett yow neuer the
Or wyth my spade I xall yow dynge by þe holy trinyte
haue ȝe non other man to moke but euer me
ȝe wolde haue me of yowr sett
hye yow forth lyuely for hens I wyll yow dryffe
New gyse. A las my Iewellys I xall be schent of my wyff
Now a days. A lasse & I am lyke neuer for to thryue
I haue such a buffett

[Nought.] Mankynde. hens I sey newgyse nowadays & nowte
yt was seyde be forn all þe menys xull be sought
To perverte my condycions & brynge me to nought
hens thevys ȝe haue made many a lesynge
Nought.

351 lat] *MB read* eat *M emends to* late (*following Kittredge*) *B to* lat (?)
371 polytyke] k *crossed out after* poly(?)
373 yf] h *crossed out before* yf
374 Ande] *M reads* Arde, *emends to* Ande; compasse] *M emends to* compost *B to* composte *F to* compass[t]e
379 wolde] *MB* wolle *FE* wolde
381 Iewellys] *MB read* Ieweller, *emend to* iewelles
385 xull] *M reads* xall, *emends to* xulde *E emends to* xuld
386 to] t *changed from another letter* (?)

[NOUGHT.] Marryde I was for colde but now am I warme
ȝe are ewyll avysyde ser for ȝe haue don harme
By cokkys body sakyrde I haue such a peyn in my arme
I may not chonge a man a ferthynge

MANKYNDE. Now I thanke gode knelynge on my kne
Blyssyde be hys name he ys of hye degre
By þe subsyde of hys grace þat he hath sente me
iij of myn enmys I haue putt to flyght
ȝyt þis Instrument souerens ys not made to defende
Dauide seyth nec in hastu nec in gladio saluat dominus
NOUGHT. No mary I be schrew yow yt ys in spadibus
Therfor crystys curse cum on yowr hedybus
To sende yow lesse myght Exiant

MANKYNDE. I promytt yow þes felouse wyll no more cum here
ffor summe of þem certenly were summewhat to nere
My fadyr mercy avysyde me to be of a goode chere
Ande a gayn my enmys manly for to fyght

I xall convycte þem I hope euerychon
ȝet I say amysse I do yt not alon
wyth þe helpe of þe grace of gode I resyst my fon
Ande þer malycyuse herte
wyth my spade I wyll departe my worschyppull souerence
Ande lyue euer wyth labure to corecte my insolence
I xall go fett corn for my londe I prey yow of pacyence
Ryght son I xall reverte

MYSCHEFF. A las a lasse þat euer I was wrought
A lasse þe whyll I wers þen nought
Sythyn I was here by hym þat me bought
I am wtterly on don
I myscheff was here at þe begynnynge of þe game
Ande arguyde wyth mercy gode gyff hym schame
he hath taught mankynde wyll I haue be vane
To fyght manly a geyn hys fon

ffor wyth hys spade þat was hys wepyn
Neugyse . nowadays . nought . hath all to beton
I haue grett pyte to se þem wepyn
wyll ȝe lyst I here þem crye Clamant
A lasse a lasse cum hether I xall be yowr borow

392 thanke] ta *canc. before* thanke
393 Blyssyde] *MB* B[l]yssyde
394 þe subsyde] *M reads* the fesyde, *emends to* this spade (*following Kittredge*) *B reads* þe fesyde, *emends to* þe fisyke *F reads* þe syde *with* fs *crossed through before* syde, *queries* ayde *E* þe subsyde
397 hastu] *MBFE emend to* hasta; dominus] *M reads* ons *with a rule above* *B reads* omnibus, *emends to* dominus
402 nere] *M* rere
404 Ande] Ad *canc. before* Ande (*E*)
405 convycte] *MB read* convytte, *emend to* convycte; þem] em *written over an* I, *canc.* (?)
407 resyst] *M* re[s]yst
409 worschyppull] *M emends to* worschypfull *F* worschypp[f]ull
411 fett] *M reads* sett, *emends to* fett
414 I] *MF* I [am]; þen] *M* the[n] *B* þe *queries* þen
419 vane] *B proposes* frame
422 Neugyse] *MBF* New gyse *E* New Gyse; hath] *F* hath [he] *B* [he] hath; beton] *M* betyn *B* betene *F* beten *E* beton

at top, in a different hand, and difficult to decipher: . . . xx of 1[d] ob qu (*i.e.,* 1[d.] 1/2[d.] 1/4[d.]) (?)

in left margin at top, smudged
at bottom, number vii

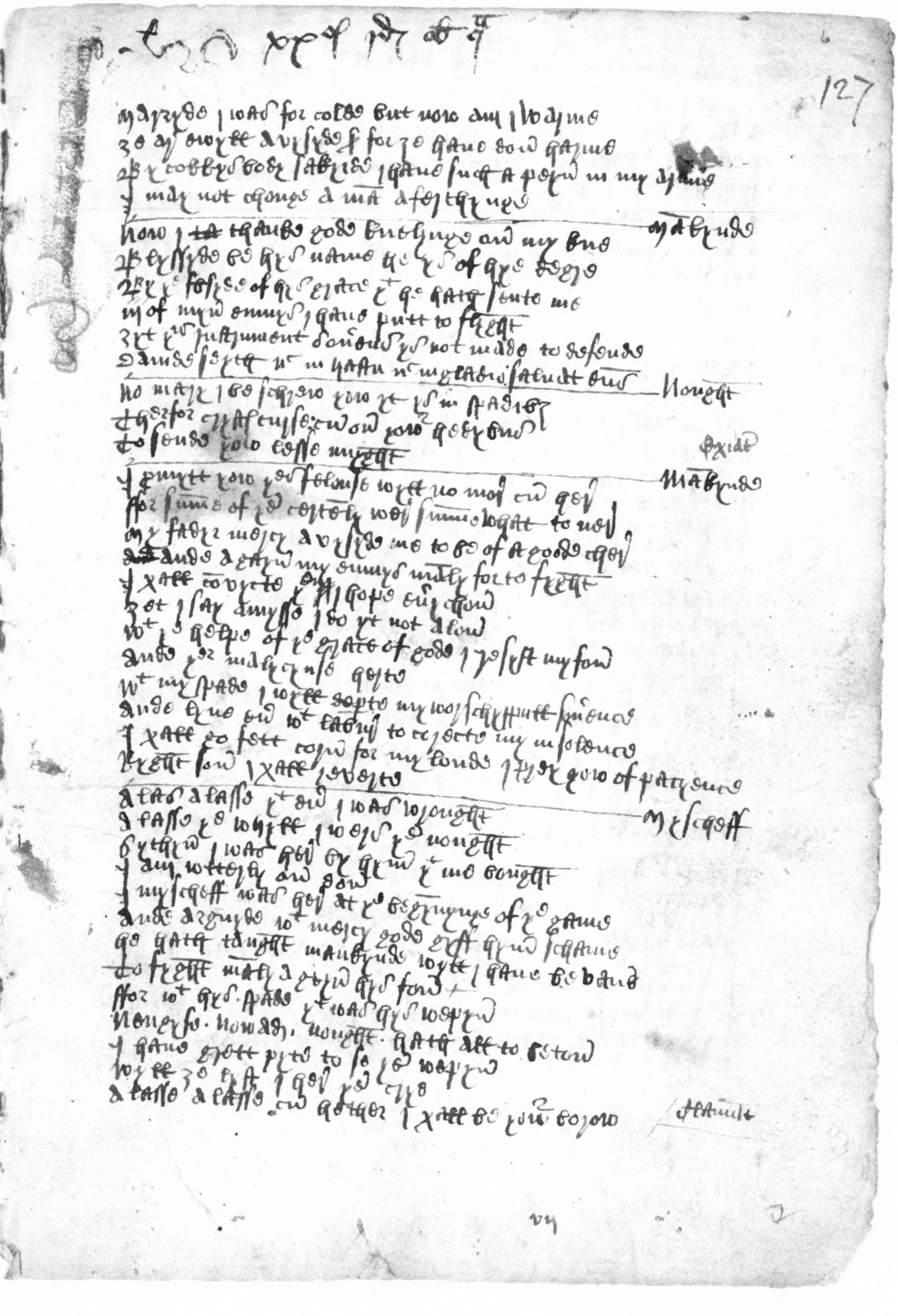

Honorabyll ye Well be lovyd frende I hertely recomend me vn to yow

A lac a lac ven ven cu hethere wt sorowe
pesse fayer babys ye xall haue a nappyll to morow
why grete ye so why — Nowa
A lasse master alasse my pryvyte — Myscheff
A wher a lake fayer babe ba me
Abyde to son I xall yt se — Nowad
here here se my hede goode master — Myscheff
Lady helpe sely darlynge ven ven
I xall helpe the of thi peyn
I xall smytt of thi hede and sett yt on agayn — Nought
By owr lady ser a fayer playster
wyll ye of wt his hede yt ys a schreude charme
As for me I haue non harme
I wer loth to forgo myn arme
ye pley in nomine patris choppe — Newg
ye xall not choppe my jewellys and I may — Nowad
ye cristys crose wyll ye smyght my hede awey
ther wer on and on owte ye xall not assay
I myght well be callyd a foppe — Myscheff
I kan choppe yt of and make yt agayn — Newgyse
I hade a schreude recumbentibus but I fele no peyn — Nowadays
and my hede ys all saue and holl agayn
Now towchynge the mater of mankynde
lett us haue an interleccyon sythen ye be cum hethere
yt were goode to haue an ende — Myscheff
how how a mynstrell know ye ony out — Nought
I kan pype in a walsyngham wystyll I nought nought — Myscheff
Blow apase and thou xall bryng hym in wt a flewte — Titivillus
I com wt my leggys under me — Myscheff
how newgyse nowadays herke or I goo
when owr hedys wer togethere I spake of si dedero — Newgyse

A lac a lac ven ven cum hethere wyth sorowe
pesse fayer babys ȝe xall haue a nappyll to morow
Why grete ȝe so why

NEU GYSE. A lasse master a lasse my privyte
MYSCHEFF. A wher a lake fayer babe ba me
A byde to son I xall yt se
NOWADAYS. here here se my hede goode master
MYSCHEFF. lady helpe sely darlynge ven ven
I xall helpe þe of þi peyn
I xall smytt of þi hede & sett yt on a gayn
NOUGHT. By owr lady ser a fayer playster

wyll ȝe of wyth hys hede yt ys a schreude charme
As for me I haue non harme
I were loth to forbere myn arme
ȝe pley in nomine patris choppe
NEUGYSE. ȝe xall not choppe my Iewellys & I may
NOWADAYS. ȝe crastys crose wyll ȝe smyght my hede a wey
Ther wher on & on oute ȝe xall not a ssay
I myght well be callyde a foppe

MYSCHEFF. I kan choppe yt of & make yt a gayn
NEW GYSE. I hade a schreude recumbentibus but I fele no peyn
NOW A DAYS. Ande my hede ys all saue & holl agayn
Now towchynge þe mater of mankynde
lett ws haue an interleccyon sythen ȝe be cum hethere
yt were goode to haue an ende

MYSCHEFF. how how a mynstrell know ȝe ony out
NOUGHT. I kan pype in a walsyngham wystyll I nought nought
MYSCHEFF. Blow a pase & þou xall bryng hym in wyth a flewte
TYTIVILLUS. I com wyth my leggys wnder me
MYSCHEFF. how neugyse nowadays herke or I goo
when owr hedys were to gethere I spake of si dedero
NEUGYSE.

429 NEU] *F* NEW (*also at ll. 441 and 455*)
442 ȝe] *B queries* Be (?); crastys] *M reads* Craftes, *emends to* Cristes *B reads* cristes *FE read* crastys, *emend to* Cristys; crose] *M queries* cross *or* curse
443 Ther wher on & on] *M emends to* Ther wer on anon (*following Kittredge*) *B queries* Ther wher one but one *E emends to* Ther wer on and on; oute] *B queries* outh
446 recumbentibus] *M reads* recumtentibus, *emends to* recumbentibus
451 out] *M* ou[gh]t
453 flewte] *MB query* flowte
454 wnder] *M* vnder *F* vndur
456 si dedero] *M reads* Tidedere, *emends to* Si dedero (*following Kittredge*) *B reads* si dedere *queries* si dedero

at top in a different hand: Honorabyll & Well be louyd frende I hertely Recummend me on to yow (*F*)

[NEUGYSE.] ȝo go þi wey we xall gaþer mony on to
Ellys þer xall no man hym se

now gostly to owr purpos worschypfull souerence
we intende to gather mony yf yt plesse yowr neclygence
ffor a man wyth a hede þat of grett omnipotens
NOWADAYS. kepe yowr tayll in goodnes I prey yow goode broþer
he ys a worschyppull man sers sauyng yowr reuerens
he louyth no grotys nor pens of to pens
Gyf ws rede reyallys yf ȝe wyll se hys abhomynabull presens
NEW GYSE. Not so ȝe þat mow not pay þe ton pay þe toþer

At þe goode man of þis house fyrst we wyll assay
Gode blysse yow master ȝe say as yll ȝet ȝe wyll not sey nay
lett ws go by & by & do þem pay
ȝe pay all a lyke well mut ȝe fare
NOUGH. I sey newgyse now adays Estis vos pecuniatus
I haue cryede a fayer wyll I beschrew yowr patus
NOWADAYS. Ita vere magister cumme forth now yowr gatus
he ys a goodly man sers make space & be ware

TITIVILLUS. Ego sum dominancium dominus & my name ys titivillus
ȝe þat haue goode hors to yow I sey caueatis
here ys an abyll felyschyppe to tryse hym out at yowr gatys
loquitur ad newgyse

Ego probo sic ser newgys lende me a peny
NEWGYSE. I haue a grett purse ser but I haue no monay
By þe masse I fayll ij farthyngys of an halpeny
ȝyt hade I x^{li} þis nyght þat was
TITYUILLUS. What ys in þi purse þou art a stout felow loquitur ad nowadays
NOWADAYS. þe deull haue qwyll I am a clen Ientyllman
I prey gode I be neuer wers storyde þen I am
yt xall be otherwyse I hope or þis nyght passe
TYTIVILLUS. herke now I say þou hast many a peny loquitur ad nought
NOUGHT. No nobis domine non nobis by sent deny
þe deull may daunce in my purse for ony peny
yt ys as clen as a byrdys ars

TITIVILLUS. Now I say ȝet a geyn caueatis
her ys an abyll felyschyppe to tryse hem out of yowr gatys

Now I sey newgyse nowadays & nought
Go & serche þe contre anon yt be sowȝte
Summe here summe þer what yf ȝe may cache owȝte

yf ȝe fayll of hors take what ȝe may ellys
NEWGYSE. Then speke to mankynde for þe recumbentibus of my Iewellys
NOW ADAYS.

457 ȝo] *ME emend to* ȝe *B queries* ȝe *or* Go; wey] þi *expunged before* wey
458 þer] *or* þei *MF read* þei, *emend to* þer
459 gostly] *B queries* postly (?)
461 þat] *BFE emend to* þat ys
462 kepe] p *expunged before* kepe
463 worschyppull] *M emends to* worschypfull *F* worschypp[f]ull
464 of] *MBF emend to* or *E* of
471 NOUGH] *MB read* NOUGHT *F* NOUGH[T]
473 vere] *M* uere
475 dominancium] *M reads* duancum, *emends to* dominantium
477 hym] *E emends to* hem
481 was] *M* wos
482 þi] þis *canc. before* þi (*E*); felow] *M queries* man *B queries* felowman *or* man
483 qwyll] *MF* [the] qwyll *E emends to* the qwytt (*following Adams*)
487 No] *MBFE emend to* no[n]
490 *the scribe repeated & then canc.* Now I sey a geyn caueatis (*E*)
491 ys] t *in a lighter ink before* ys
493 yt] *MF emend to* þat [yt] *B* þat *E* yt

at bottom right, number viii

128

3o go þi wey we xall gather mony on to
Ellys þer xall no man hym se
Now gostly to owr purpos worschypfull souerence
We intende to gather mony yf yt plesse yowr neclygence
For a man wyth a hede þat ys of grett omnipotens — Nowadays
Kepe yowr tayll in goodnes I prey yow goode broþer
He ys a worschyppull man sers sauyng yowr reuerens
He louyth no grotys nor pens of to pens
Gyf ws rede reyallys yf 3e wyll se hys abhomynabull presens — New g
Not so 3e þat mow not pay þe ton pay þe toþer
At þe goode man of þis house fyrst we wyll assay
Gode blysse yow master 3e say as yll yet 3e wyll not sey nay
Lett ws go by & by & do þem pay
3e pay all alyke well mut 3e fare — Nowgh
I sey new gyse nowadays estis vos pecuniatus
I haue cryede a fayer wyll I beschrew yowr patus — Nowadays
Ita vere magister cumme forth now yowr gatus
He ys a goodly man sers make space & be ware — Titivillus
Ego sum dominancium dominus & my name ys titivillus
3e þat haue goode hors to yow I sey caueatis
Here ys an abyll felyschyppe to tryse hym out at yowr gatys
Ego probo sic ser new gys lende me a peny — New g — Loquitur ad new gyse
I haue a grett purse ser but I haue no monay
By þe masse I fayll to farthyngys of an halpeny
3yt hade I x li þis nyght þat was — Titivillus
What ys in þi purse þou art a stout felow — Nowadays — Loquitur ad nowadays
þe deull haue qwyll I am a clen jentyllman
I prey gode I be neuer wers storyde þen I am
Yt xall be otherwyse I hope or þis nyght passe — Titivillus
Herke now I say þou hast many a peny — Nought — Loquitur ad nought
Non nobis domine non nobis by sent deny
þe deull may daunce in my purse for ony peny
Yt ys as clen as a byrdys ars — Titivillus
Now I sey yet ageyn caueatis ~~Now I sey yet ageyn caueatis~~
Her ys an abyll felyschyppe to tryse hem out of yowr gatys
Now I sey new gyse nowadays & nought
Go & serche þe contre anon yt be sowgth
Summe here summe þere what yf 3e may cache owgth
Yf 3e fayll of hors take what 3e may ellys
Then speke to mankynde for þe recumbentibus of my jewellys — New gyse — Nowadays

viij

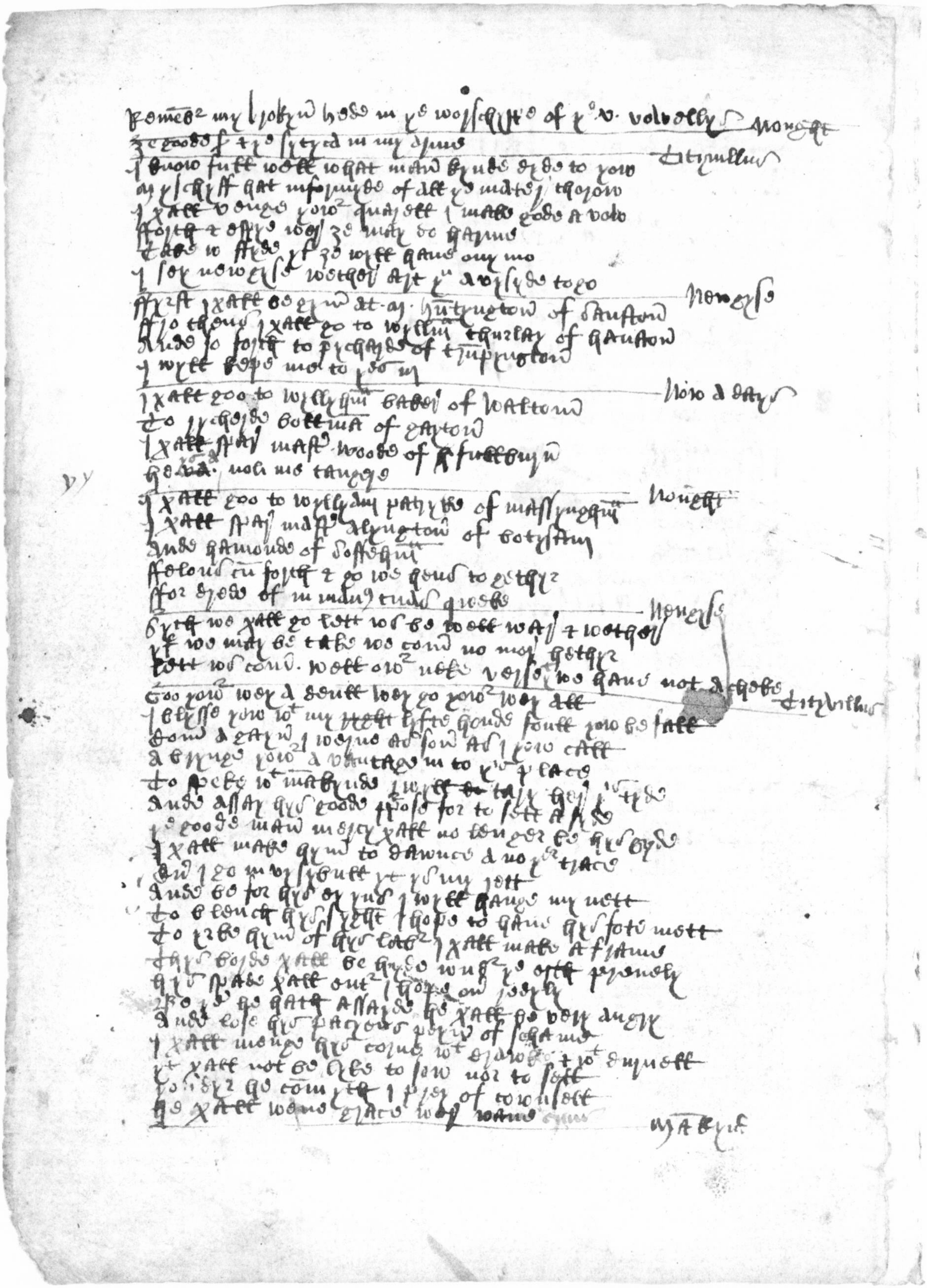

497 .v. vowellys] *M* v voli ellys *queries* vij (*or* xx) devellys *B* volvellys *queries* dewellys

498 þe sytyca] *M* tye sytica *queries* the syatica (*i.e.*, sciatica) *B* tye sytyca

500 hat] *M* hat[h]; informyde] *BF* informyde [me]

501 make] *F* made

503 Take] *M reads* Iake; w] *MB* w[ith yow] *FE expand to* William

505 Sauston] *M reads* sansten, *emends to* Sanston *F* Sanston *BE* Sauston

506 wylliam] *MB read* Wyllaum; hauston] *MF* Hanston *BE* Hauston

509 Waltom] *M emends to* Walton

511 fullburn] *a letter canc. before* fullburn

512 ys a] *written in a lighter ink above* va *canc.* (*E*)

[NOW ADAYS.] Remember my brokyn hede in þe worschyppe of þe .v. vowellys
NOUGHT. ȝe goode ser & þe sytyca in my arme
TITYUILLUS. I know full well what man kynde dyde to yow
Myschyff hat informyde of all þe matere thorow
I xall venge yowr quarell I make gode a vow
fforth & espye were ȝe may do harme
Take w ffyde yf ȝe wyll haue ony mo
I sey newgyse wethere art þou avysyde to go

NEWGYSE. ffyrst I xall be gyn at M. huntyngton of Sauston
ffro thens I xall go to wylliam thurlay of hauston
Ande so forth to pycharde of trumpyngton
I wyll kepe me to þes iij
NOW A DAYS. I xall goo to wyllyham bakere of Waltom
To rycherde bollman of gayton
I xall spare master woode of fullburn
he ys a noli me tangere

NOUGHT. I xall goo to wyllyam patryke of massyngham
I xall spare master alyngton of botysam
Ande hamonde of Soffeham
ffelous cum forth & go we hens to gethyr
ffor drede of in manus tuas qweke
NEUGYSE. Syth we xall go lett ws be well ware & wethere
yf we may be take we com no more hethyr
lett ws com well owr neke verse þat we haue not a cheke

TITYVILLUS. Goo yowr wey a deull wey go yowr wey all
I blysse yow wyth my lyfte honde foull yow be fall
Com a gayn I werne as son as I yow call
A brynge yowr a vantage in to þis place
To speke wyth mankynde I wyll tary here þis tyde
Ande assay hys goode purpose for to sett a syde
þe goode man mercy xall no lenger be hys gyde
I xall make hym to dawnce a noþer trace

Euer I go in vysybull yt ys my Iett
Ande be for hys ey þus I wyll hange my nett
To blench hys syght I hope to haue hys fote mett
To yrke hym of hys labur I xall make a frame
Thys borde xall be hyde wnder þe erth preuely
hys spade xall enter I hope on redyly
Be þen he hath assayde he xall be very angry
Ande lose hys pacyens peyn of schame
I xall menge hys corne wyth drawke & wyth durnell
yt xall not be lyke to sow nor to sell
yondyr he commyth I prey of cownsell
he xall wene grace were wane
MANKYND.

516–17 *these lines are transposed in error in the MS; corrected in MBE*
518 be] *MB emend to* se; &] *E omits*
520 com] *MBFE emend to* con; þat] *squeezed between* verse *and* we *in a lighter ink (BE)*; cheke] *MB read* choke, *emend to* cheke
522 lyfte] ryght *canc. before* lyfte *(FE)*
524 A] *MBFE emend to* A[nd]
525 tary] be *canc. before* tary *(E)*
527 hys gyde] *M* [be] hys syde *B* hys syde *queries* gyde
529 Iett] *MB* rett
531 mett] *MB* wett
533 be] *M reads* he, *emends to* be
534 on redyly] *MBF read* ouer redyly, *propose* on redyly
535 assayde] *M* a-wayde *or* assayde *B* a-wayde
537 drawke] *MB* draw *F* drawk; durnell] *B* durnell *or* darnell
538 sow] *MB read* sew, *emend to* sow
540 wane] *in a later hand,* wane *canc. and followed by* cum *(E)* *MB read* cruis *F* cran (?)

in left margin at l. 512, yy

[MANKYND.] Now gode of hys mercy sende ws of hys sonde
I haue brought sede here to sow wyth my londe
qwyll I ouer dylew yt here yt xall stonde
In nomine patris & filii & spiritus sancti now I wyll begyn
Thys londe ys so harde yt makyth wn lusty & yrke
I xall sow my corn at wynter & lett gode werke
A lasse my corn ys lost here ys a foull werke
I se well by tyllynge lytyll xall I wyn

here I gyff wppe my spade for now & for euer
here titivillus goth out wyth þe spade
To occupye my body I wyll not put me in deuer
I wyll here my ewynsonge here or I dysseuer
Thys place I assyng as for my kyrke
here in my kerke I knell on my kneys
pater noster qui es in celis
TYTYVILLUS. I promes yow I haue no lede on my helys
I am here a geyn to make þis felow yrke

qwyst pesse I xall go to hys ere & tytyll þer in
A schorte preyere thyrlyth hewyn of þi preyere blyn
þou art holyer þen euer was ony of þi kyn
A ryse & avent þe nature compellys
MANKYND. I wyll in to þi ȝerde souerens & cum a geyn son
ffor drede of þe colyke & eke of þe ston
I wyll go do þat nedys must be don
My bedys xall be here for who summ euer wyll cumme Exiat

TITYUI[LLUS]. Man kynde was besy in hys prayere ȝet I dyde hym aryse
he ys conveyde be cryst from hys dyvyn seruyce
wethere ys he trow ȝe I wysse I am wonder wyse
I haue sent hym forth to schyte lesynges
yff ȝe haue ony syluer in happe pure brasse
Take a lytyll powder of parysch & cast ouer hys face
Ande ewyn in þe howll flyght let hym passe
Titivillus kan lerne yow many praty thyngys

I trow mankynde wyll cum a geyn son
Or ellys I fere me ewynsonge wyll be don
hys bedys xall be trysyde a syde & þat a non
ȝe xall a goode sport yf ȝe wyll a byde
Man kynde cummyth a geyn well fare he
I xall answere hym ad omnia quare
Ther xall be sett a broche a clerycall mater
I hope of hys purpose to sett hym a syde

MAN. Ewynsong hath be in þe saynge I trow a fayer wyll
I am yrke of yt yt ys to longe be on myle
Do wey I wyll no more so oft ouer þe chyrche style
Be as be may I xall do a noþer
Of labure & preyer I am nere yrke of both
I wyll no more of yt thow mercy be wroth
My hede ys very heuy I tell yow for soth
I xall slepe full my bely & he wore my broþer
TITYVILLUS.

543 qwyll I ouer dylew yt] *MB read* I wyll ron dylewer yt *M emends* yt *to* that
544 filii] *MB read* filius *M emends to* Filii; begyn] *M reads* le-fyn, *emends to* be-gyn
550 deuer] *MB read* eeuer *M emends to* deuer
552 assyng] *B emends to* assigne
557 qwyst] *MB* I wyst
561 þi] *MF* þi[s] *B emends to* þe
562 *The scribe first wrote and then canc. l. 564 (E).*
563 þat] *MB read* yt, *emend to* þat
564 bedys] *M reads* ledes, *emends to* bedes; cumme] *when the scribe first wrote this line at l. 562, he wrote* ellys *E emends to* ellys
565 dyde] *MB read* eyde, *emend to* dyde
566 he] B *canc. before* he
570 powder] *MBF* pow[d]er; parysch] *B emends to* Paris

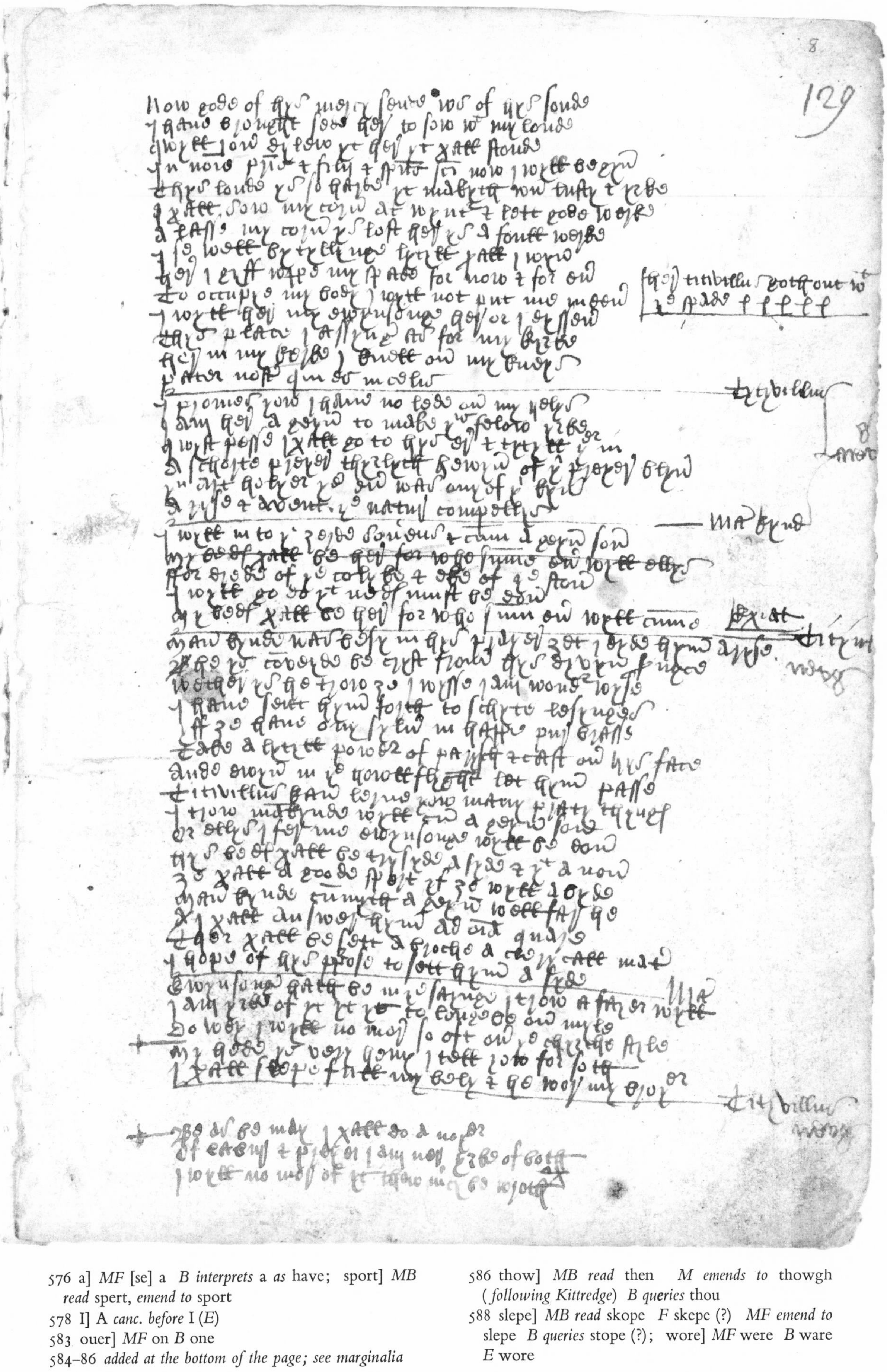

576 a] *MF* [se] a *B interprets* a *as* have; sport] *MB read* spert, *emend to* sport

578 I] A *canc. before* I (*E*)

583 ouer] *MF* on *B* one

584–86 *added at the bottom of the page; see marginalia*

586 thow] *MB read* then *M emends to* thowgh (*following Kittredge*) *B queries* thou

588 slepe] *MB read* skope *F* skepe (?) *MF emend to* slepe *B queries* stope (?); wore] *MF* were *B* ware *E* wore

in right margin, in a different hand, below TYTYVILLUS *at l. 555, is written* nev g *to assign this speech to New Gyse; also the speeches at ll. 565 and 589* (*E*)

at bottom, ll. 584–86 added by the scribe with a mark to indicate where they belong in the text; the scribe has almost obscured the previously written number ix, *which can be seen between ll. 585 and 586* (*E*)

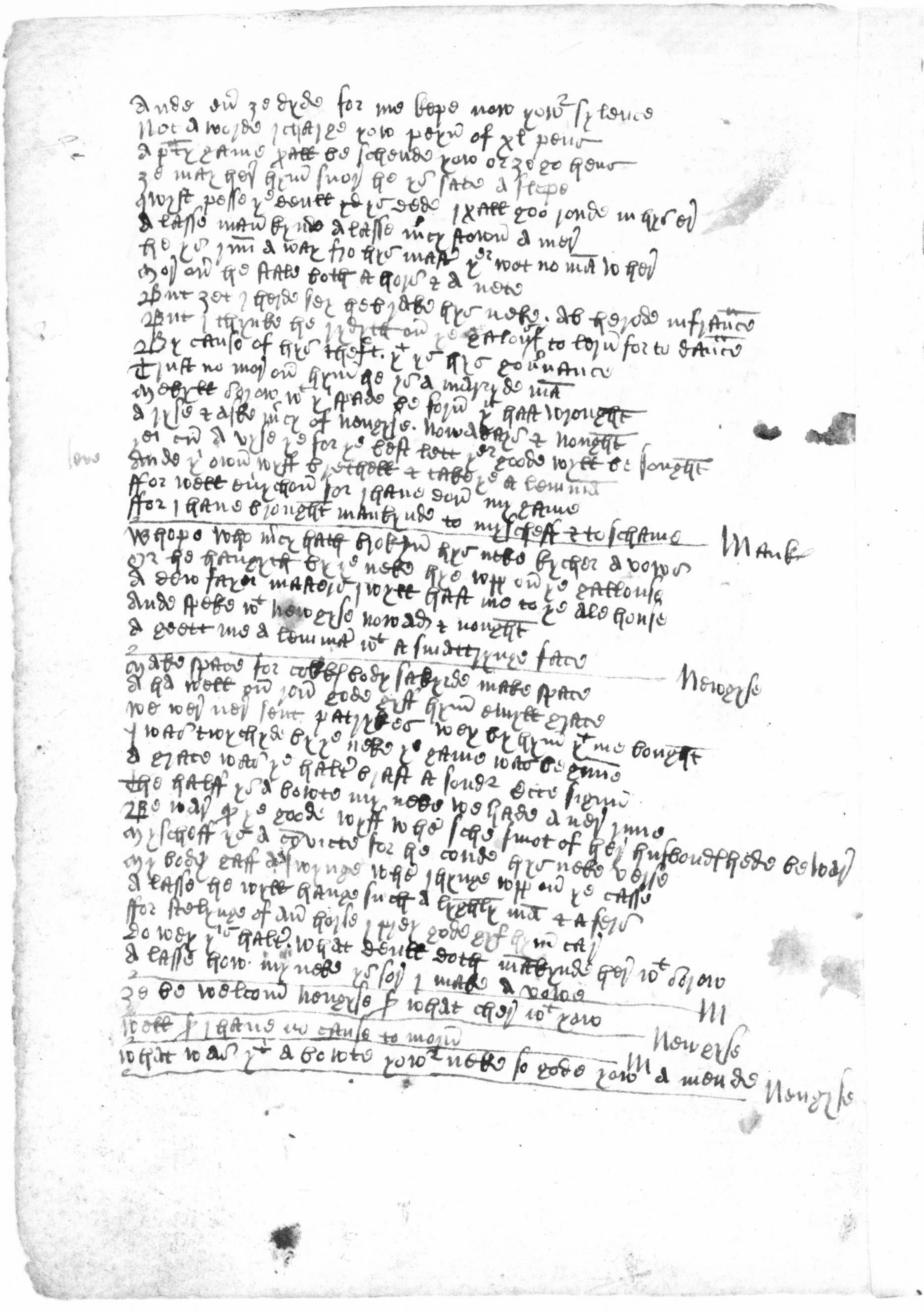

[TITYVILLUS.] Ande euer ȝe dyde for me kepe now yowr sylence
Not a worde I charge yow peyn of xl pens
A praty game xall be scheude yow or ȝe go hens
ȝe may here hym snore he ys sade a slepe
qwyst pesse þe deull ys dede I xall goo ronde in hys ere
A lasse man kynde a lasse mercy stown a mere
he ys runn a way fro hys master þer wot no man where
More ouer he stale both a hors & a nete

But ȝet I herde sey he brake hys neke ab he rode in fraunce
But I thynke he rydyth on þe galous to lern for to daunce
By cause of hys theft þat ys hys gouernance
Trust no more on hym he ys a marryde man
Mekyll sorow wyth þi spade be forn þou hast wrought
A ryse & aske mercy of neugyse . nowadays & nought
þei cun a vyse þe for þe best lett þer goode wyll be sought
Ande þi own wyff brethell & take þe a lemman

ffor well euerychon for I haue don my game
ffor I haue brought mankynde to myscheff & to schame

MANKYNDE. Whope who mercy hath brokyn hys neke kycher a vows
Or he hangyth by þe neke hye wpp on þe gallouse
A dew fayer masters I wyll hast me to þe ale house
Ande speke wyth new gyse nowadays & nought
A geett me a lemman wyth a smattrynge face
NEWGYSE. Make space for cokkys body sakyrde make space
A ha well ouer ron gode gyff hym ewyll grace
we were nere sent patrykes wey by hym þat me bought

I was twychyde by þe neke þe game was begunne
A grace was þe halter brast a sonder Ecce signum
The halff ys a bowte my neke we hade a nere rune
Be ware quod þe goode wyff when sche smot of here husbondys hede be ware
Myscheff ys a convicte for he coude hys neke verse
My body gaff a swynge when I hynge wpp on þe casse
A lasse he wyll hange such a lyghly man & a fers
ffor stelynge of an horse I prey gode gyf hym care

Do wey þis halter what deull doth mankynde here wyth sorow
A lasse how my neke ys sore I make a vowe
M. ȝe be welcom neugyse ser what chere wyth yow
NEW GYSE. well ser I haue no cause to morn
M. what was þat a bowte yowr neke so gode yow a mende
NEUGYSE.

590 worde] *MB read* werde *B queries* worde
591 praty] *MB read* pauty *emend to* praty; scheude] *MB read* schende *M emends to* schowde *B queries* schoude
592 a] *MB read* &, *emend to* on (*following Kittredge*)
593 qwyst] *MB read* I wyst; ys] yd *canc. before* ys (*E*)
597 neke] *M reads* reke *emends to* neke; ab] *F reads* as *MBE emend to* as; *a point before* ab
598 on] *MBF* ouer; galous] *changed from* galouf (*MBFE*)
602 neugyse] *MB* Newgyse
603 cun] *MBF* cum
604 *in left margin*, leve; brethell] *M* brechell *queries* brethell *F* [be] brethell
605 ffor well] *B queries* Far well *E emends to* Farwell
609 masters] *MBF* mastere *F queries* mastere[s]
611 A] *MBFE emend to* A[nd]
613 ouer] *MBF* on
619 coude] *B queries* conde
621 he] *B queries* ho; lyghly] *M* lyghtly *F* lygh[t]ly *B* lyghly, *emends to* hyghly
624 neke] *M reads* nekes, *emends to* neke; make] *M reads* made, *emends to* make
627 þat] *MBF* þer

[NEUGYSE.] In feyth sent audrys holy bende
I haue a lytyll dyshes as yt plesse gode to sende
wyth a runnynge rynge worme

NOWADAYS. Stonde a rom I prey þe broþer myn
I haue laburryde all þis nyght wen xall we go dyn
A chyrche her be syde xall pay for ale brede & wyn
lo here ys stoff wyll serue
NEUGYSE. Now by þe holy mary þou art better marchande þen I
NOUGHT. A vante knawys lett me go by
I kan not geet & I xulde sterue

MYSCHEFF. here cummyth a man of armys why stonde ȝe so styll
Of murder & man slawter I haue my bely fyll
NOWADAYS. what myscheff haue ȝe ben in presun & yt be yowr wyll
Me semyth ȝe haue scoryde a peyr of fetters
MYSCHEFF. I was chenyde by þe armys lo I haue þem here
The chenys I brast a sundyr & kyllyde þe Iaylere
ȝe ande hys fayer wyff halsyde in a cornere
A how swetly I kyssyde þe swete mowth of hers

when I hade do I was myn owȝn bottler
I brought a wey wyth me both dysch & dublere
here ys a now for me be of goode chere
ȝet well fare þe new chesance
MANKYNDE. I aske mercy of newgyse nowadays & nought
Onys wyth my spade I remember þat I faught
I wyll make yow a mendys yf I hurt yow ought
Or dyde ony grevaunce

NEW GYSE. what a deull lykyth þe to be of þis dysposycyon
MANKYNDE. I drempt mercy was hange þis was my vysyon
Ande þat to yow iij I xulde haue recors & remocyon
Now I prey yow hertyly of yowr goode wyll
I crye yow mercy of all þat I dyde a mysse
NOWADAYS. I sey newgys nought Tytivillus made all þis
As sekyr as gode ys in hewyn so yt ys
NOUGHT. Stonde wppe on yowr feet why stonde ȝe so styll

NEU GYSE. Master myscheff we wyll yow exort
Mankyndys name in yowr bok for to report
MYSCHEFF. I wyll not so I wyll sett a corte

Nowadays mak proclamacyon

A do yt sub forma Iurys dasarde
NOW A DAYS.

628 audrys] *MB* Andrys
629 plesse] *B emends to* plessed
635 *B prints as two lines, divided after* mary
637 geet] *M* gret
641 scoryde] *M* sco[w]ryde
645 þe] *M emends to* that *F reads* þo
646 owȝn] *M* owyn *B* owne *F* owȝun
649 chesance] *B queries* chevisance
652 yow] w *partly blotted*
663 Mankyndys] *MB read* Mankynde *B emends to* Mankyndes
664 a] yt *canc. before* a (*E*)
665 *MBF print this line as a* S.D., *E treats it as text;* mak] p *canc. before* mak (*E*)
666 A] *MBE emend to* A[nd]; sub] *MB read* se *M emends to* in *B to* be *F reads* fo (*cancelled*) *E* sub; dasarde] *M* desarde *B* dasarde *queries* d'hasard

in right margin at l. 642, novad *added after* MYSCHEFF *to assign this speech to Nowadays; also* nowad *at l. 664* (*E*)
at bottom, number x

130

In soyth sent Audrys holy bende
I haue a lytyll dyschys as yt plese gode to sende
Wt a runnynge ryngworme — Nowad'

Stonde a rome I prey the brother myn
I haue laburryde all thys nyght wen xall we go dyn
A chyrche here besyde xall pay for ale brede & wyn
Lo here ys stuff wyll serue — Newgyse

Now by the holy mary thu art better marchande then I — Nought

Avante knawys lett me go by
I kan not gett & I xulde sterue — Myscheff

Here cummyth a man of armys why stonde ȝe so styll
Of murder & manslawter I haue my bely fyll — Nowad'

What Myscheff haue ȝe ben in presun & yt be yowr wyll
Me semyth ȝe haue scoryde a peyr of fetters — Myscheff — nowadays

I was chenyde by the armys lo I haue them here
The chenys I brast asundyr & kyllyde the jaylere
Ȝe ande hys fayer wyff halsyde in a cornere
A how swetly I kyssyde the swete mowth of hers
When I hade do I was myn owyn bottler
I brought awey wt me both dysch & dublere
Here ys anow for me be of good chere
Ȝet well fare the new chesance — Mankynde

I aske mercy of Newgyse Nowadays & Nought
Onys wt my spade I remembyr that I faught
I wyll make yow amendys yf I hurt yow ought
Or dyde ony grevaunce — Newgyse

What a deuull lykyth the to be of thys dysposycyon — Mankynde

I drempt mercy was hange this was my vysyon
Ande that to yow iij I xulde haue recors & remocyon
Now I prey yow hertyly of yowr goode wyll
I crye yow mercy of all that I dyde amysse — Nowadays

I sey newgys nought Tytivillus made all thys
As sekyr as gode ys in hewyn so yt ys — Nought

Stonde vppe on yowr feet why stonde ȝe so styll — Newgyse

Master Myscheff we wyll yow exort
Mankyndys name in yowr bok for to report — Myscheff — Now

I wyll not so I wyll sett a corte — Nowadays þu mak proclamacyon
A do yt sub forma jurys dasarde — Now adays

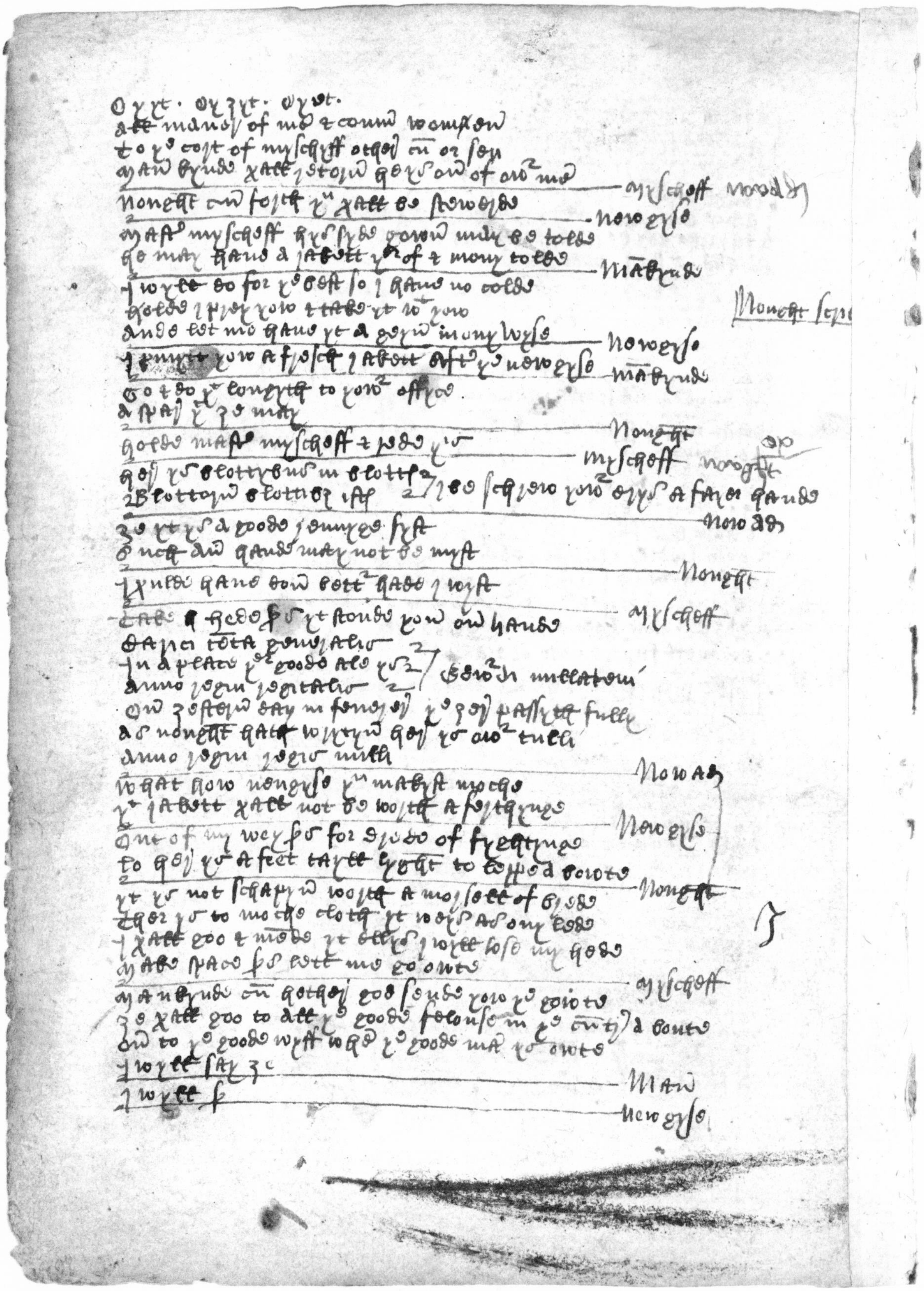

in right margin at l. 670, after MYSCHEFF, novad *added to assign this speech to Nowadays; see also* novght *after* MYSCHEFF *at l. 680*

in right margin at l. 699, capital J

[NOW A DAYS.] O y yt . Oy ȝyt . Oyet.
All manere of men & comun women
To þe cort of myschyff othere cum or sen
Man kynde xall retorn he ys on of owr men
MYSCHEFF. Nought cum forth þou xall be stewerde

NEW GYSE. Master myscheff hys syde gown may be tolde
he may haue a Iakett þer of & mony tolde
MANKYNDE. I wyll do for þe best so I haue no colde
holde I prey yow & take yt wyth yow Nought scri[bit]
Ande let me haue yt a geyn in ony wyse
NEWGYSE. I promytt yow a fresch Iakett after þe new gyse
MANKYNDE. Go & do þat longyth to yowr offyce
A spare þat ȝe may

NOUGHT. holde master myscheff & rede þis
MYSCHEFF. here ys blottybus in blottis
Blottorum blottibus istis
I be schrew yowr erys a fayer hande
NOW A DAYS. ȝe yt ys a goode rennyge fyst
Such an hande may not be myst
NOUGHT. I xulde haue don better hade I wyst
MYSCHEFF. Take hede sers yt stoude you on hande

Carici tenta generalis
In a place þer goode ale ys
Anno regni regitalis
Edwardi nullateni
On ȝestern day in feuerere þe ȝere passyth fully
As nought hath wrytyn here ys owr tulli
Anno regni regis nulli

NOWADAYS. what how neugyse þou makyst moche
þat Iakett xall not be worth a ferthynge
NEW GYSE. Out of my wey sers for drede of fyghtynge
lo here ys a feet tayll lyght to leppe a bowte
NOUGHT. yt ys not schapyn worth a morsell of brede
Ther ys to moche cloth yt weys as ony lede
I xall goo & mende yt ellys I wyll lose my hede
Make space sers lett me go owte

MYSCHEFF. Mankynde cum hethere god sende yow þe gowte
ȝe xall goo to all þe goode felouse in þe cuntre a boute
on to þe goode wyff when þe goode man ys owte
I wyll say ȝe
MAN. I wyll ser
NEW GYSE.

667 Oy y . . . women] *written in two lines in the MS, printed as two lines by MBF, as one line by E;* ȝyt] *MBF* yȝt *E* ȝyt; women] *the scribe first wrote* woma, *then canc. the* a *and completed* women
671 tolde] *MBF emend to* solde
672 Iakett] *MB read* rackett, *emend to* iakett
675 in ony] *MB read* mony, *emend to* in ony
678 A] *MBFE emend to* A[nd]; may] *MBE emend to* mow
682 I be schrew] *MB* Be-schrew; a] *MBF read* & *M emends to* a
683 rennyge] *MB read* rennynge *F* renny[n]ge *E emends to* rennynge; fyst] *MB read* syft, *emend to* fyst
686 hede] h *blotted or canc. before* hede; stoude] *MBF read* stonde *B emends to* stondes
687 Carici] *MB* Garici *B queries* Gar(r)icio *F emends to* Curia; tenta] *MB* tota *B queries* tanta; generalis] *B* goueralis *queries* generalis
690 nullateni] *MB* millatene *F* millateni *M queries* nullatene *B queries* nullatenus
692 As] *M* Do *queries* Lo *or* So (*following Kittredge*)
694 *a rhyme missing at the end; B proposes* troublynge *MFE* taryynge
703 goo to] *M* goo [to] *B* goo
705 I wyll say . . . ser] *printed as one line in MBFE;* MAN] *M reads* M

[NEW GYSE.] There arn but sex dedly synnys lechery ys non
As yt may be verefyede be ws brethellys euerychon
ʒe xall goo robbe stell & kyll as fast as ye may gon
I wyll sey ʒe
M. I wyll ser

NOWADAYS. On sundays on þe morow erly be tyme
ʒe xall wyth ws to þe all house erly to go dyn
A for bere masse & matens owres & prime
I wyll sey ʒe
M. I wyll ser

MYSCHEFF. ʒe must haue be yowr syde a longe da pacem
As trew men ryde be þe wey for to on brace þem
Take þer monay kytt þer throtys thus ouer face þem
I wyll sey ʒe
MAN. I wyll ser

NOUGHT. here ys a Ioly Iakett how sey ʒe
NEW GYSE. yt ys a goode Iake of fence for a mannys body
hay doog hay whoppe whoo go yowr wey lyghtly
ʒe are well made for to ren
MYSCHEFF. Tydyngys tydyngys I haue a spyede on
hens wyth yowr stuff fast we were gon
I be schrew þe last xall com to hys hom
amen dicant omnes

MERCY. What how mankynde fle þat felyschyppe I yow prey
MANKYNDE. I xall speke wyth a noþer tym to morn or þe next day
we xall goo forth to gether to kepe my faders ʒer day
A tapster a tapster stow statt stow
MYSCHEFF. A myscheff go wyth here I haue a foull fall
hens a wey fro me or I xall be schyte yow all
NEW GYSE. what how ostlere hostlere lende ws a foot ball
whoppe whow a now a now a now a now

MERCY. My mynde ys dyspersyde my body trymmelyth as þe aspen leffe
The terys xuld trekyll down by my chekys were not yowr reuerrence
yt were to me solalace þe cruell vysytacyon of deth
wyth out rude be hauer I kan expresse þis in convenyens
wepynge sythynge & sobbynge were my suffycyens
All naturall nutriment to me as caren ys odybull
My inwarde afflixcyon ʒeldyth me tedyouse wn to yowr presens
I kan not bere yt ewynly þat mankynde ys so flexybull

Man on kynde wher euer þou be for all þis world was not aprehensyble
To dyscharge þin orygynall offence thraldam & captyuyte
Tyll godys own welbelouyde son was obedient & passyble
Euery droppe of hys bloode was schede to purge þin Iniquite

712 A] *MFE emend to* A[nd]; bere] *MB read* bef *M emends to* ber *B queries* beþ *or* boþ
716 thus] *M reads* trus (?) *or* thus, *emends to* tans *B* taus, *emends to* thus; ouer face] *M reads* overpass, *emends to* ouer face
719 Iake] *MB emend to* iake[tt]; fence] *M* s[er]u[i]ce *B* sence *queries* seruice
720 doog] *MB* doo ye
726 fle] *MB* sle, *emend to* fle (*following Kittredge*)
727 wyth] *MBFE emend to* wyth [the]; tym] *MBFE read* tyme
734 trymmelyth] tri *canc. before* trymmelyth (*E*)
736 solalace] *MBF read* solace *E emends to* solace
737 kan] *MBFE emend to* kan [not]
740 afflixcyon] *MB* aff[l]ixyon
745 was] *M* wos

10
131

They arn but sex dedly synnys lechery ys non
As yt may be verefyede be ws brethellys euerychon
ye xall goo robbe stell & kyll as fast as ye may gon
I wyll sey ye / M / I wyll ser — Nowadays
On sundays on the morow erly be tyme
ye xall wyth ws to the all house erly to go dyn
& forbere masse & matens owres & prime
I wyll sey ye / M / I wyll ser — Myscheff
ye must haue be yowr syde a longe da pacus
As trew men ryde be the wey for to on brace them
Take ther monay kytt ther throtys thus ouer face them
I wyll sey ye / Ma / I wyll ser — Nought
Here ys a joly jakett how sey ye — New
yt ys a goode jake of fence for a mannys body
Hay doge hay whoppe whoo go yowr wey lyghtly
ye are well made for to ren — Myscheff
Tydyngys tydyngys I haue aspyede on
Hens wyth yowr stuff fast we were gon
I be schrew the last xall com to hys hom — Amen dicant omnes — Mercy
What how mankynde fle that felyschyppe I yow prey — Mankynde
I xall speke wyth the another tyme to morn or the next day
we xall goo forth together to kepe my faders yerday
A tapster a tapster stow statt stow — Myscheff
A myscheff go wyth here I haue a foull fall
hens awey fro me or I xall beschyte yow all — New gyse
What how ostlere hostlere lende ws a foot ball
whoppe whow a now a now a now a now — Mercy
My mynde ys dyspersyde my body trymmelyth as the aspen leffe
The terys xuld trekyll down by my chekys were not yowr reuerence
yt were to me solace the cruell vysytacyon of deth
wyth out rude behauer I kan expresse this inconuenyens
Wepynge sythynge & sobbynge were my suffycyens
All naturall nutriment to me as caren ys odybull
My inwarde afflixcyon yeldyth me tedyouse vnto yowr presens
I kan not bere yt evynly that mankynde ys so flexybull
Man on kynde wher euer thou be for all this world was not aprehensyble
To dyscharge thin orygynall offence thraldam & captyuyte
Tyll godys own welbelouyde son was obedient & passyble
Euery droppe of hys bloode was schede to purge thin iniquite

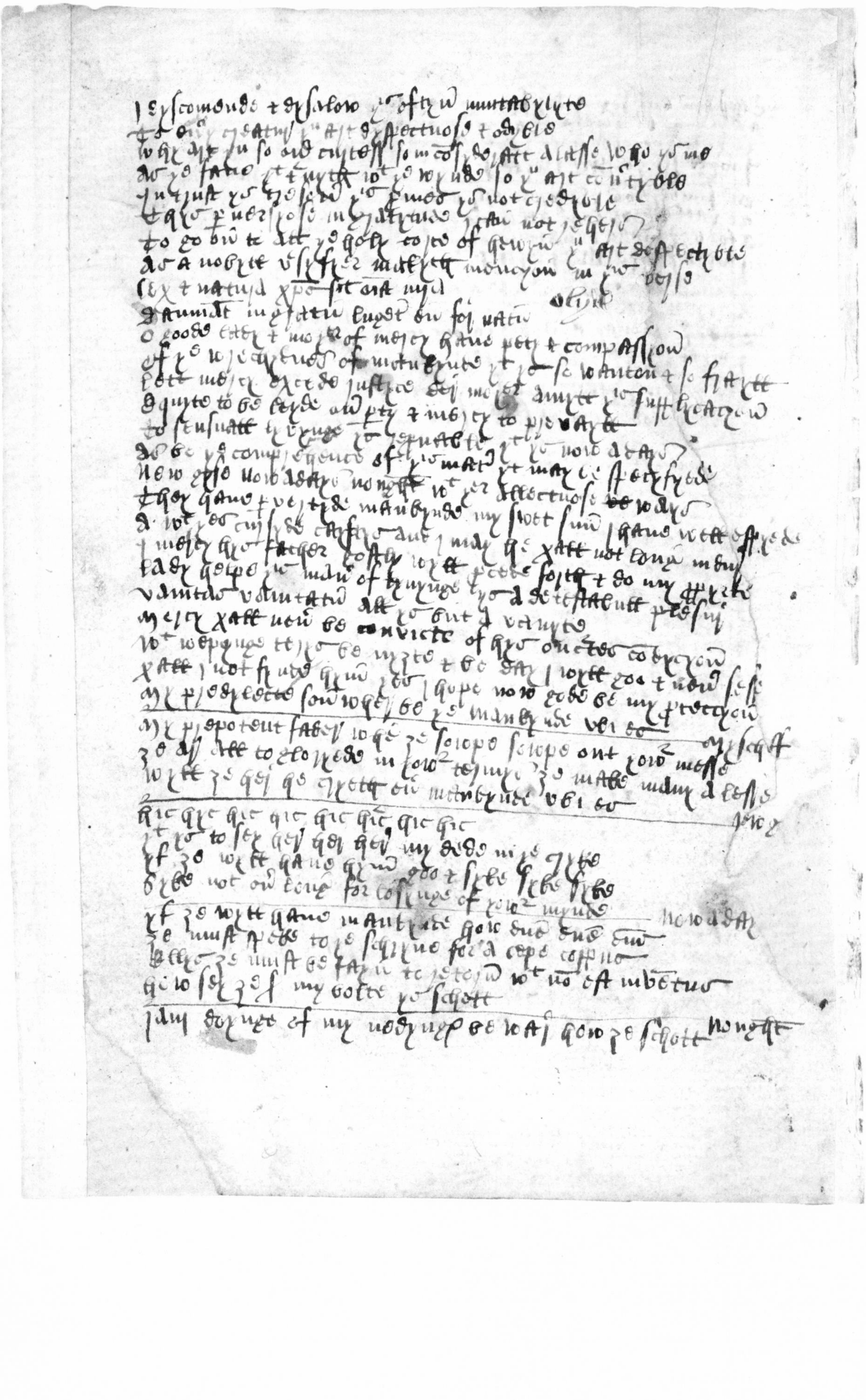

I dyscomende & dysalow þis oftyn imutabylyte
To euery creature þou art dyspectuose & odyble
why art þou so ouer curtess so inconsyderatt alasse who ys me
As þe fane þat turnyth wyth þe wynde so þou art conuertyble

In trust ys treson þis promes ys not credyble
Thys peruersyose in gratytude I can not rehers
To go on to all þe holy corte of hewyn þou art despectyble
As a nobyll versyfyer makyth mencyon in þis verse
lex & natura Cristus sit omnia iura
Damnant in gratum lugent eum fore natum

O goode lady & moþer of mercy haue pety & compassyon
Of þe wrechydnes of mankynde þat ys so wanton & so frayll
lett mercy excede Iustyce dere moþer amytt þis supplycacyon
Equyte to be leyde on party & mercy to prevayll
To sensuall lyvynge ys reprouable þat ys now a days
As be þe comprehence of þis mater yt may be specyfyede
New gyse nowadays nought wyth þer allectuose ways
They haue pervertyde mankynde my swett sun I haue well espyede

A wyth þes cursyde cayftys and I may he xall not long indure
I mercy hys father gostly wyll procede forth & do my propyrte
lady helpe þis maner of lyuynge ys a detestabull plesure
vanitas vanitatum all ys but a vanyte

Mercy xall neuer be convicte of hys oncurtes condycyon
wyth wepynge terys be nyȝte & be day I wyll goo & neuer sesse
xall I not fynde hym yes I hope now gode be my proteccyon
My predylecte son where be ye mankynde vbi es

MYSCHEFF. My prepotent fadere when ȝe sowpe sowpe out yowr messe
ȝe are all to gloryede in yowr termys ȝe make many a lesse
wyll ȝe here he cryeth euer mankynde vbi es
NEW GYSE. hic hyc hic hic hic hic hic hic
þat ys to sey here here here my dede in þe cryke
yf ȝe wyll haue hym goo & syke syke syke
Syke not ouer long for losynge of yowr mynde

NOW A DAY[s]. yf ȝe wyll haue mankynde how domine domine dominus
ȝe must speke to þe schryue for a cepe coppus
Ellys ȝe must be fayn to retorn wyth non est inventus
how sey ȝe ser my bolte ys schett
NOUGHT. I am doynge of my nedyngys be ware how ȝe schott

746 þis] *MBF* þis *E emends to* þin; imutabylyte] *ME emend to* mutabylyte
748 ouer] *MBFE read* on
750 þis] *MBE emend to* þi
751 Thys] *MBE emend to* Thy
752 go on to] *MB* go ouer *F* go ouer to *E emends to* God and to
754 sit] *MFE emend to* et; omnia] *M* oiat *emends to* omnia (*following Kittredge*) *B* oist *queries* omnibus et (?)
755 lugent] *MF* lugetur
758 amytt] *MF* a[d]mytt
759 Equyte] *MB read* O quyte *M emends to* Equyte; leyde] *B emends to* lewyde; on] *MBF* ouer; party] *M* perty *emends to* pety (*following Kittredge*) *B* party *emends to* pety

in right margin at l. 754: olyuer (*the name of Robertus Olyuer*)

762 ways] ve *canc. before* ways (*E*)
764 cayftys] *MBFE emend to* caytyfs
766 lyuynge] *MBF* lyvynge
770 proteccyon] *MB* protecyon
772 fadere] *MBF* father *E* fader; out] *MBFE* owt
773 to gloryede] *M emends to* to-glosyede
774 euer] *MB* ouer
775 *M conjectures a line missing here to rhyme with* mynde; GYSE] *last 3 letters obscured by a paper patch*
776 my] *MBFE emend to* ny (*following Kittredge*)
779 wyll] *B* wytt; dominus] *MBF* domine
780 schryue] *B emends to* sheryue; cepe] *ME emend to* cape *B queries* cope; coppus] *or* corpus *MBF read* coppus *M emends to* corpus *E* corpus
782 schett] *MBF read* schott

ffy fy fy I haue fowll a rayde my fote
Be wyse for schotynge yowr takyllys for gode wott
My fote ys fowly ouer schett

MYSCHEFF. A parlement a parlement cum forth nought be hynde
A cownsell be lyue I am a ferde mercy wyll hym fynde
how sey ȝe & what sey ȝe how xall we do wyth mankynde
NEUGYS. Tysche a flyes weyng wyll ȝe do well
he wenyth mercy were honge for stelyng of a mere
Myscheff go sey to hym þat mercy sekyth euery were
he wyll honge hym selff I wndyrtake for fere
MYSCHEFF. I assent þer to yt ys wyttyly seyde & well

NOWADAYS. qwyppe yt in þi cote a non yt were don
now sent gabryellys modyr saue þe cloþes of þi schon
All þe bokys in þe worlde yf þei hade be wndon
kowde not a cownselde ws bett hic exit myscheff
MYSCHEFF. how mankynde cumm & speke wyth mercy he ys here fast by
MANKYNDE. A roppe a rope a rope I am not worthy
MYSCHEFF. A non a non a non I haue yt here redy
wyth a tre also þat I haue gett

holde þe tre now a days nought take hede & be wyse
NEUGYSE. lo mankynde do as I do þis ys þi new gyse
gyff þe roppe Iust to pye neke þis ys myn a vyse
MYSCHEFF. helpe þi sylff nought lo mercy ys here
he skaryth ws wyth a bales we may no lengere tary
NEUGYSE. qweke qweke qweke a lass my thrott I be schrew yow mary
A mercy crystys coppyde curse go wyth yow & sent dauy
A lasse my wesant ȝe were sumwhat to nere Exiant

MERCY. A ryse my precyose redempt son ȝe be to me full dere
he ys ys so tymerouse me semyth hys vytall spryt doth exspy[r]e
MANKYNDE. A lasse I haue be so bestyally dysposyde I dare not a pere
To se yowr solaycyose face I am not worthy to dysyere

MERCY. yowr crymynose compleynt wondyth my hert as a lance
Dyspose yowr sylff mekly to aske mercy & I wyll assent
ȝelde me nethyr golde nor tresure but yowr humbyll obeysyance
The voluntary subieccyon of yowr hert & I am content
MAN.

786 schett] *M* schott
792 euery] *B* ouery *queries* euery
795 qwyppe] *MBF* I Wyppe
796 cloþes] *or* cloyes *MBF read* cloþes *M emends to* clowtes *B queries* cleftes
798 kowde] *M reads* Howde, *emends to* Cowde
804 þi] *MB emend to* þe
805 pye] *MBFE emend to* þy
807 bales] *M emends to* balef *B reads* bale
812 ys ys] *B reads* ys *MFE emend to* ys; exspy[r]e] *MBF* expy[re]
814 solaycyose] a *added above the line (E) MB read* solycyose *M emends to* solacyose *B to* solycitose

132

Ffy fy fy I haue fowll a rayde my fete
Be wyse for schotynge wt yowr takyllys for gode wott
My fete ys fowly ouerschett Myscheff
A parlement a parlement cum forth nought be hynde
A cownsell be lyue I am a ferde mercy wyll hym fynde
How sey ʒe & what sey ʒe how xall we do wt mankynde Newgyse
Tysche a flyes wyng wyll ʒe do well
He wenyth mercy were honge for stelyng of a mere
Myscheff go sey to hym þt mercy sekyth euery were
He wyll honge hym selff I wndyrtake for fere Myscheff
I assent þer to yt ys wyttyly seyde & well Nowadays
Qwyppe yt in þi cote a non yt were don
Now seynt Gabryellys modyr saue þe clothes of þi schon
All þe bokys in þe worlde yf þei hade be wndon Hic exit Myscheff
Kowde not a cownselde ws bett
How mankynde cumm & speke wt mercy he is here fast by Myscheff Mankynde
A roppe a rope a rope I am not worthy Myscheff
A non a non a non I haue yt here redy
Wt a tre also þt I haue gett
Holde þe tre nowadays nought take hede & be wyse Newgyse
Lo mankynde do as I do þis ys þi new gyse
Gyff þe roppe just to þi neke þis ys myn avyse Myscheff
Helpe þisylff nought lo mercy ys here
He skaryth ws wt a bales we may no lengere tary Newgyse
Qweke qweke qweke a lass my thrott I beschrew yow mary
A mercy crystys coppyde curse go wt yow & seynt dauy Exiant
A lasse my wesant ʒe wer sumwhat to nere Mercy
A ryse my precyose redempt son ʒe be to me full dere
He ys so tymerouse me semyth hys vytall spryt doth exspyre Mankynde
A lasse I haue be so bestyally dysposyde I dare not apere
To se yowr solycyose face I am not worthy to dysyere Mercy
Yowr crymynose compleynt wowndyth my hert as a lance
Dyspose yowr sylff mekly to aske mercy & I wyll assent
Yelde me nethyr golde nor tresure but yowr humbyll obeysyance
The voluntary subjeccyon of yowr hert & I am content Ma

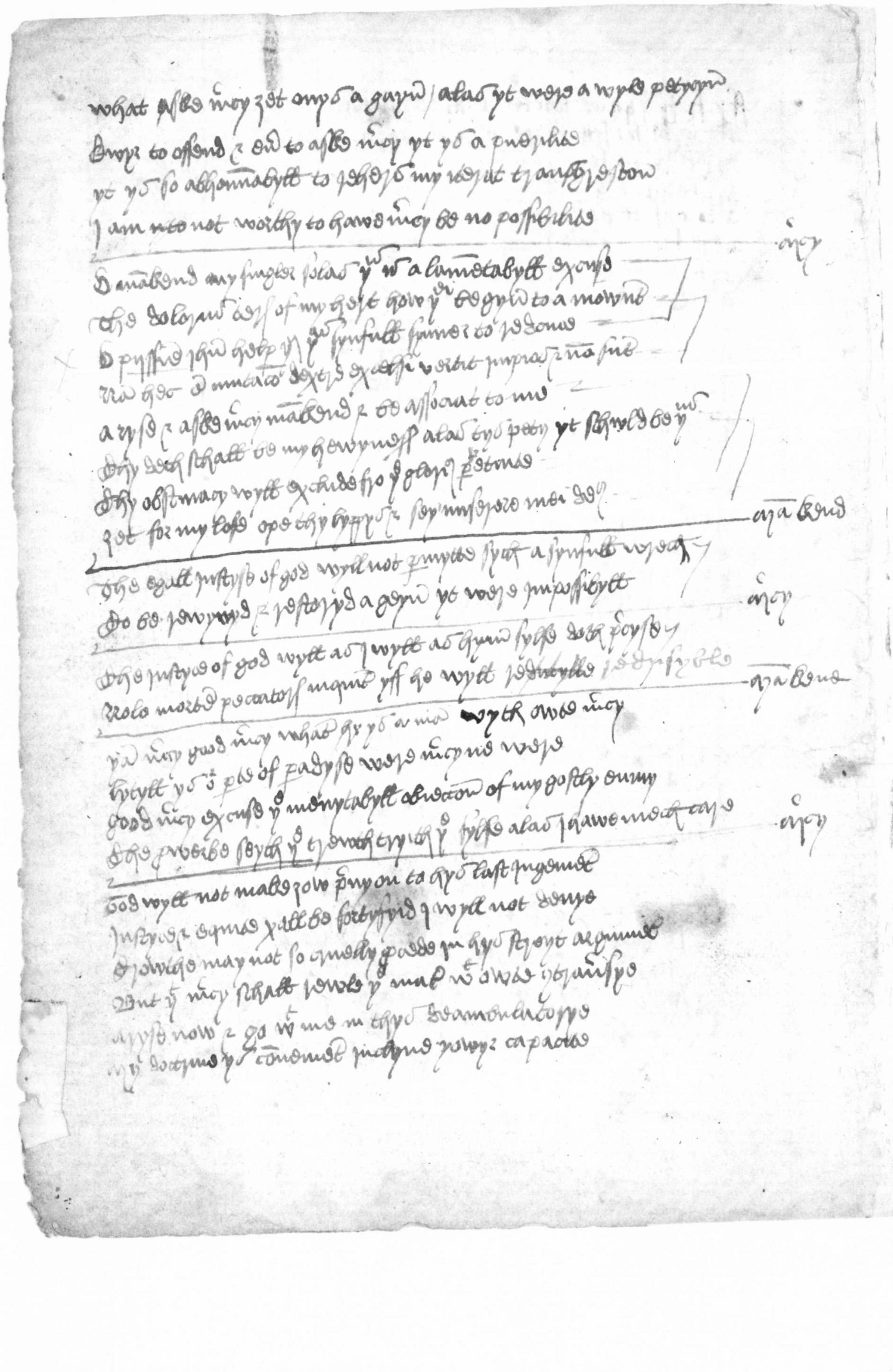
what aske mercy yet onys agayn / alas yt were a vyle petycion
Ewyr to offend & euer to aske mercy yt ys a puerilite
yt ys so abhominabyll to rehers my iterat transgressions
I am not worthy to have mercy be no possibilite — Mercy
Mankend my syngler solas yis was a lamentabyll excuse
The dolorus terys of my hert how yei begyn to amount
O pyrssid Jhesu help yu yis synfull synner to redouce
Nam hec est mutacio dextre excelsi vertit impios & non sunt
Aryse & aske mercy mankend & be associat to me
Thy deth schall be my hevynesse alas tys pety yt schwld be thus
Thy obstinacy wyll exclude the fro ye glorius perpetuite
Yet for my lofe ope thy lyppys & sey miserere mei deus — Mankend
The egall justyse of god wyll not permytte syche a synfull wrech
To be revyvyd & restoryd a geyn yt were impossibyll — Mercy
The justyce of god wyll as I wyll as hymsylfe doth precyse
Nolo mortem peccatoris inquit yff he wyll be reducyble — Mankend
Than mercy good mercy what ys a man wythowte mercy
Lytyll ys our parte of paradyse were mercy ne were
Good mercy excuse ye inevytabyll objection of my gostly enmy
The prowerbe seyth ye trewth tryith ye sylfe alas I hawe mech care — Mercy
God wyll not make yow prevy onto hys last jugement
Justyce & equite xall be fortyfyid I wyll not denye
Trowthe may not so cruelly procede in hys streyt argument
But yt mercy schall rewle ye mater wythowte contraversye
Aryse now & go wt me in thys deambulatorye
My doctrine ys convenient inclyne yowr capacite

[Man.] what aske mercy ȝet onys a gayn alas yt were a wyle petycyun
Ewyr to offend & euer to aske mercy yt ys a puerilite
yt ys so abhominabyll to rehers my iterat transgrescion
I am not worthy to hawe mercy be no possibilite

Mercy. O mankend my singler solas þis is a lamentabyll excuse
The dolorus terys of my hert how þei begyn to a mownt
O pirssie Ihesu help þou þis synfull synner to redouce
Nam hec est mutacio dextre excelsi vertit Impios & non sunt

a ryse & aske mercy mankend & be associat to me
Thy deth schall be my hewynesse alas tys pety yt schwld be þus
Thy obstinacy wyll exclude fro þe glorius perpetuite
ȝet for my lofe ope thy lyppys & sey miserere mei deus

Mankend. The egall Iustyse of god wyll not permytte sych a synfull wrech
To be rewyvyd & restoryd a geyn yt were Impossibyll
Mercy. The Iustyce of god wyll as I wyll as hym sylfe doth precyse
Nolo mortem peccatoris inquit yff he wyll reducylle

Mankend. þan mercy good mercy what ys a man wyth owte mercy
lytyll ys our parte of paradyse were mercy ne were
good mercy excuse þe ineuytabyll obieccion of my gostly enmy
The prowerbe seyth þe trewth tryith þe sylfe alas I hawe mech care

Mercy. God wyll not make ȝow preuy on to hys last Iugement
Iustyce & equite xall be fortyfyid I wyll not denye
Trowthe may not so cruelly procede In hys streyt argument
But þat mercy schall rewle þe mater wyth owte contrauersye

aryse now & go wyth me in thys deambulatorye
My doctrine ys conuenient Inclyne yowyr capacite

819 *the last 4 pages are written by a second scribe* (*E*); wyle] *MBF* wyld; petycyun] *M* pety syn, *emends to* petysyon *B* petysyne *F* petycyn
820 yt] *MBF* þat
821 iterat] *M reads* werut, *emends to* wekit *B* wernt *F* wernt *or* werunt, *emends to* werst *E* iterat
822 not] nto *canc. before* not (*E*)
824 terys] *MBF read* seres *M emends to* feres *F to* feris *B queries* sores
825 pirssie] *M reads* blyssed *B* pyssed *FE* pirssie *BF emend to* blyssed *E to* pirssid; redouce] *MB read* redeme, *emend to* reduce (*following Kittredge*)
826 hec] *B emends to* hic; est] *B* esse; mutacio] *M* mutacs *B* mutationes; dextre] *MB* dexire *B emends to* dixere; vertit] *MB* veint *B queries* velint
828 schwld] *MBF* schuld
829 exclude] *MBFE emend to* exclude [the]; perpetuite] *second* p *added above the line* *MB* per[p]etuite
830 ope] *M* ofe, *emends to* ope
832 rewyvyd] v *written over another letter* *M* reuyu[y]d *B* reuyud
833 precyse] *M queries* preche *or* precysely teche (*following Kittredge*) *B emends to* preche
834 Nolo] *M* Mole, *emends to* Nolo; inquit] *MB* inquis, *emend to* inquit *F* inquit &; reducylle] *in a later hand,* ducylle *canc. and* redusyble *added* (*E*) *MBFE emend to* [be] reducyble *or* redusyble
835 ys] hy *canc. before* ys (*E*)
836 were mercy] *M* where Mercy; ne were] *B emends to* ne ware
841 Trowthe] *MB read* Growthe, *emend to* Trowthe; argument] *MB read* acgmmes, *emend to* argument
842 contrauersye] *M* controuersaye *BF* controuersye
843 aryse] *M* Byse, *emends to* Ryse *B* Ryse
844 *MBFE emend to* Inclyne yowyr capacite; my doctrine ys conuenient

Synne not in hope of mercy þat ys a cryme notary
To truste ouermoche In a prince yt ys not expedient

In hope when ȝe syn ȝe thynke to hawe mercy be ware of þat awenture
They good lord seyd to þe lecherus woman of chanane
The holy gospell ys þe awtorite as we rede in scrypture
vade & iam amplius noli peccare

Cryst preserwyd þis synfull woman takyn in a wowtry
he seyde to here þeis wordys go & syn no more
So to ȝow go & syn no more be ware of weyn confidens of mercy
Offend not a prince on trust of hys fauour as he seyd before

yf ȝe fele ȝour sylfe trappyd in þe snare of your gostly enmy
aske mercy a non be ware of þe contynuance
whyll a wond ys fresch yt ys prowyd curabyll be surgery
þat yf yt procede ouyrlong yt ys cawse of gret grewans

MANKEND. To aske mercy & to hawe þis ys a lyberall possescion
Schall þis expedycius petycion euer be a lowyd as ȝe hawe in syght
MERCY. In þis present lyfe mercy ys plente tyll deth Makyth hys dywysion
But whan ȝe be go vsque ad minimum quadrantem ȝe scha rekyn ȝour ryght
aske mercy & hawe whyll þe body wyth þe sowe hath yys annexion
yf ye tary tyll your dyscesse ȝe may hap of your desyre to mysse
be repentant here trust not þe owr of deth thynke on þis lessun
Ecce nunc tempus acceptabile ecce nunc dies salutis

all þe wertu in þe word yf ȝe myght comprehend
your merytys were not premyabyll to þe blys a bowe
Not to the lest Ioy of hewyn of ȝour propyr efforte to ascend
wyth mercy ȝe may I tell yow no fabyll scrypture doth prewe

MANKEND. O mercy my suavius solas & synguler recreatory

845 notary] *MB read* notaries *M emends to* notorie *B queries* notories
847 syn ȝe thynke] *M emends to* syn (*following Kittredge*)
848 They] *M reads* Then *BFE* The
850 iam amplius] *M reads* ism amperhees, *emends to* iam amplius
851 preserwyd] *MB* preseruyt *F* preseruyd
853 So] *B emends to* So I
854 he] *MBFE emend to* I
858 grewans] s *written over a* g (*MBFE*) *MB emend* grewange *to* grevance
859 hawe] *MBF* haue
860 expedycius] *MB read* expedicies *M* emends to expedycius; hawe] *MB* haue
862 quadrantem] *M reads* quadrunte[m], *emends to* quadrantem; scha] *MBFE emend to* scha[ll]; ȝour] *MBF* þis
863 hawe] *M* haue; sowe] *MFE* sow[l]e *B* sowl; yys] *MFE* hys *E emends to* hys
864 dyscesse] *MB* dysesse
865 thynke] y *canc. before* thynke (*E*)
866 Ecce] *M* Este, *emends to* Ecce *B* Est; acceptabile] *M reads* auncptabile, *emends to* acceptabile
867 word] *MBFE emend to* wor[l]d
868 a bowe] *M* a-boue
869 lest] h *canc. before* lest (*E*) *MBF* holest *M queries* loliest *or* lest *B emends to* lo(w)l(i)est; hewyn] *M* heuyn
870 prewe] *M emends to* prove *B queries* prowe
871 suavius] *MBF read* suatius *M emends to* solatius (*following Kittredge*) *B to* suavius

12

133

Synne not in hope of mercy þat ys a cryme notary
To truste ouermoche in a prince yt ys not expedient
In hope when ye syn ye thynke to haue mercy be ware of þat aventure
The good lord seyd to þe lecherus woman of Chanane
The holy gospell ys þe awtorite as we rede in scrypture
Vade et iam amplius noli peccare
Cryst preseruyd þis synfull woman takeyn in awowtry
He seyde to here þes wordys go and syn no more
So to yow go and syn no more be ware of veyn confidens of mercy
Offend not a prince on trust of hys fauour as he seyd before
Yf ye fele yoursell trappyd in þe snare of your gostly enmy
Aske mercy anon be ware of þe contynuance
Whyll a wond ys fresch yt ys prouyd curabyll be surgery
Þat yf yt procede ouyrlong yt ys cause of gret grevans — Mankend

To aske mercy and to haue þis ys a lyberall possescion
Schall þis expedycius petycion euer be alowyd as ye haue insyght — Mercy

In þis present lyfe mercy ys plente tyll deth makyth hys dywysion
But whan ye be go vsque ad minimum quadrantem ye schall rekyn your ryght
Aske mercy and haue whyll þe body wyth þe sowll hath hys annexion
Yf ye tary tyll your dyscesse ye may hap of your desyre to mysse
Be repentant here trust not þe owr of deth thynke on þis lesson
Ecce nunc tempus acceptabile ecce nunc dies salutis
All þe vertu in þe word yf ye myght comprehend
Your merytys were not premyabyll to þe blys aboue
Not to þe lest joy of hevyn of your propyr efforte to ascend
Wyth mercy ye may I tell yow no fabyll scrypture doth proue — Mankend

O Mercy my suavius solace and synguler recreatory

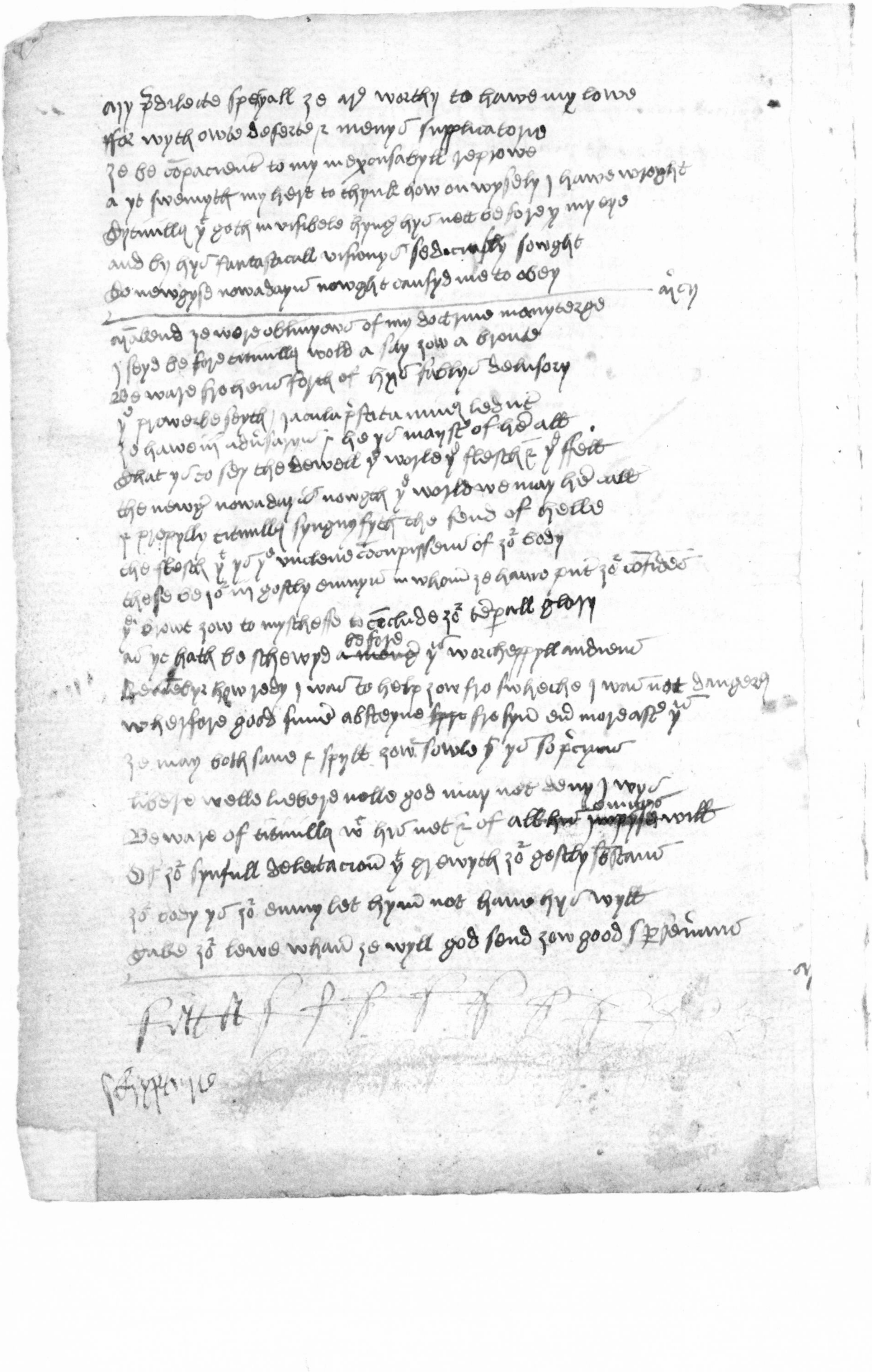
My derlewe specyall ye ar worthy to have my love
ffor wythowte deserte & meny supplicatorys
ye be coparcenere to my inexpensabyll sorowe
and yt sweemyth my hert to thynk how onwysely I have wroght
Eternally that goth invisibele thyngs ar not before my eye
and by your fantastecall visyons so [illegible] sowght
Be [illegible] nowadayes nowght causyd me to obey
Malend ye were oblyvyous of my doctryne many yerys
I sey be fore eternally wold a sey yow a bond
Be ware therfore of thys fickyll delusory
ye proverbe seyth I [illegible]
I have in adversyte & he ys mayst of he all
that ys to sey the devell ye world ye flesshe & ye fell
the newys nowadays wt nowght ye world we may he all
& properly eternally spryngys fyrst the fend of helle
the flesshe that ys ye vncleane corrupsyon of yor body
these be yor gostly enmyes in whom ye have put yor confidence
I [illegible] yow to mystrust to conclude yor bodyll glory
as yt hath be schewyd ~~a mong~~ before ye worthyest auncient
Remembre how redy I was to kepe yow fro myschefe I was not dangerous
wherfore good fame abstene ~~[illegible]~~ fro syn and more ouer ye
ye may both save & spylle yow soule yf ye so [illegible]
[illegible] wolle [illegible] nolle god may not deny I wys
Be ware of eternally yt knew not & of all ~~[illegible]~~
Of yor synfull delectacion that enspyreth yor gostly [illegible]
yor body ys yor enmy let them not have theyr wyll
vnto yor love whan ye wyll god send yow good [illegible]

My predilecte spesyall ȝe are worthy to hawe my lowe
ffor wyth owte deserte & menys supplicatorie
ȝe be compacient to my inexcusabyll reprowe

a yt swemyth my hert to thynk how on wysely I hawe wroght
Tytiuillus þat goth invisibele hyng hys nett before my eye
and by hys fantasticall visionys sediciusly sowght
To newgyse nowadayis nowght causyd me to obey

MERCY. mankend ȝe were obliuyows of my doctrine manyterge
I seyd be fore titiuillus wold a say ȝow a bronte
Be ware fro hens forth of hys fablys delusory
þe prowerbe seyth Iacula prestita minus ledunt

ȝe hawe iij aduersaryis & he ys mayster of hem all
That ys to sey the dewell þe world þe flesch & þe ffell
the newgyse nowadayis nowgth þe world we may hem call
& propylly titiuillus syngnyfyth the fend of helle

the flesch þat ys þe vnclene concupissens of ȝour body
these be ȝour iij gostly enmyis in whom ȝe hawe put ȝour confidens
þei brout ȝow to myscheffe to conclude ȝour temporall glory
as yt hath be schewyd before þis worcheppyll audiens

Remembyr how redy I was to help ȝow fro swheche I was not dangerus
wherfore good sunne absteyne fro syn euer more after þis
ȝe may both saue & spyll ȝowr sowle þat ys so precyus
libere welle liebere nolle god may not deny I wys

Beware of titiuillus wyth his net & of all enmys will
Of ȝour synfull delectacion þat grewyth ȝour gostly substans
ȝour body ys ȝour enmy let hym not haue hys wyll
Take ȝour lewe whan ȝe wyll god send ȝow good perseuerans
MAN.

872 hawe] *M* haue
874 inexcusabyll] *M reads* inexousobyll, *queries* inexorable; reprowe] *M* reproue
875 swemyth] *M reads* siremyth, *queries* sore nyeth (*following Kittredge*) *or* streinyth; hawe] *M* haue
876 Tytiuillus] *MBF* Tityuilly; *also at 880, 886, 895* (*E*); my] y *canc. before* my (*E*)
877 sediciusly] *MB read* sedeculy *M emends to* sedulously *B to* seducively *F* sedociusly
878 To] *MBF read* Be *M emends to* He; nowadayis] *MB* nowadays; nowght] *MB* nought
879 obliuyows] *MB* obliuyous; manyterge] *M* marytorye *BF* manyterye *B queries* monytorye *E emends to* monytorye
882 prestita] *M* perfectum *B* profectum *F* prefata; minus] *M* non (*M reads* perfectummus ledictur *for* prestita minus, *corr. by Kittredge*)
883 hawe] *M* haue *B* have; & he] *MBF* he; mayster] *MBF* master; hem] *M* [t]hem
884 world] *M* would, *emends to* world; & þe ffell] *M* & [I] the tell *B emends to* I þe tell

at bottom, various s's, f's, *and* M, *and the word* skrypture (?)

885 the] *M emends to* That; nowgth] *M* & Nought *B* and nowght; hem] *M* [t]hem
886 propylly] *MF* propy[r]lly *BE emend to* propyrly; syngnyfyth] *M* syngnyf[ie]th *B* sygnyfth *emends to* sygnyfyth *F* syngnyfyes
888 hawe] *MBF* haue
889 temporall] *MB* temperull *F* temperall
890 before] *written above* a mong, *canc.* (*E*) *M omits;* worcheppyll] *MB read* worschyppyll *M emends to* worschypfyll *F* worschypp[f]yll
892 fro] syro *canc. before* fro (*E*)
894 welle] *M emends to* velle; liebere] *ME emend to* libere *BF read* libere; nolle] *MF read* welle *M emends to* velle
895 enmys] *written above* his Impyse (?) *canc.* (*E*) *M queries* enuius *B queries* enuiys *F* enuyus
898 perseuerans] s *before* perseuerans (?) *M reads* perseuernas *B* perseueruns
899 MAN] *last two letters obscured by mending tape*

[MAN.] Syth I schall departe blyse me fader her þen I go
God send ws all plente of hys gret mercy
MERCY. Dominus custodit te ab omni malo
In nomine patris & filii & spiritus sancti amen hic exit mankend

wyrschepyll sofereyns I hawe do my propirte
Mankynd ys deliueryd by my fauerall patrocynye
God preserue hym fro all wyckyd captiuite
and send hym grace hys sensuall condocions to mortifye

Now for hys lowe þat for vs receywyd hys humanite
Serge ȝour condicyons wyth dew examinacion
thynke & remembyr þe world ys but a wanite
as yt ys prowyd daly by duerse traunsmutacyon

mankend ys wrechyd he hath sufficyent prowe
There fore god ȝow all per suam misericordiam
þat ye may be pleyferys wyth þe angell abowe
and hawe to ȝour porcyon vitam eternam amen
ffynis

901 Dominus] *MB read* Domine, *emend to* Dominus; custodit] *MBF* custodi[a]t; malo] *MB read* mali, *emend to* malo
902 filii] *MB read* filiis, *emend to* Filii
903 wyrschepyll] *MF* Wyrschep[f]yll
904 deliueryd] u *written over another letter* (?); fauerall] *M* sunerall *queries* special (*suggested by Kittredge*) *BF* suuerall *B emends to* seuerall
906 condocions] *or* condicions *M* condicion *B* condiciones *F* condicions *E reads* condocions, *emends to* condicions

at top, right, in a different hand: Olyuer (*the name of Robertus Olyuer*)
in right margin, canc.: Robertus olyuer est verus possessor hvius lybry (*E*)
at bottom right, in a different hand: nouerint Vniversi (*or* Wniversi) p (*E*)

907 receywyd] *M* receyuyd
908 Serge] *MF emend to* Serche
910 daly] *B emends to* daily; duerse] *MB read* diuerse *FE emend to* d[i]uerse; traunsmutacyon] *M* mutacyon *FE* transmutacyon
912 god] *MF emend to* God [kepe] *B to* god ȝive *E to* God grant; misericordiam] *some letters canc. before* misericordiam
913 ye] *B* þe *emends to* ȝe; pleyferys] *MB read* pleseres *M queries* partakers *B emends to* plesered *F* pleyseris; angell] *M* angell[es] *F* angellis *E emends to* angellys

at bottom, below ffynis, *in a different hand:* O libere si quis cui constas forte queretur / hyngham que monacho dices super omnia consto (*E; F reads* quem *for* que *and* consta[s] *for* consto)

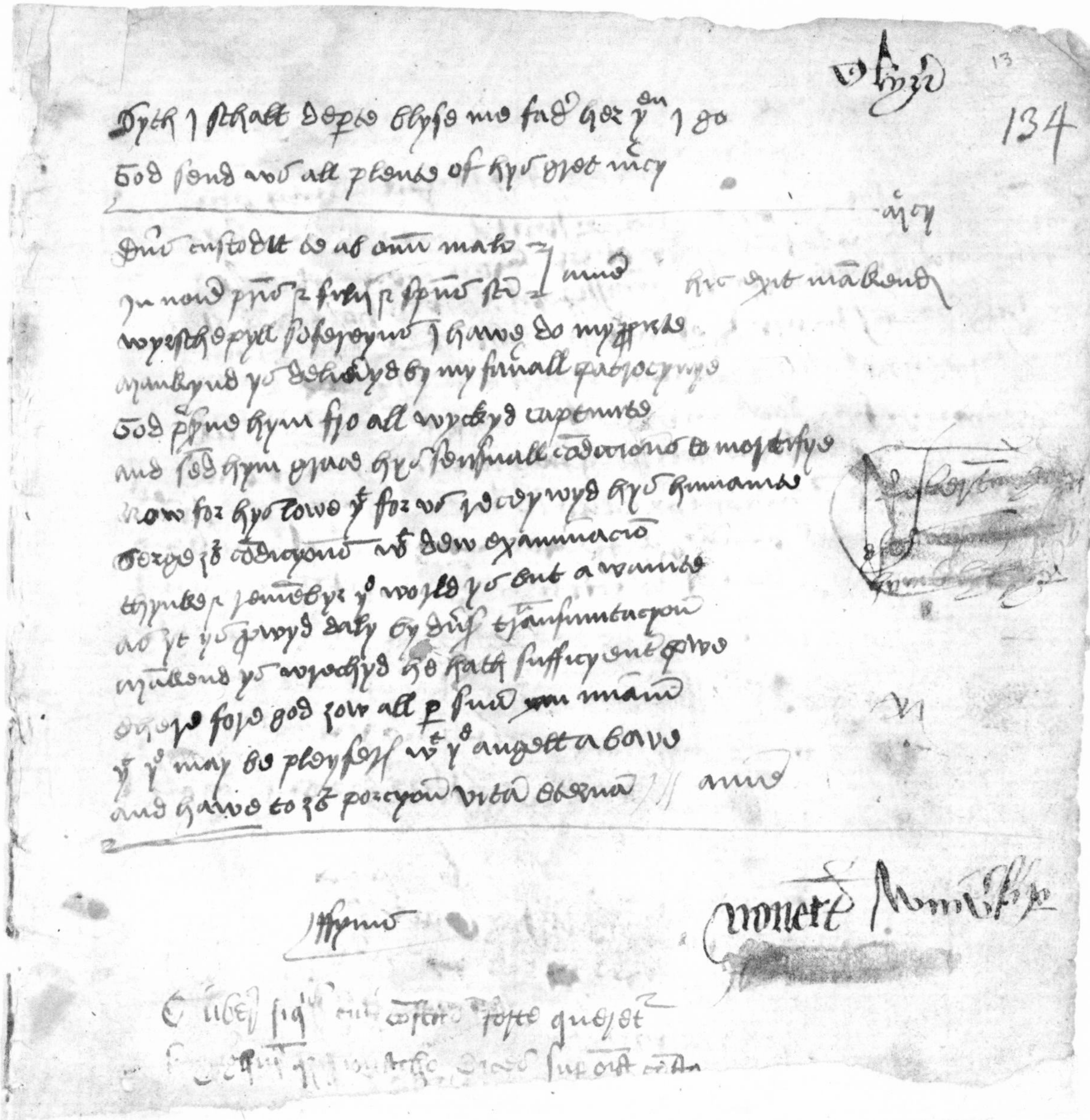

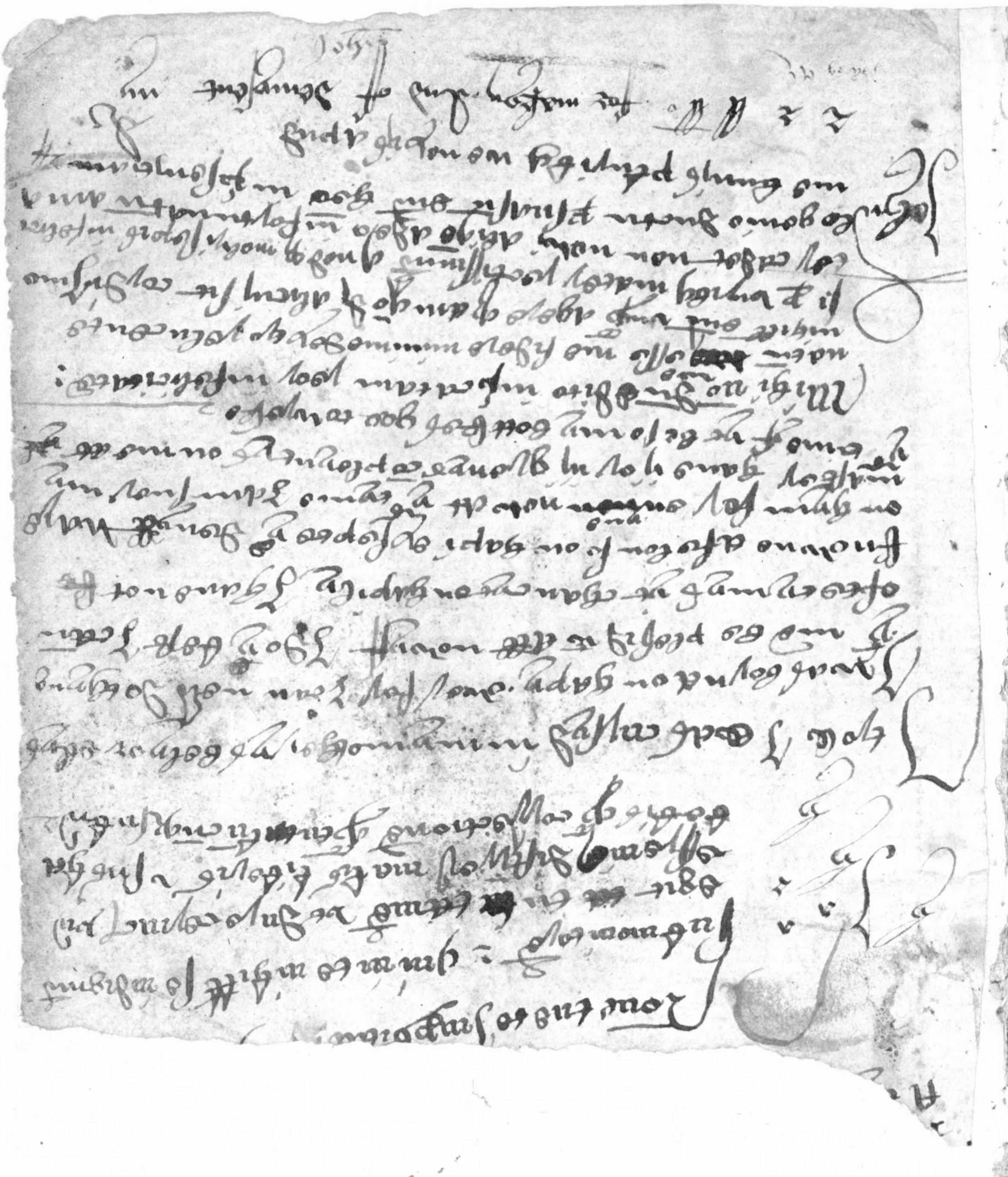

(*all upside down:*)

Novem tue te Improbitat . . .
Sub monitorem & qui in te nihill se indignum
egit tu tamen vt dure ceruicis puer
effrenius disternere malis liberis vsus ha
bebis quam correctionem quantulum cumque sub ver

I trow I was cursyd in my motherys bely or ellys
I was born [at] a on hapy ower for I can neuer do thyng
þat men be plesid wyth all now yff I do þe best I cann
oftetymys yt chancyt on hapily I haue not
Knowne a felou so on hapi exsepte þe deuyll ware
on hym for euyne now at þis tyme I am suer my
master haue ij or iij greuys compleyntys on me at
þis tyme yf yt be so my bottkes goo to wreke

Mihi non dum edito inprecatam reor infelicitatem
natum me esse me sidere minime dextro relucente
nihill enim vnquam agere quam quod alicui sit cordis Imo
si pro viribus mater rectissimum quod que moliri sepis infelici
cor cadet non nolui aliquem a deo infortunatum ama
bo genio ductu persuasum dum hec inpreseintiam
me lumis pluribus me noxiis apud

for makyn And off demysent iiij[d]

About a quarter of this page has been torn away. The Latin is unusually difficult to read and ungrammatical throughout; the readings proposed here are conjectural and include some unrecognizable forms and words.

first Latin passage:

3 tu] ta (?) *canc. before and after* tu

English passage:

4 not] k *canc. after* not

6 euyne] *written over* eunen (?) *of which the last 3 letters are canc.*

7 at] þis *or* þat *canc. after* at

second Latin passage:

2 me esse] me *written over some canc. word*

6 inpreseintiam] *or* inpresemtiam (?)

upside down, like the Latin and English inscriptions, in upper left corner, a capital N, J, *various* h's, a's, *etc.*
in lower left corner, John, z's, ll's

right side up, center top (at the bottom of the Latin and English inscriptions): John

THE FOLGER SHAKESPEARE LIBRARY AND
JOHNSON REPRINT CORPORATION HAVE TAKEN PAINS
TO PRODUCE A HIGHLY ACCURATE FACSIMILE REPRINT THAT
CAN BE USED FOR MOST PURPOSES WITH CONFIDENCE
IN PLACE OF THE ORIGINAL COPY.

PHOTOGRAPHY AND PROCESSING HAVE BEEN
DONE UNDER CONTROLLED CONDITIONS AND WITH CONTINUOUS
INSPECTION TO ASSURE THAT ORIGINAL VARIATIONS IN
PAPER COLOR AND INKING ARE FAITHFULLY
REFLECTED IN THE FACSIMILE.

PHOTOGRAPHY

*by Robert Jackson at the Folger Library, using a
Brown Commodore Camera; negatives processed automatically
in a LogEflo Processor, with continuous inspection
by use of a Macbeth Densitometer.*

BOOK PRODUCTION

*design by Sunniva Joyce
composition in Monotype Bembo by William Clowes & Sons, Ltd., London
printing and binding by Edwards Brothers, Inc., Ann Arbor, Michigan, on a
low pH high opacity paper especially manufactured for the printer.*